黄河小浪底水利枢纽规划设计丛书

引水发电建筑物设计

林秀山　总主编

杨法玉　主　编

中国水利水电出版社

黄河水利出版社

内 容 提 要

本书为黄河小浪底水利枢纽规划设计丛书的引水发电建筑物设计卷。本卷全面、系统地论述了小浪底水利枢纽工程引水发电系统各建筑物的设计特点,内容涉及电站枢纽建筑物布置、方案比较,地下厂房布置,地下洞室稳定分析及喷锚支护设计,引水发电洞设计,尾水洞以及防淤闸设计,地下厂房建筑及结构设计等,并对工程设计优化与创新以及设计中的经验与体会作了介绍。

本书内容丰富,实用性强,可供从事水利水电工程设计、施工、运行管理人员以及大专院校有关专业的师生参考。

图书在版编目(CIP)数据

引水发电建筑物设计/杨法玉主编.—郑州:黄河水利
出版社,2006.11
(黄河小浪底水利枢纽规划设计丛书/林秀山总主编)
ISBN 7 - 80734 - 078 - 9

Ⅰ.引… Ⅱ.杨… Ⅲ.黄河 – 水利枢纽 – 引水式
水电站 – 建筑设计 Ⅳ.①TV632.613②TV74

中国版本图书馆 CIP 数据核字(2006)第 096033 号

出 版 社:中国水利水电出版社
　　　　　地址:北京市西城区三里河路 6 号　　　　邮政编码:100044
　　　　　黄河水利出版社
　　　　　地址:河南省郑州市金水路 11 号　　　　　邮政编码:450003
发行单位:黄河水利出版社
　　　　　发行部电话:0371 – 66026940　　　　　传真:0371 – 66022620
　　　　　E-mail:hhslcbs@126.com
承印单位:河南省瑞光印务股份有限公司
开本:787 mm×1 092 mm　1/16
印张:26.5　　　　　　　　　　　　　　　插页:3
字数:620 千字　　　　　　　　　　　　　印数:1—2 000
版次:2006 年 11 月第 1 版　　　　　　　　印次:2006 年 11 月第 1 次印刷
书号:ISBN 7 – 80734 – 078 – 9/TV·475　　　定价:108.00 元

总 序 一

　　黄河小浪底水利枢纽是"以防洪（包括防凌）、减淤为主，兼顾供水、灌溉、发电，蓄清排浑，除害兴利，综合利用"为开发目标的大型水利工程，是国家"八五"重点建设项目，也是当时我国利用世界银行贷款最大的工程项目。小浪底主体工程于1994年9月开工，2001年底按期完工。工程采用国际招标方式选择了世界上一流的承包商，从施工管理、工程设计、移民搬迁到环境影响评价全面和国际接轨，为我国水利水电建设积累了宝贵经验。工程建成运行5年来，在黄河下游防洪、防凌、减淤冲沙、城市供水、发电、灌溉方面发挥了不可替代的作用。截至2004年底，累计发电约150亿kWh。在黄河连续枯水的情况下为确保黄河不断流提供了物质基础。显著的社会效益和经济效益使小浪底水利枢纽成为治黄的里程碑工程。

　　本着建设我国一流工程的目标，我有幸参与了小浪底工程的建设管理。一流的工程首先要以一流的设计为龙头。小浪底工程由于其独特的水文泥沙条件、复杂的工程地质条件和严格的水库运用要求，给工程设计提出了一系列挑战性的课题，被国内外专家公认为是世界上最具挑战性的工程之一。黄河勘测规划设计有限公司❶的工程技术人员，经过近30年的规划论证和10多年的方案比选，以敢于创新和科学求实的精神，在国内科研院所和高等院校的配合下，较满意地解决了一个个技术难题，诸如深式进水口防泥沙淤堵、施工导流洞改建为孔板消能泄洪洞的重复利用、排沙洞后张预应力混凝土衬砌、洞室群围岩稳定、大坝深覆盖层基础处理、进出口高边坡加固、20万移民的生产性安置等，提出了以集中布置为鲜明特点的枢纽建筑物总体布置方案，同时也创造了许多国内国际领先水平的设计。小浪底工程于1999年10月蓄水运行以来，已安全正常地运行了5年，并经历了2003年高水位的运用考验，实践证明，小浪底工程的设计是成功的。

　　小浪底工程成功的设计，为小浪底工程的建设提供了可靠的技术保障。

---

❶　编者注：黄河勘测规划设计有限公司为原水利部黄河水利委员会勘测规划设计研究院。

黄河勘测规划设计有限公司的同志们认真总结小浪底工程的设计经验，编写出版了这套技术丛书。这套丛书的出版，无疑将丰富和促进我国水利水电建设事业的发展，也希望通过这套丛书使小浪底水利枢纽的成功经验得到更好的推广和应用。

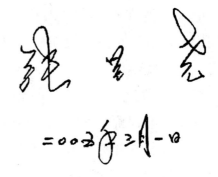

二〇〇二年三月一日

总 序 二

小浪底水利枢纽是黄河治理开发的关键工程。如今这座举世瞩目的工程已全面竣工，几代黄河人的小浪底之梦终成现实。宏伟的小浪底工程犹如一座巍峨的丰碑，记载着人民治黄的丰功伟绩，同时又是一座黄河治理开发的里程碑工程。它的建成运用，使治黄工作进入了一个能够对黄河下游水沙进行调控的新阶段。

黄河是世界上最复杂、最难治的河流。大量的泥沙淤积在下游河道内，使下游河道滩面高于大堤背河地面，成为举世闻名的地上悬河。如何把黄河的事情办好，一代又一代黄河人进行着孜孜不倦的探索和实践。

位于黄河中游最后一个峡谷出口处的小浪底，是三门峡水利枢纽以下唯一能够取得较大库容的坝址，处于承上启下控制黄河水沙的关键部位。修建小浪底水库对于黄河下游防洪、防凌、减淤等具有非常重要的作用，其战略地位是其他治黄工程无法替代的。

小浪底工程规模宏大，地质条件复杂，水沙条件特殊，运用要求严格，被公认为世界坝工史上最具挑战性的工程之一。面对这些难题，设计人员总结国内外的工程实践经验，克服重重困难，以勇于开拓创新又实事求是的科学精神，攻克了一个个技术难关，创造了多项国内外领先的设计成果。目前，工程已经开始发挥巨大的综合效益，特别是在调水调沙及塑造黄河下游协调水沙关系方面更是发挥了突出作用。

小浪底工程的勘测、规划和设计实践体现了"团结、务实、开拓、拼搏、奉献"的黄河精神，凝聚了广大治黄人员的智慧，同时也为今后的工作积累了丰富的经验。现在黄河勘测规划设计有限公司的同志总结小浪底工程的设计经验，编撰了这套规划设计丛书，非常必要、及时。丛书注重工程特点，论述设计思路和方法，突出创新成果，体现时代特征，系统全面反映了工程设计情况，对于今后的治黄工作乃至我国水利水电工程建设都将具有很好的借鉴作用。

小浪底工程建成后，黄河治理开发的任务依然非常繁重。小浪底水库本身的运用方式仍然需要深入研究，以保证其最大限度地发挥综合效益。同时，必须抓住小浪底水库投入运用的大好机会，抓紧开展黄河下游治理工作，并加快黄河干流骨干工程和南水北调西线工程建设、中游水土保持以及小北干流放淤等工作，构建完善的黄河水沙调控体系，使治黄工作朝着"维持黄河健康生命"的终极目标迈进。

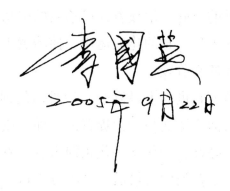

2005年9月22日

总　前　言

　　小浪底水利枢纽位于黄河中游三门峡以下约 130km 黄河最后一个峡谷的出口处。从三门峡到小浪底，河床比降 0.1%，南岸是秦岭山系邙山，北岸是中条山、王屋山，河谷宽 500～1 000m，洪水水面宽 200～300m，每遇洪水，黄河波浪滔天、咆哮而下。黄河出小浪底峡谷之后，河道突然展宽，大浪没有了，小浪也到底了，进入了由黄河泥沙堆积而成的黄淮海平原。郑州花园口以下约 800km 的下游河道高悬于两岸地面，在约 1 400km 堤防的约束下流入渤海。居住在峡谷出口右岸黄河岸边一个小山村的先人们，观黄河流态的变化，以"小浪底"命名了自己的小山村。年年岁岁，世世代代，先人们并不知道今天小浪底竟成了家喻户晓的一个巨大的水利枢纽的名字。这个名字牵系着国内外许多专家、学者，牵系着曾为之奋斗的上万名中外建设者，牵系着上至中央领导、下至黎民百姓。

　　小浪底水利枢纽控制黄河流域面积 69.4 万 km²，占黄河流域总面积（不包括内陆区）的 92.3%，控制黄河天然年径流总量的 87% 及近 100% 的黄河泥沙。小浪底工程处在承上启下控制黄河水沙的关键部位，与龙羊峡、刘家峡、大柳树、碛口、古贤、三门峡一起成为开发治理黄河的七大骨干工程，在治黄中具有十分重要的战略地位。

　　小浪底工程建在因含沙量高而闻名于世的黄河上。黄河不仅水少沙多，而且水沙在时间上分布不均，黄河下游为地上悬河，河道上宽下窄，比降上陡下缓，排洪能力上大下小，凌汛也威胁着黄河两岸人民的安全。我国近代治河的先驱者，总结我国的治河经验，引进西方科技，提出了"全面开发，综合利用"的水利规划思想。新中国成立以后，开始了人民治黄的历程。历经 50 多年，治黄取得了举世瞩目的成就。在黄河流域整体规划的基础上，小浪底工程的开发论证经过了近半个世纪漫长的历程。根据黄河的特点及小浪底工程在黄河流域规划中所处的位置，对小浪底工程的开发目标进行了多次分析论证，一致认为小浪底水库处在控制黄河下游水沙的关键部位，是黄河干流三门峡以下唯一能取得最大库容的重大控制工程，在治黄中具有重要的战略地位。国家计委于 1986 年 5 月明确小浪底水利枢纽的开发目标为"以防洪（包括防凌）、减淤为主，兼顾供水、灌溉和发电，蓄清排浑，除害兴利，综合利用"。要求达到的目标是：提高下游防洪标准；基本消除下游凌汛威胁，在一定时段内遏制黄河下游河床淤积的趋势；调节径流提高下游灌溉供水保证率；水电站在系统中担任调峰。

　　小浪底水利枢纽由于其独特的水文泥沙条件，复杂的工程地质条件，适应多目标开发的严格的运用要求，以及巨大的工程规模和在治理黄河中重要的战略地位，被国内外专家公认为是世界坝工史上最具挑战性的工程之一。多年来，参与工程规划设计和研究的人员如履薄冰，认真总结借鉴前人的经验，以求实创新的精神开展工作，攻克了工程规划设计中的许多技术难关，保证了工程的规划设计达到先进水平。设计人员既尊重科学，又敢于突破常规，开拓创新，先后进行了 400 余项科学试验和专题论证分析，融汇了国内外许多专家的心血和智慧，解决了一个又一个难题。在建造深 82m 的混凝土防渗墙、将 3 条直径 14.5m 的导流洞改建为永久的多级孔板消能泄洪洞、在地质条件极为复杂的左岸单薄山体内建造了规模宏大和数量众多的地下洞室群、在高水头大直径排沙洞设计中采用了双圈缠绕的后张无黏结预应力混凝土衬砌结构、在国内大规模采用了双层保护的预应力锚索和钢纤维喷混凝土技术等多方面取得突破，在国内外处于领先地位。如今，小浪底水利枢纽以其独具鲜明特色的总体布置和建筑物设计展现在世人面前。小浪底工程为黄河治理开创了崭新的局面。

小浪底工程的规划设计、研究和论证，以及工程建设一直得到中央领导、水利部和国家有关部委的关注，并得到国内外许多专家的支持和帮助，融汇了他们的心血和智慧。

小浪底工程的成功设计，为小浪底工程的建设做出了巨大的贡献。为总结小浪底工程规划设计方面的经验和教训，我们组织了直接参与小浪底工程规划设计的人员从工程规划、设计的各个方面，认真总结小浪底工程的设计经验，并出版黄河小浪底水利枢纽规划设计丛书，以期和同行进行技术交流，丰富和促进我国水利水电建设事业，使小浪底工程的成功经验得到更好的推广和应用。黄河勘测规划设计有限公司对丛书的出版给予了大力支持，国务院南水北调建设委员会办公室主任张基尧和水利部黄河水利委员会主任李国英亲自为丛书作序，在此表示衷心的感谢。

由于水平所限，谬误之处在所难免，敬请指正。

黄河小浪底水利枢纽设计总工程师

林秀山

2005年9月

前　言

　　厂房是水电站枢纽的重要组成部分，随着我国水电站建设的快速发展，水电站厂房的设计和施工技术也获得了明显的进步和提高。水电站厂房根据不同的地形、地质条件、开发方式以及枢纽总体布置，其型式多种多样，按结构及布置特点可分为河床式、坝后式、岸边式、坝内式、厂顶溢流式及厂前挑流式、地下式等。

　　地下厂房由于其特殊的优点将会越来越广泛地被采用。其主要特点是布置灵活，适应高山峡谷地区及各种坝型，特别是高拱坝、高土石坝采用地下式厂房更具有优越性；同时因施工不受气候影响，与大坝同步施工干扰少，随着开挖技术和监测手段的提高，地下厂房型式将会愈来愈广泛地应用于大中型水电站中。装机容量 12 000MW 的溪洛渡水电站，单机容量 750MW，主洞室尺寸 369m×33m×78m，将成为世界上最大的地下厂房。此外，三峡右岸、龙滩、小湾、洪家渡、水布垭、向家坝、三板溪等一批大型水电站均推荐采用地下式厂房。近期建设和研究的一批抽水蓄能电站，如浙江桐柏、江苏铜官山、安徽响水涧、山东泰安、辽宁浦石河、河北张河湾、山西西龙池、北京板桥峪、内蒙古呼和浩特、黑龙江荒沟、天津桃花寺等也都采用地下式厂房。

　　小浪底厂房型式的选定与枢纽总布置密切相关，多年来曾做过不少厂房方案，按型式分有地面厂房、半地下厂房、圆塔厂房和地下厂房。随着设计优化和总布置方案的确定，可供选择的只有西沟地面厂房和半地下厂房以及首部式地下厂房。西沟地面厂房位置是 1985 年中美联合设计选定的。为了减少开挖工程量和增加工程安全度，同时基于对于小浪底左岸地下洞室群和地下厂房稳定的担心，在 1988 年 8 月和 1990 年 3 月两次经水利部水利水电规划设计总院审查同意，初设时又选择了半地下厂房方案。随着设计工作的不断深入，以及我国地下工程设计和施工技术的迅速发展，对地下厂房方案的认识不断深化，同时 1990 年 11 月世界银行特别咨询专家组第一次会议认为地下厂房方案有许多优点，建议进一步研究地下厂房方案。设计在 1991 年对于半地下厂房和地下厂房方案从七个方面进行了比较，认为地下厂房方案技术经济条件明显优于半地下厂房方案，经规划总院批准，最终选定首部式地下厂房方案。现场开挖表明，如采用半地下厂房方案可能会遇到类似泄洪排沙系统出口高边坡稳定问题，给施工带来很多麻烦，证明该方案的选择是正确的。

　　小浪底水利枢纽受地形及地质条件的限制，引水发电系统、施工导流系统、泄洪及排沙系统均布置在左岸狭窄的山体中，形成极其复杂的地下洞室群体。在地质条件十分复杂的左岸单薄分水岭中布置多层洞室群这在工程界是罕见的，为此，进行了大量地质勘察、岩石力学试验和相应的科学研究工作，在这个基础上进行了精心的设计。在施工过程中进行周密的监测工作，除遇到较小规模的塌方外，顺利地完成了洞室群的开挖和衬砌工作。特别是小浪底地下厂房顶拱以上有 3 层连续的泥化夹层，对稳定不利，经分析研究确定采用 1 500kN 预应力锚索和张拉锚杆及挂网喷混凝土的联合支护方案，为我国在Ⅲ类层状砂岩中采用喷锚支护加固大跨度洞室创造了成功的范例。

小浪底地下厂房采用应力解除法和水压致裂法进行了地应力现场测试，同时采用有限元回归分析法反演出的三维初始地应力场，经原型观测资料验证，成果是合理的。在论证小浪底地下洞室稳定分析中，进行了多裂隙介质力学模型试验和大跨度隧洞开挖试验研究。同时采取了多种数值分析方法对地下厂房进行稳定分析，如不连续介质模型平面有限元分析、三维非线性有限元分析、两组相交节理岩体模型平面有限元计算、离散元（块体单元法）平面数值模型分析，同时对于地下厂房洞室群施工顺序进行了优化研究。

鉴于小浪底电站厂房的重要性，在岩体力学指标试验建议值基础上，通过地下厂房开挖过程中及完工后4年主厂房上下游边墙实测收敛位移反分析，得到了数值计算采用的岩体力学指标，包括蠕变参数。主厂房测线位置收敛位移计算结果与实测结果比较吻合。实践证明，小浪底地下厂房设计是合理的、安全的。小浪底地下厂房设计成功也融会了国内外许多专家的智慧和心血。

黄河以多泥沙著称于世，小浪底水利枢纽控制黄河近100%的泥沙，在引水发电系统建筑物布置中考虑排沙洞进口与电站进水口布置在同一进水塔内，不仅布置紧凑而且排沙效果好。同时为了防止泄洪及排沙建筑物在宣泄洪水时泥水回流，造成不发电机组尾水系统泥沙淤积，特在尾水出口设置防淤闸。

地下建筑物涉及的专业领域非常广泛，其设计不但要掌握地下结构设计的理论和方法，还需要了解工程地质、岩石力学、围岩监测和施工等技术。本书总结了小浪底引水发电建筑物十多年来的设计研究成果和施工中的经验和教训，着重阐述了地下厂房支护设计和试验研究成果，以及在小浪底工程施工中的实践。本书内容翔实、资料可靠，可供工程技术人员参考借鉴，希望柔性支护设计理论能够进一步得到发展和推广，发挥其潜在的社会经济效益。小浪底引水发电系统建筑物的设计，凝聚了许多人的心血和汗水，是集体智慧的结晶。钱祯祥、常振华、齐震明、王爱兰、陈卓等同志曾为小浪底引水发电工程设计辛勤工作，在此向他们表示感谢！

在本书编撰过程中，黄河勘测规划设计有限公司、小浪底建管局等单位的有关领导和专家给予了大力支持和帮助，谨致谢忱！

对书中可能存在的错误，恳请读者批评指正。

杨法玉　王积军

2005 年 12 月

《引水发电建筑物设计》编写人员名单

主　编　杨法玉
副主编　王积军

章　名	编写人员
第一章　概述	杨法玉　王积军　李振连
第二章　电站枢纽布置	杨法玉　王积军　史仁杰
第三章　地下厂房布置及主要尺寸确定	王积军　杨法玉　李振连
第四章　地下洞室群围岩稳定分析及试验研究	杨法玉　王积军　柴志阳
第五章　数值分析方法在地下工程中的应用	杨法玉　王积军　史仁杰
第六章　地下厂房洞室群开挖与喷锚支护设计	杨法玉　王积军　柴志阳
第七章　地下厂房排水与防潮设计	王积军　杨法玉　熊　卫
第八章　地下洞室安全监测与围岩稳定性评价	杨法玉　王积军　李振连
第九章　反馈分析	杨法玉　王积军　熊　卫
第十章　电站引水发电系统设计	史仁杰　李振连　熊　卫　丁　易
第十一章　电站厂房混凝土结构设计	史仁杰　熊　卫
第十二章　电站建筑设计	王积军　魏　萍　史淑娟

目 录

第一章　概　述

第一节　工程概况

小浪底水利枢纽位于河南省洛阳市以北 40km 的黄河干流上,上距三门峡水库 130km,下距郑州京广铁路桥 115km。坝址位于黄河中游最后一个峡谷段的出口,控制流域面积占花园口以上流域面积的 91.5%,是黄河干流三门峡以下唯一能够取得较大库容的控制性工程,处在承上启下控制黄河水沙的关键部位,在治黄中具有重要的战略地位。

工程开发目标:以防洪(包括防凌)、减淤为主,兼顾供水、灌溉和发电,蓄清排浑,除害兴利,综合利用。

整个枢纽由三部分组成:一是拦河大坝,坝型为带内铺盖的壤土斜心墙堆石坝,最大坝高 160m,总库容 126.5 亿 m³,坝体方量 5 073 万 m³;二是泄洪排沙建筑物,包括 10 座进水塔、3 条孔板泄洪洞、3 条排沙洞、3 条明流泄洪洞、1 条灌溉洞、1 座正常溢洪道、1 个综合消能水垫塘;三是引水发电建筑物,包括与排沙洞共用的 3 座综合进水塔、6 条直径为 7.8m 的高压引水隧洞、地下厂房、尾水洞、尾水渠和防淤闸等。

电站厂房共装 6 台机组,总装机容量为 1 800MW,多年平均发电量为 45.99 亿 kWh/58.51 亿 kWh(前 10 年/10 年后)。

小浪底枢纽工程受地形地质条件限制和运行要求,16 条引水和泄水隧洞、溢洪道、地下厂房洞群均集中布置在左岸山体内,且呈空间立体交叉,地下洞室之多、程度之复杂为国内外所罕见。

根据小浪底坝址地形地质条件和水沙特征,枢纽总布置的核心是泄水排沙建筑物型式选择及其布置。引水发电系统布置和厂房型式的选择与枢纽总布置密切相关,设计过程中曾做过不同厂房型式、不同位置的比较工作,随着设计工作的深化和总体布置方案的确定,可供选择的方案只有西沟半地下厂房和首部式地下厂房。从枢纽布置、地质条件、工程量及投资、发电效益、施工条件、运行条件等方面,对地下厂房方案和半地下厂房方案进行了全面比较,结果表明地下厂房方案明显优于半地下厂房方案。

在设计过程中,进行了大量的科学研究工作,主要有:

(1)在多泥沙河流上,电站进水口和出水口的泥沙淤堵问题。

(2)在多泥沙河流上,电站汛期的安全发电问题。

(3)在地质条件复杂的层状砂页岩地层中,建造大跨度的地下厂房问题。为此,进行了大跨度隧洞开挖试验研究、多裂隙介质力学模型试验研究、有限元数值分析计算、反馈分析,以及地下厂房洞室群施工顺序优化研究等。

设计中的重点技术问题是地下厂房支护设计参数的确定、岩壁吊车梁、排水防潮、引水及尾水系统布置等。

引水发电建筑物布置见图 1-1-1。

第二节　小浪底引水发电系统设计要求及特点

一、设计条件

(一)特殊的水沙条件

小浪底水利枢纽地处多沙河流黄河中游的最后一处峡谷出口段,几乎控制了黄河全部泥沙,泥沙问题比其上游已建其他工程更为严重。黄河的特点是水少沙多、含沙量高。在 1919 年 7 月~1997 年 6 月的 78 年中,平均年水量 399.4 亿 m^3,输沙量 13.39 亿 t,含沙量 33.5kg/m^3。汛期平均水量233.1 亿 m^3,输沙量 11.53 亿 t,含沙量49.5kg/m^3。小浪底实测最高含沙量达 941kg/m^3,水流含沙量之高,在国内外大江大河中名列第一。因此,发电进水口防淤堵和水轮机抗磨损是设计中的难题。

(二)复杂的地质条件

小浪底工程坝址区分布的基岩主要为二叠系上统及三叠系下统的砂页岩地层。这些陆相沉积的砂页岩地层,在垂直方向上形成了软岩、硬岩相间分布的基本特征。由于变形的不协调,在软、硬岩接触面易引起应力集中而发生剪切作用,使软岩的结构遭受破坏,形成强度较低的"泥化夹层"。由于"泥化夹层"的存在,增加了在砂页岩地层中修建大直径洞室的难度,还衍生出大直径洞室围岩稳定性的复杂问题。低强度的软岩具有较强的蠕变性,对开挖大直径的洞室,尤其是对有压水工隧洞是十分不利的。由于小浪底枢纽的主要泄水及引水发电建筑物全部布置在左岸单薄的山体内,带来了洞群集中布置的复杂问题和进出口高边坡稳定问题。

由于泄洪洞群和地下厂房集中布置在左岸,其山体由层面和高角度节理分割的砂页岩组成,还有多条顺河断层及斜高断层穿过,地质构造相当复杂,能否开挖大跨度的地下洞室,成为小浪底工程的核心问题。为此,1983~1984 年在左岸山体中进行了大洞室开挖试验,洞长 56m、高 6m、跨度 15m,并部分穿越 F_{236} 断层。在试验洞中安装了多点位移计,测量岩体的位移和变形。试验研究表明,在这些层状节理化岩体中可以开挖大直径的隧洞。但是这种岩体与均质块状岩体不同,围岩的稳定性有其自身的特点,在设计过程中,进行了深入的研究。

二、枢纽布置特点

(一)总体布置特点

由于小浪底水利枢纽在黄河治理中重要的战略地位以及其特殊的水沙条件、复杂的地质条件和十分严格的水库运用方式,给枢纽设计提出了一系列具有挑战性的技术难题。诸如河床深厚覆盖层的处理、进水口防泥沙淤堵问题、高速含沙水流问题、水轮机抗磨蚀及水电站汛期发电问题、进出口高边坡及地下洞室群稳定问题等。其中与枢纽建筑物总体布置最为密切的是泄洪方式选择,其特点如下:

(1)所有泄洪、发电及引水建筑物均集中布置在山体相对比较单薄的左岸。

(2)采用以具有深式进水口的隧洞群泄洪为主的方案,9 条泄洪洞总泄流能力为 13 563m^3/s,占枢纽总泄流能力的 78%。

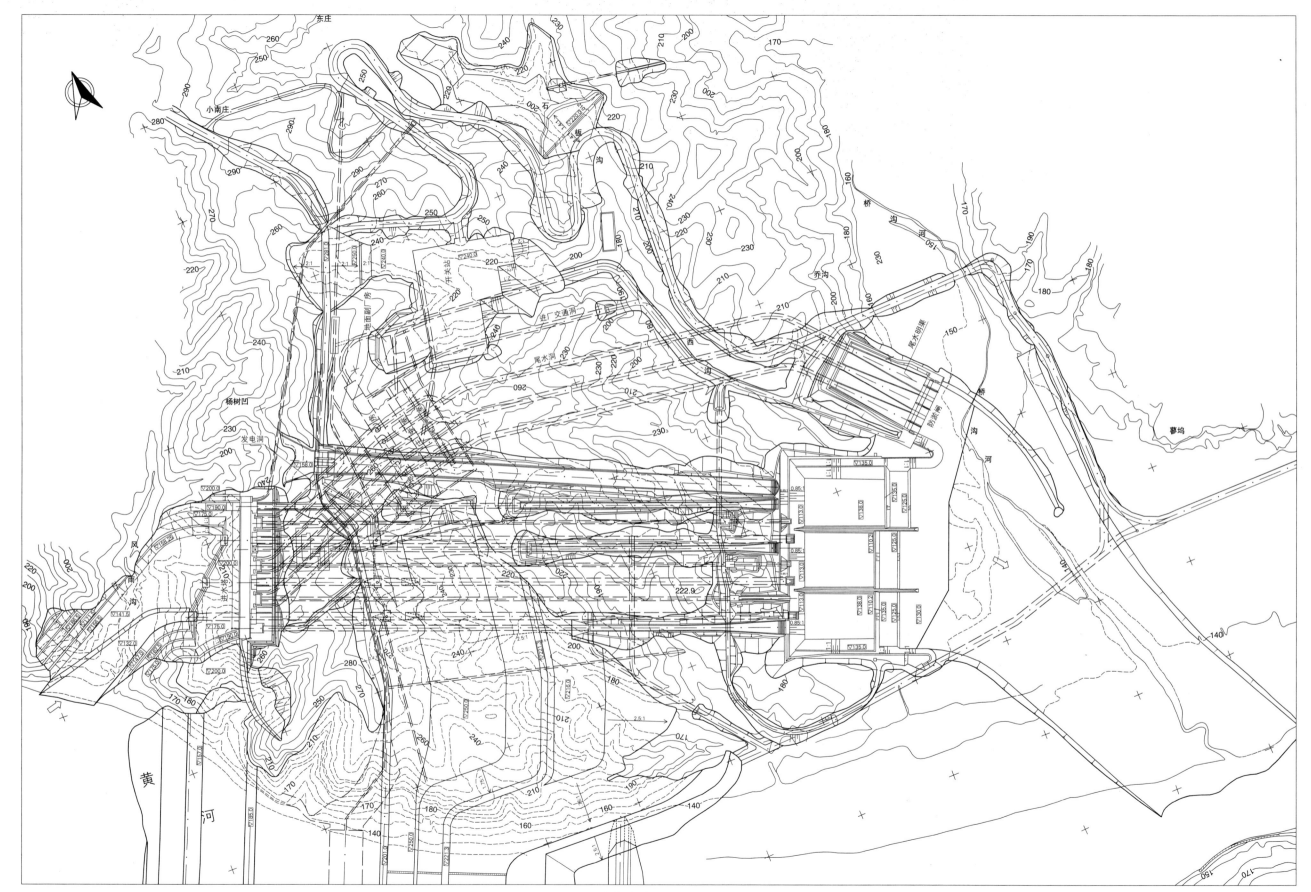

图1-1-1 引水发电建筑物布置图

(3)所有泄洪、发电及引水建筑物的 16 个进水口错落有致地集中在 10 座进水塔内,9条泄洪洞和 1 座陡槽式溢洪道采用出口集中消能的方式。

(4)采用以地下厂房为核心的引水发电系统。

这种布置方式可满足宣泄设计及校核洪水的要求,并留有约 3 000m³/s 的泄流能力作为安全裕度。进水口采用集中布置方式,并设高程至 250m 的进口导墙导引水流,可保持进口冲刷漏斗,辅以加大闸门启闭机容量、设置高压水枪及进口泥沙淤积监测等措施保证进水口不被泥沙堵死。

(二)地下洞室群布置

引水发电系统应充分考虑地形、地质、水文特点,并与工程总体布置相协调。根据实践经验和试验研究,所有发电、引水、泄洪近 30 条隧洞及洞室均布置于左岸山体内。其中有 3 条导流洞(开挖直径 16.7～19.8m,每条长约 1 100m,后期改为孔板洞)、3 条明流泄洪洞(13.0m×16.2m,每条长约 1 100m)、3 条排沙洞(开挖直径 8.0m,每条长约 1 100m)、6 条直径为 6.5m 的发电洞、3 座孔板洞中闸室(24m×24.3m)、1 座地下厂房(251.5m×25m×57.9m)、1 座主变室(174.4m×14.4m×17.85m)、1 座尾水闸门室(175.8m×10.6m×20.65m)、3 条尾水洞(19.4m×12m,长 805～909m)、1 条直径 4.5m 的灌溉洞,此外还有交通洞、出线洞、通风洞、排水洞等。在左岸 1km² 的山体内共布置了大、小洞室 108 个。这些洞室在平面上纵横交错,立面上分三层布置,上层为排污排漂的明流洞,中间为引水发电洞,下层为孔板泄洪洞和排沙洞,构成一座地下洞室最多、洞群最密集、规模最大的地下洞群,堪称世界一绝。

三、保证汛期发电的综合措施

小浪底水利枢纽是治理开发黄河的骨干工程之一,尽管从开发目标来看,发电处于从属地位,但电站装机容量 1 800MW,是河南省境内可开发的最大水电站,在以火电为主的河南电网中将发挥重要作用。而且,从工程经济效益的角度看,发电效益也是显著的,是枢纽不可缺少的重要组成部分。小浪底坝址位于控制黄河下游水沙的关键部位,要实现水利枢纽的综合效益,就必须解决好多沙水流造成的各种问题,尤其是水电站汛期发电问题。鉴于小浪底水库泥沙问题的严重性,设计中认真总结了黄河已建水电站的运行经验,在大量科学试验的基础上,除了研究水轮机抗磨蚀的措施外,还采取了相应的综合处理措施,力求汛期能安全运行发电。

(一)小浪底水库运用方式的防沙作用

电站在汛期能否正常发电,主要取决于过机沙量,而小浪底水库的过机沙量不仅与泄洪排沙和引水发电建筑物的布置有关,而且与水库的运用方式关系密切。小浪底水库运用包括初期拦沙运用和后期调水调沙运用两个时期。

1.水库初期拦沙运用

初期运用分三个阶段:

(1)起调水位 205m 蓄水拦沙运用阶段。初期拦沙起调水位 205m,是考虑减淤和发电两者的效益而确定的。在低水位 205m 起调时,用于蓄水拦沙运用的库容较小,可减少蓄水拦沙运用时间,使更多的库容用于拦粗(沙)和排细(沙)。在这个阶段,入库泥沙大部分被拦在库内,坝前水流含沙量较小,泥沙颗粒细,对电站汛期发电十分有利。

(2)逐步抬高汛期运用水位拦沙阶段。在此阶段，水库拦粗沙、排细沙。当起调水位205m死库容淤满后，逐步抬高汛期水位拦沙运用。坝前段淤积面基本以平行抬高的状态由205m逐步升高至245m高程，形成高滩高槽。由于库区拦截了大部分使黄河下游河道产生严重淤积的较粗颗粒泥沙，因此对黄河下游具有较大的拦沙减淤效益，同时也大大减少了较粗颗粒泥沙过机。

(3)形成高滩深槽拦沙运用阶段。当坝前淤积面抬高至245m后，水库进入逐步形成高滩深槽的调水调沙运用阶段，此时要继续淤滩地，使坝前滩面高程达到254m。在大水时要冲刷下切河槽，靠丰水年份完成深槽河底降至设计高程226.3m。在小水和低含沙量水流时蓄水拦沙。这样，在此阶段库水位有升有降，库区有冲有淤，滩面逐步升高，河槽逐步下降。这种运用方式有利于下游河道减淤，同时水库小水淤积的时间远大于冲刷的时间，使得总的过机沙量减少，对汛期发电有利。

2.水库后期调水调沙运用

在汛期7～9月，利用10.0亿 m³ 槽库容调水调沙，使调节后的出库水沙过程有利于黄河下游减淤。

在调水调沙过程中，当库区蓄水量大于3亿 m³ 时，放水至2亿 m³，使库区保持一定的蓄水量。当因来水量太小而不能满足发电要求时，可利用库区的蓄水进行补水，同时水库的低壅水作用可有效地减少过机粗泥沙。

当调沙库容将被淤满时，转调水运用为敞泄排沙运用，当调沙库容恢复后，再恢复调水运用。这是使水库长期保持有效库容的有效措施。

调节期10月～翌年6月水库调蓄运用要满足防凌、供水、灌溉的要求，兼顾发电，发挥水库的兴利效益。

黄河汛期水流含沙量高，是影响水库汛期发电的主要原因。小浪底水库的调节作用可较大幅度地减少过机泥沙。计算结果表明，即使在水库正常运用期，坝前含沙量大于200kg/m³ 的水流，每年仅出现4～5d，对这些短时间出现的高含沙水流，采取停机的措施可有效地减轻对水轮机的磨损。

(二)枢纽布置充分考虑了防沙排沙的要求

小浪底水利枢纽所有泄洪、排沙、引水建筑物进口均集中布置于左岸风雨沟内，共分10个进水塔，呈一字形排列，在平面上形成约300m宽的入流段，可以相互保护，不被泥沙淤堵，保证灵活运用；在立面布置上形成底孔、中孔、表孔多层进水口的布置形式。在底孔175m高程设有3条直径为6.5m的排沙洞和3条直径为14.5m的多级孔板消能泄洪洞。在排沙洞进口之上的195m高程设置直径为7.8m的6条发电引水洞(考虑满足初期发电要求，其中5#、6#发电洞进口高程为190m，此后设置5m高的叠梁闸门，使进口高程抬高至195m)，这样发电引水洞进口较排沙洞进口高出20m，且上下对应，对于减少过机泥沙(特别是粗沙)是非常有利的。此外于195m、209m、225m高程还分别设置了尺寸为10.5m×13m、10m×12m、10m×12m的3条明流洞，在靠上部258m高程设置了3孔11.5m×17m的正常溢洪道。这样就形成了低位排沙、高位排污、中间引水发电的布局。枢纽总泄洪能力(含机组引水)可达17 000m³/s，较设计洪水(P = 0.1%)最大下泄量13 369m³/s和校核洪水(P = 0.01%)最大下泄量13 570m³/s均有较大的裕度。同时考虑到排沙需要，低水位时也保持了较大的泄流能力，在非常死水位220m时，其泄量可达7 000m³/s，一般正常洪水可穿堂而过。这对满足蓄清排浑的运用方式、汛期降低水位排沙、保持预定的库容、在进水塔前形成冲刷漏斗、防止进水口被淤堵等都是非常重要的。

(三)综合解决发电引水洞进口淤堵问题

采取综合措施防止发电引水洞进口淤堵。在发电引水洞进口,设置了双道拦污栅和压污、清污设备,污物可下压至排沙洞排走或上提至塔顶清除,一部分表面污物还可以从位于发电引水洞上部的明流泄洪洞排走。此外,每台机组进口采用通仓式布置,当拦污栅被部分堵塞时,不致影响发电。在洞群进水塔前,还设置了利用超声波和同位素技术的自动监测设备,监测塔前泥沙淤积高程和拦污栅堵塞情况,以便及时进行冲沙、清污。塔前和排沙洞进口段还设有高压水枪,一旦进口被堵,可自上而下冲开。

(四)保证技术供水水源和检修排水的可靠性

小浪底电站技术供水系统,采用库水和地下水两种供水方式,在非汛期水库为清水,且污量较少,可从压力钢管直接取水。在汛期,由于泥沙含量大,采用地下水源供水。水源点共有3个:一个是葱沟供水井点,施工期两口水源井,总供水量为2 600m³/h;另一个为蓼坞供水井点,施工期两口水源井,总供水量为1 000m³/h;还有葱沟加压泵站供水点,其水源主要取自消力塘的渗水,供水量约为600m³/h。

为了保证机组检修排水的可靠性,在排水廊道内采用全封闭管路及离心泵组集中抽排的直排方案,该方案的优点是管路系统全封闭,水流在管路中的流速相对较高,工作状态下水中泥沙不易沉积。每台机组的排水支管采用垂直布置,排水总干管采用较大的坡度,以免泥沙淤堵。

(五)防止尾水淤积的措施

尾水出口尽量靠近泄水建筑物出口,利用泄洪水流冲刷尾水渠出口,防止淤积。同时,在尾水出口末端设置防淤闸,以防止停机时泥沙淤积尾水洞。

总之,小浪底水电站在设计中尽可能地考虑了运行中各种不利因素,采取了一系列防沙排沙措施。在汛期一般水沙条件下,电站能够安全发电。当然,在出现特殊不利水沙条件时(如含沙量大于200kg/m³),可能会短时间停机(多年平均每年有1~3天),但在小浪底电站投入运行时,河南电力系统总容量将达到15 000MW以上,这时小浪底电站的工作容量将不会超过电力系统的事故备用容量(约占总容量10%),而且在汛期时,系统负荷处于一年中较低值,有较多的剩余容量可供利用;再者小浪底工程出现不利的水沙条件主要来自上游,由于三门峡电站控制,可以提前预报,因此对电力系统不至于造成大的影响。况且在可预见的将来,随着电力系统的发展,小浪底电站的容量在系统中的比例将逐渐降低,同时随着黄河中游控制性水利枢纽相继建成,出现稀有不利水沙条件的机遇也将减少或消失,小浪底水电站汛期发电的可靠性是有保障的。

第三节　设计标准及基本资料

一、建筑物等级及洪水标准

小浪底水利枢纽工程总库容126.5亿m³,控制灌溉面积266.7万hm²,电站装机容量1 800MW。根据《水利水电工程等级划分及设计标准(山区、丘陵部分)》(SDJ—12—78)的规定及其补充规定,本枢纽为一等工程。水电站厂房为一级建筑物,按 100 年一遇洪水设计,1 000 年一遇洪水校核。

二、基本数据

(一)特征水位

1. 库水位

校核洪水位	273.0m
设计洪水位	272.3m
正常蓄水位	275.0m
正常死水位	230.0m
非常死水位	220.0m
初期发电水位	205.0m

2. 下游水位

校核洪水位($P = 0.1\%$)	140.60m	($Q = 13\ 490m^3/s$)
设计洪水位($P = 1\%$)	139.30m	($Q = 9\ 680m^3/s$)
正常蓄水位(5 台发电)	134.65m	($Q = 1\ 500m^3/s$)
正常死水位(最小泄量)	132.72m	($Q = 300m^3/s$)

(二)电站基本参数

正常高水位	75.0m
正常死水位	230.0m
总库容	126.5 亿 m^3
有效库容	51.0 亿 m^3
装机容量	$6 \times 300MW$
保证出力	283.9MW(前 10 年)
	353.8MW(10 年后)

第四节　厂区工程地质条件

小浪底地下厂房布置在左岸 T 形山梁交会处的腹部,距坝址区主要断层 F_{236}、F_{238} 较远,距 F_{28} 的最小距离约 150m。厂区未发现有较大断层通过。厂房最低高程 103.61m,顶拱高程 165.05m,上覆岩体厚度 70 ~ 100m。103.61m 高程以上分布了 T_1^{3-1} ~ T_1^{6-1} 地层(见地质剖面图 1-4-1 ~ 图 1-4-4)。作为地下厂房洞室围岩的地层为:

引水发电洞	T_1^{3-2} ~ T_1^4
主厂房	T_1^{3-1} ~ T_1^4
主变室	T_1^4
尾水洞	T_1^{3-1} ~ T_1^{6-1}

其岩石力学参数见表 1-4-1 ~ 表 1-4-3。

厂区为单斜岩层,走向 NE8°,倾向 ES,倾角 9.5°。

一、构造节理

根据厂房顶拱施工导洞揭露的围岩情况,节理绝大部分只发育在一个单层内,对巨厚层岩体,相当多的节理切层深度比层厚还小(约占50%)。探洞内两壁可对应的节理,全

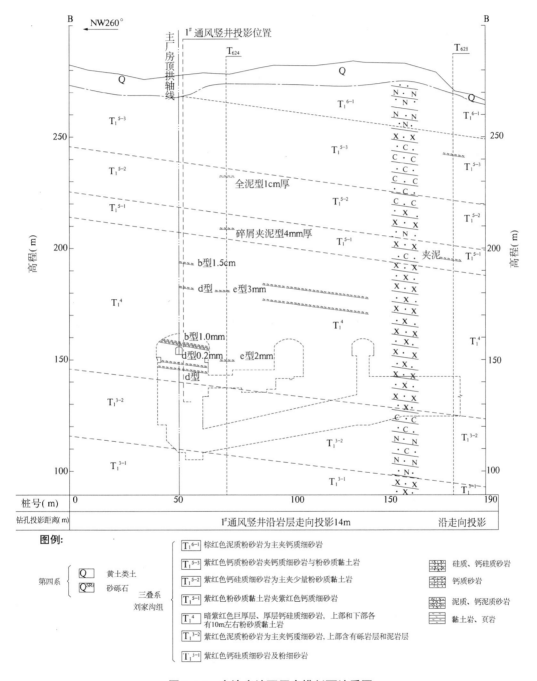

图 1-4-1 小浪底地下厂房横剖面地质图

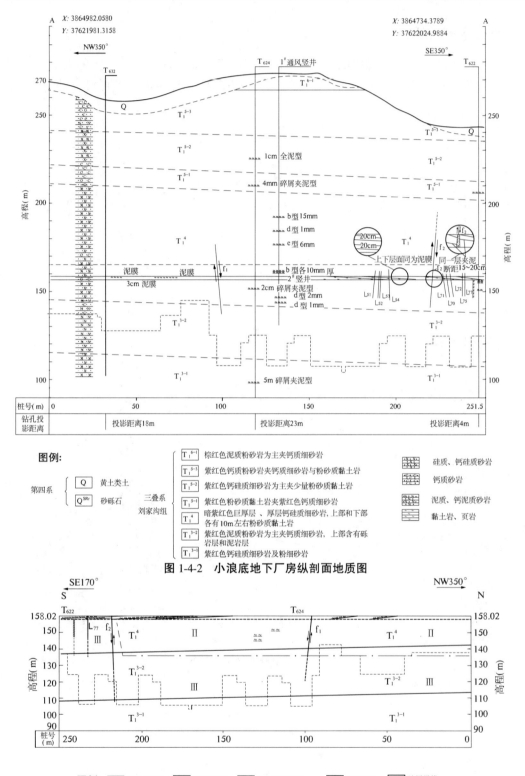

图 1-4-2 小浪底地下厂房纵剖面地质图

图例：

第四系 { Q 黄土类土 ; Q^{SRr} 砂砾石 }

三叠系刘家沟组

T_1^{6-1} 棕红色泥质粉砂岩为主夹钙质细砂岩
T_1^{5-3} 紫红色钙质粉砂岩夹钙质细砂岩与粉砂质黏土岩
T_1^{5-2} 紫红色钙硅质细砂岩为主少量粉砂质黏土岩
T_1^{5-1} 紫红色粉砂质黏土岩夹紫红色钙质细砂岩
T_1^4 暗紫红色巨厚层、厚层钙硅质细砂岩，上部和下部各有10m左右粉砂质黏土岩
T_1^{3-2} 紫红色泥质粉砂岩为主夹钙质细砂岩，上部含有砾岩层和泥岩层
T_1^{3-1} 紫红色钙硅质细砂岩及粉细砂岩

硅质、钙硅质砂岩
钙质砂岩
泥质、钙泥质砂岩
黏土岩、页岩

图 1-4-3 小浪底地下厂房上游边墙地质图

图例： f_1 断层及编号 ; 泥化夹层 ; Ⅲ 围岩类型及界线 ; T_1^4 岩组代号 ; 地层界线

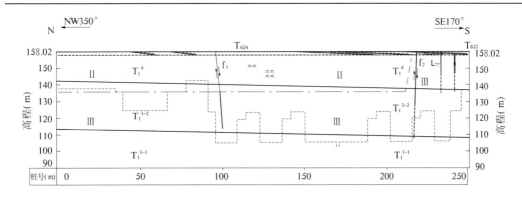

图例: ☐f₁ 断层及编号 ⬚ 泥化夹层 ⬚ 围岩类型及界线 T₁⁺ 岩组代号 ☐ 地层界线

图 1-4-4 小浪底地下厂房下游边墙地质图

洞 250m 长的范围内约 80 条,平均每 3m 就有一条。北洞岩层最小厚度 65cm,节理密度较低,一般线节理密度小于 2 条/m。南洞岩层最小厚度约 10cm,节理密集度较高,对某些单层节理线密度可达 8~10 条/m。

据导洞和钻孔资料统计结果,厂区主要节理 4 组(见表 1-4-4),其中 NNE 向及 NNW 向两组节理,不但数量多,而且延展性也好。NE 向节理最不发育,只在导洞南半部局部出现。

表 1-4-1 地下厂房围岩基本参数建议值

地层代号	E_s(GPa)		E_0(GPa)		容重 γ_d (kN/m³)	泊松比 μ	弹性抗力系数 K_0(N/cm³)	饱和抗压强度 R_c(MPa)	岩体质量指标 Q
	垂直	水平	垂直	水平					
T_1^{3-1}	11.5	14	7.7	9.3	26.2	0.21	6 500	100	11.8
T_1^{3-2}	11	13	7.3	8.6	26.1	0.22	6 000	60	14.3
T_1^4	12	15	8	10	26.3	0.20	7 000	150	12.7
T_1^{5-1}	8	11	6	8	26.0	0.24	4 500	50	8.3
T_1^{5-2}	11.5	14	7.7	9.3	26.2	0.21	6 500	120	13.5

表 1-4-2 各岩组地层正常岩体平均抗剪(断)强度计算成果

地层代号	计算成果		建议指标		设计采用值	
	f	C(MPa)	f	C(MPa)	f	C(MPa)
T_1^{5-3}	1.14	9.97	0.91	1.99	0.91	0.5
T_1^{5-2}	1.20	12.24	0.96	2.45	0.96	0.6
T_1^{5-1}	0.87	4.38	0.67	0.88	0.67	0.2
T_1^{5-1}下部 6m	0.76	3.02	0.61	0.60		
T_1^4	1.23	12.73	1.02	2.55	1.02	0.6
T_1^{3-2}	1.09	9.52	0.87	1.90		
T_1^{3-2}顶部 6m	0.83	3.45	0.67	0.69	0.87	0.4
T_1^{3-1}	1.15	9.86	0.92	1.97	0.92	0.5

表 1-4-3　　　　　　　各类结构面抗剪(断)强度建议值

结构面	抗剪断值		抗剪值	
	f	$C(MPa)$	f	$C(MPa)$
细砂岩层面	0.8	0.96	0.65	0.05
粉砂岩层面	0.7	0.96	0.5	0.01
泥岩(页岩层面)	0.7	0.96	0.5	0.01
节理面			0.8 ~ 1.15	0.05
泥化夹层			0.25	0.005

表 1-4-4　　　　　　　T_1^4 地层节理统计

组号	节理组	走向(°)	倾向(°)	倾角(°)	说明
J1	NNE	20	290	84	除 NNE 向节理切穿岩心外,其他均为层内短小节理,其切层最长45cm
J2	NE	60	330	78	
J3	NNW	340	250	80	
J4	NWW	290	200	75	

二、泥化夹层

根据地下厂房地段 6 个钻孔资料统计,在 T_{624} 钻孔(位于 5# 机组下游边墙附近)内,发现 T_1^4 岩层内有 3 层夹泥层,其高程分别约为 187.56m、183.91m、152.09m,前两层位于厂房顶拱以上 19 ~ 22.5m,后一层位于岩壁吊车梁底部。而 T_{622} 钻孔(位于 1# 机组南端),在 T_1^4 岩层中出现 3 层夹泥层,其高程分别为 155.48m、154.93m、151.92m,基本上位于岩壁吊车梁高程范围内(岩壁吊车梁高程为 155.0 ~ 152.3m)。这两个钻孔以及其他钻孔中,T_1^{5-1}、T_1^{5-2} 岩层内各有一层泥化夹层,其高程在 210 ~ 230m,距厂房顶拱较远,对稳定影响不大。

从位于 5# 机组中心线的 1# 通风竖井及其延伸的 2# 勘探竖井揭露的情况看,在 T_1^4 岩层内出现 7 层泥化夹层,其高程见表 1-4-5。其中前三层分别位于厂房顶拱以上 9.45m、19.60m、26.95m,后四层则位于拱座及岩壁吊车梁部位(泥化夹层分布见图 1-4-4、表 1-4-5)。

从厂房顶拱施工导洞(高程 156 ~ 158.55m)揭露的情况看,在 1# ~ 5# 机组长达 100 多 m 的范围内,导洞两侧边墙上,发现 T_1^4 岩层内有两层连续分布的泥化夹层,其高程在 156 ~ 158m 之间,位于厂房拱座部位,与 1# 通风竖井揭露的情况基本一致。

三、地应力

从应力解除法、水力劈裂法、实测应力值和天津大学对厂区进行的三维初始地应力场

表 1-4-5   1# 通风竖井揭露 T_1^4 岩组泥化夹层分布统计

序号	分布高程（m）	层位（距层底）（m）	类型	厚度（mm）	夹泥特征	历年测绘和勘察揭露的主要泥化夹层		
						代号	层位（距层底）（m）	类型、厚度（mm）
1	192.00	51.00	泥夹碎屑型(b)	15	碎屑含量 3%~10%，连续性好	T_1^4	49	b、e、c 10~20
2	184.65	43.65	泥膜型(d)	1	连续性差，170°、350°方向有泥膜	T_1^4	40~42	b、e、a 5~20
3	174.50	33.50	碎屑型(s)	6	连续性差			
4	159.40	18.40	泥夹碎屑型(b)	10	连续性好	$T_1^4$⑦	19~20	a、c、b 0~20
5	158.85	17.85	泥夹碎屑型(b)	10	连续性好	$T_1^4$⑥	15.6~17.6	c、e、b 10~15
6	150.10	9.10	泥膜型(d)	2	夹泥层面起伏大，母岩层厚约 10mm，夹泥连续性好	$T_1^4$④	9~11	b、e、c、d 15
7	147.55	6.55	泥膜型(d)	1	夹泥层面起伏大，母岩层厚约 60mm	$T_1^4$③	4.6~6	b、d 10

的分析计算结果看，小浪底厂区地应力场是以岩体自重应力为主、地质构造作用为次，并受到断裂构造制约的初始地应力场的作用。水平应力平均值与竖向应力之比为 0.8 左右，基本上处于均匀地应力中，应力条件比较好。厂区最大水平应力的方向为 NE20°。应力值最大不超过 5MPa，属低应力区。

四、水文地质

厂房区周围受几条主要断层的切割限制，其西侧有 F_{28} 断层，南侧发育有 F_{236}、F_{238} 断层，北侧则有 F_{461} 断层存在，垂直于这些断层面方向均具有一定的阻水性，形成隔水边界。在厂房区的东侧，消力塘、尾水渠部位开挖揭露，发现有一组近南北向的断层存在，加之相对隔水的 T_1^6 地层的分布隔断了桥沟河河水与基岩地下水的水力联系。因此，厂房区成为一个相对独立的水文地质单元，与周边水力联系相对较差。

厂房区地表呈 T 形山梁，两侧各有一条冲沟，岭脊单薄，冲沟发育，地表排泄通畅。厂房区地表分布薄层黄土，上覆岩体中 T_1^{5-1}、T_1^{5-3} 地层透水性相对较弱，尤其是 T_1^{5-1} 地层软岩岩层比例占 40% 左右，为刘家沟组地层中软岩比例最高的层位，可见，地表水垂向入渗条件差。组成厂房的围岩主要为 T_1^4、T_1^{3-2}，仅机坑下部进入 T_1^{3-1}，各岩组的压水试验资料表明，T_1^4 应属强透水至中等透水地层，T_1^{3-2} 与 T_1^{3-1} 为弱透水至微透水地层。在厂房施工过程中，出现了呈星点状渗水、漏水现象，主要分布在 6# 机组至安装间及桩号 0 + 185m ~ 0 + 210m。出水点多集中在顶拱及上游侧墙，大部分呈滴水状，局部呈线流状，且雨季渗水点和渗水量明显增多，给施工造成一定影响。

据调查,地下水的出露多分布在局部洞段,沿节理或层理形成潮湿渗水或滴水现象,个别部位地下水沿节理或节理密集带以涌流形式出现。这些现象表明厂房区基岩裂隙水具有典型的层状裂隙网络渗流特征,即潜水位以下的岩体并非全部处于饱和状态,地下水仅赋存和运移于部分具有一定张开度的节理裂隙网络中,无法形成连续的潜水面。

厂房区由于受地层软、硬岩相间分布,以及泥化夹层的成层分布和节理切层连通性的差异影响,岩层顺层渗透性明显好于垂层渗透性。

第二章　电站枢纽布置

第一节　电站枢纽建筑物布置沿革

一、发电引水系统建筑物布置沿革

水电站枢纽建筑物主要包括进水口、隧洞、调压设施、压力管道和水电站厂房等,电站枢纽布置的核心是厂房位置,就其厂房与坝体的相对距离可分为两大类。靠近拦河坝布置,且主要靠坝体获得水头的厂房型式有坝后式、河床式、坝内式、溢洪式、地下式等。远离拦河坝布置并主要靠引水系统获得水头的厂房有引水式地面厂房及地下厂房等。

根据小浪底坝址地形地质条件和水沙特性,枢纽总布置的核心是泄洪排沙建筑物型式的选择及其总体安排。引水发电系统布置从属于枢纽总布置,因此厂房型式的选定与枢纽总布置密切相关。

多年来曾做过不少厂房方案,按型式分有地面厂房、半地下厂房、圆塔式厂房和地下厂房。按厂房位置分则有首部开发式的地下厂房和圆塔厂房、中部开发式的西沟地面厂房和半地下厂房以及尾部开发式的河边地面厂房等。这些方案随着设计优化和总布置方案的确定,如河边厂房、圆塔厂房等已不复成立,可供选择的只有西沟地面厂房和半地下厂房以及首部式地下厂房。

地面厂房方案选择的原则是以不削弱左岸山体稳定为前提。由于地面厂房土石开挖量大,仅厂房基坑石方开挖即达 188 万 m^3,土方开挖亦达 50 万 m^3,此外厂房高边坡开挖高度达到 100m。

为了减少开挖工程量和增加工程安全度,在西沟地面厂房的基础上又提出了半地下厂房方案,并于 1988 年 8 月经水利部审查同意。

在选择半地下厂房方案的同时,也考虑过采用地下厂房方案。1987 年初挪威拉夫罗等专家在现场考察后就地下厂房位置、厂房轴线方向以及主要洞室间距等设计参数提出了咨询意见。他们认为小浪底地质条件适合建造大型地下洞室,主张采用地下厂房方案。

1989 年小浪底工程优化设计过程中,设计院(即黄委会勘测规划设计研究院,下同)再次研究了地下厂房方案。地下厂房方案未被最终选用,其原因一是左岸山体内已有 15 条大隧洞穿过,如再加上地下厂房洞群,担心左岸单薄山脊的稳定性会受到影响;二是地下厂房洞室跨度大,边墙高,施工难度大,担心因施工工期延误而造成难以预料的经济损失。1990 年 3 月水利部水利水电规划设计总院(简称水规总院,下同)在审查优化设计时再次确定了半地下厂房方案。

小浪底工程于 1989 年开始招标设计,按照初步设计审批的半地下厂房方案进行。1990 年 11 月,在世界银行特别咨询专家组第一次会议上,设计院在重点汇报了半地下厂房方案之后,也提到了地下厂房方案。咨询专家组认为半地下厂房方案是可行的,但是地下厂房方案有许多优点,建议进一步研究地下厂房方案。同年12月中国国际咨询公司在审查小浪底工程设计中,也提出了进一步比较半地下厂房与地下厂房方案的意见。为此,再次对地下厂房方案进行补充论证工作。随着设计工作不断深入、对地下厂房方案的认识不断深化,以及当时我国地下工程设计水平和施工技术正处于迅速发展阶段,原来一直担心的一些技术问题是可以解决的。因此,对两个方案进行了较全面、深入的比较,并于1991年7月经水规总院审查同意地下厂房方案。

二、地面厂房及半地下厂房方案

(一)地面厂房方案厂区布置

1. 河边地面厂房

河边地面厂房方案(见图2-1-1)是1984年可行性研究报告选定的。根据枢纽总体布置,整个引水发电系统建筑物布置在泄洪洞群的南侧,避免了与泄洪洞群的交叉。厂房布置在左岸翁沟出口山嘴处,属于坝旁引水式电站,厂房纵轴线走向NE44°,右边紧挨大坝压坡平台,左边与排沙洞相毗邻,由于周围地形条件和建筑物的限制,厂房位置左右回旋余地较小。

电站进水口位于F_{236}和F_{238}之间的断层带上,整个引水系统全长约741m,调压塔位于中间,塔前洞长365m,塔后为376m,其位置并不理想,但无变动余地。整个发电系统由进水塔、压力引水隧洞、上游调压塔、压力钢管、厂房、尾水渠和开关站组成。主厂房总长度为214.0m,每个机组段长26.0m,共6个机组段。

此方案的优点是引水发电系统单独布置,不与泄洪洞群交叉,引水洞线平直,水流畅顺,减少了水头损失。电站进水口位于泄洪洞进水口下游,对减少电站进口泥沙有利。地面厂房结构简单,为常规设计。

该方案的缺点是进水口位于断层带上,且引水洞线需穿越F_{236}和F_{238}断层破碎带,厂房和调压塔位置均在大坝堆石压戗范围内,厂房前山坡需作加固处理,工程费用多。主变压器位于厂房上游侧平台上,220kV及500kV开关站布置在厂房右侧的主坝下游坡脚石渣压坡即170m高程的平台上。

2. 西沟地面厂房

西沟地面厂房位于西沟沟底,此方案(见图2-1-2)是1985年中美联合设计选定的。

根据枢纽总体布置要求,发电进水口和泄洪进水口集中布置在左岸风雨沟内,发电塔和泄洪塔间隔布置。厂房布置在泄洪洞群的北侧西沟沟底,6条引水发电隧洞与泄洪洞群呈立体交叉。整个发电系统的布置与河边地面厂房相同,变压器位于厂房下游侧尾水平台上。220kV及500kV开关站布置在厂房左侧西沟及支沟内,其高程为210m。

该方案的优点是发电进水塔和引水洞线都避开了F_{236}和F_{238}断层破碎带。但是由于西沟地形狭窄,且沟底基石面高程均在170m以上,接近厂房顶高程。机组安装高程129m,在基石以下41m,基坑开挖最低高程为109m。因此,厂房土石方开挖工程量很大。同时厂房四周也存在高边坡加固处理问题。

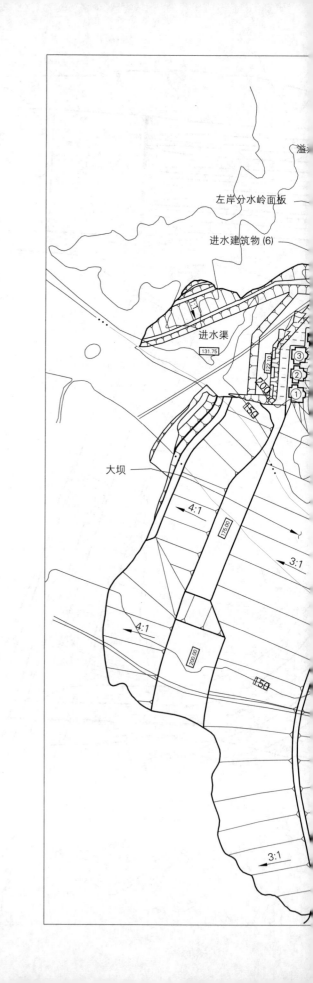

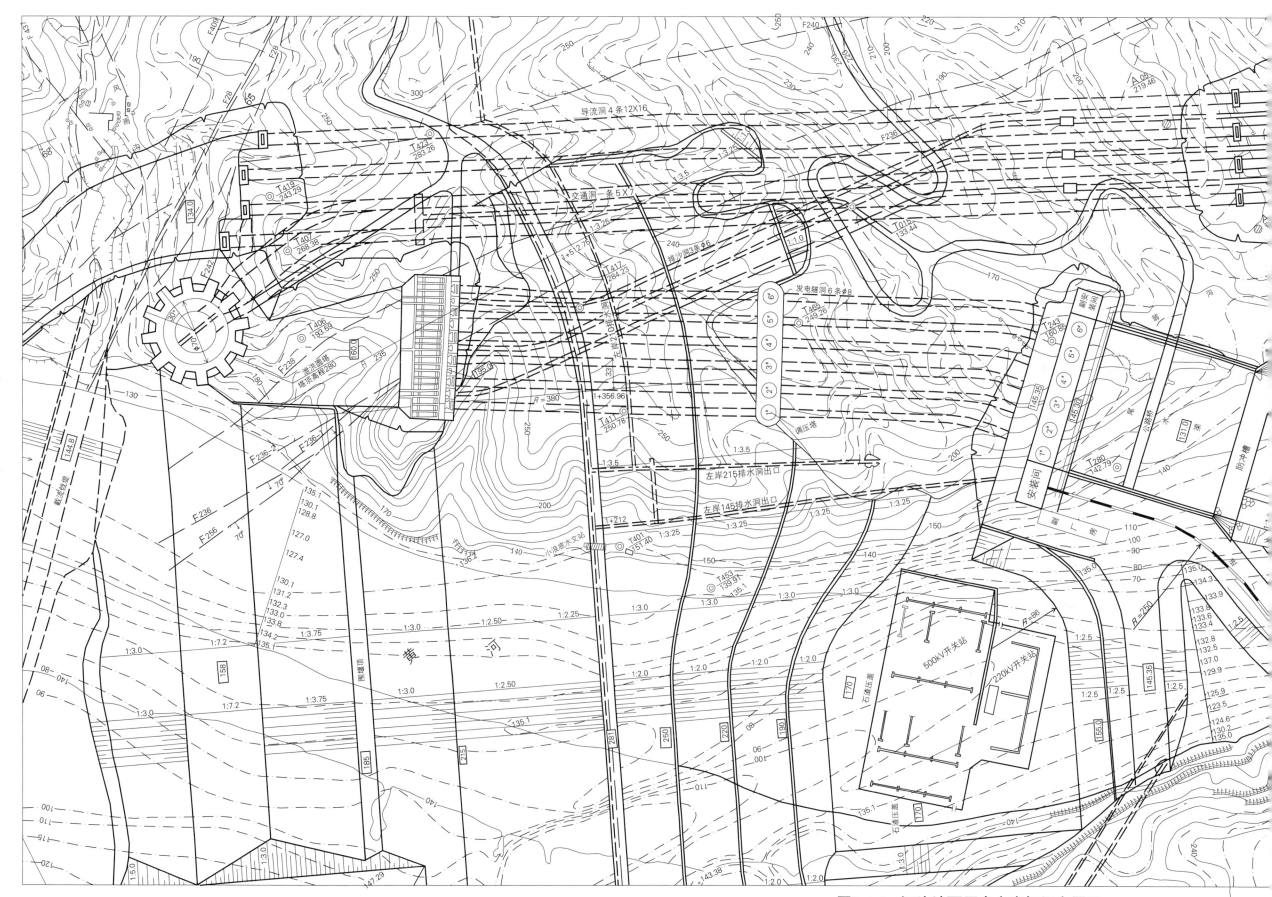

图2-1-1 河边地面厂房方案枢纽布置图

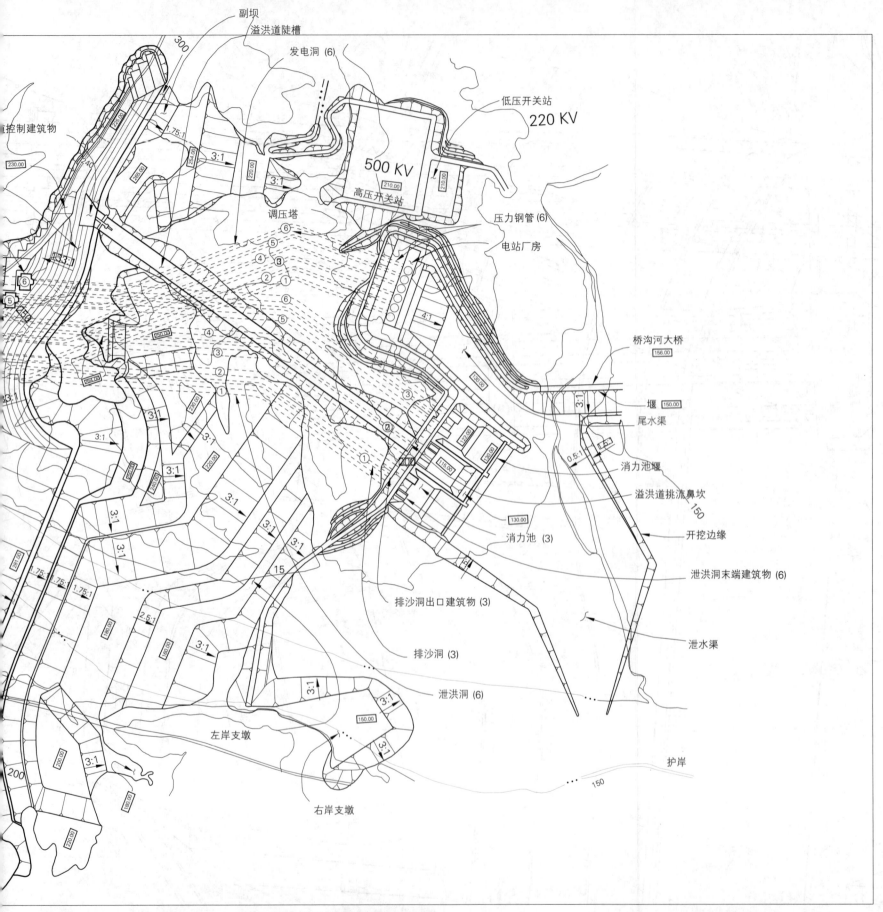

图2-1-2　西沟地面厂房方案枢纽布置图

(二)半地下厂房方案厂区布置

半地下厂房方案(见图 2-1-3)是 1988 年初步设计阶段选定的为减少土石方开挖工程量优化而成的方案。将桥机吊车梁轨道高程(160m)以下的岩体开挖成垂直深槽,其岩臂作为厂房的边墙,将吊车梁直接安放在 160m 高程的岩石上,可省去吊车梁支撑结构。而 160m 高程平台以上为排架式的屋顶结构和砖墙围护结构。发电系统的其他布置与西沟地面厂房方案基本相同。主厂房为半地下式,副厂房为地面式,主变压器位于厂房下游侧 160m 高程尾水平台上,220kV 及 500kV 开关站布置在厂房左端西沟及支沟内,其高程为 190m。

此方案的主要优点是节省工程量,降低造价。比地面厂房减少开挖土方 26 万 m^3、石方 100 万 m^3,同时利用岩台作为吊车的支撑结构,不但省去了高标号钢筋混凝土吊车梁柱结构,还可以提前安装吊车,有利于洞室的施工和工期的缩短。

该方案存在的主要问题是厂房 60m 高边墙的围岩稳定性,由于边墙上部为自由端,无岩石支撑,需加强支护。主厂房总长度为 214.0m,每个机组段长 26.0m,共 6 个机组段,安装场有两个,左端为主安装场,其长度为 43.5m,右端为副安装场,其长度为 14.5m。机组段开挖跨度为 26.0m,桥吊跨度为 27.0m,吊车梁置于 160.0m 高程岩台上。

引水和尾水建筑物包括进水塔、压力引水隧洞、上游调压塔、压力管道、下游尾水调压室、压力尾水洞、尾水明渠和防淤闸等。由于压力引水洞和尾水洞线路较长,经综合比较,需在上游设置调压塔,下游设置尾水调压室。调压塔为圆筒阻抗式,其直径为 18m,高度为 109m,地面以上 55m,地面以下 54m,为后张预应力混凝土衬砌。尾水调压室为地下式城门洞形,开挖跨度 22m,高度 43m,总长度 142.6m,中间用隔墩隔成 3 个调压室,每两台机组共用一个调压室。上游调压塔(室)断面按托马公式计算,并确保上、下游调压室不发生共振现象,经综合计算,上游调压塔面积应大于 300m^2,下游尾水调压室面积不小于 1 200m^2。压力引水洞总长 940m,洞径 7.8m,在帷幕前采用钢筋混凝土衬砌,厚度 80cm,帷幕后为预应力混凝土衬砌,厚度 60cm。压力引水洞穿过调压塔后,采用钢板衬砌,承受最大内水压力为 1.87MPa,钢管外围混凝土厚 80cm。

尾水调压室后接 3 条压力尾水洞,洞径 12.5m,混凝土衬砌厚度 60cm。尾水洞出口接尾水明渠,每条尾水明渠宽度由 12.5m 渐变至 25m。渠底高程由 125m 逐步抬高至 130m,明渠末端接 3 孔防淤闸,闸孔宽 25m,底槛高程 130m。防淤闸右侧紧邻消力塘,利用消力塘宣泄的洪水将闸下游泥沙带走,以免闸下泥沙淤积。

初步设计阶段,对厂房位置和型式进行了综合比较,虽然地下厂房方案节省造价,但小浪底地质条件比较复杂,左岸山体内密集的泄洪洞群稳定性较差,而且当时的施工技术水平较低,因施工延误而造成的经济损失将很难预料,因此初步设计阶段放弃了地下厂房方案。从运行条件看半地下厂房通风、防潮、照明等条件要好些,最后在初步设计和招标设计初期均推荐了半地下厂房方案,并通过了水规总院的审查。

三、地下厂房与半地下厂房方案技术经济比较

(一)厂区工程地质条件比较

地下厂房与半地下厂房布置地段内均未发现有较大的断层存在。地层产状稳定,倾

向 SE98° 左右，倾角在地下厂房部位约 9.5°，半地下厂房部位为 7° ~ 9°。厂房发电机层以上的直接围岩，地下厂房主要为 T_1^4 地层，半地下厂房为 T_1^5 ~ T_1^3 地层，前者主要为钙硅质砂岩，抗压强度一般大于 150MPa，后者主要为钙泥质细砂岩、粉砂岩，抗压强度一般为 60MPa 左右。岩体的变形模量，T_1^4 段平行层面方向为 15GPa，垂直层面方向为 12GPa，T_1^5 ~ T_1^3 段平行层面方向为 9GPa，垂直层面方向为 7GPa，相差不大。

由于两个方案厂区地质构造单一，层间剪切形成的泥化夹层发育程度都较低，只发现一些分布范围不大的泥化夹层。厂区主节理均为 NNE 走向，倾向 NW，倾角 80° 左右。地下厂房区主要节理走向平均为 NE15° 左右，与厂房轴线夹角为 25° 左右，而半地下厂房厂区主要节理走向平均为 NE16° ~ 19°，与厂房轴线夹角只有 17°，因而地下厂房洞室下游边墙稳定条件优于半地下厂房。地下厂房的整体稳定主要是拱顶的稳定，它处在厂区岩性条件最好的 T_1^4 地层内，拱身以上 T_1^4 地层的最小厚度达 28m 多，有较好的稳定条件。半地下厂房除边墙稳定之外，还有上游侧边坡的长期稳定问题，其上游侧边坡由以抗风化能力较低的 T_1^6 ~ T_1^1 泥质粉砂岩、钙泥质粉砂岩为主的地层及黄土组成，须开挖较缓的边坡，留较宽的马道才能保证安全。另外，半地下厂房在地震条件下的安全度远不如地下厂房。

地下厂房区直接围岩的岩体质量指标计算结果 $Q = 12.4$，半地下厂房 $Q = 14.4$，十分相近。按中国水利水电工程围岩综合分类法，相当于 Ⅱ 类偏下围岩。

综上所述，两个方案从工程地质条件看，都是可行的，无显著差别，只是地下厂房方案直接围岩的强度、抗变形能力及稳定条件略优于半地下厂房方案。

(二)土建工程量及工程投资比较

1. 主体工程量比较

地下厂房方案与半地下厂房方案相比，土石方明挖减少约 63 万 m^3，钢筋减少约 11 116t，压力钢管减少 1 493t，钢绞索减少 7 448t，石方洞挖增加约 15 万 m^3。总的来看，地下厂房方案的土建工程量是较小的。

2. 工程投资比较

(1)简要说明。地下厂房方案与半地下厂房方案投资比较，仅仅是主体工程投资比较，即对两个方案的土建工程、机电设备及安装工程、金属结构及安装工程进行比较，不包括临建工程投资和其他费用的比较。此外，两个方案投资比较的基础资料取同一水平。

(2)比较结果。从土建工程方面来看，地下厂房方案与半地下厂房方案相比较，由于取消了上游调压塔及其预应力混凝土衬砌工程，投资有所减少，而尾水洞、尾水渠和防淤闸的工程量有所增加，其投资也增加。综上所述地下厂房方案可减少投资 11 828.35 万元。

从机电设备及安装工程方面来看，地下厂房方案与半地下厂房方案相比较，水轮发电机组及桥吊总重量增加 746t，高压电缆增加 2.8km，且价格比原规格电缆提高 3 倍。因此，就机电设备及安装工程而言，地下厂房方案投资增加 2 871.54 万元。

从金属结构及安装工程方面来看，地下厂房方案与半地下厂房方案比较，尾水闸门减少钢材 171t，埋件增加 80t，门机减少 240t，减少投资 267.74 万元；引水系统钢板衬砌减少 1 493t，上游调压塔减少钢板衬砌 878.02t，减少投资 998.78 万元，就金属结构及安装工程

图 2-1-3　半地下厂房方案枢纽布置图

而言,地下厂房方案共减少投资 1 266.52 万元。

两个方案投资比较结果:地下厂房方案比半地下厂房方案减少投资 10 223.33 万元,其中土建工程减少 11 828.35 万元,机电设备及安装工程增加 2 871.54 万元,金属结构及安装工程减少 1 266.52 万元。

(三)施工条件和工期比较

以地下厂房方案和半地下厂房方案的施工准备工程、施工环境和施工技术以及工期进行比较如表 2-1-1 所示。

表 2-1-1   **施工条件和工期比较**

比较因素	地下厂房方案	半地下厂房方案
准备工程	土石方明挖 229.6 万 m^3,比半地下厂房方案减少 150.24 万 m^3,施工支洞长度 1 500m,比半地下厂房方案增加 670m	土石方明挖 379.84 万 m^3,施工支洞长度 830m
施工环境	通风条件较差,地下施工不受气候影响,无防洪问题	通风条件好。露天施工,受气候影响大,存在防洪和排水问题
施工技术	全部工程施工技术可采用常规方法施工	引水洞采用后张法预应力混凝土衬砌,施工技术复杂。调压塔施工也比较复杂
工期	可保证第 7 年初发电	可保证第 7 年初发电

(四)动能经济比较

1.水库运用方式及调节计划原则

小浪底工程的开发目标是以防洪、防凌、减淤为主,兼顾供水、灌溉和发电,综合利用,除害兴利。为了提高水库的拦沙效果和长期保持有效库容,水库采用逐步抬高汛期运用水位,蓄清排浑的运用方式。

小浪底水库的运用可分为初期及正常运用两个时期,其中初期历时约 28 年,可分为蓄水拦沙阶段(约 3 年)、逐步抬高汛期水位阶段(约 11 年)及形成高滩深槽阶段(约 14 年),此后进入正常运用期。水库起始运用水位 205m,前 10 年正常蓄水位 265m,10 年后为 275m,为简化计算,采用各阶段的平均库容曲线进行调节计算。

水库汛期 7~9 月泄洪排沙,进行防洪和调水调沙运用,发电水量和排沙水量约为 3:7。调节期要满足综合利用要求,按工农业用水要求下泄。为满足 7 月上旬抗旱需要,一般在 6 月末留水 10 亿 m^3,当水库完成拦沙后(计算中按 15 年以后考虑),如果水量在满足综合利用后尚有剩余,则结合腾空防洪和防凌库容进行人造洪峰冲刷下游河道,一次造峰水量 17 亿~22 亿 m^3,流量 2 000~3 000 m^3/s,对不同的厂房方案,水库调节计算原则一样。

设计水平年,小浪底上下游的工农业用水采用国务院批准的分水方案,电站在满足综合利用的要求下相继发电,考虑到泥沙磨损时机组效率可能降低,平均出力系数采用 8.2。根据设计枯水年各月的出力和河南电力系统的负荷情况,保证出力取 10 月~翌年 6

月调节期出力的均值。

电站尾水洞的洞口水位不仅与发电流量有关,而且与水库总泄量有关,电站防淤闸外水位与总泄量的关系及同一总泄量下发电流量与尾水管出口水位的关系见图 2-1-4。

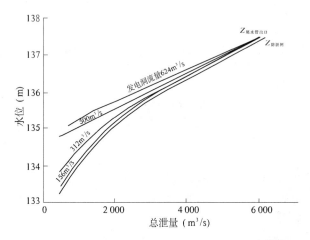

图 2-1-4　小浪底水库总泄量与防淤闸外水位的关系及同一总泄量下发电流量与尾水管出口水位的关系曲线

2. 不同厂房的水头损失

由于地下厂房和半地下厂房输水道的长度和布置形式不同,水头损失系数也不同,地下厂房比半地下厂房的水头损失系数小。

由于每条输水道长度和布置不同,水头损失系数各不相同,同时由于明流尾水洞双机合用,单机运行和双机运行的水头损失系数亦不相同,为简化计算,根据机组投产顺序,前两年取双机运行的水头损失系数,以后取 5 台机在系统中平均运行情况下的水头损失系数。电站不同阶段、不同厂房方案的水头损失系数见表 2-1-2。

表 2-1-2　　　　　　　小浪底水电站不同厂房方案不同阶段的水头损失系数

厂房方案	水头损失系数($\times 10^{-5} q^2$)	
	前 2 年	2 年后
地下厂房	5.435	4.422
半地下厂房	7.090	6.248

注:q 为单机过流量,m^3/s。

3. 动能经济比较

地下厂房与半地下厂房方案相比,不仅投资小,而且电能指标大,效益大,见表2-1-3。当上网电价为 0.10 元/kWh 时,年增加售电收入为 648.7 万 ~ 888.2 万元;当上网电价为 0.15 元/kWh 时,年增加售电收入为 973.1 万 ~ 1 332 万元;当上网电价为 0.20 元/kWh

时,年增加售电收入为 1 297 万～1 776 万元。

表 2-1-3　　　　　　　　　地下厂房与半地下厂房方案的发电量和效益差别

运用阶段		第 1～3 年	第 4～10 年	第 11～14 年	第 15～28 年	28 年以后
电量差别(亿 kWh)		0.65	0.89	0.87	0.78	0.71
效益 差别 (万元)	上网电价 0.10 元/kWh	648.7	888.2	868.3	778.4	708.6
	上网电价 0.15 元/kWh	973.1	1 332	1 302	1 168	1 063
	上网电价 0.20 元/kWh	1 297	1 776	1 737	1 557	1 417

(五)综合比较

从工程布置、地质条件、主要工程量、投资、电能、施工条件和运行条件等 7 个方面对地下厂房方案和半地下厂房方案进行比较,见表 2-1-4。

表 2-1-4　　　　　　　　　地下厂房方案与半地下厂房方案综合比较

比较内容	地下厂房	半地下厂房	说明
工程布置	厂房位于左岸丁字山梁交会处,埋深 70m,厂房轴线与主节理夹角 25°。主厂房、主变室和尾闸室均置于地下,无厂前调压塔,高压引水洞较短,明流尾水洞较长	厂房位于西沟,距沟口 450m,厂房轴线与主节理夹角 17°。主建筑物置于半地下或者地面。厂前设 6 个调压塔,高压引水洞较长,尾水洞较短。厂区高边坡达 80m	厂区高边坡达 80m
地质条件	厂房位于 T_1^4 为主的地层中,属于钙硅质砂岩,抗压强度大于 80MPa,$Q = 12.4$,系 Ⅱ 类围岩中较差的岩层。厂区地质条件单一,无较大断层通过,地层产状稳定。厂房在地震条件下,抗震安全度较高	厂房位于 T_1^{5-3} 岩层中,属于钙质细砂岩、粉砂岩,抗压强度一般为 50MPa,$Q = 14.4$,系 Ⅱ 类围岩下限。厂区地质构造单一,无断层通过。厂房地震条件下抗震安全度较低	
主要工程量	土石方明挖 229.6 万 m^3,石方洞挖 127.44 万 m^3,混凝土浇筑 28.2 万 m^3,喷混凝土 3.48 万 m^3,钢筋 12 240t,压力钢管 6 720t	土石方明挖 379.84 万 m^3,石方洞挖 112.98 万 m^3,混凝土浇筑 36.33 万 m^3,喷混凝土 5.54 万 m^3,钢筋 23 356.48t,压力钢管 8 213t,钢绞索 7 448t	仅比较主要工程量
投资	比半地下厂房方案节省 10 223.33 万元	比地下厂房方案增加 10 223.33 万元	不包括临建工程投资及其他费用
电能	年发电量(亿 kWh):第 1～3 年为 37.24;第 4～10 年为 51.13;第 11～14 年为 58.01;第 15～28 年为 56.34;第 28 年以后为 56.62	年发电量(亿 kWh):第 1～3年为 36.59;第 4～10 年为 50.24;第 11～14 年为 57.14;第 15～28 年为 55.56;第 28 年以后为 55.91	
施工条件	地下施工,通风、散烟较困难,施工风险增加,但是整个施工期的施工不受自然气候影响。可保证第一台机组发电时间	地面和半地下施工,通风、散烟条件好。整个施工期的施工受气候影响较大,汛期施工有防汛和排除地面雨水问题。此外,厂区 160m 高程以上削坡高达 80m,施工难度较大。可保证第一台机组发电时间	
运行条件	通风、采光、照明、防潮、防噪音条件差,人员进出厂房不便,运行管理条件较差。电气设备不受泄洪泥雾影响	通风、采光、防潮、防噪音条件较好,人员进出厂房方便,运行管理条件方便,厂房后高边坡对安全运行有潜在的不利因素	

从表 2-1-4 分析,可以得出如下结论:

(1)地下厂房方案系首部布置形式,无须设调压塔,以明流尾水洞代替压力尾水洞,可以节约投资。此外,解除了半地下厂房明挖高边坡之虑,从工程布置上来看,地下厂房方案优于半地下厂房方案。

(2)从地质条件来看,两个方案的厂区地质条件无显著差别,直接围岩强度、抗变形能力及稳定条件,地下厂房方案优于半地下厂房方案,且在地震条件下,前者的抗震安全度较高。

(3)从主要工程量看,地下厂房比半地下厂房可以减少土石方明挖约 63 万 m^3,钢筋用量减少约 1.1 万 t,钢绞索减少 7 448t,锚头减少 2 万个,混凝土浇筑减少约 8 万 m^3,钢板衬砌减少约 1 493t。但是,石方洞挖增加约 14 万 m^3,水轮发电机组及桥吊重量增加 746t,高压电缆增加 2.8km。两个方案工程量的变化反映在投资上,地下厂房方案比半地下厂房方案总投资减少 10 223.33 万元。所以,从工程量和投资角度上来看,地下厂房方案优于半地下厂房方案。

(4)地下厂房方案和半地下厂房方案年发电量差别:第 1~3 年为 0.65 亿 kWh;第 4~10 年为 0.89 亿 kWh;第 11~14 年为 0.87 亿 kWh;第 15~28 年为 0.78 亿 kWh;第 28 年以后为 0.71 亿 kWh。如果上网电价按 0.2 元/kWh 计算,则两个方案发电年效益差别:第 1~3 年为 1 297 万元;第 4~10 年为 1 776 万元;第 11~14 年为 1 737 万元;第 15~28 年为 1 557 万元;第 28 年以后为 1 417 万元。显然地下厂房方案平均年发电效益可增加约 1 500 万元。

(5)从施工条件上来看,地下厂房施工虽然通风、散烟较困难,但整个施工期的施工不受自然气候影响,且发电工期是相同的,即从施工总进度来看,两个方案均可保证第一台机组发电时间。

(6)地下厂房通风、采光、照明、防潮、防噪音条件差,人员进出不便,运行管理条件较差。

综合以上分析,两个方案虽然各有优缺点,但集其要点判断,地下厂房方案技术经济条件明显优于半地下厂房方案,设计推荐采用地下厂房方案。

第二节　电站枢纽布置

一、电站枢纽布置原则

引水发电建筑物包括 3 座综合进水塔、6 条直径 7.8m 压力引水洞、地下厂房、主变压器室、尾水闸门室、明流尾水洞和防淤闸等主要建筑物。此外,还有交通洞、高压电缆洞、母线洞、通风竖井、排水洞、地面开关站、地面副厂房、清水供水池、机修间、油库等附属建筑物。由于地形地质条件的限制和运行的要求,引水发电系统和泄洪排沙建筑物等均集中布置于左岸,地下洞室群呈立体交叉,使引水发电系统的布置非常困难。

根据小浪底坝址地形地质条件和水沙特性,枢纽总布置的核心是泄洪排沙洞形式的选择及其总体安排。电站布置要与枢纽总体布置相协调。在确定的总体布置格局下,引水发电系统为典型的坝旁引水式布置。具体布置考虑了以下原则：

(1)地下厂房的位置应尽量靠近进水口，以缩短高压引水管道长度，在不设置上游调压塔的情况下，满足调节保证计算和机组稳定运行要求。不影响大坝灌浆帷幕和泄水排沙建筑物洞群布置。

(2)地下厂房轴线方向要顺应水道系统的布置，使水流顺畅，减少水头损失。

(3)地下厂房主洞室纵轴线走向应尽量与围岩的主要构造弱面(断层、节理、裂隙、层面等)成较大的夹角，同时应注意次要构造面对洞室稳定的不利影响。

(4)地下厂房洞室群各洞室顶部以上的岩体以及各洞室之间的岩体应保持足够的厚度，以保证围岩的稳定性。

(5)地下厂房机电设备布置应力求紧凑，在满足运行要求的前提下，减小洞室的跨度和高度，并尽可能利用施工支洞布置辅助设备。

(6)尽量减小高压电缆及封闭母线长度，以减少机电设备投资。

(7)采用新技术、新工艺，减少开挖量，确保工程安全。

二、地下厂房的优点

(1)地下厂房采用首部、中部式布置，可以缩短高压引水道长度，减少水头损失，增加电能。

(2)可以利用围岩的承载能力，节约材料，降低工程投资。

20世纪50年代以来喷锚支护技术不断发展，喷锚支护作为一种永久支护结构型式，在水电站引水隧洞和地下厂房衬砌支护中得到广泛应用。喷锚支护与现浇混凝土相比，可以节省水泥、节省劳动力、缩短工期、减少投资，不需要模板，不需进行回填灌浆，其经济效果是很显著的。

过去在破碎、软弱岩层中开挖隧洞，如果发生坍顶，需要耗费很多人力、材料和时间进行处理，现在采用喷混凝土和锚杆支护技术，就可以顺利、安全地施工。但是，喷锚支护必须与光面爆破相结合，这样对围岩的破坏最小，表面较为平整，有利于围岩稳定，有利于施工，对于过水隧洞还可以降低糙率。

采用喷混凝土技术施工应在岩石爆破后立即进行，喷混凝土时，由于具有一定的喷射压力，喷混凝土与围岩之间的黏结力使两者结合成整体，起到封闭和支护岩层的双重作用，从而加固了围岩并限制围岩向洞内变形。

(3)在坚固岩石条件下，可以采用岩壁式(岩台式)吊车梁，省去吊车梁以下的混凝土柱，使吊车梁可以提前施工，尽早安装桥式起重机，加速厂房施工和机组安装。

(4)地下厂房由于受地形和气象条件的影响较小，可以全年施工。

在高山峡谷地段，由于没有足够的场地布置地面厂房及附属建筑物，如果勉强布置则会增大开挖量。当岩层产状不利、节理较发育或存在倾倒变形岩体时，为了处理边坡，会增加开挖量，或者采用喷锚加固、挡墙等工程处理措施，大大增加工程造价，在这种情况下将厂房布置在地下往往是比较合理的。

在东北、西北地区，严寒的冬季气温很低，而在南方阴雨连绵，雨季较长，其共同点是施工期较短，若将厂房布置在地下则可全年施工，不受雨季和严冬酷暑的影响，是比较有利的。

（5）对于下游尾水位很高，且变幅较大的电站。若将厂房布置在地面上，则厂房周围要修筑一道相当高的防洪墙或者将厂房设计成封闭式的，其交通运输需从厂房顶下去，厂房边墙上也不能开窗，通风、照明条件较差，需按地下厂房设计，而且厂房下游墙需要承受外水压力，结构尺寸增大，材料耗费也较多。在这种情况下采用地下厂房往往可以减少布置、施工中的困难，并可节约厂房工程量。

（6）厂房布置在地下，对大坝及泄水建筑物的施工干扰较小，有利于加快电站的施工进度。另外不大量破坏地面植被，有利于环境保护，避免与交通、通讯、输电线路等干扰。

（7）地下厂房的温度变化幅度较小，温度应力也相应较小，又不考虑风雪荷载，其地震设防烈度可根据厂房的埋藏深度适当降低。因此，地下厂房内部混凝土结构比地面厂房节省。

由于水电站地下厂房有上述许多特点，近年来，在国内外越来越多地被采用，尤其在陡峻的峡谷地形条件下和岩石坚固完整的地质条件下，更显示出其优越性。随着施工机械、电力设备制造的发展，设计、施工技术水平的不断提高，地下水电站施工进度加快，开挖成本会进一步降低。另外，随着岩石力学的发展，引水隧洞和大跨度地下厂房广泛采用喷锚支护技术，衬砌材料减少，使地下厂房的优点更为突出，将给我国地下水电站厂房建设开辟广阔的前途。

三、地下厂房布置形式

根据地下厂房相对于引水道的位置不同，分为首部式、中部式和尾部式等方式。一般对中、低水头（例如水头 100m 以下）电站，在垂直或水平运输、施工出渣和高压电缆出线无较大困难，而首部又有较好的工程地质、水文地质和施工条件，且尾水位变幅不大，可以布置成无压或低压尾水隧洞的情况下，宜采用首部布置方式。有些电站水头较高，所处的地形山体较厚，地下厂房埋藏较深，若采用首部式布置，则进厂交通隧道很长，将给运输、出线、通风和施工出渣带来较大困难。而沿线地形地质条件较好，适宜布置有压引水隧洞、调压井、高压管道、地下厂房及施工支洞，则宜采用尾部式布置方式。当首、尾部地质条件较差，而中部地质条件较好，山体较厚，交通及出线方便，附近又有较平坦的场地布置开关站时，采用中部式布置方式是有利的。

采用首部式布置有许多优点，如可以大大缩短造价昂贵的高压引水道的长度，而无压或低压尾水隧洞的加长，使增加投资相对较少。岩石较好的尾水隧洞开挖修整后可以不加衬砌，且由于尾水流速小，沿程的水力摩阻和电能损失也少。首部式布置的高压水道若采用竖井方案则更能缩短长度，使造价更为经济。首部式布置的厂房与大坝靠得较近，便于运行管理。特别是对于采用堆石坝的水利枢纽，厂房开挖出渣可以就近用以筑坝，其优点更为突出。

尾部式布置的优点在于厂房的对外交通运输、出线、通风等条件较好，且离水库较远，容易做好厂房的防渗。

一般地下厂房均具有较长的水道系统，因此要从水动力学观点考虑运行机组在负荷变化时的稳定问题，并根据托马（Thoma）的稳定条件设置调压井。

调压井的设置有以下几种情况:

(1)首部式布置,一般具有较短的引水道和较长的尾水道,对于较短的压力引水道可不设上游调压井。而对于较长的尾水道,则分两种情况考虑:如尾水道断面足够大,在任何情况下都能保持无压状态工作时,可不设下游调压井;如果下游尾水位变幅较大,尾水道处在有压状态工作时,则在距离厂房下游尽可能近的地方设置下游调压井,以避免负荷变化时有压长尾水道产生不衰减的振动波,引起机组运行不稳定。

(2)尾部式布置,一般具有较长的引水道和较短的尾水道,在较长的有压引水道上宜设置上游调压井,而在较短的尾水道上尽可能设计成无压隧洞。

(3)中部式布置,引水道和尾水道的长度介于上述两种情况之间。一般水电站的布置是在引水道和尾水道上分别设置上、下游调压井。有的水电站在上游引水道上设置调压井,而将尾水道设计成无压的,省去了下游调压井。

如果地下厂房整个水道长度较短,则在满足机组稳定的条件下,可不设上、下游调压井。

总之,地下厂房采用何种布置方式要因地制宜,结合水电站水能规划、当地的地形地质、交通运输、出线条件以及施工条件等,经过技术经济比较确定。

第三节 主厂房位置及纵轴线方向确定

一、主厂房位置确定

厂房位置应选择地形、地质、水文条件相对优越的地段进行布置,并且要与枢纽总体布置相协调。

小浪底地下厂房采取首部式布置方式,并且尽可能地使厂房靠近进水口,以缩短高压引水道长度,在满足调节保证计算和机组稳定运行的情况下,不设上游调压塔。同时,地下厂房位置既要避开泄洪排沙建筑物,又不影响大坝灌浆帷幕和排水系统的布置。因此,将地下厂房布置在泄洪排沙建筑物的北侧,T形山梁交会处的腹部。厂房北端距坝址主要断层 F_{28} 的最小距离约 150m,南端距 F_{240} 断层的最小距离约 140m,距 F_{236}、F_{238} 断层的最小距离达 260m 以上。厂区受断层破碎带的影响较小,地层比较稳定。厂房洞室南端与 3# 明流洞水平投影的最小距离为 23m,垂直投影的最小距离为 42m,与 3# 排沙洞的水平投影的最小距离为 56m,基本上满足相邻洞室及上、下层洞室之间岩体厚度要求。厂房北端与灌浆帷幕的最小距离为 45m,与主排水幕的最小距离为 20m,满足泥化夹层允许水力坡降的要求(见图 2-3-1)。

地下厂房顶部岩体应有足够厚度,以保证顶部形成承载拱。从布置条件看,厂房位置埋藏深一些,可以减少造价较高的高压引水道的长度,但埋藏过深会增加尾水洞、交通洞、出线洞等附属支洞的长度,也不一定经济,反而给施工、运行带来不便,尤其是当主变压器和开关站布置在地面时,会使发电机电压母线或者高压电缆加长,不一定经济。国内外已建大、中型水电站地下厂房顶部上覆岩体厚度一般不少于开挖宽度的 2 倍。《水电站厂房设计规范》规定:地下厂房洞室群各洞室顶部以上岩体厚度不宜小于洞室开挖宽度的 2

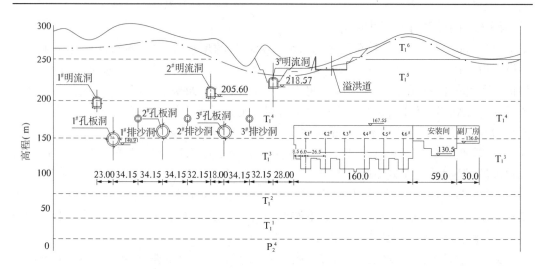

图 2-3-1　厂房与泄洪洞群关系图　（单位:m）

倍;各洞室之间的岩体厚度不宜小于相邻洞室的平均开挖宽度的 1~1.5 倍;上、下层洞室之间岩石厚度不宜小于小洞室开挖宽度的 1~2 倍。

挪威工程经验认为,在坚硬岩石地区,当厂房宽度为 20m 时,理论最大破碎区以上应有最小覆盖厚度为 5m 以上的完整岩层。

印度设计手册建议岩石覆盖厚度为宽度的 2~3 倍,且不小于 10m。

小浪底地下厂房底板最低高程为 103.61m,顶拱高程为 165.05m,上覆岩体厚度为 70~110m,为厂房宽度的 2~3 倍,厂房顶拱和边墙高度的 2/3 位于 T_1^4 岩层中,该岩层岩性坚硬,块度大,一般厚度为 0.5~1.0m,围岩整体稳定性较好。

二、厂房轴线方向的确定

对于大、中型水电站地下厂房的洞室来说,一般跨度较大、边墙较高,要求把厂房最好布置在岩石坚固完整、地下渗水少的山体内,但实际的岩体很少无节理裂隙、断层构造和渗水。为了防止或减少洞室顶拱和边墙岩体的坍塌、掉块和变形,厂房纵轴线应选择在与岩体主要节理裂隙、层面、断层破碎带垂直或成较大夹角的方向,在高地应力地区,厂房纵轴线走向与最大主应力水平投影方向的夹角宜采用小角度,这样对厂房边墙的稳定是有利的。

厂房轴线方向的确定,主要考虑了厂房位置的岩石结构和水流条件。厂房轴线应与主要结构面垂直或成较大夹角,与最大主应力方向平行或成较小夹角,以保证厂房的稳定。

小浪底地下厂房位于左岸泄水建筑物的北部,选择纵轴线方向为 NW350°,与厂区主要节理走向成 25°~30°夹角,与岩层走向成 18°夹角。这样布置主要是根据地质钻探资料、水流条件和枢纽总体布置要求综合分析后确定的,在招标设计阶段,世界银行咨询专家组曾两次对地下厂房的布置方案进行咨询。

1990 年 11 月,在第一次咨询报告中指出:"原先研究的地下厂房方案,其主厂房的轴线为 NE5°。从岩石力学的角度考虑,理想的轴线方向应与原轴线方向成垂直相交,以便使岩层层面和可能存在的夹泥层的走向与洞轴线相垂直,这样可以避免上游边墙因不利的岩层倾向而产生稳定问题。地下厂房轴线方向 NE5°是因枢纽总体布置条件确定的。"考虑原来轴线方向与岩层走向只有 5°夹角,第一次咨询会议后,对轴线作了调整,改为 NW350°,这样,厂房轴线与主要节理的夹角为 25°,对边墙的稳定比较有利。

1991 年 5 月,在第二次咨询报告中指出:"节理方位资料已由表面开挖及有关岩心中获得并被黄委会认为是可靠的。主要结构为走向 20°、倾角 75°~85°的 1 号节理。这组节理有贯穿一层以上岩层的趋势,并可能在垂直方向上有 10m 左右的连续性,同时沿其走向可能有 30~50m 的连续性。尽管一个更大的偏角可能更为有利,但目前确定的厂房轴线方向与主要节理成 25°夹角是合理的。"另外还指出:"黄委会打算在地下厂房拱部下面,沿轴线挖一探洞,这样就能够检验不连续面的方向,并能做更多的应力测试,此外还要打竖井,来探明深部泥化夹层的存在情况。当取得进一步勘探成果时,要重新审查轴线的方向。"

从地下厂房顶拱探洞及 1# 通风竖井开挖揭露的情况及初始地应力场回归分析的结果来看,厂房纵轴线方向 NW350°仍然是合适的,其理由有以下三点:

(1)从探洞揭露情况看,原来的 J1、J2、J3 三组节理变化不大,其中 J1、J3 两组比较发育,J2 仅在探洞南半部出现。起控制作用的仍为 NE20°节理,其走向变化范围为 NNE15°~30°,与厂房轴线的夹角为 25°~40°。J4 走向为 NW290°,比较发育,但与轴线夹角大于 60°,对厂房轴线选择影响不大。

(2)通过地面测绘和厂房顶拱施工探洞开挖,沿轴线 250m 范围内,未发现较大断层通过,但发现两条小断层,其中 f1 在厂房北端 6# 机组段内,倾向 15°~25°,倾角 85°~88°,断层带宽 5~50cm,由破碎岩块和岩粉充填,断距 10~20cm,断层无明显错动;f2 在 1# 与 2# 机组段之间,倾向 10°~45°,倾角 80°~85°,断距 5~15cm,断层带宽 15~80cm。由于断层规模小,两侧岩层完整,两条小断层的走向与厂房轴线夹角 70°左右,近于垂直,对厂房稳定影响不大。

(3)最大水平主应力方向为 NE20°,与厂房纵轴线夹角为 30°,且水平应力与垂直应力比值为 0.8 左右,应力条件较好。虽然与纵轴线夹角偏大,但应力值不超过 5MPa,属低应力区,对厂房轴线选择影响不大。

第四节　变电站位置选择

变电站包括主变压器和开关站两部分,按照变电站与地下主厂房之间的相对位置,可以分为三种情况。

一、主厂房布置在地下而变电站布置在地面

当地下主厂房附近的地表有合适的场地布置变电站时,将变电站布置在尽量靠近地下厂房的山坡或台地上,母线长度较短,地表与地下工程施工干扰较少,可减少洞挖,加快施工进度,节省投资。加拿大拉格朗德Ⅱ级水电站就属于这种布置方式。该电站最大水头 142m,地下厂房总长 484m,宽 26.4m,高 47.3m,厂内安装 16 台单机容量为 33.3 万 kW

的水轮发电机组。变电站布置在地下厂房顶部的地表,每台发电机布置一条直径 3.35m、高为 23m 的圆洞直通地面,电缆沿母线洞引上,主变压器布置在地面主母线出口处。

母线总长 80m。地下只有两个大洞室,即主机室和尾水调压室。主变室设在地面上,不仅减少洞室开挖,有利于围岩稳定,而且主变压器防火问题也较容易解决。

二、主厂房和主变器布置在地下而开关站布置在地面

这种布置方式的优点是主变压器布置在地下,发电机电压母线长度较短,电能损失较少。其缺点是增加了洞挖工程量。加拿大麦卡水电站就是采用这种布置方式。麦卡水电站为地下厂房,最大水头 180m,共 6 台机组,单机容量 43.5 万 kW,总装机容量 261 万 kW,主厂房总长 236m,宽 24.4m,最大高度 44m,岩石为花岗片麻岩和云母片麻岩。电站厂房、主变压器室、尾水闸门室等均布置在地下,按三洞室方案布置。主变压器室断面尺寸为长度 80m,宽度 12.5m,高度 11.9m,每台机组设 3 台单相变压器,靠主变室上游侧布置,下游侧为变压器运输道,宽度约 5m。变压器运输采用气垫船。变压器之间设防火墙,周围设高压消防喷头。主变压器洞室顶部开设 3 条高压母线斜井,其断面尺寸为 2m×2m,斜井除布设 500kV 的 SF$_6$ 管道母线外,侧边还有供母线检修用的缆车。在右岸岸坡上布置了室内 GIS 和组合开关站。

小浪底电站亦是采用这种布置,即主厂房、主变室、尾水闸门室三大洞室平行布置在地下,不同的是小浪底电站的 220kV 开关站没有采用 GIS 室内开关站,而是将 220kV 开关站布置在副坝压坡下游回填支沟的平台上,采用常规的开敞式布置。

三、主厂房、主变压器及开关站全部布置在地下

加拿大拉格朗德Ⅱ级水电站即采用这种布置方式,地下有三大洞室,即主厂房、主变压器室、尾水调压室。

该电站的特点是采用 GIS 组合开关,缩小了洞室开挖尺寸。由于 GIS 设备比较昂贵,需要采购国外进口设备,这正是小浪底电站未采用这种布置方式的主要原因。近年来,加拿大电价猛涨,为了减少大电流母线的电能损失,拉格朗德Ⅱ级水电站将 233kVA 主变压器布置在地下洞室内,共有 7 台三相变压器,其中 1 台为备用。7 台变压器布置在高 80cm 的平台上,不设变压器轨道,在现场检修。变压器引出线采用 SF$_6$ 高压电缆,3 台机组合用一个电缆竖井,变压器出口高压侧断路器采用 GIS 组合开关,也布置在主变压器洞内,使接线十分简洁,315kV 侧采用 SF$_6$ 管道母线,这种布置方式在加拿大已有成熟的运行经验。

四、主变压器位置的确定

主变压器位置曾考虑了三个方案,第一方案是将主变压器布置于地下,位于主厂房下游与尾水闸门室之间,并与发电机层地面同高程,形成一个独立的主变器洞室。厂房与主变压器洞室间设 6 条母线洞相连接。高压电缆由主变器洞顶部,经两条电缆斜井引接至地面开关站。该方案有三大洞室(主厂房、主变压器洞室、尾水闸门室)位于地下,称为三洞室方案。第二方案是将主变压器布置于地面,位于溢洪道北侧厂房上方 280m 高程的山脊上。低压封闭母线通过 6 条母线竖井引接至主变压器上。开关站位于溢洪道东北侧

240m 平台上,与变压器高差达 40m,通过架空线路连接。第三,将主变压器布置于地面大坝压坡 230m 高程平台上,紧靠开关站西南侧,与开关站连成一体。低压封闭母线通过 6 条母线竖(斜)并引至主变压器上。第二、第三方案地下均为两大洞室,称为两洞室方案,由于第二方案主变压器场与开关站高差达 40m、出线不方便而予以否定。下面仅就第一、第三两方案进行比较(见表 2-4-1)。

表 2-4-1　　　　　　　　　　　　　　主变压器位置方案比较

方　案	方案一(三洞室方案)	方案三(两洞室方案)	差值
布置运行条件	1.地下平行布置三大洞室,对围岩稳定不利。 2.母线较短(6 台机封闭母线总长 348 三相 m),电缆总长 6 100m,有色金属消耗量较小,安装检修工作量小,运行、维护方便。 3.主变压器布置在洞内,可采用水冷,利用水轮机冷却过的水,重复利用。 4.主变压器在地下,防火、防爆问题较难解决。 5.开关站布置合理,进出线方便	1.地下只有两个主洞室,对围岩稳定有利。 2.母线较长(6 台机封闭母线总长 1 400 三相 m),其中水平段长 780 三相 m,垂直及斜长 620 三相 m,发热量大,通风散热问题较难解决。 3.有色金属消耗量大,安装、检修工作量大、复杂。 4.母线竖井高达 94.5m,施工难度大,运行、维护极不方便。 5.母线长,电能损耗大。 6.不存在地下洞室内主变压器防火、防爆问题。 7.变压器设在户外,可采用风冷。 8.开关站出线不方便	
经济指标			
电气设备一次投资(万元)	1 813.2	1 696.8	+ 116.4
补偿 kW 投资(万元)	146.4	555.8	− 409.4
损失功率(kW)	731.82	2 778.9	− 2 047.08
年电能损耗(万 kW)	228.5	867.6	− 639.1
年运行费用(万元)	34.3	130.14	− 95.84
封母、电缆安装费(万元)	544	509.04	+ 34.96
水冷变压器冷却水供水设施 (万元)	10		+ 10
主变消防(万元)	100		+ 100
土石方开挖、回填工程量造价(万元)	1 228	1 051	+ 177

鉴于小浪底枢纽总体布置的具体情况,主厂房顶部有溢洪道通过,而开关站受地形限制,只能设置在主厂房东北侧 230m 高程大坝压坡平台上。这样,如将主变压器置于地面,势必使低压封闭母线无论在垂直高度上还是在总长度上都增加很多。经技术经济比较,确定采用第一方案,即三洞室方案,将主变压器布置于地下,形成一个主变压器洞室,

与主厂房平行布置。

第五节　水道系统布置

引水发电系统由进水塔、压力引水隧洞、压力钢管、水轮机蜗壳、尾水管、尾水叉洞、明流尾水洞、尾水明渠和出口防淤闸等组成。

一、进水塔布置

(一)进水塔布置

进水塔布置在左岸风雨沟内,共设 10 座进水塔,呈一字形排列。发电进水塔与泄洪进水塔间隔紧贴布置。10 座进水塔组合在一起,总长度为 285.5m,各塔厚度不等,发电塔厚 60m,塔高 141.5m,为钢筋混凝土结构,像重力坝一样,屹立风雨沟内。自南向北第 3#、5#、8#塔为发电进水塔。6 条发电洞按顺序分 3 组,两条发电洞为一组共用一个进水塔。由于排沙排污需要,排沙排污洞的进口与发电洞进口为上下对应布置。因此,两条发电洞与一条排沙洞上、下层各由 6 个进水口组成一个双层进水塔,上层引水发电,下层排沙排污,每座发电塔的 2 台机组共 6 个进水口,采用通仓式布置,两台机组进水口可互补水量。发电洞进口高于排沙洞进口 15~20m,且上下对应,对减少过机泥沙特别是粗沙非常有利。发电进水口前缘设有两道拦污栅和一道压污机导槽。进水口闸墩后为两条发电洞的事故闸门,既可在事故时保护机组,又可在机组较长时间停机时关闭闸门,以防止引水隧洞和压力钢管被泥沙淤堵。为满足初期发电要求,第 5#、6#发电洞进口底板高程为 190m,第 1#~4#发电洞进口底板高程为 195m。

(二)综合解决发电洞进口淤堵问题

小浪底水利枢纽泄洪、排沙、引水建筑物采用集中布置形式,就为防止发电洞进口被淤堵创造了必要的条件。通常进水口被淤堵是由于泥沙和污草共同作用形成的,因此在发电洞进水口设计中采取了以下措施:

(1)设置双道拦污栅,当主栅被堵时可提至塔顶清污,同时放入副拦污栅,这样可以轮换使用,防止因拦污栅堵塞而影响机组发电。

(2)适当加大拦污栅间距,增强拦污栅强度,拦污栅间距定为 20cm,拦污栅强度按 10m 水头设计,以防止拦污栅被压垮。

(3)利用电站进水口与排沙洞进水口上下对应布置的条件,在主拦污栅前设置压污清污导槽和压污齿耙,可将污物下压至排沙洞排至下游,必要时还可将较大的污物抓吊至塔顶清除。

(4)将 2 台机组共 6 个进水口采用通仓式布置,水量互补。当部分拦污栅被淤堵时,可以通过其他未被淤堵的拦污栅取水,而不影响发电。

(5)加强拦污栅压差和塔前冲刷漏斗的监测,利用拦污栅前后水位测量监视拦污栅压差,利用超声波技术监测塔前冲刷漏斗形状,以便及时清污或打开排沙底孔冲沙。

(6)在塔前和排沙洞进口段设置高压水枪,当风雨沟进水塔对岸的淤积体由于地震或库水位骤降等原因发生突然坍塌封堵闸门时,可在高压水枪的帮助下,从高到低提闸泄流排沙,防止进水口被淤死。

(三)小浪底水电站过机泥沙分析

由于黄河为多沙河流,尤其是汛期,来水含沙量高且挟带大量的粗颗粒泥沙。因此,汛期影响机组正常运行的主要原因是泥沙问题。

在多沙河流上修建水利枢纽,初期为拦沙运用,过机沙量少,一般情况下不会对水轮机产生较大影响,但当库区达到冲淤平衡后,出库沙量基本恢复到天然状态,如无相应的防沙措施,就会使过机含沙量增加,而且泥沙颗粒粗,对水轮机产生严重的磨损作用。

在枢纽工程布置上利用泥沙沿垂线分布"上稀下浓、上细下粗"的特点,把发电引水洞布置于较高的位置,便于引用较清的水发电。在电站进水口以下设置排沙底孔,既可使较粗的泥沙通过排沙洞排往下游,又有利于在电站进水口前形成冲刷漏斗。这样,当汛期来沙量大时,可短时段关闭排沙洞,其冲刷漏斗也能起到截留粗沙的作用,还能有效地防止泥沙在洞前淤堵。冲刷漏斗的大小与排沙洞的高程和泄量有关,排沙洞越低,泄流规模越大,漏斗范围也越大。

位于黄河上游的刘家峡水库的枢纽布置及排沙情况说明了上述特点。刘家峡水库的泄水道及排沙洞位置比机组进口高程低 15m,开启泄水道及排沙洞可形成较大范围的冲刷漏斗。泄水道进口前的冲刷漏斗控制 1#~3# 机组进水口,排沙洞的开启可有效地减少 5# 机组的过机沙量。而 4# 机组则在泄水道及排沙洞所形成的漏斗的控制范围之外,其过机沙量明显高于其他机组。

小浪底枢纽进水口布置充分考虑了防沙要求,所有泄洪、排沙、引水建筑物均集中布置,最低部位的排沙洞和孔板泄洪洞进口高程 175m,发电引水洞进口高程为 190m、195m,明流泄洪洞进口高程为 195m、209m、225m,溢洪道进口高程 258m,形成了一个低位排沙、高位排污、中间引水发电的布局。当死水位 230m 时,3 条底孔排沙洞总泄量为 1 608m³/s,3 条孔板洞总泄量为 4 099m³/s。由于泄流规模大,有利于在坝前形成较大范围的冲刷漏斗,防止泄水建筑物进口淤堵并减少过机泥沙,尤其是减少了粗颗粒泥沙穿过水轮机。

二、引水道布置

考虑到单机流量较大(296m³/s),机组采用单元引水,每台机组各接一条引水隧洞。为避开泄水建筑物洞群,引水洞线出进水塔后即向北偏转约 43°,沿东北向与厂房纵轴线呈 78.5°交角进入厂房。

引水隧洞和压力管道直径均为 7.8m。压力引水道中 1# 洞最长,水流加速时间常数稍大于 3s,经调节保证计算分析,可不设置上游调压室。大坝灌浆帷幕前引水隧洞采用钢筋混凝土衬砌,帷幕后为压力钢管,以避免压力水渗出,影响左岸山体和建筑物的稳定。

三、水轮机蜗壳和尾水管

蜗壳和尾水管属于水轮机过流部件,对水轮机效率有一定影响。在未得到水轮机制造厂提供的最终轮廓尺寸之前,设计过程中参考同类工程及根据以往经验类比确定初步尺寸。压力钢管末端通过渐变段与蜗壳进口连接。考虑到地下厂房温度变化小,压力钢管与蜗壳连接处不设置伸缩节。另外在水轮机固定导叶和活动导叶之间设置筒形阀,目的在于防止活动导页和底环遭受泥沙磨损后关闭不严，产生间隙射流加重磨损，造成停机困难，也防止停机后由于导叶漏水量大，压力管道无法充水平压，造成开机困难的局面。筒形阀还可供保护机组之用。

尾水管采用窄高型，以适应地下厂房布置需要。每台机尾水管出口均设有尾水检修闸门，当机组较长时间停机时，可关闭尾水闸门，以防止尾水管被泥沙淤堵。尾水管洞与主厂房边墙垂直相交，开挖跨度 13.7m，洞中心间距 26.5m，相当于 2 倍开挖跨度；开挖高度 10.9 ~ 15.20m。6 条尾水管洞与其上层的 6 条母线洞上下对应布置，两层洞室间岩体最小厚度约为 10m，最大厚度为 18m，洞室间岩体单薄，对围岩稳定不利，需要加强支护。

四、尾水闸门室布置

尾水闸门室布置在尾水管末端，闸门中心线与机组中心线距离为 92.25m，闸门室与厂房平行布置，与主变室净距 24.30m，满足稳定要求。闸门室内设有一台 2 × 2 500kN 台式启闭机，其轨道支撑在岩台吊车梁上。其开挖尺寸长为 175.80m，宽为 10.60m，高为 20.65m。安装平台宽为 12.60m，底板高程 144.50m，由 34# 交通洞与 17# 进厂交通洞相连。

五、尾水洞布置

尾水洞长度在 900 ~ 1 000m 之间，按通常习惯，需设置尾水调压室并采用压力尾水洞方案。经调节保证计算，尾水调压室尺寸较大，与主厂房洞室的尺寸相当，无疑将使地下厂房洞室群布置复杂化，进而对洞室围岩的稳定带来不利影响。经技术经济比较，采用不设置尾水调压室的明流尾水隧洞方案。

明流尾水洞必须满足下游各种水位变幅情况下依然保持明流状态。下游特征水位如下：尾水管出口最低涌浪水位，由一台机运行时甩全负荷第二振幅水位决定，为 130.6m；最高涌浪水位为校核洪水位时，由一台机增全负荷决定，为 142.3m。因此，确定尾水管出口处明流洞底板高程为 126.0m，洞顶高程为 144m，洞形为城门洞形。明流尾水洞方案曾比较过 3 条洞和 6 条洞两种情况。由于洞身高度是由下游水位变幅和过渡过程的涌浪水位决定的，所以无论是 3 条洞还是 6 条洞，其洞身高度均相同。而洞身宽度则由尾水管出口的宽度（据厂家提供的资料为 9.6 ~ 10.5m）和洞间应保留的岩柱厚度决定，6 条洞和 3 条洞方案洞身宽度分别为 10m 和 12m。从尾水系统损失看，两方案相差不大，显然 3 条洞方案具有节省工程量的突出优点，从而被采用。明流洞洞身采用喷锚支护作为永久支护，但为了减少水头损失，整个断面采用薄混凝土衬砌，以降低糙率而不起支护围岩的作用。

尾水洞穿过 T_1^{3-1} ~ T_1^{6-1} 岩层，岩性变化大，且穿越 12#、14#、8# 公路，使得尾水洞局部岩体较薄，最小厚度仅 12m 左右，不足 1 倍洞跨，需加强支护。

六、尾水明渠和防淤闸

尾水洞出口连接一段长为 160m 的尾水明渠。为使水流在平面上逐步扩散，明渠渠宽由 12m 渐变至 31.5m，在立面上为反坡段，以便与下游泄水渠衔接，高程由 125m 升至 130m。明渠末端设置 6 孔宽 14m、高 11m 的弧形门防淤闸，每条明渠与两孔防淤闸连接。当同单元内两台机组停机时，可关闭相应的尾水防淤闸门，以防止尾水洞被泥沙淤堵。

七、引水及尾水系统水力学模型试验

针对小浪底水电站水道系统的布置情况,进行了比尺1:40的水工模型试验。根据试验结果,对设计方案做了如下调整:

(1)压力管道上平段,由平坡改成0.01正坡,避免了引水道水平段充水时气囊的存在。

(2)尾水叉洞体形共做了两组模型试验,夹角分别为60°、90°,最终选用90°夹角,并加大了反弧半径,使水流顺畅。

(3)将尾水叉洞洞顶和洞身段洞顶均抬高1m,叉洞段洞顶高程为145.0m,尾水洞净高19.0m,以避免机组突然启闭时尾水洞出现明、满流交替现象。

引水发电系统1#机纵剖面图见图2-5-1。

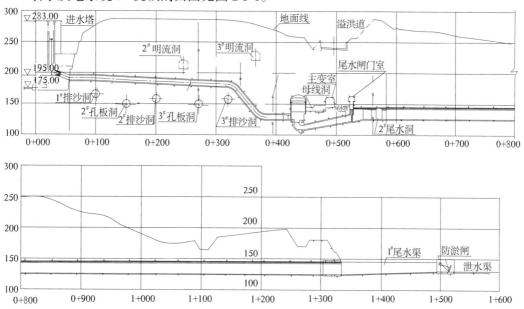

图 2-5-1　引水发电系统1#机纵剖面图

第六节　厂区附属洞室及附属建筑物布置

一、厂区对外交通设计

(一)17#进厂交通洞

17#进厂交通洞,是地下厂房主要通道,断面尺寸是根据机电设备运输要求确定的,净断面9.2m×8.0m。进口位于西沟,与14#公路相连,进口高程170.81m,沿程与33#、34#、18#交通洞相交,洞底最大坡度7.9%,从安装间下游侧垂直进入厂房,总长度为522.71m。

(二)8#施工交通洞

厂房顶拱开挖主要使用8#施工交通洞,从副厂房北端墙高程156.0m进入厂房,进行厂房顶拱第一个台阶开挖。进口高程 170.0m,与 14# 公路相连,洞室净尺寸 7.0m×9.2m,总长度为 452.83m,后期作为地下副厂房对外交通及技术供水管路和永久通风用。

(三)4# 电梯井

4# 电梯井是地面副厂房和地下厂房连接的主要通道,主厂房通过 17# 交通洞、18# 交通洞及 4# 电梯井与地面副厂房相连,电梯井高度 90.5m,断面开挖尺寸 5.70m×5.76m。

(四)21# 交通洞

21# 交通洞是厂坝连接的通道,在厂房发电机层(144.5m)南端墙,设有 21# 交通洞,与 3# 孔板洞中闸室电梯井相连,可以直达坝顶。

二、母线洞布置

在主厂房和主变室之间 139.0m 高程布置有 6 条母线洞,与厂房呈正交,断面形式为直墙拱,开挖跨度 8.2m,洞室间岩体厚度为 18.3m,洞中心线间距为 26.5m,相当于开挖跨度的 3.2 倍,开挖总长度 32.8m,为了保证岩壁吊车梁稳定及满足电器设备布置,采用了大小两种断面:

小断面　　8.2m×6.0m(8.2m×6.9m)
大断面　　8.2m×9.0m(8.2m×11.2m)

三、高压电缆洞

在主变室下游侧布置了两条高压电缆洞(19#、20#)与地面开关站相通。其中 19# 电缆洞口位于 3#、4# 主变压器室之间下游侧边墙 156.0m 高程,20# 电缆洞口位于主变压器室北端 156.0m 高程。均有一水平段,长度分别为 9.7m 和 8.4m,斜洞段的水平夹角为 37°,以满足出线和施工要求。断面开挖尺寸为 4.2m×3.5m,全长分别为 131.55m、110.69m。19# 电缆洞跨越尾水闸门室顶拱,对洞室稳定不利,应加强支护。

四、厂房通风系统

地下厂房的通风主要利用一些对外通道来完成。送风系统主要是利用 17# 进厂交通洞、三条明流尾水洞和 8# 施工交通洞、排水洞等洞室送入新鲜空气,利用风机将新风送入厂房各层。新风通过热循环后,分别由 1#、2#、3# 通风竖井、19#、20# 高压电缆洞以及 4# 电梯井、21# 交通洞等将热风排出厂外。由于地下厂房对外通道四通八达,因此主要靠自然通风。

五、厂房排水系统

地下厂房排水系统采取以厂外排水为主、厂内排水为辅的原则进行布置。

(一)厂外排水

厂区四周设置两层排水廊道,形成封闭的排水幕,以有效拦截地下水。顶层排水廊道,为 28# 排水洞和 8# 施工洞,沿厂房四周布置,高程 163~160m。第二层排水廊道为 30# 排水洞,高程 125~117.0m,沿厂房四周布置。上、下层廊道设有排水孔和落水管连通。28# 排水洞一部分渗水汇入尾水洞内,另一部分渗水通过落水管汇入 30# 排水洞,经 32# 排水洞排入渗漏集水井内,在 3# 和 4# 机组之间,118.2m 高程处设置排水泵房,另外,在 17C# 洞侧边设置了备用排水泵房,将渗水抽排到尾水洞内。

(二)厂内排水

根据岩石条件,沿厂房顶拱、边墙打径向排水孔,孔径为 48mm,间距为 4.5m,孔深 8m,排水孔之间用 PVC 管连通,最终将渗水引入水轮机层排水沟内,通过落水管排入渗漏集水井内。

六、副厂房

副厂房采用地下和地面相结合的分散布置方式,地下副厂房位于安装间左端,高程为 144.50~165.05m,分 4 层布置,地面副厂房为 4 层楼,设在开关站西侧,高程为 235.0m,分 4 层布置。

七、开关站

开关站布置于副坝下游 230m 高程压坡平台上,总面积约 3.45 万 m²。地面开关站通过两条电缆洞与主变洞连通。

八、厂房主要洞室基本情况

厂房洞室三维模型见图 2-6-1。

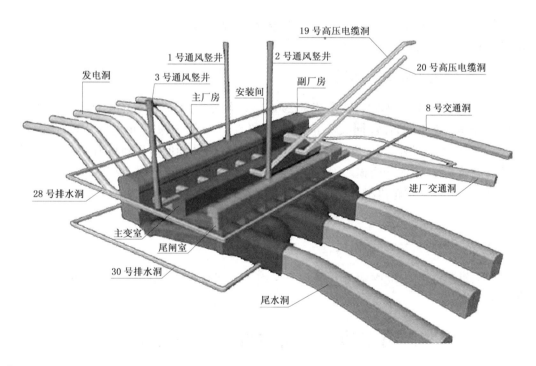

图 2-6-1 厂房洞室三维模型

第三章　地下厂房布置及主要尺寸确定

电站厂房尺寸主要由机组尺寸和运行维护要求决定。由于小浪底水利枢纽位于多泥沙河流上,为减轻泥沙对水轮机的磨损,机组采用低参数,因而机组尺寸较大,检修场地也较大。厂房为地下式,为确保洞室围岩稳定,应尽量缩小洞室开挖尺寸。两者之间的矛盾需要通过合理布置来妥善解决。

第一节　水轮机发电机组主要参数和尺寸

一、水头

根据计算结果,水轮机最大净水头为 138.92m(10 年后),加权平均水头为 119.9m,设计水头为 112m,最小水头为 90.79m(10 年后)。

二、汛期平均排沙量

汛期平均过机含沙量前 20 年为 22.1kg/m³,正常运行期 40.8kg/m³。泥沙中数粒径为 0.024mm,其中石英含量约占 90%。

三、水轮机主要参数和尺寸

水轮机额定出力 306MW,额定流量 296m³/s。经分析计算,取水轮机直径 $D_1 = 6$m,额定转速 $n = 107.1$r/min,较同类型清水水轮机参数约低 30%。导水叶中心节圆直径 $D_0 = 1.28D_1$,也较清水水轮机 $D_0 = 1.16D_1$ 为大。目的是降低水轮机叶片相对流速和导叶处的流速,以减少泥沙磨损。固定导叶与活动导叶间设置筒形阀,减少间隙射流磨损并保护机组。此外对水轮机材质和加工工艺提出特殊要求,进行国际招标采购,严格控制质量。

四、发电机主要参数和尺寸

发电机额定出力 300MW,额定转速 $n = 107.1$r/min。由于发电机转速较低,外形尺寸较一般为大。

第二节　厂房主要尺寸的确定

一、厂房内部布置基本原则

厂房内部布置有以下基本原则:

(1)保证运行,便于机电设备的安装、检修和维护。

(2)主要机电设备的布置应紧凑,美观实用,不要分散繁乱。

(3)空间利用要充分,尽量做到一洞多用。

(4)重点研究厂房横断面尺寸和形状,尽量减小其跨度。

(5)应考虑厂房围岩的稳定性和应力状态,以及支护形式对厂房轮廓尺寸和体型的影响。

二、地下厂房布置特点

地下厂房布置如同地面厂房一样,包括厂区布置和厂内布置两部分内容。与地面厂房布置相同的部分就不再重复,仅就地下厂房布置的一些特点作一简述。

(一)地下厂房跨度

为了增加地下洞室围岩的稳定,减少施工工作量,降低造价,地下厂房跨度(宽度)应力求减小。国内外许多大型水电站地下厂房的跨度都压缩得较小。单机容量为300MW的白山水电站地下厂房跨度为25.4m,加拿大的丘吉尔瀑布和拉格朗德Ⅱ级水电站地下厂房跨度分别为25m和26m。减小厂房跨度的主要措施是生产副厂房不与主厂房合在一起或并列布置,而将副厂房置于主厂房一端,或将部分副厂房置于其他附属洞室内。另外,鉴于地下厂房布置的每一空间均系开挖岩石所得,因此厂内布置在满足运行的前提下应力求紧凑,以减少地下洞室开挖量。

(二)主阀的布置

水轮机前引水道装置主阀的用途有二:当机组甩负荷时切断来水;当机组产生飞逸转速时能迅速关闭阀门,保护机组安全。

在地下厂房首部式布置中,大多采用每台机组单独引水道和进水口的布置方式。此时如每个进水口已装置快速闸门,则在引水钢管上不再设主阀。在中部式或尾部式布置中,大多采用一条主引水道(一个上游调压井)供2台或2台以上机组发电用水的布置方式。这样的布置方式则须在每台水轮机前引水管道上装置主阀。主阀的位置与型式有:紧挨调压井设在闸门井内快速平板闸门;设在引水钢管末端主厂房外阀室内的蝶阀;设在引水钢管末端主厂房内的蝶阀。

对主阀布置位置长期以来有不同的看法。主张主阀放在厂外的大多从安全角度出发,担心蝶阀发生爆裂事故将危及厂房,但国内有不少电站(包括地面厂房)将主阀布置于厂内,经多年的运行也未发生过安全事故。有人调查了国内12座电站45台蝶阀的运行检修情况,认为为了防止蝶阀爆裂而置蝶阀于厂外的根据不足。诚然,主阀放在厂外能减小主厂房宽度,这对地下厂房来说是有利的。但目前国内外的趋向是,除了继续要求制造厂家对阀体本身结构及连接部分提供足够的安全保障外,大多将主阀布置在厂内,除非承受特大水头的大直径蝶阀。主阀布置在厂内可省掉专用的洞室、专用的起重设备,其经济意义较为显著。小浪底工程未设蝶形阀,而是在活动导叶与固定导叶之间设置了筒形阀,兼有事故阀门的作用。

(三)主变室和开关站位置布置

近年来随着高压绝缘电缆的出现,可靠而有效地解决了地下洞室的高压输电问题,因此国内外专家趋向于将地下水电站主变室也布置在地下。这样布置,从发电机至主变压器的低压母线段由于距离的缩短而减少了相当多的金属费用和电能损失,同时增加了运行的可靠性。

主变室若布置在地下,一般设在专门开挖的洞室内,如电站为单元接线,则独立的主变室宜与主厂房并列布置,这样电气连接较方便。为解决运输问题,主变室的一端应与进厂交通洞相连,同时也便于主变压器进安装间利用厂内吊车检修。有的电站将主变压器布置在进厂交通洞的一侧(扩大的交通洞一段),也有将主变压器布置在主厂房一端专用的封闭房间内的(采用防火门与主厂房隔开),这些布置都是可行的。

由于开关站占用的面积和空间较大,故早期的地下厂房开关站大多布置在地面。近年来由于 SF_6 组合封闭电器得到应用,使开关站场地和高度大为缩小,为开关站布置到地下创造了条件。地下开关站应尽量利用废弃的洞室(如施工支洞、导流洞)或与其他洞室合用(如排风洞),以减少开挖,节省土建投资。此外,主变压器及开关站布置地下,可与主厂房及中控室靠得更近,具有节省低压母线、运行管理集中、不受自然灾害的侵袭和良好的人防条件等优点。在确定地下开关站位置时要考虑电气出线及交通运输的方便。

(四)附属洞室布置

地下厂房除了主厂房洞室外,还须布置各种用途的附属洞室(包括竖井),一般情况下均布置成若干不同断面尺寸和不同高程的洞室;附属洞室纵横交错,实际上是将地下厂房系统形成一洞室群。从岩石力学观点来看,地下洞室群削弱了岩体的完整性,引起了岩体应力的重分布和导致应力集中,影响了洞室围岩的稳定(尤其是洞室交叉部位的稳定),因此要求布置上尽量减少附属洞室数量,做到一洞多用。如考虑进风洞、排风洞与交通洞、出线洞结合;主变室与尾水启闭机洞室或交通洞等合用,地下开关站考虑利用废弃的施工支洞或导流洞;地质探洞考虑利用作为排水廊道等。这些都必须在布置中通盘考虑。

附属洞室的洞口位置应选择在山体较厚、无滑坡和无堆积物的地段,这样便于施工进洞。

(五)通风、防潮、排水、照明

做好地下厂房的通风、防潮、排水、照明设计对于电站正常、安全运行至为重要。

地下厂房的通风大多采用机械通风方式。考虑通风的主要对象有厂内主机室的机器房、发电机的空气冷却、地下主变室、母线洞电缆道,以及生产副厂房的中控室、蓄电池室等。各进风洞的洞口位置应避开泄洪建筑的水雾区,以保证进风质量。

地下厂房的防潮,一般由洞室四周墙壁(包括裸露的岩壁、喷锚支护或钢筋混凝土衬砌)外设一道防潮隔墙解决,厂房的顶部一般设防水吊顶。对于有绝缘要求的电气设备的附属洞室,也同样要有防潮措施。

有些地下厂房处于水文地质条件较差的岩体内,且埋藏较深,地下水位较高,岩体节理裂隙中往往存在承压水。为了防止厂房渗水以及影响洞室围岩的稳定,应在厂房四周不同高程处布置排水廊道。在排水廊道上下须打排水孔以拦截地下渗水,降低地下水位。廊道尺寸无需太大,以能钻凿排水孔为宜,同时要做好厂内渗漏水的排水设计。

地下厂房的照明全靠人工照明,因此要设计有可靠的厂用电电源及备用电源,并有防潮措施。

三、机组段平面尺寸拟定

(一)厂房横向宽度(顺水流向)

1. 小浪底地下厂房减少洞室宽度的措施

(1)考虑地下厂房内温度变化不大,在压力钢管与蜗壳进口之间未设伸缩节,仅设3m长的凑合节。

(2)将机墩靠上游侧布置,仅在下游侧设置交通通道。

(3)采用岩壁吊车梁,不设吊车排架柱。

(4)蜗壳进口中心线与厂房纵轴线夹角78.5°,斜向进入厂房。

以上各种措施可减少厂房跨度3~5m。

2. 横向宽度确定

厂房横向宽度是由发电机风罩尺寸、上下游通道及必要的结构尺寸决定的。根据机组资料,风罩内径为18.2m,风罩厚度0.5m,上、下游防潮隔墙厚各为0.55m,下游侧通道宽4.3m,因此厂房水轮机层以上净宽度为24.60m,开挖跨度为25.0m,顶拱部位开挖跨度为26.2m。

(二)厂房机组段长度

根据机组资料,蜗壳最大宽度为20.9089m,左侧11.625m,右侧9.2839m,发电机风罩内径为18.2m,尾水管采用窄高型,出口宽度10.5m。机组段长度由蜗壳平面尺寸控制,但考虑到尾水管间岩柱要有足够厚度,将机组段长度加宽至26.50m,并满足水平、垂直交通要求。

四、厂房竖向布置

根据分析计算,水轮机允许吸出高度 $H_s = -2.5$m,以防止浑水条件下产生气蚀,设计采用值为-4.36m,水轮机安装高程为129m。尾水管采用窄高型,为保证机组稳定运行,其直锥段高度应不小于 $3D_1$,确定尾水管底部高程为108.61m。水轮机层高程按蜗壳进口直径和结构要求定为134.5m。发电机层高程根据机组尺寸和起吊筒形阀的要求,定为144.50m。桥吊轨顶高程,按分别吊运发电机转子、主轴、水轮机转轮考虑,定为155m。厂内设2台2×2500kN/2×500kN双小车起重机,考虑桥吊高度、吊顶高度及风道要求,所以厂房顶拱高程为165.05m,发电机层以上高度20.55m。

五、确保围岩稳定措施

(1)母线洞采用小断面进口、大断面布置设备方式,以减小母线洞进口对岩壁吊车梁的影响。

(2)尾水管水平扩散段采用洞挖式,以保留尾水管之间的岩柱。

(3)尾水闸门室启闭机采用移动式台车,并采用岩台吊车梁缩小洞室开挖尺寸。

(4)主变室电缆夹层楼板支撑在悬壁牛腿上,减小主变室开挖尺寸。

以上措施大大改善了各洞室围岩的稳定条件,减少了支护工程量,降低了工程造价。

六、厂房体型设计

(一)体型选择

地下厂房体型有方圆形体型(拱顶直边墙)、拱顶斜边墙、曲线体型(包括马蹄形、卵形、半圆形)等(见图3-2-1)。

目前,多数地下厂房采用方圆形体型,随着岩壁吊车梁的推广应用,逐渐被切圆拱代替。优点是:厂内机电设备及其管路系统布置方便,施工开挖易于控制,拱端部与边墙相切的形状,不仅可以避免拱座应力集中,而且可以减小厂房跨度,方便实施锚喷支护。

(二)矢跨比选择

工程经验表明,水平层状岩层中,若岩层厚度小于0.5m,顶拱宜采用矢跨比较大的高拱形,其优点是既可避免应力集中,又易于保证施工自稳。国内近几年建设的鲁布革、东风、广蓄、二滩、天荒坪等地下厂房其矢跨比在1/3.6~1/4之间,小浪底厂房顶拱矢跨比为1/3.7,后述的有限元计算表明,其体型选择是合理的。

第三节　地下厂房上覆岩体和洞室之间岩柱厚度的确定

一、基本原则

地下厂房顶部(或端部)均需有一定的岩石厚度覆盖,以改善洞室的应力。顶部上覆岩体的厚度一般不少于开挖宽度的2倍(不包括覆盖层和风化岩层厚度)。国内外已建的大、中型地下厂房大多满足这一要求。已建的刘家峡电站,虽采用一部分地面厂房、一部分地下厂房的布置方式,但地下厂房的上覆岩体厚度最薄处也有60m,相当于开挖宽度的2倍。相邻洞室之间的岩柱厚度按以往传统观念,要满足2倍于(或2倍以上)洞室的宽度。也有按岩石坚固系数f确定岩柱厚度的:当$f>8$时,岩柱厚度为1.0~1.5倍的开挖宽度;当$f=4~6$时,岩柱厚度为1.5~2.0倍的开挖宽度;当$f=1.5~3$时,岩柱厚度为2.2~2.5倍的开挖宽度。在实际布置中要满足岩柱厚度的要求较难做到。如我国白山水电站主厂房与主变室洞室之间、印度Koyna水电站的主厂房与尾水洞室之间的岩柱厚度均不足1倍的主厂房宽度。至于地下厂房两个尾水管之间的岩柱厚度则更小,即使采用窄而高的圆形尾水管,也不能满足要求。岩柱最小厚度究竟多少合适,目前还缺乏可靠的论证和统一的认识。

岩体内由于上覆岩层的质量和地质构造(造山运动)的影响,存在着初始应力。它包括了自重应力场和构造应力场两部分应力(当然并不是所有岩体都具备这两部分应力)。洞室开挖后,初始应力便要释放,这将引起洞室围岩的应力重分布和变形,严重的甚至会产生"岩爆"现象。设计的目的就在于要采取工程措施,避免洞室围岩出现不稳定现象。随着近代岩石力学的发展,目前已可通过现场测试和有限元回归计算等手段,近似地获得地下洞室开挖前后的岩体应力分布及变形的状态。国内外研究人员对一些地下厂房的洞室是按下述两个方面的措施来衡量围岩稳定的:

(1)要求岩体在弹性区的应力不超过岩石的允许应力。

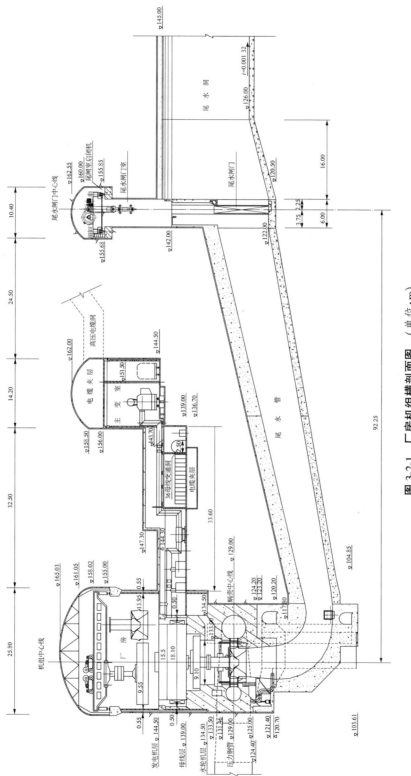

图 3-2-1 厂房机组横剖面图 （单位：m）

(2)在塑性区(包括密集的节理裂隙区、破碎带、爆破松动区)的岩体经采取施工技术措施后不致产生坍方或掉块。因此,在确定两洞室之间的岩柱厚度时,可不受几倍洞室宽度的限制,只要采取工程措施满足以上两点要求就能达到围岩稳定的目的。许多工程的实践证明这样考虑是可行的。

二、洞室间距的选择

厂房三大洞室根据运行需要采用平行布置时,洞室间距往往影响到围岩的稳定性。对于圆形洞室,从弹性力学的观点出发,洞室间距以大于 3 倍洞跨为宜。工程实例表明,多数工程达不到此要求,但都安全运行多年,并未出现问题。

(一)直接对比法

表 3-3-1 统计了国内外部分已建水电站地下厂房洞室间距,从表中可以看出,洞室间岩体厚度小于 1 倍或大于 2 倍相邻洞室平均宽度的很少,大部分为 1~1.5 倍。根据国内外工程实例,并考虑电气设备布置的需要,小浪底水电站地下主厂房与主变室间岩体厚度为 32.2m,是平均洞跨的 1.6 倍。

(二)间接类比法

依据《水电站厂房设计规范》,洞室间岩体厚度应不小于相邻洞室平均宽度的 1~1.5 倍。国内外对岩体厚度的规定如下:①铁道部规定:坚硬岩石,2 倍毛跨;中等岩石,2.5~3.0 倍毛跨;松弛岩石,4 倍毛跨。②总参工程兵规定:坚硬岩石,2.0~2.5 倍毛跨。③日本规定:1.0~4.0 倍毛跨。④美国规定:不小于洞高或洞跨两者的大值。⑤印度规定:不小于两洞宽总和的 0.5~1 倍。在确定小浪底工程地下厂房洞室间距时,参照了上述规定。

表 3-3-1　　　　　　　　国内外部分已建水电站地下厂房洞室间距

电站名称	国家	地质条件	大洞室开挖跨度 B_1(m)	相邻洞室开挖跨度 B_2(m)	洞室间距(净距) S(m)	$\dfrac{2S}{(B_1+B_2)}$
鲁布革	中国	白云岩、灰岩	18.0	12.5	39.0	2.6
白山	中国	混合岩	25.0	15.0	16.5	0.8
东风	中国	灰岩	21.7	19.5	31.0	1.5
广蓄	中国	黑云母花岗岩	21.0	17.24	35.0	1.8
龚嘴	中国	花岗岩	24.5	5.0	22.3	1.5
小江	中国	石灰岩、石英砂岩	16.8	7.4	21.9	1.8
二滩	中国	正长岩、玄武岩和辉长岩	30.7	18.5	35.0	1.4
丘吉尔瀑布	加拿大	变质花岗片麻岩	24.7	19.5	30.5	1.4
拉格郎德Ⅱ	加拿大	变质花岗片麻岩	26.5	22.0	26.0	1.1
马尼克Ⅲ	加拿大	粗粒斜长岩	23.0	12.2	10.7	0.6
波太基山	加拿大	砂页岩	20.0	17.4	35.9	1.9
买加	加拿大	石英片麻岩	24.4	12.5	15.3	0.8
新丰根	日本	花岗岩	22.7	13.2	26.4	1.5
科普斯	阿根廷	角闪岩	25.8	12.2	24.0	1.3
小浪底	中国	砂岩	26.2	14.4	32.2	1.6

第四节　厂房内部布置

地下厂房从右至左布置有主机段、安装间和地下副厂房三大部分（见图3-4-1、图3-4-2）。

主机段及安装间净宽24.6m，机组中心线上游侧为10.1m，机组中心线下游侧为14.5m；厂房总长为251.1m，其中主机段161.55m，安装间59.50m，副厂房30.05m；机组分缝为一机一缝，缝宽均为20mm；机组从1#到6#自右向左依次布置，上下共分6层，分别为发电机层（144.50m高程）、母线层（139.00m高程）、水轮机层（134.50m高程）、蜗壳层（129.0m高程）、廊道层（121.4m高程）和尾水管层（107.10m高程）。

一、各层布置

（一）发电机层布置

机旁盘、励磁盘布置在厂房下游侧；每台机组的第Ⅳ象限布置有净尺寸为3.1m×5.5m的吊物孔，且该吊物孔兼作通风孔。

（二）母线层布置

每台机组的第Ⅱ象限布置有油压装置，第Ⅳ象限布置有净尺寸为2.0m×3.0m的吊物孔，与发电机的吊物孔相对应。消弧线圈柜布置在第Ⅲ象限，检修配电盘及机械制动盘布置在第Ⅲ象限，自用电机旁盘布置在第Ⅳ象限。

（三）水轮机层布置

水轮机层的第Ⅰ、Ⅳ象限，主要布置了技术供水管线，2#、3#、4#、5#、6#机组的第Ⅱ象限布置净尺寸为2.0m×2.0m的通风孔，各层通风孔均用钢格板覆盖。3#机的第Ⅱ象限布置净尺寸为1.5m×1.5m的吊物孔至渗漏排水泵房。6#机的第Ⅳ象限布置净尺寸为2.5m×2.0m的吊物孔至下游操作廊道。

（四）安装间布置

安装间的144.50m高程层为机组的安装、检修场地，139.0m高程层主要布置有空压机房、照明变压器室、照明配电室、通风竖井及电缆廊道等；134.50m高程层主要布置有回水泵房、回水泵控制室、通风竖井、管道间、阀门室、备品备件室、厂内机修间、油库、供油与排油泵房及空压机室等。

二、主厂房的交通布置

（一）对外交通

17#进厂交通洞为地下厂房的主要出入口，直接由厂房安装间下游侧垂直进入主厂房的144.50m高程层；主厂房右山墙的上游侧另设有一个出入口与21#交通洞相接。此两入口均设有防火卷帘门。主副厂房之间通过144.50m高程层主、副厂房隔墙上的门相联系，该门亦设防火卷帘门。

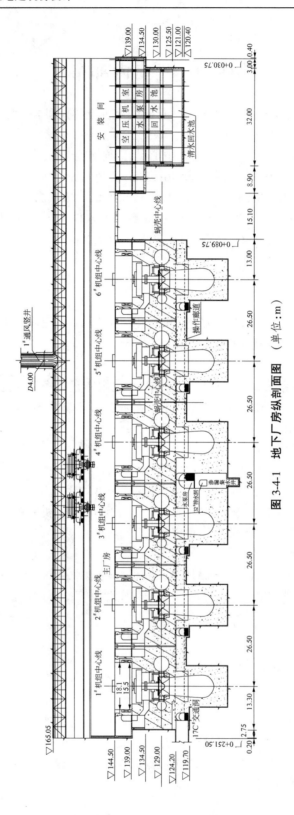

图 3-4-1　地下厂房纵剖面图　（单位：m）

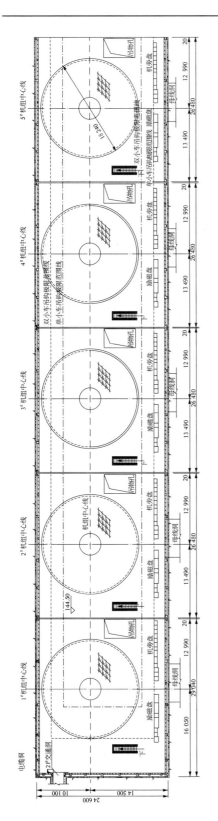

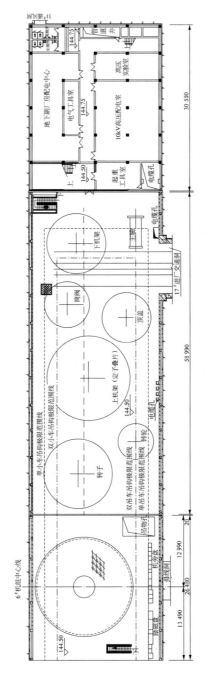

图 3-4-2　地下厂房发电机层平面图　（尺寸单位：mm）

(二)竖向交通

主机段每台机组的第Ⅲ象限均布置有 A 型及 A1 型楼梯,1# 及 4# 机组布置的 A1 型楼梯,从发电机层 144.50m 高程下至 128.555m 高程的蜗壳进人孔。2#、3#、5# 及 6# 机组布置的 A 型楼梯,从发电机层的 144.50m 高程下至 104.85m 高程。安装间上游侧左山墙处布置的 F 型楼梯,从 144.50m 高程下至母线层的 139.00m 高程;安装间 139.00m 高程至水轮机层的 134.50m 高程之间通过 B 型楼梯连接。在 1# 机组的第Ⅱ象限上游边墙处设一钢梯,上至桥机的司机室。另外通过地下副厂房的楼梯,在主、副厂房的隔墙上开一门洞,上至岩壁吊车梁的平台。

(三)横向交通

主厂房的横向通道设在下游侧,安装间的母线层及水轮机层亦通过下游侧的通道与主厂房相接。

三、各层廊道布置

上游操作廊道布置在 121.40m 高程,廊道断面净尺寸 2.5m×3.0m,为城门洞形。

下游操作廊道布置在 120.20m 高程,其左端与 37# 交通洞相连。上、下游操作廊道通过设在各机组段间的宽为 2.5m 的交通廊道相联系,且厂房 A 型楼梯通过下游操作廊道。渗漏集水井排水泵房设在 3#、4# 机组段之间的 118.20m 高程,其下为渗漏集水井,井底高程为 103.76m。

检修排水洞及廊道布置在下游侧的 104.85m 高程,左侧顶部经由 5# 交通竖井与 37# 交通洞相连。42# 检修排水洞内主要布置有尾水管放空盘阀和排水管道。

四、主变室布置

(一)尺寸拟定

根据机电设备布置的要求,主变室设有主变压器室、35kV 厂用变压器室、机端变压器室、油设备室、油泵房等。变压器宽度 9.0m,主变压器运输通道净宽 4.60m,上、下游边墙喷混凝土厚度均为 0.10m,上、下游防潮隔墙厚各 0.30m,因此主变室的开挖跨度为 14.40m。确定主变室开挖长度时,除考虑上述因素外,还考虑了设置主变室的竖向交通等,总开挖长度为 174.70m,开挖高度为 17.85m,即主变室的开挖尺寸为长×宽×高= 174.70m×14.40m×17.85m。主变室为 2 层(局部为 3 层)的现浇钢筋混凝土砖混结构,首层为主变压器室层,底板高程 144.50m;顶层为电缆夹层,主要布置高压电缆,底板高程 156.05m。

(二)首层布置

主变室首层地面高程为 144.50m,从右至左分别布置有一座油泵房和 1# ~ 6# 共 6 个主变压器室。其中 1#、2# 主变压器室之间布置油设备室,2#、3# 主变压器室之间布置 3# 机端变压器室,4#、5# 主变压器室之间布置 35kV 配电室,5#、6# 主变压器室之间布置 6# 机端变室,6# 主变压器室左端布置 35kV 厂用变压器室。在油泵房与 6# 主变压器室左端的 35kV 厂用变压器室之间,以及 1# 主变压器室右端各设置一部楼梯,直通 156.05m 高程的电缆夹层;3#、6# 机端变室和 35kV 配电室右端各设置一部楼梯,通至 150.50m 高程层。

另外在主变室下游侧设置宽度为 4.60m 的主变运输通道;从右至左设置连接各主变压器坑的排油沟,通至位于主变室最左端的油泵房。

(三)电缆夹层布置

电缆夹层底板高程为 156.05m,主要布置 220kV 电缆。一台三相主变压器,每相 1 根电缆。6 台主变压器共布置 18 根 220kV 电缆,另外还有 4 根 35kV 电缆。其中 1#、2#、3# 主变压器共 9 根电缆,经过 19# 高压电缆洞通至地面开关站,其余的电缆经过 20# 高压电缆洞通至地面开关站。

第四章 地下洞室群围岩稳定分析及试验研究

第一节 地应力量测

一、地应力场特点

(1)地应力是岩体中蕴藏的内力,它由构造应力、岩体自重应力以及其他原因而残存于岩体内部的封闭应力组成。因此,一定深度处的岩体都将受到地应力场的作用。当在地下开挖时,初始应力场受到干扰,洞室周围应力重新分布,形成新的应力场,它是影响地下洞室围岩稳定和支护结构的重要荷载之一,因此确定地应力的大小和方向是地下工程设计的重要条件。

(2)我国地应力场总体上属于压应力场,区域最大压应力的仰角一般小于30°,故可以认为一个主应力基本上是铅直的,另外两个主应力基本上是水平的。铅直应力的大小与上覆岩体的重力有关,其值可根据上覆岩体的厚度和岩体重度计算。特别是在地壳深层部位,绝大部分测量结果为压应力,很少出现拉应力的情况。

(3)最大水平应力分量大于垂直应力分量是普遍现象,根据国内外实测资料统计,侧压力系数(σ_H/σ_Z)为 0.5~5.5,大部分在 0.8~1.2 之间。

二、地应力测试

小浪底工程厂坝区地应力测量工作进行过多次,采用的地应力测试方法主要有水压致裂法和应力解除法。

(一)水压致裂法测地应力

水压致裂法是测量地壳深部应力的一种方法,它是利用可膨胀的橡胶封隔器,在已知深度处封隔一段钻孔,然后通过泵入液体对这段钻孔增压,在出现断裂的过程中,记录开裂压力,再换算成该试验段的地应力及岩石抗拉强度。为了搞清小浪底左岸地下厂房部位地应力状态,于 1991 年 8 月,先后对 T_{622} 及 T_{628} 钻孔进行了水压致裂应力测量工作。

1.主应力大小的测定

假定岩石是均匀的、脆性和各向同性的弹性体,当岩石为多孔介质时,注入液体按达西定律在岩石孔隙中流动,三个主应力之一与钻孔轴平行。

地壳内某一点的应力状态,可以用三个主应力分量来表示,即最大水平主应力 S_H、最小水平主应力 S_h,以及垂直应力 S_V。水压致裂过程中测得的压力参数及其破裂方位与三个主应力分量直接相关,同时,由于在深孔周围的岩体中存在孔隙压力,可将主应力分解为有效应力(岩石晶体格架承受的压力)和孔隙压力(岩石孔隙中的流体压力),即:

$$S_H = \sigma_H + P_0$$
$$S_h = \sigma_h + P_0 \tag{4-1-1}$$
$$S_V = \sigma_V + P_0$$

式中：σ_H 和 σ_h 分别为有效最大水平主应力和有效最小水平主应力；σ_V 为垂直有效应力；P_0 为孔隙压力。

在水压致裂过程中，随着封隔段内的液压不断增大，孔壁上切向有效应力将逐渐变小，最后变为张应力。当其等于或大于岩石的抗张强度（T）时，在孔壁上就会产生破裂，岩石破裂时的临界压力（P_b）可由下式求得：

$$P_b - P_0 = \frac{T + 3\sigma_h - \sigma_H}{K} \tag{4-1-2}$$

式中：K 为孔隙渗透参数，其数值变化范围为 $1 \leqslant K \leqslant 2$。对于非渗透性岩石而言，$K$ 值近似等于1，故上式可简化为：

$$P_b - P_0 = T + 3\sigma_h - \sigma_H \tag{4-1-3}$$

如将式（4-1-3）中的有效应力变换为地下主应力，则有：

$$P_b - P_0 = T + 3S_h - S_H - 2P_0 \tag{4-1-4}$$

即：

$$P_b = T + 3S_h - S_H - P_0 \tag{4-1-5}$$

大量试验结果表明，不管垂直应力的大小如何，孔壁上的初始水压破裂总是垂直的，并沿最小阻力路径传播，即在垂直于最小主应力方向的平面内扩展。当一个水平主应力是最小主应力时（$S_H = S_1, S_V = S_2, S_h = S_3$），则初始破裂为垂直的，而且裂缝将在垂直于该最小水平主应力方向的平面内延伸。因此，在关泵停止注液后，维持裂缝张开的瞬时关闭压力（P_0）就等于垂直破裂面方向的压应力，即最小水平主应力：

$$S_h = P_0 \tag{4-1-6}$$

在这种情况下，垂直主应力可根据上履岩层的容重计算求得，即：

$$S_V = \rho H \tag{4-1-7}$$

式中：ρ 为上覆岩层的容重；H 为测量段深度。

当垂直主应力 S_V 是最小主应力时，初始破裂是垂直的，此刻可以求得第一瞬时关闭压力（P_{S1}）。当破裂面向外扩展，并转变为水平破裂时，则可得到第二瞬时关闭压力（P_{S2}）。

显然 $P_{S1} \geqslant P_{S2}$，即：

$$\left.\begin{array}{l} S_h = P_{S1} \\ S_V = P_{S2} \end{array}\right\} \tag{4-1-8}$$

在这种情况下，最小水平主应力和垂直主应力均可从压力—时间记录曲线上直接取得。最大水平主应力可由式（4-1-5）导出：

$$S_H = T + 3S_h - P_b - P_0 \tag{4-1-9}$$

式中的抗张强度 T 可在现场通过对封隔段的多次循环加压过程来求得。在初始的压裂循环中，由于岩石是完整的，连续加压使得岩石破裂，并可得到明显的破裂压力 P_b，而在

此后的重张压裂循环中,由于破裂已经产生,岩石的抗张强度 $T=0$,这时使裂缝重新张开的压力 P_r 为:

$$P_r = 3S_h - S_H - P_0 \qquad (4\text{-}1\text{-}10)$$

这样,在求解最大水平主应力时,也可直接采用重张压力参数计算:

$$S_H = 3S_h - P_r - P_0 \qquad (4\text{-}1\text{-}11)$$

由式(4-1-5)和式(4-1-11),便可得出岩石抗张强度 T:

$$T = P_b - P_r \qquad (4\text{-}1\text{-}12)$$

根据水压致裂过程中测定的各有关参数,便可确定出主应力的大小,而且由式(4-1-6)和式(4-1-11)可见,准确地测量最小水平主应力是十分重要的,它是水压致裂原地应力测量的关键。测量最小水平主应力时的任何误差,都会在确定最大水平主应力时成倍增大。

2.主应力方向的测定

测定主应力方向是通过测量孔壁上水压裂缝的方向来实现的。

若对钻孔封隔段施加液压直至破裂,则该破裂必定在切向应力最小的部位发生。因此,水压破裂的方向就是最大水平主应力方向。

确定最大水平主应力方向,通常的方法是采用自动定向印模器直接将孔壁上的裂缝痕迹印模下来,这种方法比较可靠,且十分直观。试验结果见图4-1-1、图4-1-2。

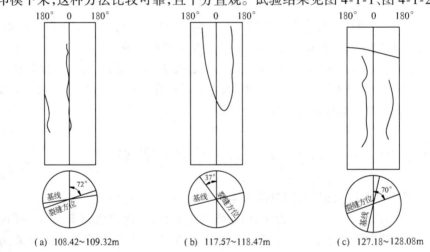

(a) 108.42~109.32m　　　(b) 117.57~118.47m　　　(c) 127.18~128.08m

图 4-1-1　T_{622}孔压裂缝的印模形状及方位图

3.水压致裂应力测量结果

1)T_{622}钻孔水压致裂应力测量结果

T_{622}孔位于地下厂房 $1^\#$ 机组段南端。孔口高程为 243.03m,孔深 153.09m,地下稳定水位为 108.03m。

(1)应力测量结果。该孔岩石为三叠系下统紫红色硅质、钙质粉砂、细砂岩。大多数岩心较完整,有些段虽然微裂缝,但基本被钙质胶结,并有方解石脉充填,岩性比较坚硬。但是也有少部分岩心比较破碎,节理、裂隙较发育。

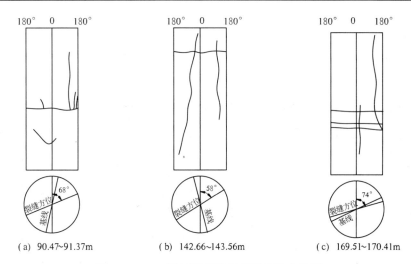

(a) 90.47~91.37m　　　　(b) 142.66~143.56m　　　　(c) 169.51~170.41m

图 4-1-2 T₆₂₈孔压裂缝的印模形状及方位图

对该孔共进行了 8 次压裂试验。除 42.24~43.14m 测试段原生裂隙发育、漏水现象十分严重致使压裂无法进行外,其余 7 段压裂成功。测量结果见表 4-1-1。

(2)破裂方位印模分析。根据测试段的位置和压裂曲线的规律性,选择本孔下部三个测试段进行了印模定向测量,见图 4-1-1。

高程 108.42~109.32m 印模图上有两条垂直裂缝。经过计算,得出本测段破裂面的平均方向为 N72°E。

高程 117.57~118.47m 印模图上有两条裂缝交会于一点,显然是倾斜裂缝,推断这是一条原生裂缝。岩心描述也表明该深度上存在一条原生裂缝。由印模结果求得其平均方向为 N37°W,这一结果代表原生裂缝方位,并不是应力方向。

高程 127.18~128.08m 印模图上有三条明显的裂缝,其中有一条为水平节理,另两条在两侧直立对称为水压裂缝,其方向为 N70°E。

2)T₆₂₈孔水压致裂应力测量结果

T₆₂₈孔与 T₆₂₂孔之间相距约 120m,处于地下厂房地段,在尾水闸门室下游侧与 3# 尾水洞交叉处。孔口高程 272.08m,终孔深度 182m,地下稳定水位 137.08m。

(1)应力测量结果。T₆₂₈孔岩性与 T₆₂₂孔相同,根据岩心情况,选择了 15 个压裂段进行压裂试验,其中 8 段压裂成功,测量结果见表 4-1-1。

(2)破裂方位印模分析。根据测试段深度以及压裂曲线的规律性选择出 3 个测试段进行了印模定向,测量结果具有很好的一致性(见图 4-1-2)。

高程 90.47~91.37m 印模图上,其中有一条较长的直立缝和与之相对称的一条略带倾斜的短裂缝为压裂所致,由此,求得主应力方向为 N68°E。

高程 142.66~143.56m 印模图上,有两条非常明显的垂直裂缝,左右对称。通过计算得出该段裂缝方向平均值为 N58°E。

高程 169.51~170.41m 印模图上,有三条水平裂缝和一长一短两条垂直裂缝。两垂直裂缝代表主应力方向,其平均值为 N74°E。

表 4-1-1　　　　　　　　　　小浪底水电站地下厂房区水压致裂应力测量结果

孔号	序号	测量孔段 高程(m)	测量孔段 深度(m)	压裂参数(MPa) P_b	P_r	P_s	P_H	P_O	应力值(MPa) S_H	S_h	S_V	S_{min}	T	S_h 方向
T$_{622}$	1	216.39~215.49	26.64~27.54	10.48	5.28	2.78	0.28		3.06	2.78	0.72	1.17	5.20	
	2	173.32~172.42	69.71~70.61	10.21	3.21	2.21	0.71		3.42	2.21	1.85	0.79	7.00	
	3	148.32~147.42	94.71~95.61	11.66	—	—	0.96		—	—	—	—	—	
	4	136.61~133.71	108.42~109.32	9.79	3.09	2.29	1.09		3.78	2.29	2.87	0.75	6.70	N72°E
	5	125.46~124.56	117.57~118.47	11.18	3.18	2.68	1.18	0.10	4.76	2.68	3.12	1.09	8.00	(N37°W)*
	6	121.11~120.21	121.92~122.82	10.23	3.93	2.73	1.23	0.14	4.12	2.73	3.23	0.70	6.30	N70°E
	7	115.85~114.95	127.18~128.08	13.58	7.28	6.68	1.28	0.20	12.56	6.60	3.37	4.6	6.30	
T$_{628}$	1	207.33~206.43	64.75~65.65	10.26	3.46	3.16	0.66		6.02	3.16	1.72	2.15	6.80	
	2	204.39~203.69	67.69~68.59	9.49	3.89	2.89	0.69		4.78	2.89	1.80	1.49	5.60	
	3	181.61~180.71	90.47~91.37	7.91	5.61	3.91	0.91		6.12	3.91	2.40	1.86	2.30	N68°E
	4	176.91~176.01	95.17~96.07	7.26	2.46	1.96	0.96		3.42	1.96	2.52	0.73	4.80	
	5	145.72~144.82	126.36~127.26	—	3.27	2.47	1.27	0.06	4.14	2.47	3.35	0.81		
	6	129.42~128.52	142.66~143.56	9.64	3.44	2.14	1.44		2.92	2.14	3.78	0.39	6.20	N58°E
	7	125.77~124.87	146.31~147.21	11.97	—	—	1.47	0.10	—	—	3.87	—	—	
	8	102.57~101.67	169.51~170.41	11.70	3.70	3.00	1.70	0.33	4.97	3.00	4.49	0.99	8.00	N74°E

注：*原生裂隙。

4.结论

(1)本地区最大水平主应力方向为 N58°E ~ N74°E,平均方向为 N68°E,受区域应力场控制。

(2)厂房区两钻孔测量深度范围内水平主应力值偏低,且随深度变化不明显,不存在随深度增加而增加的普遍规律。在高程 105 ~ 125m 之间存在一完整而坚韧的岩层,其岩石破裂压力较高,可达 30MPa 以上。

(3)三向主应力 S_H、S_h 和 S_V 之间的关系为:以孔深 90 ~ 100m 为界,浅部 $S_H > S_h > S_V$,深部 $S_H > S_V > S_h$。

(4)本地区岩石强度高,抗张强度一般在 5.5 ~ 6.5MPa 之间,而且本区属低地应力地区,侧压系数较小。

(二)应力解除法测地应力

应力解除法是目前应用最广泛的一种应力测量方法。此法是在岩石中先钻一孔,在钻孔中安装测量传感器,并观测读数,然后在测孔外用同心套钻钻取岩心,使岩心脱离围岩。岩心因应解除而产生弹性恢复,根据应力解除前后仪器所测得的应变差值,即可算出应力值的大小和方向。

在左岸厂坝区进行了多次地应力测试。

1.1979 年 11 月测试

1979 年 11 月,在左岸 11# 平硐主洞桩号 0 + 160m 和 0 + 165m 设两个测试断面,该段岩层为紫红色钙泥质粉砂岩;在 0 + 160m 处的一条长 50m 的支洞内设 4 个测试断面,主要为紫灰色钙质、钙泥质细砂岩,分别采用压磁法和孔径法进行测试。对所测数据进行分析,选择出可靠的数据,解算地应力值,计算成果见表 4-1-2。地应力测试结果表明:

(1)小浪底的地应力是以自重应力为主,也受构造应力影响。在左岸是沉积岩,岩层平缓,以自重应力为主,反映了沉积岩层地应力的特点。该地区断层较发育,平硐内出露的大断层有 F_{236} 和 F_{238} 以及 $f_7 ~ f_{14}$ 等十多个小断层,除 f_{14} 外,其余均为陡倾角的断层,这些现象说明小浪底的地应力受大地构造应力场制约。

(2)主洞内实测最大主应力 $\sigma_1 = 3.46$MPa,与水平面的倾角为 88.68°,近于垂直。支洞内实测较大的主应力 $\sigma_2 = 2.98$MPa,与水平面的倾角为 70.59°,也是很陡的角度,反映了以自重应力为主的特点。

(3)测段上覆盖岩体厚度约 130m,此处的自重应力 $\gamma H = 3.41$MPa 与实测最大主应力值基本相等,这可能是巧合。

(4)主洞内实测次大主应力 $\sigma_2 = 2.86$MPa,与水平面的倾角为 1.1°,近于水平,方向南偏西 13.86°。支洞内实测最大主应力 $\sigma_1 = 4.02$MPa,与水平面的倾角为 6.82°,近于水平,方向为南偏东 33°。这说明该区近南北方向有构造应力场作用。

(5)在主洞桩号 0 + 270m 处有一条 f_{11} 断层,钻孔穿过 f_{11} 断层以后,测到几组数据,求得的平面应力为:$\sigma_1 = 3.06$MPa,$\sigma_2 = 2.8$MPa,$\alpha_1 = 82°$,与水平面的倾角近于垂直,实测应力值小于岩体自重应力 3.41MPa,说明 f_{11} 断层起到卸荷作用。

2.1993 年 7 月测试

1993年7月,在小浪底左岸3# 导流洞与1#、2# 施工支洞的交会处,分别进行了三

表 4-1-2

11# 平洞计算成果

序号	断面	类型	一点的 6 个应力分量（MPa）						主应力（MPa）			λ	
			σ_x	σ_y	σ_z	τ_{yz}	τ_{zx}	τ_{xy}	σ_1 / β / α	σ_2 / β / α	σ_3 / β / α	λ_x	λ_y
1	11#主洞内1#断面 0+165（孔径法）	三孔交会	2.703	1.156	3.463	−0.032	0.005	−0.405	3.46 / 46.96° / 88.69°	2.80 / 193.86° / 1.10°	1.06 / 283.87° / 0.72°	0.78	0.33
2	11#主洞—160支洞 V断面（孔径法）	三孔交会	3.108	2.095	2.806	0.410	−0.438	1.306	4.02 / 147.01° / 6.82°	2.98 / 256.85° / 70.59°	1.01 / 54.77° / 18.09°	1.11	0.75
3	11#主洞内1#断面 0+160（压磁法）	虚拟交会	2.876	1.213	3.268	0.270	0.677	0.317	3.57 / 205.32° / 51.42°	2.83 / 14.55° / 38.09°	0.95 / 108.69° / 5.26°	0.88	0.37
4	11#主洞—160支洞 2#断面（孔径法）	虚拟交会	2.244	0.784	2.368	0.217	0.075	0.126	2.44 / 341.03° / 62.71°	2.21 / 179.20° / 26.11°	0.75 / 85.56° / 7.38°	0.95	0.33

注：β 为方位角，α 为倾角。

孔交会法地应力现场测试,在 2# 施工支洞进行了一组单孔三维包体地应力现场测试。共设置两个测试断面。1# 断面距 1# 支洞洞口 500m,桩号 0 + 178.3m,进洞口高程约 140m,掌子面处山体厚度约 140m,钻孔处岩层出露为 T_1^{3-2},属紫红色钙泥粉砂岩,巨厚层状,节理不发育,成洞条件好,洞壁潮湿,岩体完整;2# 断面距 2# 支洞洞口 502.2m,桩号 0 + 784m,进洞口高程约 140m,掌子面处山体厚度约 80m,钻孔处出露岩层 T_1^{5-1},属紫红色泥质、钙泥质粉细砂岩,岩性较软,节理较发育,主要有两组节理,其产状分别为 285°∠90°、305°∠78°。

　　小浪底坝址地质构造形迹图见图 4-1-3,狂口背斜呈 NW280°展开,向 SE 方向倾伏,此外断层较为发育,F_1 断层走向为 NW290°,倾向 NE,倾角 25°~85°;F_{28} 断层走向为 NE40°~50°,倾向 NW,倾角 80°;F_{236} 和 F_{238} 断层为近 EW 向分布的高倾角断层。量测地应力的地点位于狂口背斜的北翼。根据构造形迹分析,本测区的构造受 NNE 向挤压应力的作用。

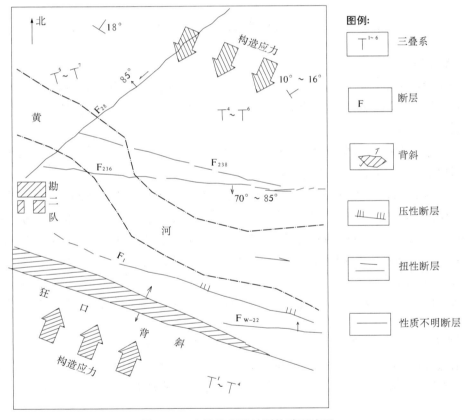

图 4-1-3　小浪底坝址地质构造形迹图

　　应力解除法系采用钻孔直径为 130mm,每段解除深度为 30cm。三孔交会法采用的是 ϕ36 - 2 型四分向环式钻孔变形计和 YJB - IA 型应变仪。根据弹性理论公式,用一个钻孔的三个读数可以求解平面应力分量,用三个交会的钻孔变形值求解三维应力值。

　　根据实测的变形值,求解应力分量和主应力值,计算结果见表 4-1-3、表 4-1-4。

表 4-1-3　　　　　　　　2# 施工支洞 1#、2# 断面实测三维应力六个分量成果

断面编号	E (MPa)	μ	σ_x (MPa)	σ_y (MPa)	σ_z (MPa)	τ_{xy} (MPa)	τ_{yz} (MPa)	τ_{zx} (MPa)	λ_x	λ_y
1#	2.9×10^4	0.2	5.73	4.62	5.57	−0.049	−0.62	0.064	1.03	0.83
2#	8×10^3	0.3	2.84	2.94	2.80	−0.21	−0.046	0.21	1.01	1.05

表 4-1-4　　　　　　　　2# 施工支洞 1#、2# 断面实测三维主应力成果

断面编号	应力值(MPa)		方位角	倾角
1#	σ_1	5.91	N45.6°E	55.1°
	σ_2	5.70	S10.4°E	21.3°
	σ_3	4.32	S89.3°E	−26.2°
2#	σ_1	3.19	N44.4°E	25.4°
	σ_2	2.82	N72.5°W	43.7°
	σ_3	2.57	N25.7°W	−35.7°

成果分析：

(1)小浪底坝址区的地应力是以自重应力为主，同时也受构造应力场的影响，在局部地区由于受断层构造带的影响，也表现出以水平应力为主的特点，这主要是测点距 F_{236}、F_{238} 较近，受断层活动的影响。

(2)两个支洞所测的主应力 σ_1 的方位角很接近，分别为 N45.6°E 和 N44.4°E，说明坝址区的地应力受 NNE 挤压应力的影响较为明显。

(3)1# 支洞的最大主应力 $\sigma_1 = 5.91$MPa，该测点上覆岩体厚度为 140m，岩体自重应力 $\gamma H = 3.71$MPa，则 $\sigma_1/\gamma H = 1.59$；2# 支洞的 $\sigma_1 = 3.19$MPa，该测点上覆岩体厚度为 80m，岩体自重应力 $\gamma H = 2.12$MPa，则 $\sigma_1/\gamma H = 1.50$。说明地应力的大小随测点处上覆岩层厚度的增大而增大，而且实测主应力 σ_1 与自重应力有着 1.5 倍的近似比值关系。

3.1993 年 12 月测试

1993 年 12 月，在 2# 施工支洞与 3# 导流洞堵头相距 4m 处，进行了三维主体应力解除法测试。

三维包体地应力解除法是在一个长 20cm 的塑料圆管外表面上，贴 3 组均匀分布的应变片，通过 YJB − IA 型应变仪测得解除岩心前、后三向平面变形值，并计算出三维应力值。

根据测试结果计算主应力的大小及方向，计算成果见表 4-1-5。

表 4-1-5　　　　　　　　2# 施工支洞地应力成果

主应力(MPa)		倾角	方位角	σ_z (MPa)	σ_x (MPa)	σ_y (MPa)	λ_x	λ_y
σ_1	2.99	−55.1°	N82.6°E	2.64	0.63	2.33	0.24	0.88
σ_2	2.03	33.2°	N77.7°W					
σ_3	0.57	−9.2°	N6.1°E					

注:倾角仰角为负。

按上覆岩层 85m 计算,自重应力 $\sigma_z = \gamma H = 2.3\text{MPa}$,与上述实测值 2.64MPa 相差不大,而由自重产生的水平应力 $\sigma_z(\sigma_x) = k\gamma H = 0.7\text{MPa}$,比上述实测值 2.33MPa 要小得多,这说明此处的地应力除自重应力场的作用外,还受到周围断层构造应力场的影响,这和前面所述的结论是一致的。

4.1994 年 10 月测试

1994 年 10 月,为进一步了解地下厂房地段岩体应力状态,在地下厂房轴线位置,高程 156m 的地质探洞内进行地应力测试。探洞全长 253m,洞轴线方向为 NW350°。地应力测试共设两个断面,采用三孔交会孔径应力解除法测试地应力。$1^{\#}$ 断面设在探洞桩号 0 + 68m 处(地下安装间部位),$2^{\#}$ 断面设在探洞桩号 0 + 102m 处($1^{\#}$ 机组中心线附近),测试断面位于 T_1^4 岩层,为钙泥质粉细砂岩。测段上覆岩体厚度约 100m。

地下厂房地段与 F_{28} 断层的最小距离约 150m,与 F_{240} 断层的最小距离约 140m,F_{236}、F_{238} 断层在厂区以南 260m 以远,受断层破碎带影响较小。根据上述地质资料分析,该区受多期性构造运动影响,既有水平挤压又有升降运动,测区地应力主要受 NNE 向挤压应力作用的影响。根据实测变形值,计算地应力成果见表 4-1-6、表 4-1-7。

表 4-1-6　　　　　　　　地下厂房 $1^{\#}$、$2^{\#}$ 断面三维应力 6 个应力分量成果

断面编号	σ_x (MPa)	σ_y (MPa)	σ_z (MPa)	τ_{xy} (MPa)	τ_{yz} (MPa)	τ_{zx} (MPa)	λ_x	λ_y
$1^{\#}$	1.98	1.82	2.99	− 0.047	− 0.301	0.32	0.66	0.61
$2^{\#}$	2.43	2.63	3.05	− 0.43	− 0.098	0.58	0.80	0.86

注:$E = 2.66 \times 10^4 \text{MPa}$,$\mu = 0.32$。

表 4-1-7　　　　　　　　　　　地下厂房主应力成果

断面编号	应力值(MPa)		方位角	倾角
$1^{\#}$	σ_1	3.15	N82.6°E	69.88°
	σ_2	1.90	S10.4°E	12.17°
	σ_3	1.74	N82.6°E	− 15.77°
$2^{\#}$	σ_1	3.51	N32.9°E	49.38°
	σ_2	2.68	S76.2°E	31.94°
	σ_3	1.93	N28.6°E	− 22.3°

注:$E = 2.66 \times 10^4 \text{MPa}$,$\mu = 0.32$。

计算结果表明:

(1)最大主应力的方向为 NE30° ~ NE40°,接近构造应力轴线方向 NNE,倾角大部分大于 45°。最大主应力 $\sigma_1 = 3.15 \sim 3.51\text{MPa}$,大于上覆岩体自重应力 $\gamma H = 2.62\text{MPa}$,垂直应力 $\sigma_z = 2.99 \sim 3.05\text{MPa}$,也大于岩体自重应力,这表明地应力场是自重应力场和构造应力场叠加的结果,而且是以自重应力场为主,并受到构造应力场的影响。

(2)垂直应力大于水平应力,符合以岩体自重应力为主导的地应力场应力分布规律。

三、三维初始地应力场回归分析

为探讨地应力与地下工程建设的关系,初始地应力场的研究对小浪底工程是十分必要的,它是地下厂房、地下洞室群围岩稳定和高边坡稳定分析所需要的基本资料。

建立三维有限元计算模型,对岩体自重、地质构造运动因素进行模拟计算,可得到模拟的自重应力场,然后将实测应力值与相应位置的初拟"观测值"进行回归计算,对回归结果进行检验,便得到三维初始应力场。

(一)地应力实测值分析

小浪底工程厂坝区共有 3 个测点 5 个应力解除法实测值(见表 4-1-8a、4-1-8b)和 2 个测孔的水力致裂法实测值(见表 4-1-9a)。对上述实测值的初步分析,可以对该工程的初始地应力作出宏观的认识和评价。

表 4-1-8a　　　　　　　　　　　应力解除法实测主应力值

测点号	σ_1(MPa)	α_1(°)	β_1(°)	σ_2(MPa)	α_2(°)	β_2(°)	σ_3(MPa)	α_3(°)	β_3(°)
No.1a	3.46	46.96	88.69	2.80	193.86	1.10	1.06	283.87	0.72
No.1b	3.57	205.36	51.42	2.83	14.55	38.09	0.95	108.69	5.26
No.1c	3.473	329.23	10.48	2.897	212.53	67.46	0.128	62.99	19.53
No.2	5.9	45.6	55.1	5.70	169.6	21.3	4.32	270.7	26.2
No.3	3.19	44.4	25.4	2.82	287.5	43.7	2.57	155.0	35.7

表 4-1-8b　　　　　　　　　　　应力解除法实测分应力值　　　　　　　　　　(单位:MPa)

测点号	σ_x	σ_y	σ_z	τ_{xy}	τ_{yz}	τ_{zx}
No.1a	2.70	1.161	3.459	−0.405	−0.032	0.005
No.1b	2.873	1.21	3.267	−0.677	0.317	−0.27
No.1c	2.801	1.09	2.607	1.24	0.83	−0.307
No.2	5.733	4.625	5.563	−0.044	−0.615	0.061
No.3	2.854	2.918	2.808	−0.229	−0.036	0.203

表 4-1-8c　　　　　　　　　　　参数换算成果

测点号	$n_1 = \dfrac{\sigma_x}{\sigma_z}$	n_1/λ	$n_2 = \dfrac{\sigma_y}{\sigma_z}$	n_2/λ	上覆岩体厚度(m)	γH (MPa)	$\sigma_z/\gamma H$	$\dfrac{\sigma_x + \sigma_y}{2\sigma_z}$
No.1a	0.78	2.765	0.336	1.191	100	2.61	1.325	0.558
No.1b	0.879	3.116	0.37	1.312	100	2.61	1.252	0.625
No.1c	1.074	3.808	0.418	1.482	100	2.61	0.999	0.746
No.2	1.031	3.655	0.831	2.946	149	3.89	1.43	0.93
No.3	1.016	3.602	1.039	3.684	85	2.22	1.265	1.028

表 4-1-9a　　　　　　　水力致裂法实测主应力与分应力值　　　　　（单位：MPa）

孔号	深度(m)	S_H	S_h	S_V	S_H 方向(°)	σ_x	σ_y	σ_z	τ_{xy}
T_{622}									
4	108.87	3.78	2.29	2.87	72	2.432	3.638	2.87	− 0.438
7	127.63	12.56	6.68	3.37	70	7.368	11.872	3.37	− 1.89
T_{628}									
3	90.92	6.12	3.91	2.40	68	4.22	5.81	2.40	− 0.768
6	143.11	2.92	2.14	3.78	58	2.359	2.701	3.78	− 0.351
8	169.96	4.97	3.00	4.49	74	3.15	4.82	4.49	− 0.522

表 4-1-9b　　　　　　　　　　　　参数换算成果

孔号	$n_1 = \dfrac{\sigma_x}{\sigma_z}$	n_1/λ	$n_2 = \dfrac{\sigma_y}{\sigma_z}$	n_2/λ	$\sigma_z/\gamma H$	$\dfrac{\sigma_x + \sigma_y}{2\sigma_z}$
T_{622}						
4	0.847	3.003	1.268	4.496	1.0	1.057
7	2.168	7.687	3.523	12.491	1.0	2.855
T_{628}						
3	1.758	3.233	2.42	8.58	1.0	2.09
6	0.624	2.212	0.715	2.535	1.0	0.669
8	0.702	2.489	1.073	3.804	1.0	0.888

注：1.坐标：x—N 向；y—W 向；z—向上。

2.$\lambda = \dfrac{\mu}{1-\mu}$。

根据实测成果换算的地应力参数，如表 4-1-8c 和表 4-1-9b 所示，可以看出：

(1)实测竖向应力 σ_z 大于上覆岩体自重产生的竖向应力 γH。如应力解除法测值，$\sigma_z/\gamma H = 1.0 \sim 1.43$，均值为 1.254。

(2)水平应力与竖向应力关系。解除法测值 60% 是竖向应力大于水平应力；σ_x 是最大水平应力，与竖向应力计算的侧压比 $n_1 = 0.78 \sim 1.074$；σ_y 是最小水平应力，其侧压比 $n_2 = 0.336 \sim 1.039$；按水平应力均值计算的侧压比 $n = 0.558 \sim 1.028$。水力致裂法测值 60% 是水平应力大于竖向应力；σ_x 是最小水平应力，其侧压比 $n_1 = 0.624 \sim 2.168$；σ_y 是最大水平应力，其侧压比 $n_2 = 0.715 \sim 3.523$；水平应力均值计算的侧压比 $n = 0.669 \sim 2.855$。

上述分析表明：

(1)厂坝区处于三向不等压的地应力状态。

(2)无论是以最大或最小水平应力，还是以水平应力均值计算的侧压比 n_i 均大于按泊松比计算的测压系数 λ。如解除法测值最大水平应力是理论计算水平应力的 2.765 ~ 3.808 倍；最小水平应力是理论水平应力的 1.191 ~ 3.684 倍。致裂法测值最大水平应力是理论水平应力的 2.535 ~ 12.491 倍，最小水平应力是理论水平应力的 2.212 ~ 7.687 倍。说明构造地应力对小浪底工程来说是不能忽视的地质因素。

(3)解除法与致裂法测值存在着一定的系统差异。①解除法 60% 是竖向应力大于水平应力；致裂法 60% 是水平应力大于竖向应力。②解除法 σ_x 是最大水平应力；致裂法 σ_y

是最大水平应力。③若以水平应力均值的侧压比分析,解除法为 0.558 ~ 1.028,致裂法为 0.669 ~ 2.855,后者比前者侧压比大 1.199 ~ 2.777 倍,说明致裂法测值的构造地应力因素 反响较为显著。

(4)测值的最大主应力方向。致裂法测值的最大水平主应力方向较为一致,一般为 N58°E ~ N74°E。而解除法测值的最大主应力方向除 No.1c 测值外,基本是 N25.32°E ~ N46.96°E,但其中 3 个值与水平面的倾角大于 45°。

(二)地应力场三维有限元回归分析

1. 计算模型的建立与待回归因素的分析与模拟

1)计算域范围

选取计算域的原则是在充分考虑到地形、地貌、岩性和断裂带等因素的基础上,以自 然地质体相对独立的自然边界作为计算域边界。为此,计算域的侧面边界应选在河谷或 分水岭等特征部位,在深度的下边界应延伸到不受河谷地形和地下洞室影响的深度。这 样既包括了地形、地质、岩性、断裂带等地质因素,又简化了计算域的边界条件。根据小浪 底工程坝区地形地质条件以及水利枢纽布置情况,左、右边界基本取到分水岭,顺河流向 的上边界取到小浪底村山沟,下边界取到桥沟河口。这样计算域定为:顺河流向长度为 2 200m,垂直河流向长度为 2 500m,深度方向的下边界延深到 – 700m 高程,远大于河谷影 响深度。计算域中岩体包括了坝区主要断裂 F_{28}、F_{236}、F_{238}、F_{240}、F_1,按其产状、影响范围、 相互交会关系等均进行了模拟。根据高地应力的力学机制基本为准连续介质条件,假定 岩体为连续介质各向同性弹性体。计算域 x 向为 N105°E,y 向为 N15°E。网络剖分为 1 860 个结点,八结点等参单元 1 492 个,其中有少量五面体单元。

2)待回归因素的分析与模拟

形成地应力场的主要因素有岩体自重、地质构造运动、温度等。一般情况下,温度作 用影响较小,可忽略不计,有些次要因素也会在逐步回归分析中剔除。对岩体自重、地质 构造运动因素进行了模拟计算,计算模式如图 4-1-4 所示。

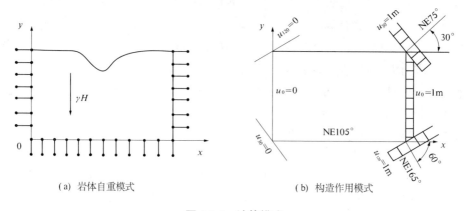

(a) 岩体自重模式　　　　　　　(b) 构造作用模式

图 4-1-4　计算模式

模型的边界约束条件应符合静力平衡要求。对岩体自重计算模式(见图 4-1-4a),只 要确知岩体容重参数 γ 即可求得岩体自重应力场,用 $\sigma_{k\gamma H}$ 表示。对岩体构造运动计算模式(见图 4-1-4b),从地质力学观点分析,构造作用方向应是水平的。但因构造运动未知,无法直接求解,回归法的主要思想是用边作用力 P_0 或边界位移 U_0 来模拟构造运动。用三个方向加载来模拟地质构造运动,求得 $u_1(u_0)$、$u_2(u_{60})$ 与 $u_3(u_{150})$ 作用下的构造应力场,用 σ_{ku1}、σ_{ku2}、σ_{ku3} 表示。然后与相应点处的岩体自重应力"预测值"一起作为计算模型的"初拟观测值",再与相应点处实测值进行回归计算,求出各待定因素的回归系数估值 b_i,将各模式中的初拟荷载分别乘以相应的 b_i,即为各待定因素的实际荷载。再分别进行各个模式在实际荷载作用下的有限元计算,将其结果叠加,即得出与实测值残差平方和最小的地应力场,其解是唯一的,这样就完成了把少数点应力转换为场应力。

2. 回归计算

在回归计算中,根据小浪底工程实测地应力情况,先取解除法测值进行。考虑到No.1测点有 3 个测值,在回归分析中所占权重较大,因之略去 No.1c 测值来进行。

σ_k 是将表 4-1-8a 中实测值进行坐标系换算,如表 4-1-8b 所示。根据 σ_k 与按图 4-1-4数学模式求出的待回归有限元观测值 σ_{ki},求得法方程式为:

地质构造			岩体自重	$S_{i\sigma}$
u_1	u_2	u_3	γH	
	38.450 25	30.496 02	22.642 13	53.393 63
	27.725 23	15.908 13	12.334 17	34.745 73
79.026 14		29.384 51	13.483 28	45.013 34
			37.805 78	62.732 72

用逐步回归求解,步骤如下:

(1)根据贡献大小,$V_{\gamma H} = 52.948\ 18$,$V_{u1} = 4.695\ 516$,$V_{u2} = 5.005\ 419$,$V_{u3} = 15.970\ 51$。岩体自重贡献大于地质构造贡献,且 $V_{u3} > V_{u2} > V_{u1}$。

(2)先引进岩体自重因素,经计算,$F_{\gamma H} = 45.55 > F_\alpha$,应引进求逆。

(3)按 $V_{u3} > V_{u2} > V_{u1}$,依次逐步引进构造因素。经计算,$F_{u3} = 13.78 > F_{\alpha=0.05} = 4.38$,引进并求逆;$F_{u2} = 4.31 < F_{\alpha=0.05} = 4.38$,应剔除;$F_{u1} = 4.04 < F_{\alpha=0.05} = 4.38$,应剔除。考虑到 u_1、u_2 与 u_3 为统一的一组因素,应统一进行检验,$F_u = 7.36 > F_\alpha$,应引进作再次求逆。

最终回归结果:岩体自重回归系数 $b_{\gamma H} = 1.331\ 01$;地质构造回归系数 $b_{u1} = -0.495\ 99$,$b_{u2} = 0.850\ 67$,$b_{u3} = 0.975\ 34$;回归平方和 $U = 130.475\ 9$;剩余平方和 $Q = 22.09$;复相关系数 $R = 0.924\ 79$;显著度 $F = 28.056$。

根据已知 b_i 写出回归方程式如下:

$\sigma'_k = 1.331\ 01\sigma_{k\gamma H} - 0.495\ 99\sigma_{ku1} + 0.850\ 67\sigma_{u2} + 0.975\ 34\sigma_{u3}$,求出相应点 σ'_k 和 $e_k = \sigma_k - \sigma'_k$,并列入表 4-1-10 中。

用构造因素的回归系数 b_{ui} 分别乘以深处均匀地应变,即可求得加在数学模型上的实际应变分量:$\varepsilon_x = -0.514\ 326\ 162 \times 10^{-4}$;$\varepsilon_y = -2.914\ 397\ 848 \times 10^{-4}$;$\gamma_{xy} = 0.252\ 148\ 113 \times 10^{-4}$。求得最大主应力方向为 N11.954°E。

3. 回归成果分析

(1)岩体自重回归系数 $b_{\gamma H}$ 接近期望值 1,说明岩体自重因素作用稳定,容重取值合理。

（2）显著度 $F = 28.056 > F_a$，说明回归效果显著。

（3）复相关系数 $R = 0.924\ 79$，说明回归效果显著，同时也说明初拟岩体自重和地质构造因素是形成小浪底工程厂坝区初始地应力场的主要因素是正确的，是符合该工程地质历史背景的。

（4）从表 4-1-10 可以看出，回归值与实测值的符合度是令人满意的。

（5）根据图 4-1-4b 构造模式加荷共同作用时的数学模型、深处变形场总应变求得最大主应力方向 N11.954°E，与区域地质宏观分析是主要受 NS 向构造主应力所制约的结论基本一致。

表 4-1-10　　　　　　　　　　　**回归计算**　　　　　　　　（单位：MPa）

测点号	应力	实测应力 (σ_k)	数学模型"观测值"				回归应力 (σ_k')	$e_k = \sigma_k - \sigma_k'$
			$\sigma_{k\gamma H}$	σ_{u1}	σ_{u2}	σ_{u3}		
No.1a	σ_x	1.062	0.993	4.657	2.327	0.897	1.866	− 0.804
	σ_y	2.799	0.847	1.332	1.222	2.355	3.803	− 1.004
	σ_z	3.459	3.135	0.239	0.125	− 0.056	4.106	− 0.647
	τ_{xy}	− 0.034	− 0.331	− 0.321	1.068	0.624	0.019	0.053
	τ_{yz}	0.013	0.305	− 0.224	− 0.057	0.102	0.568	− 0.555
	τ_{zx}	0.030	0.739	0.377	0.320	− 0.158	0.915	− 0.885
No.1b	σ_x	0.983	0.993	4.657	2.327	0.897	1.866	− 0.883
	σ_y	3.100	0.847	1.332	1.222	2.355	3.803	− 0.703
	σ_z	3.267	3.135	0.239	0.125	− 0.056	4.106	− 0.839
	τ_{xy}	0.171	− 0.331	− 0.321	1.068	− 0.624	0.019	0.152
	τ_{yz}	− 0.343	0.305	− 0.224	− 0.057	0.102	0.568	− 0.911
	τ_{zx}	− 0.236	0.739	0.377	0.320	− 0.158	0.915	− 1.151
No.2	σ_x	4.677	1.279	4.547	2.030	1.523	2.659	2.018
	σ_y	5.681	0.922	0.644	1.038	1.864	3.609	2.072
	σ_z	5.563	2.634	− 0.382	− 0.181	− 0.026	3.516	2.047
	τ_{xy}	− 0.239	− 0.145	− 0.371	0.755	− 1.436	− 0.767	0.528
	τ_{yz}	0.218	− 0.169	0.033	0.120	− 0.015	− 0.154	0.372
	τ_{zx}	0.578	0.008	− 0.059	− 0.055	− 0.018	− 0.024	0.602
No.3	σ_x	2.799	0.768	3.028	1.130	1.632	2.073	0.726
	σ_y	2.973	0.861	0.760	1.233	1.942	3.712	− 0.739
	σ_z	2.808	1.550	0.320	0.224	0.602	2.682	0.126
	τ_{xy}	0.214	− 0.123	− 0.308	0.846	− 1.053	− 0.318	0.532
	τ_{yz}	0.205	0.022	0.093	0.003	0.213	0.193	0.012
	τ_{zx}	− 0.018	− 0.149	− 0.259	− 0.058	− 0.137	− 0.253	0.235

注：坐标：x—N105°E；y—N15°E；z—向上。

（三）回归地应力场的原型观测资料检验

原型观测资料往往是检验设计理论正确性的标准，实测资料更具有权威性。小浪底工程除应力解除法实测应力（见表 4-1-8）外，还有水压致裂法实测应力（见表 4-1-9），它们是测试方法不同、时空各异的实测结果。因此,用回归分析中不相依据的致裂法实测值检验用解除法实测值回归的地应力场,使回归地应力场经过原型观测资料的再检验,可达到回归应力场的外延印证目的。检验成果如表 4-1-11 所示。

表 4-1-11　　　　　　　　　　　　解除法回归应力与水裂法实测应力比较

测点号	类型	σ_x (MPa)	σ_y (MPa)	σ_z (MPa)	τ_{xy} (MPa)	$\sigma_z/\gamma H$	$\dfrac{\sigma_x + \sigma_y}{2\sigma_z}$	$\dfrac{I_{1(回)}}{I_{1(实)}}$
T_{622}								
1	实测	3.033	2.807	0.72	0.082	1.00	4.06	1.065
▽215.94	回归	2.029	3.465	1.493	− 0.253	2.07	1.84	
2	实测	3.304	2.326	1.85	0.356	1.00	1.52	1.178
▽172.87	回归	2.089	4.153	2.57	− 0.172	1.39	1.214	
4	实测	3.638	2.432	2.87	0.438	1.00	1.057	1.102
▽135.16	回归	2.055	4.032	3.766	− 0.229	1.31	0.808	
5	实测	4.54	2.90	3.12	0.64	1.00	1.19	0.891
▽125.01	回归	1.802	3.477	4.13	− 0.258	1.32	0.639	
6	实测	3.973	2.877	3.23	0.428	1.00	1.06	0.914
▽120.66	回归	1.694	3.239	4.286	− 0.27	1.33	0.575	
7	实测	11.872	7.368	3.37	1.89	1.00	2.85	0.397
▽115.4	回归	1.563	2.951	4.474	− 0.285	1.33	0.504	
T_{628}								
1	实测	5.619	3.561	1.72	0.993	1.00	2.669	0.697
▽206.88	回归	2.435	2.975	2.136	0.564	1.27	1.237	
2	实测	4.403	2.467	1.80	0.934	1.00	1.908	0.884
▽204.04	回归	2.44	3.004	2.22	0.575	1.23	1.226	
3	实测	5.81	4.22	2.40	0.768	1.00	2.09	0.661
▽181.16	回归	2.49	3.235	2.494	0.667	1.04	1.148	
4	实测	3.197	2.183	2.52	0.525	1.00	1.067	1.079
▽176.46	回归	2.536	3.34	2.656	0.675	1.05	1.148	
5	实测	3.864	2.746	3.35	0.621	1.00	0.987	1.065
▽145.3	回归	2.84	4.039	3.733	0.729	1.11	0.921	
6	实测	2.701	2.359	3.78	0.351	1.00	0.669	1.323
▽129.0	回归	2.999	4.405	4.297	0.757	1.14	0.862	
8	实测	4.82	3.15	4.49	0.522	1.00	0.888	0.948
▽102.12	回归	2.557	3.907	5.343	0.565	1.19	0.605	

(1)解除法回归值与致裂法实测值除个别点外,基本是一致的。第一不变量的比值 $I_{1(回)}/I_{1(实)}$,T_{622}测孔为 89.1% ~ 117.8%;T_{628}测孔为 66.1% ~ 132.3%。

(2)水平应力均值与竖向应力比值 $\dfrac{\sigma_x + \sigma_y}{2\sigma_z}$,$T_{622}$测孔,回归值为 0.575 ~ 1.84,均值为 1.015;实测值为 1.057 ~ 4.06,均值为 1.777。T_{628}测孔,回归值为 0.605 ~ 1.237,均值为 1.021;实测值为 0.669 ~ 2.669,均值为 1.468。两测孔除个别点外比值基本上等于1,说明

水平应力占优势,应力分布规律一致。

(3)竖向应力 σ_z 与上覆岩体自重产生竖向应力 γH 比值 $\sigma_z/\gamma H$,T_{622} 测孔,回归值为 1.31 ~ 2.07;实测值为 1.0。T_{628} 测孔,回归值为 1.04 ~ 1.27;实测值为 1.0。与两种测试方法实测结果一致。

(4)解除法回归值,σ_y 是最大水平应力,而致裂法实测值,σ_x 是最大水平应力,这也与两种测试方法的实测结果是一致的(见表 4-1-8a、表 4-1-9a)。

(四)回归地应力场方案的比较与选取

方案比较与选取原则如下:

(1)为了能反映各种地质因素的地应力场,应选用尽可能多的、各种测试方法的实测值。

(2)选用方差分析效果较为显著的回归成果。

(3)回归成果除满足方差分析外,还应与宏观地质分析结论相一致。

在回归分析中共进行了三个方案比较,这样一方面可以选出一个较为符合工程实际的地应力场,另一方面对每个实测值的效果还可作出简单估量。

方案一,如表 4-1-8 与表 4-1-9 所示的全部实测值,共计 50 个变量;

方案二,选用应力解除法,除 No.1c 值外的全部实测值,共计 24 个变量;

方案三,在方案二的基础上,选用水压致裂法 T_{622} 测孔的 4 号测值,T_{628} 测孔的 6 号与 8 号测值,共计 36 个变量。

回归结果如表 4-1-12a、表 4-1-12b 所示。

表 4-1-12a 回归结果方差比较

类　　型		50 值回归方案 (方案一)	24 值回归方案 (方案二)	36 值回归方案 (方案三)
复相关系数 R		0.832	0.924 79	0.934 614
显著度 F		25.321	28.056	53.511
残差平方和 Q		166.6	22.09	32.92
回归平方和 U		374.974 5	130.475 9	32.92
自重回归系数	$b_{\gamma H}$	1.156 92	1.331 01	1.207 63
	b_{u1}	− 0.135 83	− 0.495 99	− 0.251 33
构造回归系数	b_{u2}	0.883 26	0.850 67	0.740 91
	b_{u3}	0.774 49	0.975 34	0.704 93
自重贡献	$V_{\gamma H}$	124.763 3	52.948 18	96.364 79
	V_{u1}	1.003 814	4.695 516	2.594 82
构造贡献	V_{u2}	15.069 6	5.005 419	7.980 01
	V_{u3}	23.930 59	15.970 51	15.027 39
最大主应力方向 α_i		N36.254°E	N11.954°E	N19.443°E

表 4-1-12b 　　　　　　　　　两种回归方案的回归值与实测值比较

测点号	类型	σ_x (MPa)	σ_y (MPa)	σ_z (MPa)	τ_{xy} (MPa)	τ_{yz} (MPa)	τ_{zx} (MPa)	$\dfrac{\sigma_x+\sigma_y}{2\sigma_z}$	$\dfrac{I_{1(回)}}{I_{1(实)}}$
No.1a	实测	1.062	2.799	3.459	− 0.034	0.013	0.030	0.558	
	24 值回归	1.866	3.803	4.106	0.019	0.568	0.915	0.690	1.335
	36 值回归	2.385	3.254	3.779	0.032	0.454	0.923	0.746	1.287
No.1b	实测	0.983	3.100	3.267	0.171	− 0.343	− 0.236	0.625	
	24 值回归	1.866	3.803	4.106	0.019	0.568	0.915	0.690	1.33
	36 值回归	2.385	3.254	3.779	0.032	0.454	0.923	0.746	1.281
No.2	实测	4.677	5.681	5.563	− 0.239	0.218	0.578	0.931	
	24 值回归	2.659	3.609	3.516	− 0.767	− 0.154	− 0.024	0.891	0.615
	36 值回归	2.979	3.035	3.124	− 0.535	− 0.134	− 0.029	0.963	0.574
No.3	实测	2.799	2.973	2.808	0.214	0.205	− 0.018	1.028	
	24 值回归	2.073	3.712	2.682	− 0.318	0.193	− 0.253	1.078	0.987
	36 值回归	2.154	3.131	2.382	− 0.187	0.156	− 0.254	1.109	0.894
T_{622} 4	实测	3.338	2.732	2.87	0.681			1.057	
	36 值回归	2.785	3.225	3.419	− 0.582			0.879	1.055
T_{628} 6	实测	2.503	2.557	3.78	0.389			0.669	
	36 值回归	3.175	4.019	3.915	0.574			0.919	1.257
T_{628} 8	实测	4.447	3.523	4.49	0.870			0.888	
	36 值回归	2.74	3.515	4.855	0.401			0.644	0.892

从表 4-1-12a 可以看出,方案一的复相关系数 $R=0.832$,显著度 $F=25.321$,均明显小于方案二、方案三,故首先否定了方案一。

下面仅就方案二、方案三作进一步分析对比,从表 4-1-12a 和表 4-1-12b 可以看出:

(1)方案二的复相关系数 $R=0.925$,显著度 $F=28.056$;方案三的复相关系数 $R=0.935$,显著度 $F=53.511$,前者小于后者。

(2)方案二的岩体自重回归系数 $b_{\gamma H}=1.331$,方案三的岩体自重回归系数 $b_{\gamma H}=1.208$,后者更接近于期望值 1.0。

(3)水平应力均值与竖向应力比值 $\dfrac{\sigma_x+\sigma_y}{2\sigma_z}$,方案二回归值为 $0.69\sim1.078$,均值为 0.837,实测值为 $0.558\sim1.208$,均值为 0.786;方案三回归值为 $0.644\sim1.109$,均值为 0.858,实测值为 $0.558\sim1.057$,均值为 0.822。回归值与实测值的符合度、应力分布规律基本是一致的。

(4)按回归值与实测值的第一不变量比值 $I_{1(回)}/I_{1(实)}$,方案二为 $61.5\%\sim133.5\%$,方案三为 $57.4\%\sim128.7\%$,二者基本一致。

(5)最大主应力方向 α_i,方案二为 N11.954°E,方案三为 N19.443°E,两者基本是一致的,且与区域地质分析该厂坝区主要受 NS 向构造地应力控制的结论也基本是一致,但方案三还有向东偏转的趋势,这是由于该地区还受着燕山期 NNE—NEE 构造应力影响的结果,该结论也符合解除法与致裂法实测结果。

根据上述分析对比以及方案选取原则,最后选定方案三为小浪底工程的回归地应力场。

(五)地应力场的成因分析

复相关系数 $R = 0.935$，除说明回归效果显著外，还说明初拟岩体自重和地质构造运动是形成小浪底工程厂坝区初始地应力场的主要地质因素是符合工程实际的。但二者的影响效应不同会形成不同特性的地应力场。对小浪底工程的地应力场，岩体自重是第一位的，地质构造作用是第二位的，所以是以岩体自重为主导的地应力场，其理由如下：

(1)在逐步回归分析中，根据贡献大小判别准则，如表 4-1-12a 所示，岩体自重因素贡献 $V_{\gamma H} = 96.365$；地质构造因素贡献 $V_{u1} = 2.595$，$V_{u2} = 7.98$，$V_{u3} = 15.027$，$V_{\gamma H} > V_{ui}$，说明岩体自重因素是第一位的。

(2)从表 4-1-13b、4-1-14b 可以看出，大约在 100m 高程(河谷剖面)至 150m 高程(厂区剖面)以上，水平分应力 σ_x、σ_y 大于竖向分应力 σ_z，$\dfrac{\sigma_x + \sigma_y}{2\sigma_z} > 1$。而在其高程以下则相反，竖向应力 σ_z 大于水平应力 σ_x、σ_y，$\dfrac{\sigma_x + \sigma_y}{2\sigma_z} < 1$。但综观整个地应力场，还是竖向应力占优势。

(3)在表 4-1-13b、表 4-1-14b 中，根据自重应力在回归地应力场中所占比重的判别准则，其第一不变量比值 $I_{1(自)} / I_{1(回)}$，河谷剖面的 100m 高程以下为 61.4% ~ 94.9%；厂区剖面其比值为 46.6% ~ 95.5%。其比值均大于 50%，说明自重应力是形成地应力场的主要因素。

(4)在表 4-1-13a、表 4-1-14a 中，按第一主压应力倾角 β_1 的大小，若 $\beta_1 > 45°$，表明岩体自重因素在地应力场中起控制作用。据此，河谷与厂区剖面约在 100m 高程以下其 $\beta_1 > 45°$，100m 高程以上 $\beta_1 < 45°$。

综上所述，表明小浪底工程厂坝区地应力场是以岩体自重为主导的地应力场。

(六)地应力场的应力分布规律

根据工程实践，以岩体自重为主导的地应力场，其应力分布规律的主要特点是竖向应力大于水平应力，并在应力场中占优势。从表 4-1-13、表 4-1-14、表 4-1-15 可以看出：

(1)竖向应力大于水平应力，并在应力场中占优势。岩体自重和地质构造是形成地应力场的主要因素，但岩体自重因素是第一位的。

(2)竖向应力 σ_z 随深度线性增加，由于水平构造作用力侧向效应，其值比上覆岩体自重产生的竖向应力 γH 有所增大，可用下式表示：

$$\sigma_z = \beta_1 \gamma H + K_1 \sigma_构 \tag{4-1-13}$$

式中：β_1 为岩体自重回归系数，一般为 1.2 左右，期望值为 1.0；γ 为岩体容重；H 为应力点深度；K_1 为侧压力比值，随空间位置不同而变化。

K_1 是 $1/H$ 的函数，随着深度的增加等于或接近于零。这也是实测地应力竖向分量 σ_z 一般大于上覆岩体自重产生的竖向应力 γH 的原因所在。

(3)水平分应力 σ_x、σ_y 基本上是随着深度而线性增加，但增加速率小于 σ_z，其值为构造作用力与岩体自重产生的侧向应力两者叠加而得，也可用下式表示：

$$\sigma_x(或\ \sigma_y) = \sigma_{z(构)}(或\ \sigma_{y(构)}) + K_2(\beta_1 \gamma H) \tag{4-1-14}$$

式中符号含义同前。K_2 为随空间位置不同而变化的侧压力比值。K_2 也是 $1/H$ 的函数，当增加到一定深度后，其值趋近于侧压力系数 $\mu/(1 - \mu)$，如表 4-1-12b、表 4-1-13b 所示。

(4)在表 4-1-13a、表 4-1-14a 中,最大剪应力 $\tau_{13} = \dfrac{\sigma_1 - \sigma_3}{2}$、$\tau_{12}$、$\tau_{23}$ 值随着深度的增加而加大,且 $\tau_{13} > \tau_{12} > \tau_{23}$ 这一现象对认识岩体变形和破坏机制具有十分重要的意义。

(5)如表 4-1-14 所示,σ_z 随着地形起伏而变化,剖面通过准对称(河谷)剖面时,τ_{yz} 改变符号。

(七)断裂带对初始地应力场分布规律的影响

岩体中的断裂构造强烈地反映着地应力的演变历史,也是影响地应力场分布规律的主要地质因素。

表 4-1-13a　　　　　　　　　　　左岸河谷回归主应力值

点号	高程（m）	最大主应力		中间主应力		最小主应力		岩性
		σ_1(MPa)	(α_1/β_1)(°)	σ_2(MPa)	(α_2/β_2)(°)	σ_3(MPa)	(α_3/β_3)(°)	
1444	130.00	2.941	7.7/11.6	1.412	277.3/2.25	0.169	176.4/78.2	T_1^2
1311	96.03	2.687	8.7/14.8	1.422	100.4/6.52	1.146	213.5/73.8	T_1^1
1178	65.60	3.266	12.1/59.2	2.401	193.6/30.8	1.266	103.2/0.71	
897	− 17.35	5.955	3.7/82.3	3.303	190.8/7.68	1.728	100.7/0.96	P
592	− 155.60	10.468	333.8/86.9	4.752	186.2/2.59	2.625	96.1/1.64	
361	− 349.14	16.424	359.6/87.8	6.769	178.3/2.21	4.056	268.3/0.19	
208	− 597.99	24.769	208.9/85.5	8.772	347.8/3.42	5.285	78.7/2.97	

表 4-1-13b　　　　　　　　　　　左岸河谷回归分应力值

点号	类型	σ_x（MPa）	σ_y（MPa）	σ_z（MPa）	τ_{xy}（MPa）	τ_{yz}（MPa）	τ_{zx}（MPa）	$\dfrac{I_{1(自)}}{I_{1(回)}}$	$\dfrac{\sigma_x + \sigma_y}{2\sigma_z}$
1444	回归	1.438	2.800	0.283	0.199	0.548	0.025	0.045	7.482
	自重	0.250	− 0.303	0.255	− 0.350	0.124	− 0.107		
1311	回归	1.442	2.563	1.250	0.166	0.371	0.088	0.312	1.602
	自重	0.348	0.199	1.096	− 0.148	0.157	− 0.026		
1178	回归	1.335	2.558	3.039	0.299	0.375	0.066	0.614	0.641
	自重	0.580	0.821	2.856	− 0.039	0.216	− 0.079		
897	回归	1.783	3.297	5.906	0.290	0.358	− 0.003	0.797	0.430
	自重	1.136	1.856	5.769	0.054	0.237	− 0.094		
592	回归	2.654	4.741	10.450	0.219	0.280	− 0.195	0.881	0.354
	自重	2.037	3.320	10.370	0.033	0.192	− 0.241		
361	回归	4.059	6.781	16.410	− 0.082	0.371	0.000	0.922	0.330
	自重	3.418	5.355	16.340	− 0.229	0.273	− 0.076		
208	回归	5.468	8.698	24.660	− 0.665	− 1.138	− 0.785	0.949	0.287
	自重	4.892	7.375	24.560	− 0.699	0.982	− 0.732		

表 4-1-14a **厂区回归主应力值(T_{628}孔)**

点号	高程(m)	最大主应力		中间主应力		最小主应力		岩性
		σ_1(MPa)	$(\alpha_1/\beta_1)(°)$	σ_2(MPa)	$(\alpha_2/\beta_2)(°)$	σ_3(MPa)	$(\alpha_3/\beta_3)(°)$	
1837	276.00	2.771	246/11.74	1.776	155.5/2.44	1.247	53.9/78.0	T_1^5
1622	181.16	3.526	231.5/14.0	2.293	339.5/51.2	2.014	131.2/35.3	T_1^4
1503	128.97	4.574	227.5/33.1	3.716	17.6/53.1	2.819	127.8/14.5	T_1^3
1381	102.12	4.869	232.6/83.3	3.673	37.7/5.98	2.567	127.8/1.59	T_1^2
1130	54.44	5.730	215.6/88.3	3.177	45.9/1.65	2.260	315.9/0.33	T_1^1
1039	24.44	7.328	30.9/88.5	3.206	225/1.50	2.373	135/0.40	
783	-66.12	10.191	352/87.8	3.657	226/1.32	2.755	136/1.81	P
490	-217.04	15.144	3/87.9	4.993	229.8/1.43	3.701	139.8/1.53	
279	-428.34	22.081	347/88.0	5.753	201/1.68	3.923	111.2/1.11	

注:方位角 α_i 以北向顺时针旋转,倾角 β_i 以水平面向上为正。

表 4-1-14b **厂区回归分应力值(T_{628}孔)**

点号	类型	σ_x(MPa)	σ_y(MPa)	σ_z(MPa)	τ_{xy}(MPa)	τ_{yz}(MPa)	τ_{zx}(MPa)	$\dfrac{\sigma_x+\sigma_y}{2\sigma_z}$	$\dfrac{I_{1(自)}}{I_{1(回)}}$
1837	回归	2.577	1.926	1.311	0.343	-0.144	-0.268	1.710	0.466
	自重	0.709	1.414	0.851	0.136	0.039	-0.125		
1622	回归	2.898	2.663	2.272	0.658	-0.094	-0.326	1.224	0.618
	自重	1.584	0.890	2.370	0.198	-0.144	-0.260		
1503	回归	3.518	3.676	3.915	0.707	-0.132	-0.461	0.919	0.638
	自重	1.826	1.238	3.979	0.185	-0.172	0.307		
1381	回归	2.992	3.262	4.854	0.542	-0.059	-0.126	0.644	0.693
	自重	1.554	1.196	4.949	0.170	-0.150	-0.111		
1130	回归	2.734	2.705	5.728	0.459	-0.064	-0.040	0.475	0.788
	自重	1.636	1.273	5.895	0.197	-0.130	-0.038		
1039	回归	2.790	2.792	7.325	0.418	-0.099	0.053	0.381	0.860
	自重	1.939	1.705	7.457	0.187	0.000	-0.008		
783	回归	3.222	3.200	10.180	0.449	0.272	-0.055	0.315	0.904
	自重	2.468	2.223	10.320	0.252	0.184	-0.091		
490	回归	4.455	4.253	15.130	0.637	0.395	-0.003	0.288	0.933
	自重	3.680	3.244	15.320	0.442	0.325	-0.074		
279	回归	4.164	5.533	22.060	0.613	0.572	-0.153	0.220	0.955
	自重	3.659	4.545	22.110	0.470	0.484	-0.246		

注:$I_{1(自)}=(\sigma_x+\sigma_y+\sigma_z)_自$,$I_{1(回)}=(\sigma_x+\sigma_y+\sigma_z)_回$。

表 4-1-15a　　　　　　　　　　　　　H—h 剖面应力分布

点号	高程 （m）	y 向距离 （m）	σ_x （MPa）	σ_y （MPa）	σ_z （MPa）	τ_{xy} （MPa）	τ_{yz} （MPa）	τ_{zx} （MPa）	γH （MPa）	$\dfrac{\sigma_x + \sigma_y}{2\sigma_x}$	说明
1546	160.00	3 378.64	1.320	1.393	1.516	0.204	−0.249	0.042	1.305	0.895	
1413	124.94	3 762.99	1.429	2.142	0.990	0.393	−0.103	−0.081	0.523	1.083	F_1
1414	124.94	3 772.65	1.790	1.889	0.948	0.363	−0.019	−0.110	0.523	1.940	
1348	109.00	3 909.31	2.867	2.798	0.882	0.648	−0.074	−0.043	0.548	3.21	河谷
1311	96.03	4 020.47	1.442	2.563	1.250	0.166	0.371	0.088	0.887	1.602	
1185	68.61	4 255.41	1.243	3.773	4.638	0.100	0.518	0.230	4.995	0.541	
1106	48.73	4 421.88	2.478	2.965	3.841	0.212	0.513	0.098	5.514	0.709	F_{236}
1107	48.73	4 425.80	2.480	2.972	4.379	−0.265	0.605	0.109	5.514	0.623	
1250	80.14	4 467.62	2.591	3.373	3.433	−0.141	0.374	0.025	4.955	0.869	F_{238}
1251	80.14	4 475.47	2.234	3.097	3.700	0.029	0.328	0.095	4.955	0.72	
1257	82.33	4 613.07	2.304	2.691	3.658	0.177	0.258	−0.008	4.115	0.683	F_{240}
1258	82.33	4 614.07	2.556	2.901	3.741	0.764	0.265	−0.059	4.115	0.729	
1322	100.00	4 850.00	4.299	3.068	5.535	0.949	−0.180	0.189	4.046	0.688	
1274	86.98	4 882.60	2.896	3.229	5.108	−0.121	−0.366	−0.157	4.712	0.600	
1278	89.80	5 176.68	2.022	2.063	3.752	−0.009	0.049	0.108	4.935	0.544	
1279	89.89	5 177.10	2.320	2.605	3.337	−0.003	0.099	−0.001	4.962	0.738	F_{28}
1300	94.82	5 539.30	3.120	3.034	5.252	0.587	−0.041	0.294	3.789	0.586	
1326	100.00	5 887.33	2.790	2.648	5.304	−0.300	0.045	−0.026	4.829	0.513	

表 4-1-15b　　　　　　　　　　　　　I—I′ 剖面应力分布

点号	高程 （m）	y 向距离 （m）	σ_x （MPa）	σ_y （MPa）	σ_z （MPa）	τ_{xy} （MPa）	τ_{yz} （MPa）	τ_{zx} （MPa）	γH （MPa）	$\dfrac{\sigma_x + \sigma_y}{2\sigma_x}$
1189	70.00	21 870.00	4.191	3.154	6.677	0.840	−0.007	0.272	5.330	0.550
1274	86.98	21 972.64	2.896	3.229	5.108	−0.121	−0.366	−0.157	4.693	0.600
1155	60.04	22 050.55	3.510	3.151	6.649	0.739	0.126	0.059	5.719	0.501
1130	54.44	22 120.00	2.734	2.705	5.728	0.459	−0.064	−0.040	5.605	0.475
1128	53.92	22 209.09	3.135	4.581	6.125	−0.003	0.290	−0.465	5.098	0.630
1055	30.00	22 332.75	3.021	3.577	6.156	0.036	0.055	−0.439	5.200	0.536
1158	60.00	22 547.39	2.991	3.649	5.327	0.307	0.125	−0.449	4.940	0.623
1006	10.00	22 847.26	3.059	3.985	6.464	0.334	0.128	−0.405	5.590	0.545
957	0.00	23 270.97	3.489	4.356	5.584	0.555	0.571	−0.247	4.550	0.702

根据有关资料和文献,表明小浪底厂坝区自晚侏罗纪以来,共经历了 5 次构造运动,即燕山早期(NNE—SSW)、燕山晚期(NEE—SWW)、喜山早期(NNW—SSE)、喜山晚期(NWW—SEE)以及现代构造运动(NEE80°)。在燕山期,构造运动以水平挤压作用为主、差异升降作用强度为次。而在喜山期,构造运动则以差异升降作用强度为主、水平挤压作用强度为次。这样,形成了该地区复杂的、多期性的、既有水平挤压又有差异升降运动的地质构造,致使工程地质条件复杂化,也使地应力分布规律复杂化。

1. 对地应力分布规律的影响

(1)对应力大小的影响。主应力等值线趋势是一方面随着地形起伏面变化,另一方面随着断裂构造面产状变化。在地表由于卸荷作用,地应力值降低。在 F_1、F_{28}、F_{236}、F_{238}、F_{240} 等软弱结构面,应力值也降低,说明地应力分布明显地受地形、断裂构造等地质因素的制约。

(2)对方位角 α_i 的影响。由于断裂构造 F_1 为左旋扭动作用,使 F_1 与 F_{236} 区间左岸河谷剖面第一主应力方位角 α_1 向北偏转,α_1 为 N10°E 左右(见表 4-1-13a)。但对 F_{28} 与 F_{240} 区间厂区 T_{628} 剖面应力,由于受断裂带 F_{28} 右旋扭动作用,使第一主应力方位角 α_1 向东偏转,α_1 为 N40°E ~ N60°E(见表 4-1-14a)。这也基本符合解除法与致裂法实测结果。

(3)对主应力等值线连续性影响。在断裂带两侧的主应力等值线呈间断、差异升降不连续现象,说明这是受构造运动的差异升降运动作用的结果。

2. 对河谷底部应力集中的影响

从表 4-1-12b、表 4-1-14a 在河谷顶部水平应力大于竖向应力,$\dfrac{\sigma_x + \sigma_y}{2\sigma_z}$ 值为 1. 602 ~ 7. 482 看,说明有局部应力集中现象。但从整个河谷地应力等值线看,在河谷底部应力集中不甚明显。对于深切河谷,由于地形(势)作用,在河谷底部往往存在一个应力集中区,该区又常是饼状岩心、岩爆发生的主要地区。小浪底工程坝区两岸地形(势)相对比较平坦,同时还受到多次地质构造作用,厂坝区地应力主要受断裂带制约,河谷两岸受陡倾角正断层 F_1 及 F_{236}、F_{238} 等的作用,破坏了岩体的整体性,起到释放、松弛作用,使河谷底部应力集中不甚明显。

以上分析说明小浪底工程厂坝区地应力分布规律,总趋势是明显受着断裂构造控制的初始地应力场。

(八)结论

(1)根据小浪底工程厂坝区少数实测应力值和地形地质条件,用有限元回归分析法反演出的三维初始地应力场,经原型观测资料验证,成果是合理的。

(2)小浪底工程厂坝区的地应力是以岩体自重为主、地质构造作用为次的,并受到断裂构造制约的初始地应力场,尽管构造应力是第二位的,但在厂区约 50m 高程以上,水平应力均值与竖向应力比 $\dfrac{\sigma_x + \sigma_y}{2\sigma_z}$ 值大于 0. 5,说明在地下洞室围岩稳定和高边坡稳定分析中构造应力因素是不可忽视的,对大跨度高边墙的地下洞室来讲仍需认真对待。

(3)小浪底工程的初始地应力场,仍呈现三个应力分区,即应力释放区(地表卸荷带)、应力集中区(河谷底部虽局部应力集中,但整个应力集中不甚明显)和应力平稳区。该工程地下洞室基本位于应力平稳区。但由于断裂构造带的存在,地下洞室应设置在断裂带影响范围以外,一般可采用 4～5 倍断裂带宽度,地应力构造作用因素越大,采用其较大值。

(4)小浪底工程厂坝区变形场最大主应力方向。解除法实测值约为 NS—NNE 向,致裂法实测值为 NEE 向。回归地应力场为 N19.443°E,回归值与区域地质宏观分析主要受 NS 向构造应力控制的结论基本一致,向东偏转是由于受到燕山期 NNE—NEE 向水平挤压应力的影响。但在厂坝区,由于每条断裂带的产状、变形机制不同,会形成稍微不同的变形方向,如在坝区,由于 F_1 的作用,最大主应力方向向北偏转;在地下厂房区,由于 F_{28} 的作用,最大主应力方向则向东偏转。这也基本符合解除法与致裂法实测结果。在确定地下厂房轴线方位时应考虑上述变形机制。

(5)小浪底工程的回归地应力场,不但反映了水平挤压强度作用,而且也反映了差异升降强度作用,这对认识小浪底工程初始地应力场的变形机制具有十分重要的意义。

第二节　多裂隙介质力学模型试验研究

为了对地下厂房三大洞室进行稳定分析,进行了多裂隙介质力学模型试验,主要研究地下洞室群围岩的受力特点、破坏形态和破坏机理,洞室围岩超载能力和开挖步序对围岩稳定性的影响,砂浆锚杆和预应力锚杆(索)的不同加固效果,以及验证喷锚支护设计方案的合理性。

一、模型设计

(一)试验假定

(1)在垂直厂房纵轴线方向切取典型机组段,按平面应变条件进行试验,忽略尾水管洞、母线洞等横洞对平面变形条件的影响。

(2)模型边界荷载按给定的初始地应力施加,未考虑洞壁附近围岩自重的影响,远处岩体自重已计入边界荷载中。

(3)对横向交叉洞室(如母线洞、尾水管洞及尾水洞、高压引水洞等)的模拟是近似的,按截面积等效原则将横洞简化为圆形洞室。

(4)锚杆的模拟是按截面刚度等效原则,将数根锚杆的作用合并为一根,从而确定锚杆的直径、间距和弹性模量。对张拉锚杆和预应力锚索的模拟是先将其置于岩体内,待每步开挖之后,进行张拉施加预应力。

(5)不考虑岩体的流变特性,为便于比较,在试验中尽可能保持各模型的时间历程大体一致。

(二)模拟范围

从洞群中心算起,上、下、左、右各 114.45m,即垂直方向总高度和顺水流方向总长度各 228.9m。沿纵轴线方向取两个机组段,考虑边界影响,取总厚度为 70m。

模型块体尺寸为 65.4cm×65.4cm×20cm,其几何比尺为 1:350,应力比尺为 1:16。

(三)原型及模型力学岩体参数

1.原型岩体力学参数

按表 4-2-1、表 4-2-2 所列岩体力学参数供试验模拟,其中的抗压强度 R_c 按原岩块的

1/3 折算,而抗拉强度 R_t 取为岩体 R_c 的 1/15。

表 4-2-1 岩体结构面抗剪强度

参数	泥化夹层	层面	各层组节理面		
			T_1^4、T_1^{3-1}、T_1^{5-2}	T_1^{5-3}、T_1^{3-2}、T_1^2	T_1^{5-1}
$f(\varphi)$	0.25(14°)	0.6(31°)	1.1(47.7°)	0.9(42°)	0.8(38.7°)
C(MPa)	0.005	0.01	0.05	0.05	0.05

注:f 为摩擦系数,φ 为内摩擦角,C 为凝聚力,下同。

表 4-2-2 岩体力学参数 (单位:MPa)

岩层代号	弹性模量 E_s	变形模量 E_0	抗压强度 R_c	抗拉强度 R_t
T_1^{5-3}	11 500	7 500	20	1.33
T_1^{5-2}	12 500	8 500	40	2.67
T_1^{5-1}	9 000	7 000	16.7	1.11
T_1^4	13 000	9 000	50	3.33
T_1^{3-2}	12 000	8 000	20	1.33
T_1^{3-1}	12 500	8 500	33.3	2.22
T_1^2	11 500	7 500	20	1.33

2. 模型岩体相似材料力学参数模拟

本次试验共做了 6 块模型,每块模型用 1 500 多块小块体与其四周软充填料的组合体来满足岩体综合力学指标,即抗压强度主要由小块体强度控制,而抗拉强度和弹性模量则主要由四周的充填料来控制。通过调整二者的配比来实现组合体力学参数和岩体力学参数的基本相似。试验中采用两种小块体,一种为 $2cm \times 3cm$,另一种为 $1.5cm \times 2cm$,厚度为 10cm。充填料厚度取 1.2mm,以此模拟节理裂隙的影响。通过相似材料模拟试验,得到模型材料的力学参数如表 4-2-3、表 4-2-4 所示。

表 4-2-3 模型材料力学参数 (单位:MPa)

岩层代号	弹性模量 E_s	变形模量 E_0	抗压强度 R_c	抗拉强度 R_t
T_1^{5-3}	680(10880)	468(7488)	1.17(18.72)	0.086(1.376)
T_1^{5-2}	680(13760)	593(9488)	2.16(34.56)	0.159(2.544)
T_1^{5-1}	680(10880)	468(7488)	1.17(18.72)	0.086(1.376)
T_1^4	905(14480)	607(9712)	2.83(45.28)	0.174(2.784)
T_1^{3-2}	680(10880)	468(7488)	1.17(18.72)	0.086(1.376)
T_1^{3-1}	790(12640)	516(8256)	1.48(23.68)	0.124(1.984)
T_1^2	680(10880)	468(7488)	1.17(18.72)	0.086(1.376)

注:括号内数值为按 $k_\sigma = 16$ 换算至原型参量。

3. 支护参数

支护参数见图 4-2-1。

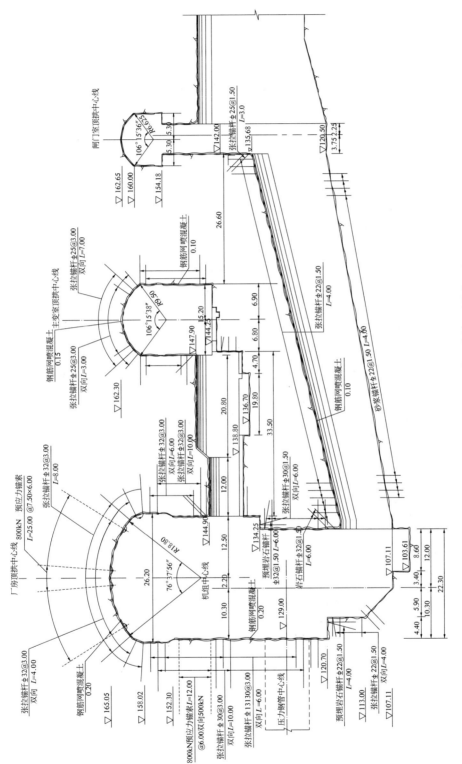

图 4-2-1　地下厂房开挖与岩石支护　（单位：m）

表 4-2-4　　　　　　　　　　　　　　模拟结构面抗剪强度

参数	泥化夹层	层面	各层组节理面			
			T_1^4	T_1^{5-2}	T_1^{3-1}	T_1^{5-3}、T_1^{5-1}
$f(\varphi)$	0.20(11.5°)	0.65(33°)	1.97(44°)	0.87(41°)	0.81(39°)	0.75(37°)
C(MPa)	0	0.021	0.017	0.016	0.013	0.01

(四)试验方案

试验共做了 6 块模型,分别研究两种地应力($\sigma_V^0 = 3.47$MPa 和 $\sigma_V^0 = 4.164$MPa)情况、两种开挖情况、三种支护方案(锚杆支护、锚杆与锚索联合支护、横向母线洞和尾水管洞同时支护)的洞群受力变形特点、围岩破坏形态和安全度等。试验模型概况见表 4-2-5。

表 4-2-5　　　　　　　　　　　　　　试验模型概况

模型编号	垂直地应力 σ_V^0（MPa）	水平地应力 σ_H^0（MPa）	侧压力系数 λ	开挖方案	支护方案
Ⅰ	3.47	2.776	0.8	方案一	毛洞(两个机组段)
Ⅱ	4.164	3.331	0.8	方案二	毛洞(两个机组段)
Ⅲ	4.164	3.331	0.8	方案二	砂浆锚杆支护(两个机组段,横洞不支护)
Ⅳ	4.164	3.331	0.8	方案二	预应力锚索及张拉锚杆支护(两个机组段,横洞不支护)
Ⅴ	4.164	3.331	0.8	方案二	砂浆锚杆支护(一个机组段,横洞支护)
Ⅵ	4.164	3.331	0.8	方案一	毛洞(两个机组段)

注:方案一是先开挖尾水管洞,再开挖母线洞,为承包商计划方案;方案二是先开挖母线洞,再开挖尾水管洞,为实际实施方案。两方案其余开挖步序完全相同。

模型Ⅰ与模型Ⅳ相比较,主要研究地应力大小对地下洞室围岩稳定性的影响。

模型Ⅱ与模型Ⅵ相比较,主要研究两种开挖步序对地下洞室围岩稳定性的影响。

模型Ⅲ、模型Ⅳ、模型Ⅴ相比较,主要研究三种支护方案的加固效果。其中模型Ⅴ是研究母线洞和尾水管洞同时支护的工况。这时只能模拟一个机组段,将母线洞和尾水管洞预先开挖并设置支护,然后再回填,做近似模拟。

二、量测设计

主要量测围岩应变场、洞周绝对位移、开洞后洞室收敛位移、锚索预应力以及围岩开裂过程。

为量测围岩应变场,共布置 133 个测点,见图 4-2-2。洞周绝对位移测点设置 15 个,见图 4-2-3,基本上控制了三大洞室的变形特征点。洞室开挖完成后在超载试验前,还安装 5 个收敛位移计,其中主厂房和主变洞各 2 个(即垂直和水平方向各 1 个),尾水闸门室

1个(位于垂直方向),用以量测在超载过程中顶拱和底板(垂直方向)以及左、右边墙(水平方向)的收敛位移。

为监测围岩开裂时机和先后顺序,在洞周埋设48个断裂片(见图4-2-4)。另外,还在顶拱和吊车梁部位布置16根量测锚索,用以量测锚索预应力变化情况。

三、试验结果

(一)围岩应变与应力

由三向应变花的实测应变值可求得主应变值和主方向角,即可绘出围岩应变场。由于这些应变花是布设在小块体上的,所以,可用弹性力学公式求得近似的围岩应力值,从而绘出相应的应力场(主应力与主应变方向重合)。

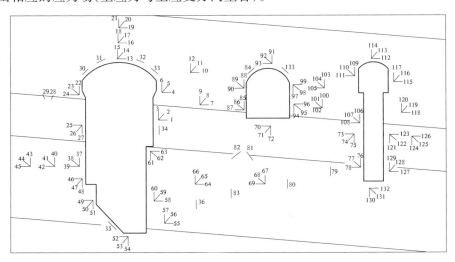

图 4-2-2　应变测点布置方案

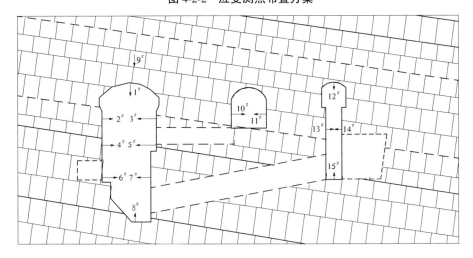

图 4-2-3　洞壁绝对位移测点布置方案

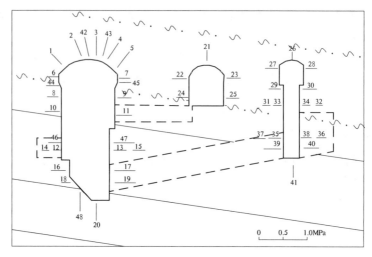

图 4-2-4　裂纹片测点布置方案

Ⅱ#模型开洞前的初始应变场见图 4-2-5。开挖完毕发生初始破坏以及 $\sigma_V = 0.9$MPa 时的围岩应变场见图 4-2-6。图 4-2-7、图 4-2-8 为对应上述应变场的围岩应力场。

(二)洞壁位移

绝对位移测点位置如图 4-2-3 所示,实测位移值随开挖过程逐步加大,洞群全部开挖完的位移值最为重要,将此位移值放大 350 倍,即为原型值,列入表 4-2-6 中。因个别测点的位移传感器出了故障,故这些测点的位移值未列入表中。

图 4-2-9 为Ⅱ#模型两个代表性的绝对位移测点随分部开挖及超载试验的位移过程线,其数值见表 4-2-7 和表 4-2-8。表 4-2-9 列出了 4 块模型在超载过程中主厂房两边墙间的收敛位移值,亦已换算至原型。

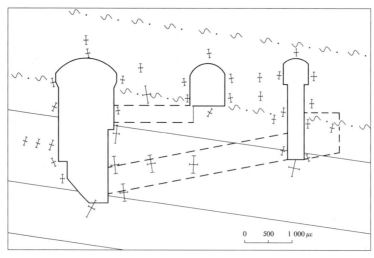

图 4-2-5　Ⅱ#模型开洞前初始应变场

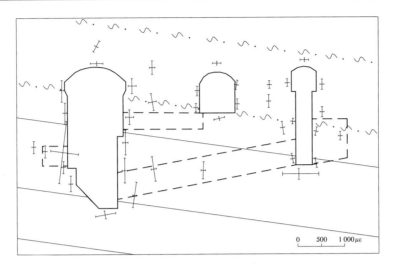

图 4-2-6　Ⅱ#模型开挖完毕应变场

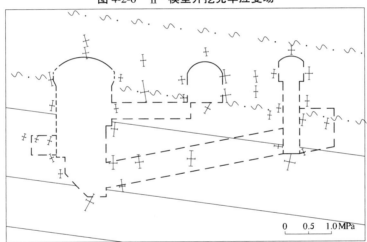

图 4-2-7　Ⅱ#模型开洞前初始应力场

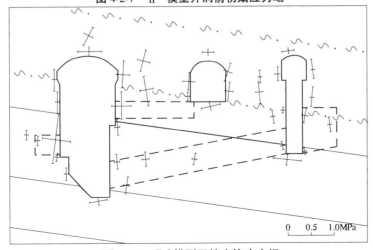

图 4-2-8　Ⅱ#模型开挖完毕应力场

表 4-2-6　　　　　　　　　　　　　　实测开洞位移　　　　　　　　　　　　（单位：mm）

模型编号	测点号														
	1	2	3	4	5	6	7	8	9	10	11	12	13	14	15
I	32.2	28.4	26.8	19.1	17.4	21.6	16.5	27.3	—	8.1	6.7	18.6	14.2	13.8	15.1
II	45.7	31.4	43.9	23.8	31.6	26.2	29.6	35.8	4.3	16.6	21.3	34.4	27.2	—	17.5
III	29.3	24.5	15.8	13.7	19.7	14.5	26.8	20.4	12.1	—	6.8	17.3	9.6	—	—
IV	23.1	16.8	9.2	20.8	25.0	14.3	21.7	—	10.6	13.7	7.6	13.5	8.2	9.4	7.4
V	29.7	—	—	11.0	14.4	9.5	16.8	—	—	9.2	5.9	12.8	11.8	7.3	3.2
VI	53.9	25.8	27.4	27.8	36.7	21.9	35.7	47.9	7.8	14.2	—	—	—	21.5	—

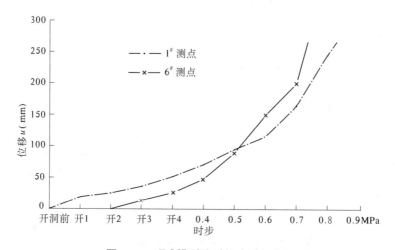

图 4-2-9　II# 模型绝对位移时程曲线

表 4-2-7　　　　　　　　　　　1# 测点位移发展过程对比　　　　　　　　　（单位：mm）

模型编号	时步						
	开 1	开 2	开 3	开 4	$\sigma_V = 0.4$MPa	$\sigma_V = 0.6$MPa	$\sigma_V = 0.8$MPa
II	21.4	25.8	34.6	45.7	60.3	114.2	239.3
III	16.2	19.1	24.4	29.3	38.6	64.5	198.2
IV	8.4	9.6	16.7	23.1	31.7	50.4	174.6
V	12.6	22.3	27.1	29.7	35.9	62.1	143.4
VI	29.7	34.6	44.4	53.9	67.8	104.6	224.1

表 4-2-8　　　　　　　　　　　　　6#测点位移发展过程对比　　　　　　　　　　　（单位：mm）

模型编号	时步						
	开 1	开 2	开 3	开 4	$\sigma_V = 0.4\text{MPa}$	$\sigma_V = 0.6\text{MPa}$	$\sigma_V = 0.8\text{MPa}$
Ⅱ	0	2.8	8.5	26.2	49.7	191.2	441.3
Ⅲ	0	4.1	9.7	14.5	42.9	117.4	334.6
Ⅳ	0	0	5.2	14.3	16.8	82.3	118.2
Ⅴ	0	3.2	6.1	9.7	34.6	91.2	236.3
Ⅵ	0	7.8	14.2	21.8	42.3	208.5	420.6

表 4-2-9　　　　　　　　　　　　主厂房两边墙间实测收敛位移　　　　　　　　　　（单位：mm）

模型编号	$\sigma_V(\text{MPa})$								
	0.4	0.5	0.6	0.7	0.8	0.9	1.0	1.1	1.2
Ⅱ	24.0	51.2	87.2	128.3	195.9	316.0	—	—	—
Ⅲ	17.5	39.2	62.4	90.4	140.4	242.1	405.4	546.6	758.3
Ⅳ	16.3	27.1	51.6	80.3	114.2	206.5	334.8	508.7	640.1
Ⅴ	16.7	21.4	40.2	62.8	102.7	184.2	315.8	502.2	663.7

(三)围岩破坏过程

6 块模型在开挖洞室过程中均没发生破坏。这里"破坏"的含义，微观上是指裂纹片开裂或应变片断开，宏观上则以肉眼看见轻微的掉砂粒为准，客观上两者基本一致，取低者定为初始破坏荷载。于是，保持 $N = 0.8$ 及平面应变条件，进行超载试验，从而研究围岩的危险部位、安全程度和破坏形态。

试验结果表明，尽管各块模型的初始破坏荷载不相同，但破坏部位及发展过程大同小异，从表 4-2-10 可以清楚地看到这一点。

几块模型均显示，裂纹片的开裂位置及时机同肉眼观察到的破坏过程是基本吻合的。表 4-2-11 列出了各模型裂纹片开裂顺序。

(四)围岩松弛范围

模型最终荷载及围岩松弛范围见表 4-2-12。

(五)围岩稳定安全度

把模型的初始破坏荷载 σ_V^i 与开洞荷载（即设计地应力）σ_V^0 的比值定义为围岩稳定安全度，它反映了在设计地应力作用下围岩的稳定程度，记作 K_s，各模型的最大试验荷载 σ_V^m 与 σ_V^0 的比值称为模型的超载系数，记作 K_m。为了便于对比破坏形态及松弛范围，Ⅲ#、Ⅳ# 和 Ⅴ# 模型的最大试验荷载均未达到模型的极限承载能力，三块毛洞模型的 σ_V^m 也比其极限承载能力低一些，目的在于防止模型块整体松散导致无法解剖及保留。

表 4-2-10 各模型破坏过程

模型编号	初始破坏荷载及破坏部位	破坏的发展	最大试验荷载时的破坏现象
I	$\sigma_V = 0.598\text{MPa}$，主厂房下游边墙与尾水管交叉处掉砂粒	$\sigma_V = 0.4 \sim 0.9\text{MPa}$，主厂房上游边墙中部开裂，尾闸室下游边墙与尾水管交叉口处掉砂继而开裂，尾闸室底板也开裂	$\sigma_V = 0.902\text{MPa}$，掉块块度加大，主厂房边墙开裂、掉块，三洞室边墙内鼓严重
II	$\sigma_V = 0.539\text{MPa}$，主厂房下游边墙与尾水管交叉口处出现小裂纹，位于此处的 19# 裂纹片断裂，二者非常一致	$\sigma_V = 0.54 \sim 0.95\text{MPa}$，尾闸室两边墙与尾水管和尾水洞交叉口处开裂、掉块，主厂房与母线洞交叉口处掉砂，下游边墙中部出现竖向裂纹；主变室两侧墙内鼓、开裂掉块，尾闸室拱部少许掉砂	$\sigma_V = 0.960\text{MPa}$，三洞室边墙内鼓严重，掉块加大，裂纹发展加快，主厂房上游墙更严重，这时外荷载已明显不稳，已接近极限承载能力
III	$\sigma_V = 0.617\text{MPa}$，主厂房下游墙与尾水管交叉口掉砂，8# 裂纹片断，接着 17# 裂纹片断	$\sigma_V = 0.62 \sim 1.20\text{MPa}$，主厂房上游墙台阶处掉小块，横洞口掉砂，下游墙脚鼓起，左拱脚起皮；尾闸室两墙下部横洞口处掉砂；主变室上游墙脚和下游拱脚掉砂；主厂房上游墙下半部开裂严重、表层破碎	$\sigma_V = 1.274\text{MPa}$，主厂房两边墙破坏迅速发展，下半部更甚，主变室下游墙起皮，三洞室掉块加重
IV	$\sigma_V = 0.666\text{MPa}$，主厂房下游边墙与尾水管交叉口掉砂，19# 裂纹片稍后开裂	$\sigma_V = 0.67 \sim 1.25\text{MPa}$，主变室下游墙脚及尾闸室下游墙下部掉砂，主厂房两边墙下半部靠横洞附近开裂、掉块；主变室下游墙开裂、内鼓，底板继而上鼓，尾闸室下游墙内鼓；主厂房下游墙掉大块，拱部位移明显小于底板；主变室底板掉砂	$\sigma_V = 1.274\text{MPa}$，三洞室掉块加大，边墙内鼓严重，尤其主变室及主厂房下半部更甚
V	$\sigma_V = 0.882\text{MPa}$，主厂房两边墙下部横洞口处掉砂	$\sigma_V = 0.85 \sim 1.25\text{MPa}$，主变室两拱脚掉砂；主厂房上游墙下部开裂，下游墙下部与尾水管交叉口出现裂纹，尾闸室下游拱脚掉砂	$\sigma_V = 1.247\text{MPa}$，主厂房上游拱脚掉砂；尾闸室两墙内鼓严重，拱顶掉砂；主变室拱顶掉砂
VI	$\sigma_V = 0.568\text{MPa}$，主厂房下游墙与尾水管交接处掉砂	$\sigma_V = 0.6 \sim 0.9\text{MPa}$，主厂房上游横洞口及上游拱脚裂开、掉砂；主变室上游墙脚掉砂；尾闸室上游墙台阶处及拱顶掉砂、开裂；主变室下游墙脚掉砂；尾闸室底板掉砂；主变室两边墙开裂、内鼓；主厂房两边墙起皮、内鼓加重	$\sigma_V = 0.931\text{MPa}$，三洞室持续掉块，边墙内鼓严重，已达极限承载能力

表 4-2-11　　　　　　　　　　　　　　　　裂纹片开裂过程

模型编号	项目	开裂顺序											
		1	2	3	4	5	6	7	8	9	10	11	12
I	测点号	17	19	12	38	40	48	16	39	41	—	—	—
	σ_V	604	636	743	792	834	834	834	902	902	—	—	—
II	测点号	19	12	14	16	17	41	33	25	2	34	40	48
	σ_V	539	550	550	588	725	843	843	843	843	941	951	955
III	测点号	8	17	12	14	13	19	46	43	18	31	39	—
	σ_V	617	686	784	784	882	970	1 058	1 176	1 176	卸0	卸0	—
IV	测点号	19	10	17	28	13	18	47	12	39	42	11	—
	σ_V	676	735	882	960	1 049	1 049	1 068	1 068	1 147	1 176	1 225	—
V	测点号	2	46	10	18	7	20	40	—	—	—	—	—
	σ_V	882	980	980	1 009	1 078	1 137	1 176	—	—	—	—	—

注:1. 表中 σ_V 为对应的开裂荷载,单位为 kPa。

2. Ⅵ# 模型未布设裂纹片。

表 4-2-12　　　　　　　　　　　　模型最终荷载及围岩松弛范围

模型编号	地应力 σ_V^0（MPa）	初始破坏荷载 σ_V^f(MPa)	最终荷载 σ_V^m（MPa）	主厂房拱部松弛厚度（m）	主厂房上游岩壁梁处松弛厚度(m)
I	0.217 (3.47)	0.598 (9.568)	0.902 (14.432)		
II	0.26 (4.16)	0.539 (8.624)	0.96 (15.35)	3.15	5.6
III	0.26 (4.16)	0.617 (9.872)	1.274 (20.38)	3.85	3.33
IV	0.26 (4.16)	0.666 (10.656)	1.274 (20.38)	1.05	1.75
V	0.26 (4.16)	0.882 (14.112)	1.274 (20.38)	3.5	5.95
VI	0.26 (4.16)	0.568 (9.088)	0.931 (14.90)	1.23	2.00

注:( )内的数值为原型荷载。

各模型的 K_s、K_m 值如表 4-2-13 所示。

表 4-2-13   各块模型的稳定安全度 K_s 及超载系数 K_m

模型编号	开洞荷载 σ_V^0 (MPa)	初始破坏荷载 σ_V^f (MPa)	围岩稳定安全度 $K_s = \sigma_V^f / \sigma_\gamma^0$	最大试验荷载 σ_V^m (MPa)	超载系数 $K_m = \sigma_V^m / \sigma_V^0$
Ⅰ	0.217	0.598	2.76	0.902	4.16
Ⅱ	0.260	0.539	2.07	0.960	3.69
Ⅲ	0.260	0.617	2.37	1.274	4.90
Ⅳ	0.260	0.666	2.56	1.274	4.90
Ⅴ	0.260	0.882	3.39	1.274	4.90
Ⅵ	0.260	0.568	2.18	0.931	3.58

(六)量测锚索测试结果

在Ⅵ# 模型中安装了 16 根量测锚索,分上、下两排,各 8 根,其位置及编号如图4-2-10 所示。

在分部开挖过程中,锚索的预应力变化不大。同时,由于开挖的振动,测试数据也不太可靠,因此研究的重点放在超载试验阶段,尤其是围岩达到初始破坏时,锚索的预应力值对设计和施工有较大的参考价值。表 4-2-14 即为此时的预应力值,已按 $K_p = 1.96 \times 10^6$ 换算至原型,这时地应力相当于现场 $\sigma_V = 10.656$ MPa。3#、12# 和 16# 锚索由于传感器的故障,未测得此数据。

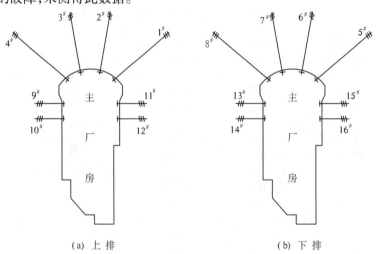

(a) 上排   (b) 下排

图 4-2-10 量测锚索位置及编号

表 4-2-14   围岩初始破坏时的锚索预应力

锚索编号	1	2	4	5	6	7	8	9	10	11	13	14	15
预应力 P (kN)	808	761	891	834	876	882	913	564	612	977	606	638	1 136

图 4-2-11 显示了 8# 和 11# 锚索在超载过程中预应力变化过程。

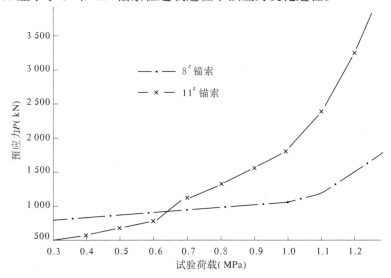

图 4-2-11　量测锚索预应力时程曲线

四、试验结果分析

(一)洞周围岩受力特点

1. 初始应变场特点

在地应力作用下,围岩的初始应变场(见图 4-2-5)具有下列特点:

(1)所有测点的主应变方向虽有一定的偏斜,但从总体上看,两主应变方向分别与 σ_V 和 σ_H 方向基本一致,且所有测点的 ε_1 和 ε_2 均为压应变。

(2)T_1^4 岩层中应变值普遍小于 T_1^{3-2} 岩层,因为前者的弹性模量高于后者。

(3)同一层组内各测点应变数值有较大的离散度,不像均质或分层均质模型那样均匀,因此主应变方向也有所差别。

2. 初始应力场特点

地应力作用下围岩的初始应力场(见图 4-2-7)表明:

(1)总体上看,各测点应力值比较均匀,但与均质和分层均质模型试验结果相比,数值和方向均有较大的离散度。

(2)各测点两主应力 σ_1、σ_2 的各自平均值分别与 σ_H^0 和 σ_V^0 比较接近。开洞前各测点应力或应变之所以有较大的离散度,是由于块体模型中块体的大小、组合及咬合程度不尽相同,造成块与块之间力的传递有所差别,从而表现出一定的随机性。

(3)从 II# 模型各开挖步的应变场和应力场看出,洞周切向压应力随开挖逐步增大,而法向压应力则逐步减小(释放),开挖引起的应力环流现象不太明显,应力集中系数和范围也不太大。直到洞室群全部开挖完毕(见图 4-2-8),才在主厂房上游拱脚下部出现受拉测点,拉应力值为 1.13MPa(已换算至原型),方向沿径向。这时,最大切向压应力出现在主厂房上游边墙与引水隧洞交叉口处,数值为 16.27MPa。表 4-2-15 列出了 II# 模型洞室开挖完毕三大洞室最大压应力 σ_2 及相应的应力集中系数 K（$K = \sigma_2 / \sigma_v^0$），表中应力已换算至原型。

表 4-2-15 　　　　　　 Ⅱ$^{\#}$ 模型洞室开挖完毕的 σ_2 及相应的 K 值

项目	主厂房				主变室		尾闸室	
	上游墙中	上游拱脚	拱顶	底板	上游墙中	底板	下游墙中	底板
σ_2(MPa)	16.27	9.64	7.46	6.43	6.06	6.19	6.82	8.61
K	3.91	2.32	1.79	1.54	1.46	1.49	1.64	2.07

(二)洞壁位移特征

洞室开挖及超载试验过程中，各测点位移均朝向洞内，这是 $N = 0.8$ 及洞室形状所决定的，同均质岩体的情况相似。开挖产生的最大位移发生在主厂房拱顶部位，其次为主厂房底板和尾闸室拱顶。由于主厂房边墙较高，主厂房两边墙的位移也比较大，尤其是超载试验阶段，边墙位移发展较快。

就主厂房而言，洞周各测点的位移值相差不大，这也是 $N = 0.8$ 和洞室形状所决定的。由于主厂房下游边墙受母线洞、尾水管和主变室的影响较大，这里的位移比上游边墙普遍大一些。

从开挖过程中位移发展看，每一步开挖引起该开挖范围内的位移测点产生较大的位移增量，无论是哪一种开挖方案，开挖尾水管哪一步引起的位移增量均较大。因此，要慎重对待尾水管的开挖，并采取及时、有效的支护措施。

(三)围岩破坏机制及需要重点加固的部位

在超载试验过程中，洞壁切向压应力逐步增大，法向压应力则逐步减小，主厂房边墙和底板及尾闸室下部边墙和底板相继出现法向拉应力。各块模型的初始破坏均发生在主厂房下游边墙与尾水管交叉口处，这时该区域尚未出现拉应力，因此初始破坏属压剪型破坏。随着荷载进一步加大，拉应力数值和区域也逐步加大，从而产生局部的拉裂和剥离。因此，围岩破坏以压剪破坏为主、拉裂破坏为次。有限元分析结果也是如此。

从宏观破坏形态看，T_1^{3-2} 岩层中许多小块已被压酥，接近垂直的节理面错动和张开比较明显，有些部位还出现了滑移线。另一方面，洞室之间几乎没有出现贯通的裂缝，围岩松弛范围也不太大，因此从整体上看，围岩稳定性比较好，洞室之间的间距满足围岩稳定要求。

由宏观破坏形态可清楚地看出，围岩需要重点加固的部位如下：

(1)主厂房下半部位于 T_1^{3-2} 中的两侧边墙。

(2)尾闸室下部与尾水管和尾水洞交叉口处。

(3)母线洞的两侧边墙。

(4)母线洞与尾水管之间的岩体及相邻尾水管之间的岩柱。

(四)不同支护形式的加固效果

概括地说，三块有支护模型（Ⅲ$^{\#}$、Ⅳ$^{\#}$和Ⅴ$^{\#}$）所模拟的三种支护方案均显示了较为明显的加固效果，主要表现在以下四个方面：

(1)围岩初始破坏荷载提高。三块模型的 σ_V 依次比相应的毛洞模型（Ⅱ#）的 σ_V 提高 14.5%、23.7%、63.8%，围岩稳定安全度 K_s 的提高幅度同样如此。

(2)洞周位移减小。三块有支护模型（Ⅲ#、Ⅳ#和Ⅴ#）的实测开洞位移比毛洞模型（Ⅱ#）的实测开洞位移依次减小：主厂房顶拱部为 35.6%、49.5% 和 35%，主厂房边墙上部为 46.5%、65.5%（Ⅴ#模型未测到），边墙中部为 39.7%、17.3%、54.9%。超载破坏阶段减小的幅度更大。

(3)洞周围岩中拉应力值均有不同程度的减小，相应地拉应力区域也缩小了。

(4)围岩破坏过程减缓，破坏程度减轻，柔性破坏特征提高。

Ⅳ#模型与Ⅲ#模型唯一的不同在于前者锚杆上施加了预应力，两块模型的试验结果加以对比，便体现预应力锚杆（索）对块状围岩的作用特点：

(1)Ⅳ#模型的围岩稳定安全度 K_s 比Ⅲ#模型提高约 8%，达到 2.56。

(2)Ⅳ#模型各测点最大开洞位移比Ⅲ#模型平均减小 16%，如 1#测点位移由 29.3mm 减为 23.1mm，减小约 21%。在围岩发生破坏以后，各测点位移减小的幅度更大，甚至肉眼就能看得出来，Ⅳ#模型主厂房拱部的位移比底板的位移小得多。

(3)将两块模型同时步的围岩应变场或应力场相比较，可以清楚地看到，由于预应力的作用，围岩中受拉区及拉应力值大大减小，如当 $\sigma_V = 1.0$MPa 时，主厂房上游边墙大范围的受拉区几乎全部由拉变压。

(4)两块模型的最大试验荷载相同，但围岩松弛范围差别较大，即由于预应力的作用，松弛厚度显著缩小，主厂房拱部和两侧边墙上部更明显，拱部松弛厚度由 3.85m 减小为 1.05m，上游吊车梁处松弛厚度由 3.33m 减小为 1.75m。

Ⅴ#模型与Ⅲ#模型的不同在于前者少开一条横洞（即少模拟一个机组），且尾水管和母线洞也进行了喷锚支护（尾水管还有钢筋混凝土衬砌），很容易理解，Ⅴ#模型的围岩稳定性比Ⅲ#模型会有明显的改善，试验结果也恰恰显示了这一点，Ⅴ#模型的围岩稳定安全度达到 3.39，比Ⅲ#模型的围岩稳定安全度提高 43%。

实际的支护设计方案介于Ⅳ#模型和Ⅴ#模型之间，所以，比较真实的围岩稳定安全度介于 2.56 和 3.39 之间。

（五）两种开挖方案对比

试验结果表明，两种开挖方案（对应Ⅳ#和Ⅱ#模型）的围岩稳定程度差别不大，承包商计划方案的 K_s 为 2.18，实际实施方案为 2.07，前者略高一些，承包商计划方案的实测位移则比实际实施方案稍大一些。配合试验所做的有限元计算结果也显示，两者的屈服区和位移值均很接近。

（六）围岩稳定性评价及对支护参数的分析

前已述及，毛洞模型的围岩稳定安全度 K_s 均大于 2，考虑到所采用的地应力荷载偏高，实际 K_s 值会更高一些，因此洞室群围岩稳定性是比较好的，能够开挖成洞。

试验中模拟了两层泥化夹层，试验结果表明，穿过主厂房上游吊车梁附近的泥化夹层对围岩稳定性有较大的不利影响。表现在它与母线洞拱部结构的三角体容易失稳，并且会进一步危及主厂房下游吊车梁岩壁的安全，因此应给予该层夹泥层以足够的加固。需要说明的是，虽然试验中主厂房拱部基本不发生破坏，但不能认为其稳定性很好，而不需要重点支护。试验中未考虑围岩自重效应,同时只模拟了离拱部约 21m 远的一层夹泥层,所以应给予拱部围岩足够的支护。有限元计算结果也表明了这一点,在自重作用下主厂房拱部出现约 22m 深的局部受拉区。

提供试验的洞群支护设计方案总体上讲是合理的,但对重点部位应加强支护:

(1)对主厂房位于 T_1^{3-2} 中的边墙,尤其是与引水隧洞和尾水管交接处应加强支护。

(2)主厂房下游边墙的稳定性比上游边墙更差,两者的支护参数应有所区别,即下游边墙中锚杆间距应适当减小,而上游边墙的锚杆间距可适当加大。

(3)岩体结构面有多种、多组,不同部位结构面的方位、组合会有所不同,应针对洞周各部位结构面组合特征,确定锚杆(或锚索)的方位,使之与所要加固的结构面成一合适的夹角,以利于围岩稳定。

(4)尾水管与母线洞之间的岩体比较单薄(最薄处仅 10m),相当大部分还是岩质较差的 T_1^{3-2} 岩层,建议在尾水管开挖过程中,采用压力灌浆的方法加固该区域岩体,并采用张拉锚杆配合钢筋混凝土衬砌,以便及时、有效地加固尾水管洞拱部,确保尾水管本身及主厂房下半部的安全成洞。

(5)相邻尾水管之间的岩柱只有 13.9m 宽,尾水管洞的开挖跨度达 12.6m,岩柱中的应力集中较大,建议采用洞间对穿锚索加固该岩柱,间距 4m,预应力为 500kN。

(七)主厂房拱部锚索的作用及参数选择问题

(1)试验的锚索长度 25m,间距 7.5m×6.0m,预应力为 800kN,是基本合理的。就主厂房拱部岩体条件而言,锚索的作用有两种:一是将可能松动的岩体锚固到稳定岩体上,使其不至于整体坍落,即"悬吊"作用;二是与喷锚网支护配合,使可能松动的岩体形成承载拱,发挥围岩自身的强度。以悬吊作用为主、承载拱作用为次(因为喷锚网支护已较好地发挥了承载拱作用)。要保证悬吊作用实现,锚索必须有足够的长度,使其内锚固段位于稳定岩体中,当然预应力吨位也要保证,问题在于如何评估承载拱的作用,尤其是喷锚网支护本身的作用。认为拱部可能发生松动的数米围岩全部靠锚索拉住是不恰当的,因为喷锚网支护能及时发挥作用,再加上预应力锚索的附加效应,就能够阻止表层岩体的松动和坍落,深部的岩体便不会进一步松动,也就不再具备发生大范围围岩整体失稳的条件。

(2)锚索长度取 25m 是合理的,根据之一是有限元计算表明拱部围岩局部受拉区深度约 22m,根据之二是当时勘探发现拱部上方 25m 内分布有多层泥化夹层(更远处的夹化泥层已无关紧要)。

(3)从试验中量测锚索预应力的增长过程看,至发生初始破坏时(对应现场 $\sigma_V = 10.656$MPa)还不到 1 000kN,另一方面,国内外类似工程中所采用锚索的预应力一般不超过 1 500kN,建议采用的预应力值为 1 200 ~ 1 500kN。

(4)锚索间距的确定基于以下考虑:锚索预应力在垫墩下的压应力集中范围大致为垫墩半径的 3 倍,为了使围岩表面形成连续的受压区,从而更好地实现拱效应,锚索间距以取垫墩半径的 4 ~ 6 倍为宜。建议主厂房拱部锚索的间距为 3 ~ 4m。

五、结论

(1)试验表明,洞群的布置方案是基本合理的,在给定的地应力荷载作用下,能够开挖成洞,并有一定的安全储备,其围岩稳定安全度 K_s 分别为 2.18(承包商计划开挖方案)和 2.07(实际实施开挖方案)。

(2)洞群围岩的危险部位是:①主厂房位于 T_1^{3-2} 岩层中的两侧边墙,尤其是与尾水管洞和引水隧洞交叉口处;②尾闸室下部与尾水管洞和尾水洞交叉口处;③主变室两边墙;④主厂房拱部和尾闸室拱部,这里试验中虽未发生破坏,但有限元计算结果表明,在自重作用下,两拱部出现较大的受拉区。这些部位均应进行重点加固。

(3)三个支护方案的效果均比较明显,其围岩稳定安全度分别比相应的毛洞提高 14.5%、23.7%和63.8%,洞壁位移、拉应力区及围岩破坏程度也都有不同程度的减小。

(4)预应力锚索的加固作用突出,主要表现在以下四个方面:①洞壁位移平均减小 16%;②围岩稳定安全度提高 8%,达到 2.56;③围岩松弛范围显著缩小;④洞壁附近的拉应力区及拉应力值大幅度减小。因此,主厂房的拱部和边墙采用预应力锚索加固是合理的。

(5)块体介质模型受力特点如下:①开洞引起的洞周应力集中范围较小,应力环流现象不明显;②块体之间力的传递具有一定的随机性。

(6)主厂房拱部预应力锚索采用长 25m、间距 4m、吨位 1 200~1 500kN 较合适。

第三节　大跨度隧洞开挖试验研究

一、简况

小浪底水利枢纽的导流、泄洪、排沙和引水发电建筑物均集中布置于左岸单薄分水岭内,共有 16 条隧洞和一座长×宽×高为 251.5m×26.2m×61.44m 的大型地下厂房。小浪底地质条件复杂,洞室群密集,规模之大,在国内外层状砂岩地区尚属首创,同时左岸山体内有较大的断层通过,且有连续的泥化夹层分布,洞室围岩稳定至关重要,为此进行大跨度隧洞开挖试验。

试验洞的位置选择在左岸水文站上游约 300m 公路边陡崖处,该处交通方便,不需削坡即可进洞。岩层为 T_1^3 砂页岩,掘进 75m 左右即可遇到 F_{236} 大断层。洞轴线方向选择为 NE46°,与岩层倾向基本一致,与 F_{236} 断层斜交,夹角为 30°~40°。洞顶以上岩体覆盖厚度约 70m。

试验洞断面尺寸为宽 15m,高 6.35m,为了摸清地质情况,首先开挖宽 4m、高 3m 的导洞,然后进行大断面扩挖。在全长 56m 的试验段中,0+49m~0+75m 为 T_1^3 砂页岩地层,0+75m~0+105m 为断层破碎带,0~0+49m 为小断面交通洞。大跨度隧洞开挖试验工作于 1982 年 7 月开始,至 1983 年 12 月结束,历时一年半。共完成石方洞挖 4 917m³、喷射混凝土 538m³、砂浆锚杆 1 198 根,挂钢筋网 1 250m²,安装预应力锚索 46 根,并完成了单根预应力锚索加固岩体作用范围的试验。

二、工程地质条件

(一)地层岩性

洞室区为二叠系、三叠系陆相碎屑砂、页岩地层,与洞室开挖有关的 6 个工程岩组,自

上面而下分别为 T_1^4、T_1^{3-2}、T_1^{3-1}、T_1^2、T_1^1、P_2^4，岩组中各类岩石和不同层厚所占的比例见表 4-3-1。

表 4-3-1　　　　　　　　　　岩组中各类岩石和不同层厚所占的比例

地质时代	工程地质岩组	厚度（m）	各类岩石所占比例（%）			不同层厚所占比例（%）			
			细砂岩（砾岩）	粉砂岩	黏土岩（页岩）	<10cm	中层 10~50cm	厚层 50~100cm	巨厚层 >100cm
三叠系下统	T_1^4	60	90	9	1	9	23	42	26
	T_1^{3-2}	26	26	64	9.6	14	30	36	20
	T_1^{3-1}	30	83	9	7	7	47	25	21
	T_1^2	30	73	17	9	24	23	35	18
	T_1^1	30	37	55	7	9	43	29	19
二叠系上统	P_2^4	55~68	21		78	76	24		

洞室围岩岩层的单层厚度一般为 0.5~2m，洞身穿越的 T_1^{3-2}、T_1^{3-1} 岩组中沿层面连续，或基本连续出现的有 10 层构造夹泥层与页岩伴生，夹泥层厚度变化在 0.5~4cm 之间，组成物质为高含水量可塑的粉质黏土夹母岩的角砾。

本区地层总的特征为：岩相变化大，岩性比较复杂，岩层组合具有软硬相间、硬中夹软的特点，是一多层面、多软弱层的缓倾角地层。

（二）地质构造

洞室区内断层及构造裂隙比较发育，以高角度的正断层为主，亦有小型逆断层出现，洞室内揭露的断层按走向分为 NE80°~85°、NW280°两组，在平面上组成较为对称的"×"形。黄河北岸坝区内的控制性大断层 F_{236} 与洞室轴向斜交，交角约 35°，平面上略呈弯曲状，旁侧羽状断裂伴随发育，力学形态似张扭性结构面。沿隧洞轴线方向，按 F_1、F_2、F_3、F_4、F_5、F_{236} 顺序出露。

F_4~F_{236} 之间组成了宽 7~8m 构造破碎带，沿洞轴线方向宽度达 15m，断层带物质以泥质条带糜棱岩和无胶结的分解压碎的角砾所组成，较宽的破碎带构成了不稳定的围岩区。

洞室地层中发育的构造节理主要有三组：

（1）NE70°~80°，倾向 SE，倾角 80°~90°，较发育，贯通性较强，切层稍多。

（2）NW270°~290°，倾向 SW，倾角 80°~90°，次发育。

（3）NW340°~350°，倾向 SW，倾角 80°~90°，次发育。

节理均为高角度，比较规则，平面上呈"×"形或"米"字形，节理面微张，有砂质和钙质薄膜充填，节理密度平均 1.5 条/m，但多不切过上、下岩层，贯通性切层节理约占节理总数的 1/3，高角度的节理面与层面把平缓岩层切割成类似砖砌体结构，块度多为 0.25~$1m^3$。

（三）岩体物理力学性质

根据室内外大量岩体力学试验资料，综合指标值详见表 4-3-2~表 4-3-4。

表 4-3-2 岩石基本物理力学性质

岩性	比重	容重 (kN/m³)	孔隙率 (%)	抗压强度(MPa) 干燥	抗压强度(MPa) 饱和	软化系数
粉砂质页岩	2.78	25.8	7.02	35.1	22.7	0.74
黏土质页岩	2.76	25.4	6.74	40.6	14.7	0.41
硅质细砂岩 钙硅质细砂岩	2.74	26.3	3.52	116.6	88.1	0.68
钙硅质粉砂岩 钙质粉砂岩	2.74	26.1	4.81	96.4	72.1	0.54
钙泥质粉砂岩	2.75	26.1	6.04	72.7	51.9	0.57
泥质粉砂岩	2.76	25.9	5.98	58.8	49.9	0.65
钙硅质细砂岩	2.74	26.1	3.44	56.3	37.5	0.56

表 4-3-3 各岩组综合建议值

岩组	变形模量 (×10³MPa) 垂直层面	变形模量 (×10³MPa) 平行层面	弹性模量 (×10³MPa) 垂直层面	弹性模量 (×10³MPa) 平行层面	泊松比	容重 (kN/m³)	饱和抗压强度(MPa)	坚固系数	单位抗力系数
P_2^4	2.21	4.4	3.3	6.6	0.30	26.0	20.0	3	80
T_1^1	6.0	12	9	18	0.27	26.2	50.0	5	200
T_1^2	6.7	13	10	20	0.27	26.2	60.0	5	250
T_1^{3-1}	7.1	14.2	10.6	21.2	0.25	26.3	80.0	5	250
T_1^{3-2}	5.7	11.4	8.5	17	0.27	26.2	60.0	4	200
T_1^4	7.5	15	11.2	22.4	0.25	26.3	90.0	5	250
断层破碎带		0.18		0.40	0.35			1	10
断层泥	0.02		0.16		0.35				

表 4-3-4 各类结构面的抗剪强度

指标	泥质粉砂岩层面	页岩岩粉及泥膜	以泥为主夹页岩碎片	断层破碎带	断层泥
摩擦系数 f	0.38	0.37	0.23	0.35 ~ 0.4	0.2 ~ 0.23
凝聚力 C(MPa)	0.033	0.005	0.004	0	0.013

隧洞沿线有裂隙性地下水出露,随季节性而变化,水量微小,多沿断层及裂隙成滴渗

状流出。洞室上覆岩体厚 60 ~ 80m,从洞区所处地形地貌条件分析地应力不大,在试验洞下游 11# 地质探洞中,实测最大主应力为 3.4 ~ 3.6MPa,近似于上覆地层的自重应力。

(四)水文地质

洞区正常地下水位为 135m,低于洞底板高程 145m,对工程无大影响。洞室以上山体,由于缓倾角砂岩与不透水页岩互层,山体内地下水活动相对微弱,开挖后有裂隙性地下水沿洞顶断层破碎带成滴渗状流出,雨季水量增大。

三、开挖爆破

(一)开挖方案

由于交通洞断面较小,为 4m × 3m 的方圆形洞,采用全断面开挖。试验洞跨度 15m,高度 6.35m,分 3 跨开挖,采用两种开挖程序:桩号 0 + 049m ~ 0 + 075m 段采用"先开挖中间,后开挖两边"的开挖程序;桩号 0 + 075m ~ 0 + 105m 段采用"先开挖两边,后开挖中间"的开挖程序。开挖试验结果,无论采用哪种开挖程序都是安全的,自稳时间都比较长,爆破后至喷射第一次混凝土的时间一般为 4 ~ 5h,没有塌方现象。但是从围岩变形测试结果看,"先开挖中间,后开挖两边"的开挖程序比"先开挖两边,后开挖中间"的开挖程序变形较大。虽然没有进行分两跨开挖(分左、右两部分)的试验,但在开挖西导洞时,有一段实际开挖宽度已达 7m,也未出现塌方现象。说明小浪底这样的岩层,15m 跨度的隧洞,分两跨开挖也是安全的。这就为小浪底工程大跨度地下洞室采用大型施工机械设备进洞施工提供了依据。

合理安排开挖和支护的各个工序,是安全成洞和提高掘进速度的一项重要工作。有人认为在层状砂页岩中开挖地下洞室,采用喷锚支护结构时,喷混凝土的作用不大,在安排循环作业计划时,采用先锚后喷的工序。但在施工中发现这个经验不适合地质硬脆的岩层,对于小浪底层状砂岩,刚爆破后,立即安装锚杆很不安全,容易掉块伤人,因此在开挖和支护循环作业工序的安排上,应采用先喷后锚的次序,这样既有利于围岩稳定,又便于锚杆施工。

(二)光面爆破试验和应用效果

控制爆破是新奥法的重要组成部分,而光面爆破和预裂爆破是控制爆破在地下工程开挖施工中应用效果比较好的两种方法。

所谓光面爆破,就是在开挖洞室的周边适当排列一定间隔的炮孔,在有侧向临空面的条件下,用控制最小抵抗线和装药量的方法进行爆破,使之形成一个光滑的开挖面。

光面爆破参数的计算,目前尚无理论公式,主要依靠经验,比较可靠的办法是通过现场试验来确定光面爆破参数。根据现场试验结果,提出下列光爆参数:

周边孔距 $E = 50 ~ 65cm$;

周边孔抵抗线 $\overline{W} = 60 ~ 80cm$;

炮孔密集系数 $E/\overline{W} = 0.83 ~ 0.80$;

线装药量 $q = 0.15 ~ 0.075kg/m$;

炮孔直径 $D = 38 ~ 42mm$;

炸药类型为 2# 岩石硝铵炸药;

药卷规格为 $d \times g \times L = 22\text{mm} \times 150\text{g} \times 400\text{mm}$；

不偶合系数 $D/d = 1.73 \sim 1.82$；

装药结构为间隔装药，导爆索连接传爆。

光爆参数的现场试验，共做了 4 个单孔爆破试验、3 组三孔爆破试验，以检查周边的线装药密度、周边孔间距和装药结构是否合适。试验结果见表 4-3-5、表 4-3-6。

从试验结果来看，周边孔的线装药量 75 ~ 150g/m 比较合适；周边孔的间距，一般经验为炮孔直径的 12 ~ 16 倍，当使用 40mm 直径钻头时，其间距为 48 ~ 64cm，试验结果与上述经验基本上相同。但对于层状砂页岩互层，顺层面方向的炮眼间距宜取偏大值，与层面垂直方向的炮孔间距宜取偏小值；周边孔的最小抵抗线一般为 $\overline{W} = (1.0 \sim 1.25)E$，与试验结果也基本相符，但对于断层破碎带，顶拱部位的 $\overline{W}$ 值宜取较大值。

由于采用光面爆破技术，小浪底大型试验洞开挖的超挖量仅为 4.5%，比采用一般爆破法开挖的超挖量 10% ~ 20% 小得多。其效果是不仅节约了工程量，更重要的是保护了围岩的完整和稳定，据 22 个锚索钻孔岩心观察分析，爆破松动圈的范围平均为 55cm，比采用一般爆破法的松动范围（1.0 ~ 1.5m）小得多。光面爆破技术的应用成功，为小浪底大型试验洞的顺利开挖创造了十分有利的条件。

表 4-3-5 露天单孔爆破试验结果

孔号	方向	孔深（m）	装药量（g）	药径（mm）	装药方式	堵塞物种类	堵塞长度（cm）	爆破后地表现象及其他说明
1	水平	1.13	150	22	连续	黏土	33.0	爆破后孔口周围顺岩石节理裂开，并有少量岩块爆落。药卷长度 39cm
2	水平	1.92	300	22	间隔	黏土	20.0	爆破后孔口周围顺岩节理裂开，并有少量岩块崩落。采用长为 38cm 和 36cm 的两卷炸药，间隔 66cm，导爆索连接
3	水平	1.80	150	22	间隔	黏土	20.0	爆破后沿炮孔中心裂开（顺层面），其他方向无裂缝。采用两节各长 20cm 的药卷，间隔 80cm，导爆索连接
4	垂直	0.95	75	22	连续	细砂	75.0	爆破后出现放射状裂隙，主缝沿最小抵抗线处开裂，采用 1 节长 20cm 的药卷。本次试验，钻头直径均为 38mm

表 4-3-6   三孔联合爆破试验结果

组别	方向	孔深 (m)	炮孔间距 (cm)	装药量 (g)	药径 (mm)	装药 方式	堵塞物 种类	堵塞长度 (cm)	爆破后地表现象及 其他说明
1	水平	1.81 1.83 1.87	55	300 300 300	22 22 22	间隔 间隔 间隔	砂黏土 砂黏土 砂粘土	20.0 20.0 20.0	采用同段非电毫秒雷管同时起爆,爆破后大部分岩块松动,并有部分岩块抛出数米之外。每孔用长40cm的药卷2节,间隔50cm,导爆索连接
2	竖向水平	1.82 1.83 1.83	50	150 150 150	22 22 22	间隔 间隔 间隔	砂黏土 砂黏土 砂黏土	20.0 20.0 20.0	采用同段非电毫秒雷管同时起爆,爆破后形成三孔连贯性裂缝,孔口裂缝宽10~15cm,因为最小抵抗线仅为60~80cm,实际上是孔口的岩石发生了位移。内部裂缝宽1~2cm。采用两节长20cm的药卷,间隔80cm,导爆索连接
3	垂直孔	2.05 1.92 1.87	60	150 150 150	22 22 22	间隔 间隔 间隔	细砂 细砂 细砂	全部 全部 全部	采用非电毫秒雷管同时起爆,爆破后三孔形成贯穿性裂缝,缝宽2~3cm,主缝口有小块岩石脱落。每孔用2节长20cm的药卷,间隔80cm,导爆索连接。钻头直径均为38mm

四、喷锚支护设计

(一)T_1^3 试验段

该段桩号 0 + 049m ~ 0 + 075m,顶拱部分由于层面和节理裂隙的切割,形成块状的不稳定岩体,而且由于岩层较薄,裂隙发育,这种局部不稳定状态在顶拱是带有普遍性的;这样由构造裂隙及层面切割,也发生楔形塌落。就岩体强度来说,开挖后的顶拱围岩在无侧限的情况下,也处于剪切破坏状态。因此,采用系统的喷锚支护加固方案,使顶拱和边墙形成由锚杆、喷混凝土及岩体组成的联合承载结构,以防止围岩的松弛破坏,保持隧洞的长期稳定。

根据巴顿 Q 系统分类法,该试验段的岩体质量 Q 值在 0.185 ~ 3.06 之间,属于"很坏"或"坏"的岩体,因此顶拱及边墙采用的支护参数如下:

(1)锚杆采用 Φ25 缧纹钢筋,间距 1m,长 3m,砂浆全长胶结。

(2)钢筋网采用 Φ9 钢筋,网格间距为 20cm×20cm。

(3)喷射混凝土厚 20 ~ 25cm,28d 龄期抗压强度大于 20MPa。

(4)开挖初期由于光爆效果不好,顶拱出现 7 ~ 8m 的平顶,为安全计,每隔 5m 又增加了 1 ~ 2 根 600kN 预应力锚索,锚索长 15m。

(二)断层破碎带段

该段桩号为 0 + 075m ~ 0 + 105m,开挖后的不稳定情况比 T_1^3 试验段更为严重,特别是在 F_{236} 主断层附近,若支护不当,则会发生较大规模的失稳破坏。根据巴顿 Q 系统分类法,该试验段的岩体质量 Q 值在 0.006 25 ~ 0.16 之间,属于"极坏"的岩体。其支护参数如下:

(1)锚杆采用 Φ22 ~ Φ25 缧纹钢筋,间距 1m,长 4m,砂浆全长胶结。

(2)钢筋网采用 Φ9 钢筋,网格间距为 20cm×20cm。

(3)喷射混凝土厚 25 ~ 30cm,28d 龄期抗压强度大于 20MPa。

(4)预应力锚索纵向间距 3m,横向间距 4 ~ 6m,孔深 15 ~ 17m,锚索型式为 600kN 级胀壳式、二次灌浆式和一次灌浆式三种。锚索材料为天津钢厂生产的 6×7 Φ4 高强钢绞线,其极限抗拉强度为 1.6kN/mm^2,每根锚索极限强度为 800kN,实际张拉力为 300 ~ 500kN。

五、现场监测及成果分析

(一)围岩位移监测

1. 测点布置

围岩位移量测包括相对位移量测和绝对位移量测两种。其中相对位移量测又分围岩内部相对位移量测和洞壁净空收敛量测。

监测断面位置设在桩号 0 + 062m 和 0 + 084m 处,前者量测 T_1^3 地层围岩的变形特征及稳定性,后者量测 F_{236} 断层段破碎岩体的变形特征及稳定性。

(1)围岩内部位移量测,在试验洞拱顶和拱腰处安装 6 支(编号为 G_1、G_2、G_3 和 G_5、G_6、G_7)多点伸长计,长度为 21m,测点布置为 1m、2m、10m、15m、21m;边墙上安装有 10m 长的多点伸长计(G_4、G_8)和 4m 长的电感式多节伸长仪(E_1、E_3),测点布置为 2m、4m、10m 和 1m、2m、4m。见图 4-3-1、图 4-3-2。

(2)洞顶沉陷和洞底隆起绝对位移的量测,采用精密水准仪。拱顶部分的水准沉陷预测点共计 12 个。洞底板隆起位移测点 2 个,埋设于桩号 0 + 078m 和 0 + 088m 处(见表 4-3-7)。

(3)洞室净空收剑测试,每断面布置 4 条测线。

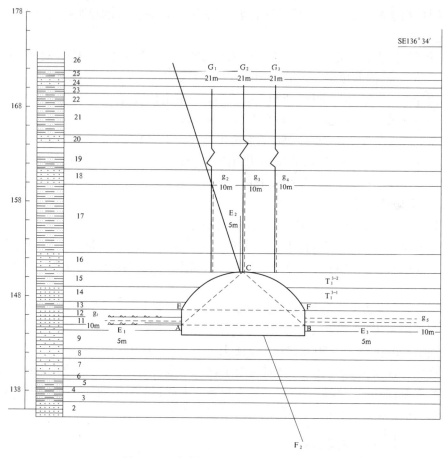

图 4-3-1　试验洞 0 + 64m 剖面仪器埋设图

2. 围岩绝对位移量测

(1)洞顶沉陷点测量结果见表 4-3-8。根据爆破后观测,洞顶距爆破面 3 ~ 4m 范围内,最大一次沉陷值为 1.8mm,最小值为 0.7mm,平均为 1.4mm。多数沉陷点在距掌子面 10m 范围内(大约 1 个月的时间),沉降速率较大,以后沉降速率大大减小,并逐渐趋于稳定状况。12 个测点 3 个月的累计平均下沉值为 4.2mm,最大下沉值为 7.3mm,后两个月平均每天下沉 0.03mm。

(2)洞底板隆起测量结果见表 4-3-9、表 4-3-10。

洞底板隆起的特点是,当测点与开挖掌子面距离大于 10m 之后,洞底板隆起逐渐趋于稳定,桩号 0 + 078m 测点总隆起量为 8.83mm,桩号 0 + 088m 测点总隆起量为 2.25mm。其原因是施工干扰,测点不能及时埋设。

3. 围岩相对位移量测成果

1)桩号 0 + 064m 断面(T_1^3 试验段)洞室围岩位移及稳定性评价

a. 拱顶和拱腰围岩的位移

G_2 机械式钻孔多点伸长计于 1983 年 4 月 11 日开始观测。随着中间导洞的开挖,围岩位移值逐渐增加,到桩号 0 + 076m 时,深度 0 ~ 1m 段围岩松动位移为 10mm,1 ~ 10m 段围岩压缩位移 2 ~ 3mm,10 ~ 21m 段围岩松动位移为 7mm。

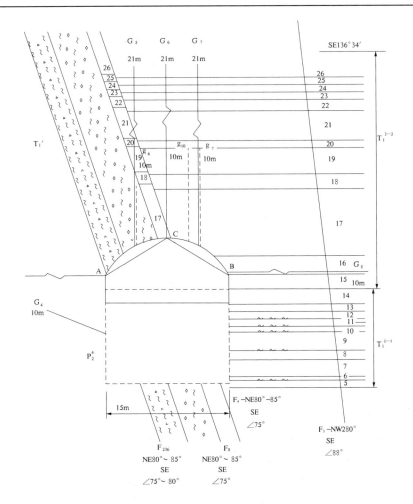

图 4-3-2　试验洞 0 + 84m 剖面仪器埋设图

表 4-3-7　　　　　　　　　　　　顶拱沉陷及底板隆起测点位置

部位	测点桩号(m)							
拱顶	0 + 052 中 0 + 084 西	0 + 056 中 0 + 084 中	0 + 063 中 0 + 088 东	0 + 063 中	0 + 062 东	0 + 070 中 0 + 093 东	0 + 074 中	0 + 076 东
底板	0 + 078 中 (隆起)				0 + 088 中 (隆起)			

　　G_3 机械式钻孔多点伸长计于 1983 年 4 月 20 日开始观测。随着洞室的开挖掘进,深度 $0 \sim 2m$ 段围岩为受力压缩位移 1mm 左右;$2 \sim 21m$ 段围岩为松动位移 4.3mm,其中 $10 \sim 21m$ 段围岩基本无位移变形。

表 4-3-8　　试验洞洞顶沉陷点测量结果汇总（精密水准）

沉陷点桩号(m)		0+052中	0+062中	0+062中	0+062西	0+062东	0+070中	0+076	0+084中	0+084西	0+088东	0+093东	0+074中	平均值
最大一次沉陷值（mm）		0.7	1.5	1.7	0.9	1.4	0.8	1.8	0.7	0.9	1.8	3.4	0.8	1.4
距爆破面10m累计沉陷值（mm）	1个月	1.0	7.0	5.6	2.8	3.3	2.1	3.4	0.8	1.4	3.6		3.0	3.0
	2个月		8.4								3.4			
	3个月		8.4					4.0						
距爆破面10m外累计沉陷值（mm）	1个月	2.2							1.0	2.0				
	2个月	2.6		6.2	2.7	4.0	4.0							
	3个月	2.3		7.3	2.7	4.9					4.0		3.8	4.2
	6个月	1.5	8.8	8.3	3.6	5.4	4.5	4.6					3.9	5.1
	9个月	1.3	8.2	7.7	3.7	5.4	4.9							5.2
	1年内	1.1	7.6											
春节停工57d沉陷值（mm）		0.4	0.8											
汛期停工60d沉陷值（mm）		0.1	0.2	0.7	0.6	0.7	0.7	0.6						

表 4-3-9　　桩号 0+078m 洞底板隆起测点测量结果

日期（年-月-日）	相对高程	差值(mm)	累计差值(mm)	说明
1983-07-03	27927			正值为底板隆起
1983-07-12	28210	＋2.83	＋2.83	0+083m 爆破后 10d 测
1983-07-14	28312	＋1.00	＋3.83	0+083m 爆破后 20d 测
1983-09-28	28490	＋1.78	＋5.81	0+085m 爆破后测
1983-11-14	28680	＋1.90	＋7.51	0+089m 爆破后测
1983-11-17	28786	＋1.06	＋8.57	
1983-11-21	28780	－0.06	＋8.51	0+091m 爆破后测
1983-11-29	28770	－0.10	＋8.41	0+092.5m 爆破后测
1983-12-13	28784	＋0.14	＋8.55	0+094m 爆破后测
1983-12-17	28801	＋0.17	＋8.72	
1984-03-10	28785	－0.16	＋8.56	
1984-03-14	28812	＋0.27	＋8.83	

表 4-3-10　　　　　　　　　　桩号 0 + 088m 洞底板隆起测点测量成果

日期 (年-月-日)	相对高程	差值(mm)	累计差值 (mm)	说明
1983-12-14	37406	+ 1.05		
1983-12-17	37511	− 0.34	+ 1.05	
1983-12-19	37477	+ 1.15	+ 0.71	0 + 089m 岩墙下半部未爆
1984-03-10	37592	0.39	+ 1.86	0 + 089m ~ 0 + 105m 岩墙下半部爆破
1984-04-14	37631		+ 2.25	

从多点伸长计监测结果看,0 + 064m 断面拱顶围岩的位移变形大于拱腰。从孔口到深部围岩位移为松动—压缩—松动的特点。0 ~ 10m 深度围岩中都存在一个压缩区,拱顶围岩位移有突变特征;当洞子向前掘进时,围岩发生位移变形,当监测断面距开挖掌子面距离达到 0.5 ~ 1 倍洞径后,围岩位移变形达到稳定。

b.边墙围岩位移

E_1 电感式钻孔多伸长计监测资料表明,洞西壁围岩深度 0 ~ 1m 段为压缩位移,1 ~ 4m 段为松动位移,其位移变形量均很小,只有 0.1 ~ 0.5mm。

E_3 电感式钻孔多节伸长计监测结果表明,东边墙围岩深度 0 ~ 4m 范围内均为松动位移,位移量 0.1 ~ 0.2mm,数值很小。

c.0 + 064m 监测断面围岩稳定性评价

拱顶和拱腰围岩松弛圈深度:由 G_2 孔可知,顶拱深度 0 ~ 1m 的相对松动位移值为 10mm,此值大于附近洞轴线 0 + 062m 精密准测点所测的绝对下沉值 5.6mm,G_3 孔 0 ~ 21m 的相对位移为 4.3mm,此值和 0 + 062m 东精密水准测点所测绝对下沉值 5.4mm 基本相等。从以上两组数据来看,在拱顶、拱腰测点,绝对位移和相对位移基本上是相等的,这说明 21m 深度处围岩已无位移变形。又根据 G_3 孔 10 ~ 21m 段也无相对位移,可以判定拱腰围岩松弛圈深度在 10m 以内。根据 G_2 孔所测资料,拱顶处围岩松弛圈深度在 10 ~ 21m 之间,故可以认为拱顶、拱腰围岩松弛圈深度不超过 1 倍洞径,拱顶松弛深度大于拱腰。

边墙围岩的松弛深度:试验洞轴线基本上沿岩层倾向,又为缓倾角岩层,此结构面的组合对边墙的稳定十分有利,可以估计边墙围岩的松弛深度不会太大,因安装仪器较浅,不能确定。

喷锚层的支护效应:监测成果表明,拱顶、拱腰围岩 0 ~ 10m 深度范围内有一个压缩位移区,形成此压缩位移区的原因主要是喷锚层的支护效应。围岩在喷锚支护后,增大了力学强度,形成了一个自身的承载拱圈,随着洞室向前掘进,监测断面围岩失去了掌子面的支承作用,拱顶、拱腰围岩产生松动位移变形,此变形挤压作用到承载拱上,因而承载拱一段围岩表现为压缩位移,围岩在不同深度处的稳定位移值见表 4-3-11。

表 4-3-11 不同深度围岩稳定位移值

孔号	围岩不同深度稳定位移值					桩号(m)
G_2	深度(m)	0 ~ 1	1 ~ 10	10 ~ 21		0 + 064
	位移值(mm)	10	− 7	7		
G_3	深度(m)	0 ~ 2	2 ~ 4	4 ~ 10	10 ~ 21	
	位移值(mm)	− 1	1.8	2.5	0	
G_4	深度(m)	0 ~ 2	2 ~ 4	4 ~ 10		0 + 084
	位移值(mm)	0	− 3 ~ − 4	3 ~ 4		
G_5	深度(m)	0 ~ 2	2 ~ 4.5	4.5 ~ 8.7	8.7 ~ 12.5	12.5 ~ 17.5	
	位移值(mm)	1	0.5	0	0	1	
G_6	深度(m)	0 ~ 2	2 ~ 4	4 ~ 8	8 ~ 16	16 ~ 21	
	位移值(mm)	0	0.8	0	1.7	0	
G_7	深度(m)	0 ~ 2	2 ~ 4	4 ~ 8	8 ~ 16	16 ~ 21	
	位移值(mm)	0.4	0	0.4	1.5	0	
G_8	深度(m)	0 ~ 2	2 ~ 4	4 ~ 10		
	位移值(mm)	0	− 3 ~ − 4	3 ~ 4		

注:位移值正值表示松开,负值表示压缩。

2)桩号 0 + 084m 断面(断层带试验段)洞室围岩位移及稳定性评价

a.拱顶和拱腰围岩的位移

G_6 机械式钻孔多点伸长计于 1983 年 10 月 1 日开始监测,监测孔最初距掌子面 2m,随着东导洞的开挖,围岩位移逐渐增加,到东导洞开挖至 0 + 105m 时,深度 0 ~ 21m 段围岩总位移量达 2mm,11 月 13 日中间岩墙开始掘进后,位移值又有上升,至 11 月 25 日中间岩墙掘进到 0 + 085m 后,位移值趋于稳定。围岩在不同深度处的位移值为:0 ~ 2m 段无位移变形,2 ~ 4m 段松动位移 0.8mm,4 ~ 8m 段无位移变形,8 ~ 16m 段松动位移 1.7mm,16 ~ 21m 段无位移变形,0 ~ 21m 段总位移量为 2.5mm。

G_5 机械式钻孔多点位移计于 1983 年 7 月 25 日开始观测,开始时只有微小的波动,为量测误差造成,9 月份东导洞开始掘进后有微小位移,小于 1mm,11 月 10 日后随着中间岩墙的掘进,位移值渐有增大,一直到试验洞结束,围岩位移才趋于稳定。此时 0 ~ 17.5m 段总位移值达 2.5mm,其中 12.5 ~ 17.50m 内松动位移 1mm,4.5 ~ 12.5m 无位移,2 ~ 4.5m 段松动位移 0.5mm,0 ~ 2m 松动位移 1mm。

G_7 机械式钻孔多点伸长计于 1983 年 7 月 4 日开始观测,开始观测后因洞子停工未向前掘进,此时围岩位移值很小。8 月份雨季后,位移略有上升。0 ~ 21m 间总位移量达 1mm 多,10 月 4 日当东导洞开始掘进后,位移曲线有较明显的上升,到 10 月 20 日,当东导洞掘进到 0 + 105m 时,0 ~ 21m 段围岩总的松动位移 2.3mm,其中 0 ~ 2m 段松动位移 0.4mm,2 ~ 4m 间无位移变形,4 ~ 8m 段松动位移 0.4mm,8 ~ 16m 段松动位移 1.5mm,16 ~

21m 段只显示微小的压缩位移,10 月 20 日以后围岩位移变形处于稳定状态。

　　b.拱脚及边墙围岩位移

　　根据 G_4、G_8 杆式多点伸长计资料,两拱脚处,随着试验洞的掘进,位移值逐渐增加,直到洞子开挖结束(桩号 0+105m 时),围岩位移变形才基本趋于稳定,两孔的稳定位移值基本相等。0～2m 无位移,2～4m 压缩位移 3～4mm,4～10m 间松动位移 3～4mm。围岩在不同深度处的稳定位移值见表 4-3-11。

　　3)0+084m 监测断面围岩稳定性评价

　　围岩松弛圈深度:监测成果表明 G_5 孔 0+17.5m 松动位移 2.5mm,G_6 孔 0～21m 松动位移 2.7mm 左右,G_7 孔 0～21m 松动位移 2.3mm,以上数值同精密水准监测洞顶的绝对下沉位移值基本一致,以上三孔资料还表明 16～21m 深度围岩已基本无位移变形,因此可以判定拱顶及拱腰围岩松弛圈深度为 16m 以下,大约 1 倍洞径,这同 0+064m 监测断面围岩松弛圈深度是一致的。

　　拱脚及边墙松弛深度:G_4、G_8 孔为 10m 左右,4～10m 段松动位移 3～4mm,而 2～4m 段为压缩位移 3～4mm,以上两位移相互平衡,因而该段围岩总位移值为 0,这同钢钢丝收敛计所测两拱脚洞壁间无净空收敛是一致的,即两拱脚围岩松弛深度不大于 10m,小于 1 倍洞径。

　　喷锚层的支护效应:从桩号 0+084m 监测断面成果分析,拱顶、拱腰松弛圈的位移值是很小的,只有 3～4mm,小于桩号 0+063m 监测断面的松动位移值,在此松弛圈范围内,0～8m 深度以内基本无位移变形,产生上述两监测断面围岩位移变形有如此差异的主要原因有两点:一是在该监测断面围岩中,桩号 0+085m 和 0+082m 有 5 根 15m 深的预应力锚索的加固作用,使围岩的力学强度大大提高,同时也加大了围岩的加固深度;二是此段洞室的开挖方式为先拱脚后中间岩墙,此种施工方法对防止围岩松动位移、增强围岩的稳定性起到了良好的效果。此段围岩的光爆效果较好,也是围岩变形较小的原因之一。但 0+084m 断面围岩两拱脚及边墙的松动位移范围和量值都大于 0+064m 断面,这是由于 0+084m 断面围岩的主要物质为断层泥和角砾岩,岩体破碎,但其数值仍是很小的。

　　围岩位移变形与洞室掘进的关系:伴随掌子面前进,围岩位移变形逐渐增加,监测断面距掌子面距离大约 1 倍洞径以后,围岩位移变形趋于稳定。

　　围岩位移破坏形式及稳定性评价:本监测断面围岩的破坏主要表现为爆破后破碎岩体的局部塌落,是破碎岩体之间松动所造成的,从监测成果可知,此断面围岩位移变形的量值较小,说明支护措施是安全的,效果也是好的。

(二)围岩及锚杆应变监测

　　应变量测分为两类:锚杆应变和围岩应变。锚杆应变量测的目的是检验锚杆的受力状态和锚杆的设计参数。围岩应变量测的目的是了解围岩在系统锚杆、锚索和喷锚网联合作用下,不同深度范围内围岩的应变变化、受力性质和稳定性。

　　1.测点布置

　　(1)锚杆应变计布置在 0+063m 和 0+083m 两个监测断面上,见图 4-3-3、图 4-3-4。当隧洞长度大于隧洞直径 5 倍时,垂直于隧洞轴线的断面内,应力应变可按平面问题处理,因此量测锚杆在拱顶、拱腰和拱脚均作径向埋设。量测锚杆为直径 25mm、长度 3～4m 的螺纹钢筋。

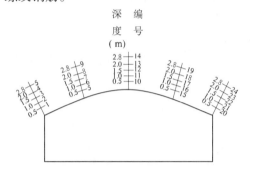

图 4-3-3 第一断面锚杆应变计布置

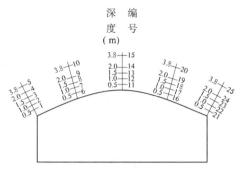

图 4-3-4 第二断面锚杆应变计布置

(2)围岩应变计的钻孔方向:0+063m 断面,拱顶、拱腰均为垂直向,拱脚为水平向;0+083m断面仅布置在东西两拱腰(垂直向)。钻孔深度第一断面为 9.0m,第二断面为9.5m。见图 4-3-5、图 4-3-6。

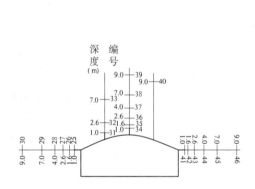

图 4-3-5 第一断面围岩应变计布置

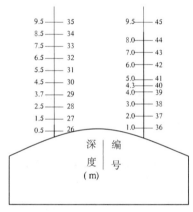

图 4-3-6 第二断面围岩应变计布置

2.第一断面(0+063m)观测资料分析

(1)从 1983 年 4 月 27 日开始观测,初期锚杆无论在拱顶、拱腰、拱脚都是拉应变,而且都有一个不大的峰值,随着观测时间的延长和开挖掌子面继续前进,应变逐步趋向稳定。应变趋向稳定的断面到掌子面的距离大约为 1 倍洞径。应变稳定的时间为 2~3 个月。

(2)两个拱脚(东拱脚 0.5~1.0m)发生拉应变时间较短(不到 1 个月),并逐步转回压缩,拱腰发生拉应变时间较长,后来也趋向压应变,拱顶一直保持拉应变。这些现象表明,拱脚、拱腰拉应变是一种弹性应变,主要是压缩,而拱顶保持受拉,说明整个拱部是以压弯的受力形式出现。因为拱顶是层状岩石(粉砂岩及细砂岩),在锚杆、锚索的作用下形成一个组合梁,中间变弯,两端受侧向挤压作用产生一个水平推力,从而产生指向围岩的摩擦阻力使拱腰、拱脚受压,拱顶受拉。

(3)从 0+063m 断面围岩应变资料看,西拱脚、西拱腰及拱顶围岩都是压缩的,与位移测试结果基本一致,与锚杆应变计测得的资料也是互相对应的。说明围岩在系统锚杆、喷混凝土和挂网的联合作用下,岩层与岩层之间互相挤压,组成一个压缩带。这个压缩带就是承载上部围岩荷载的承重带。

3.0+083m 断面观测资料分析

(1)拱顶以西锚杆应变(包括拱顶)基本是压应变,西拱脚压应变最大,拱顶、拱腰压应变不大,拱顶以东基本是拉应变,这可能与地质构造有关;拱顶以西为断层带,岩性松软,国内软弱围岩加载试验表明,它属于压弯型。拱顶以东为坚硬岩石,特性自然与软岩相反。

(2)拱顶、拱腰处锚杆,从1983年7月4日安装到11月5日之前,应变变化不大,这与中间岩柱没有开挖有关。东西拱脚处锚杆应变在继续开挖之前变化不大。9月29日东导洞继续开挖,其锚杆拉应变明显增加。可以看出,施工程序对锚杆应变有直接影响。

(3)拱顶 A_{27} 锚索进行张拉试验,对拱顶、拱腰锚杆应变没有明显反应,这说明拱部围岩在系统锚杆、喷混凝土和挂网的联合作用下,围岩已经形成整体,600kN 的局部集中力对岩体影响不大。

(4)从围岩应变资料看,西拱腰围岩是受压的,这与软弱围岩因压弯而岩层互相挤压是一致的;东拱腰在围岩深度 2~6m 范围内先拉后压,7~9.5m 一直受拉。

洞室拱部围岩由于开挖后要向洞内收敛,锚杆、锚索则把围岩拉住,不让其任意收敛,因锚杆、锚索是弹性体,围岩还可以收敛,但不能充分收敛,自由收敛有一定的时间,一旦收敛停止,围岩在锚杆、锚索的作用下,则要受到压缩。先拉后压现象的出现与这种情况有关。

根据全长黏结锚杆的作用机理分析,远离洞室的一段锚杆所受的拉力必定要拉动锚杆以外的围岩,造成压缩区外的受拉区。这可能就是 7~9.5m 深度围岩出现受拉区的主要原因。

4.山顶 T_{484} 钻孔围岩应变量测

为了解隧洞开挖进程对监测断面围岩应变的影响和围岩应力重分布在隧洞轴向的影响范围,在桩号 0+081.9m 拱顶部位从山顶打了一个深约 70m 的 T_{484} 钻孔。在洞内距拱顶不同深度(0.6~28.9m)布置 10 组应变计。

应变监测结果表明,山顶孔围岩应变与隧洞全断面扩大开挖有直接关系。第二监测断面距扩大段两端都小于 2 倍洞径,即距监测断面 2 倍洞径以内,围岩应变变化存在空间效应问题。

从应变计三个方向(0°、45°、90°)测得结果可知,围岩压应变最大值均发生在 7~18m 范围内,这可能是隧洞开挖后,围岩应力分布产生的塑性区范围。

(三)围岩的变形特征及规律

根据上述监测资料,可得出试验洞围岩的变形特征和变形规律:

(1)本试验洞的围岩松弛圈深度为 1 倍洞径左右。

(2)监测断面距掌子面距离 1 倍洞径左右,围岩变形趋于稳定。

(3)围岩开始变形至稳定的间隔时间一般为 2~3 个月。由于开挖方式不同,围岩的应力重分布和变形情况也比较复杂,因此个别地段围岩的持续变形时间有所不同。

(4)0+064m 和 0+084m 两监测断面,围岩在 0~8m 深度范围内都存在一个压缩区,此区内的岩体都具有压缩位移。产生此压缩位移的原因是喷锚支护后,在围岩中形成一个完整的承载拱,限制了上覆岩体的位移变形。

（5）0＋064m 监测断面的拱部围岩变形大于边墙围岩变形，可见缓倾角岩体中边墙的稳定性是比较好的。这也是大跨度矮边墙洞室围岩变形的一般规律。

（6）0＋084m 监测断面的拱部围岩变形小于边墙围岩变形，这是由于在此段断层带拱部安装了多根 15m 深的预应力锚索，大大加强了拱部围岩力学强度的结果。

（7）两个监测断面围岩总的变形是较小的，最大位移变形只有 8.83mm，应变值也较小，这说明试验洞的喷锚支护是安全可靠的。

（8）洞底板最大隆起值达 8.8mm，这是由洞室跨度较大引起的。

（四）预应力锚索监测

1. 预应力锚索受力监测

为了监测预应力锚索的受力状态及其稳定过程，先后在 4 个预应力锚索的外锚具和钢垫板之间安装了电测式压力传感器。从实际量测结果来看：

（1）锚索张拉锁定后都有一定的预应力损失，其值为 30% 左右。

（2）随着开挖掌子面向前推进，锚索受力一般都有所增加，掌子面距锚索 5m 以内时，锚索受力增加较快，大于 5m 以后逐渐趋于稳定。例如，0＋064m 拱顶处的一根预应力锚索张拉后为 244kN，最终受力达 525kN，如图 4-3-7 所示。

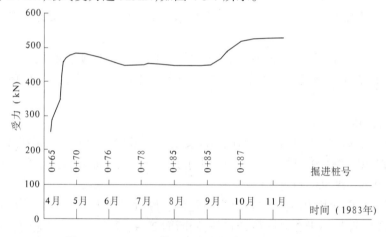

图 4-3-7　0＋064m 拱顶预应力锚索受力变化过程线

2. 单根预应力锚索加固围岩影响范围的现场测试

为了研究预应力锚索加固洞室的合理间距，进行了单根预应力锚索加固范围的现场测试，试验结果如下：

（1）测点布置。选择进行观测试验的锚索有两个：A_{27} 是二次灌浆的，孔深 15m，位于 0＋083m 处，距 F_{236} 断层 5m，在断层影响范围内，锚索前方距掌子面仅 2m，条件不理想；另一个 A_{23} 是胀壳式的，孔深 15m，位置在 0＋079m 处，岩层较完整，锚索距掌子面 6m，条件较好。

（2）测试结果及分析。监测试验共进行了 3 次。A_{23} 锚索在张拉 300kN 预应力时的测试结果见图 4-3-8。

从监测结果可以看出：①A_{23} 锚索在张拉 300kN 预应力时其影响半径达 3m。②各量

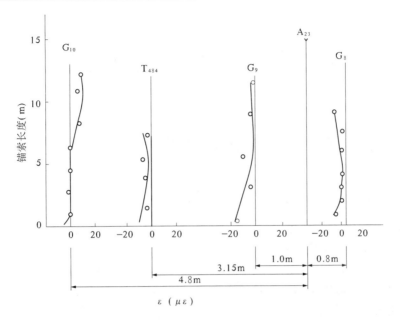

图 4-3-8 A_{23} 胀壳式预应力锚索在张控 300kN 预应力时围岩应变曲线

测孔孔口及底部应变值较大,而中间部分应变值较小。这是由于孔口附近的岩体被系统砂浆锚杆及喷混凝土加固,整体性较好;孔底由于距内锚头较近,受力较大,因此应变值也较大。而中间部分岩体由于开挖后已发生了松弛变形,甚至层面间可能被拉开,在施加预应力后,应力传递受到影响,甚至不能传递,因此实测变形值较小。所以,对于缓倾角砂页岩层状地层,应用预应力锚索加固时应尽量在开挖后立即进行,这样可以保证锚固效果,使围岩形成整体承载圈。③根据测试结果,预应力锚索的间距可取 5~6m,比原设计的间距可加大 1~2m,并在最后一段的开挖中按此调整了锚索间距,经过围岩稳定性监测证明是安全的。根据多点钻孔伸长计测得的围岩松弛变形范围在 15m 以内,锚索的长度在开挖跨度 15m 的情况下定为 15~17m 是恰当的。预应力可取 300~500kN,以留有适当安全储备。

第五章 数值分析方法在地下工程中的应用

第一节 不连续介质模型平面有限元分析

一、考虑节理变形平面概化地质模型的研究

(一)概化地质模型的选择

目前,国内外对不连续介质的处理方法通常是采用等效模型,即把不连续介质处理为等效的连续介质,然后建立连续介质计算模型进行计算。国内有些专家提出了对裂隙岩体的计算模型,但仅适用于均质块状结构岩体,而小浪底属于层状结构岩体,层面对裂隙分布有着严格的控制作用,且陡倾角裂隙分布的规律性较强,加之岩性软硬相间,岩相变化复杂,因此均质块体模型很难符合小浪底工程地质的实际情况。

根据小浪底地质构造,考虑层面、泥化夹层、节理裂隙等地质结构面对地下厂房围岩稳定性的影响,结合国内外关于裂隙岩体稳定性研究分析资料,提出了概化地质模型。概化地质模型是建立在收集大量实际地质资料的基础上,结合建筑物的具体部位,通过对影响围岩稳定性的各种结构面的仔细研究,抓住主要结构面的分布规律及特征,如结构面的产状、延伸长度、切层性、宽度、距离等,对一些细小的结构面进行概化处理,并采取适当降低单元材料参数的办法予以补救,因此概化模型具有较强的仿真性和可靠性。

(二)地下厂房区结构面的分布规律及其特征

厂房区发育的结构面主要有陡倾角的构造裂隙和缓倾角的层面、顺层裂隙及沿层面分布的泥化夹层,这些都是影响厂房围岩稳定性的控制性结构面。根据野外调查结果及有关资料,对以上结构面的分布规律及其特征简述如下。

1. 裂隙平面分布规律

根据在厂房附近露头近 40 个不同方向统计点所调查的 1 600 多条裂隙和左岸平硐调查资料分析整理的结果,厂房区的陡倾角裂隙按其走向可划分为 5 组,见表 5-1-1。

表 5-1-1　　　　　　　　地下厂房区陡倾角构造裂隙的分组及统计资料

组号	产状	条数	占统计裂隙总数的百分比(%)
A	NW330° ~ 350°	432	30.4
B	NW270° ~ 290°	371	26.1
C	NE10° ~ 20°	305	21.5
D	NE70° ~ 80°	113	8.0
E	NE30° ~ 60°	193	14.0

从统计结果来看,A组裂隙在数量上相对占优势,其次是B组和C组。然而这五组构造裂隙在不同的统计方向上其主要裂隙一般有2~3组,且不同方向上主要裂隙组的产状不同。

2. 裂隙的延续性及切层性

厂房区域的裂隙由于受软弱相间的地层组合条件及露头尺寸限制,野外调查中一般平面延伸大于5m的裂隙为数不多,但在平硐中仍可发现有延伸十几米至几十米的裂隙,如在58#平硐见有NNE向裂隙延伸近46m左右,在47#平硐见有NWW向、25#平硐见有NWW及NE向裂隙也延伸较远。

厂房区的陡倾裂隙主要发育在单层岩层中,裂隙垂直贯通性较差。砂岩中的裂隙往往不切过砂岩层间所夹的粉砂质泥岩,尤其是中厚层泥岩。因此,砂岩中的裂隙密度要高于泥岩。根据统计资料,一般切层裂隙约占统计裂隙总数的20%,各组裂隙的切层情况见表5-1-2。

表5-1-2　　　　　　　　　各组陡倾角裂隙切层情况统计

组号	条数	占本组裂隙的百分比(%)	占切层裂隙的百分比(%)
A	72	16.7	25.6
B	69	18.6	24.6
C	43	14.1	15.3
D	40	35.4	14.2
E	57	28.8	20.3

根据野外调查资料,一般切层裂隙间距为3~5m,切割岩层5~6m,深度为4~8m,个别裂隙垂直追踪贯通深度较大。

3. 裂隙发育程度与岩层厚度及岩性的关系

根据野外调查结果,裂隙发育程度受岩层厚度及岩性的控制。T_1^{3-1}、T_1^4为厚层硅质砂岩,单层厚度一般为80~150cm;T_1^{3-2}、T_1^{5-1}岩组主要为中厚层和厚层钙质砂岩与粉砂质泥岩互层,岩层单层厚度一般为20~80cm;T_1^{5-2}主要为厚层硅质砂岩,单层厚度为60~150cm;T_1^{5-3}为厚层硅钙质砂岩与中厚和厚层粉砂质泥岩互层,单层厚度为40~150cm。因此,通过不同岩层中裂隙统计资料整理表明,一般T_1^{3-1}、T_1^4、T_1^{5-2}及T_1^{5-3}为厚层硅质或钙硅质砂岩中,裂隙线密度为2~3条/m;T_1^{3-2}、T_1^{5-1}为薄层—中厚层钙质或钙泥质砂岩,裂隙间距一般为10~50cm,线密度一般为5~7条/m。而切层裂隙一般间距为3~5m,甚至更大。

为了更全面地反映裂隙发育程度,还进行了不同岩组中单位面积裂隙数的调查,资料整理表明,T_1^5地层中单位面积裂隙一般为8~9条/m²,经过计算其体积节理数J_V=12.0~13.5,岩石质量指标RQD为70%~75%。T_1^4厚层硅质砂岩中,单位面积裂隙数为6~7条/m²,J_V=9~10,RQD为80%左右。

经过裂隙发育程度与岩体块度关系分析,陡倾角裂隙与层面组合,一般切割岩体宽高比例为 1:1～1:2 的矩形断面块状结构体,亦表明裂隙的发育程度与岩层厚度有一定的关系。

4. 裂隙发育程度与地质构造和地形的关系

根据野外调查资料,在风雨沟东坡,由于靠近 F_{28} 断层而裂隙相对发育,另外在地形上由于岸坡较陡,加之卸荷因素影响,裂隙一般张开度较大。在翁沟沟底,岸坡属顺向坡,由于岩块的倾倒变形,裂隙张开度亦较大。在 47# 平硐、58# 平硐及 25# 平硐中发现,小断层附近裂隙的密度及张开度明显增大,均表明裂隙发育程度与地质构造和地形有一定的关系。

5. 裂隙张开度

厂区裂隙的张开度一般在 0.2～5.0mm,属闭合—微张状态。而 C 组裂隙的张开度相对较大,张开度在 5.0～50mm 的张开裂隙约占本组裂隙的 39%,而 B 组裂隙呈闭合状态,张开度小于 0.5mm 的张开裂隙约占本组裂隙总数的 38%。

6. 裂隙面的粗糙程度

野外调查资料表明,各组裂隙均以平直粗糙型为主,占各组裂隙总数的 50%～60%。但 D、E 两组裂隙属起伏粗糙型的分别约占本组裂隙的 43% 和 36%。各组裂隙中呈平直光滑或台阶状的相对较少。

7. 裂隙充填情况

各组裂隙多数以次生泥质充填为主。但 C 组裂隙中方解石充填相对较多,方解石多呈细脉状或薄膜状,一般厚 0.2～0.5cm。

8. 裂隙面的强度

裂隙面的强度与风化及蚀变等因素有关,直接影响着岩体的力学强度。为了研究结构面的强度特性,进行了裂隙面强度的现场实测,根据实测资料,裂隙面的回弹值一般在 38～44 之间。

9. 岩层层面特征

厂房区岩层一般单层厚度为 30～150cm,由于相变等因素的影响,少数层面延续性较差。一般贯通性较好。分布比较稳定的层面往往都有一定厚度的软岩或有泥化夹层分布,而这些层面或泥化夹层往往控制着裂隙的发育。根据调查结果及厂房区钻孔资料,在 A—A 计算剖面深约 240m 的范围内,概化出连续性较好的层面共有近 40 个。

10. 泥化夹层分布特征

泥化夹层也是厂房区主要结构面之一,而且往往控制着地下洞室边墙或顶拱的稳定性。T_1^3、T_1^4、T_1^5 岩组共有 16 层泥化夹层,本次计算主要考虑将距厂房较近、厚度较大、延伸较远、性质较差,而且可能对地下厂房洞室稳定造成不良影响的 7 层泥化夹层作为研究重点,不仅反映在地质模型中,还建立了专门的泥化夹层单元进行分析计算。

(三)结构面的概化原则

根据厂房区基本地质情况和各种结构面的分布规律及其特征,考虑计算方便,不可能把每一个结构面都反映在地质模型中,应对各种地质结构面进行概化处理,先将模型研制中对各种结构面的概化原则简述如下。

1. 厂房围岩中裂隙的概化原则

小浪底地下厂房主要位于T_1^{3-2}和T_1^4岩组中。T_1^{3-2}主要为中厚层硅钙质或钙泥质砂岩夹薄层—中厚层泥质粉砂岩或粉砂质泥岩。T_1^4以厚层、巨厚层硅质、钙硅质砂岩为主。根据露头及平硐中所收集到的裂隙资料,提出以下概化原则:

(1)裂隙发育程度严格受岩层厚度及岩性的控制。陡倾角的构造裂隙主要发育在单层中,一般不切过软岩,尤其是中厚层的软岩,因而软岩中的裂隙间距一般比砂岩中裂隙间距大。切层裂隙约占裂隙总数的20%,间距一般为3~5m,切割深度一般为4~8m。模型建立时在洞室附近尽可能取其下限,向外围裂隙间距可逐渐增大。

(2)裂隙以陡倾角裂隙为主,一般与层面近正交,切割岩体为断面呈矩形的块状结构体。

(3)由于各组裂隙均属陡倾角裂隙,在进行平面问题计算时,为了模型研制和计算方便,裂隙倾向均按主要裂隙倾向概化处理。

(4)对于层间的细小裂隙,考虑到沿层面方向结构面的概化及计算要求,不予考虑。其对围岩应力应变分析的贡献,在结构体力学参数取值时予以考虑。

2. 层面及泥化夹层的概化原则

垂直向分层以厂房区域钻孔资料及野外露头资料为依据,在此基础上,对距厂房较近的T_1^{3-2}、T_1^4岩组进行了进一步划分,而对距厂房较远的T_1^{3-1}、T_1^{5-1}、T_1^{5-2}、T_1^{5-3}及T_1^{6-1}等岩组则进行了必要的概化处理,其划分及概化原则如下:

(1)首先将各工程地质岩组的分界面作为一种垂向分界面。

(2)对各工程地质岩组又据不同岩性进一步细分为 A、B、C、D 四种类型及其不同岩性的组合类型。其中 A 类为黏土岩,B 类为泥质或钙泥质粉细砂岩,C 类为钙质中、细砂岩及硅钙质细砂岩,D 类为钙硅质或硅质细砂岩。建议对各岩组的不同岩类取其相应的参数指标进行计算。

(3)将分布范围广、连续性好的控制性泥化夹层亦作为分层依据,并对其中厚度较大、延续性好、泥化程度高、性质较差的泥化夹层建立专门的夹泥单元进行重点研究和计算。

(4)对薄层互层状的岩组以其中岩性相对软弱者代之。

(5)对远离厂房的洞室顶部的T_1^{5-2}、T_1^{5-3}及T_1^{6-1}岩组,因其在厂房围岩应力应变分析中仅起“荷载”作用,故在分层时根据钻孔资料并结合各岩组中不同岩性所占的百分比进行概化处理。T_1^{3-1}岩组因其位于洞室底部,亦按上述原则进行概化处理。

(6)为了安全起见,对尖灭的薄层粉砂质泥岩或泥质粉砂岩,仍按连通岩层考虑。若相应层位有泥化夹层分布,则以泥化夹层代之。

根据以上概化原则,厂房区 A—A 剖面见图 5-1-1,计算剖面长 260m、高 240m 范围内共垂直划分为 38 层(包括 7 层泥化夹层),概化出与层面近正交的陡倾角裂隙约 1 900 条,这些结构面相互组合切割岩体为矩形断面的块状结构体。

二、不连续介质模型有限元计算分析

(一)计算模型

不连续介质模型主要模拟岩体中的层面、软弱夹泥层、节理裂隙等结构面。这样的地

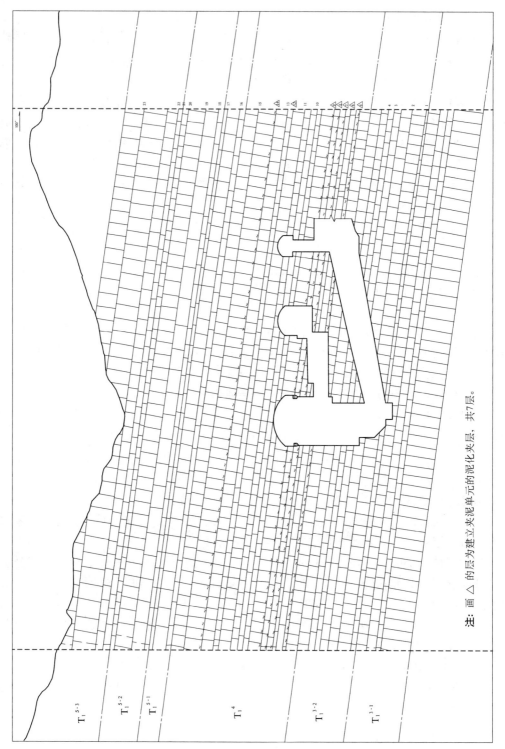

注：画 △ 的层为建立夹泥单元的泥化夹层，共7层。

图 5-1-1　厂房区 A—A 剖面地质模型图

质力学模型基本上反映了小浪底岩体结构特征。计算中采用有限元离散结构,取一个机组段中一中间距26.5m,考虑到主厂房、主变压器室和尾水闸门室沿一台机组段是采空的,而尾水管洞、母线洞在该机组段范围内采空跨度仅占实体的一部分,故宜用变厚度的平面变形模型计算,计算范围高度约240m,长度260m,厚度26.5m。

有限元离散模型由层面单元、节理单元、岩块单元和锚杆单元组成,共计4 151个单元,其中层面单元536个,模拟其不抗拉弹塑性或不抗拉性的单元占512个,布置在31层层面和5条软弱夹泥层上;节理单元有1 260个,模拟其不抗拉性的占630个单元,布置在洞群周介的影响区域内;岩块单元有2 215个,模拟其低抗拉弹塑性的单元占141个,集中布置在主厂房洞周两圈范围,主变室和尾水闸门室各一圈的洞周范围,其余的弹性单元皆分布在远离洞群范围之外;锚杆单元按等效原则设置,包括预应力锚索、预应力锚杆、张拉锚杆和岩石锚杆等,共94根,模拟洞室周围支护加固情况。

(二)计算工况

施工期分为四期开挖,分别按毛洞和锚固状态平行计算,以便比较。运行期考虑吊车梁荷载和地震作用两种工况,此时,水轮机层134.5m高程以下为混凝土实体,134.5m高程以上的主厂房洞周、主变室全部洞周、尾水闸门室142.0m高程以上洞周均为喷锚结构,尾水闸门室142.0m高程以下为1m厚混凝土衬砌。

(1)工况1:开挖范围为主厂房165.05~155.0m高程,此时尾水管洞、主厂房118.0m高程以下、尾闸室142.0m高程以下也已采空。

(2)工况2:开挖范围为主厂房155.0~144.5m高程,主变室162.8~155.0m高程,尾闸室162.5~154.38m高程。

(3)工况3:开挖范围为主厂房144.5~134.5m高程及母线洞,主变室155.0~144.5m高程,尾闸室154.38~142.0m高程。

(4)工况4:开挖范围为主厂房134.5~118.5m高程。各洞室全部挖空。

(5)工况5(1):吊车荷载作用在主厂房和尾闸室上下游岩壁梁上,主厂房配2台2×2 500kN吊车,最大轮压为685kN/m,尾闸室配1台2×2 500kN吊车,最大轮压为500kN/m,动力系数为1.2,此时主厂房混凝土回填范围为118.0~134.5m高程。

(6)工况5(2):地震作用按Ⅷ度烈度考虑。惯性力 $F = K \cdot ma$,在227.0m高程以下 K 取0.1,在227.0m高程之上按线性分布,在山体地表 K 取1.5~1.7。主厂房混凝土回填范围为118.0~134.5m高程。

(三)材料参数

材料参数见表5-1-3。

(四)计算理论及方法

1. 计算方法

计算方法采用增量形式的非线性有限元迭代求解法:

$$K\Delta\sigma = \Delta R + Q^0 + \Delta Q^P \tag{5-1-1}$$

式中　K——整体劲度矩阵;

$\Delta\sigma$——本级增量位移矩阵；

Q^0——上一级失衡力荷载矩阵；

ΔQ^P——塑性(非线性)荷载矩阵；

ΔR——本级增量荷载矩阵。

表 5-1-3　　　　　　　　　　　　　　　　材料参数

材料	E （MPa）	μ	γ （kN/m³）	C （MPa）	f	σ_1 （MPa）	张拉力 （kN）
岩石	12.5×10^3	0.21	26.1	0.45	0.65	0.35	—
泥化夹层	1.5×10^2	0.38	19.1	0.005	0.23	0	—
层面	7×10^3	0.25	25.5	0.03	0.60	0	—
节理	5.5×10^3	0.25	25.5	0.03	0.60	0	—
混凝土	2.1×10^4	0.167	24.0	—	—	1	
锚杆	2.08×10^5	—	—	—	—	$\phi32$	15
						$\phi75$	40
锚索	1.95×10^5					1 860	100

2. 材料的本构关系

计算中采用的材料类型,有弹性材料、低抗拉或不抗拉材料、弹塑性材料、低抗拉弹塑材料等。

采用的屈服或破坏准则为:

$$F_1 = \alpha I_1 + \sqrt{J_2} - K = 0 \tag{5-1-2}$$

$$F_2 = \sigma_i - \sigma_t = 0 \tag{5-1-3}$$

式中　I_1——第一应力偏量不变量；

J_2——第二应力偏量不变量；

α、K——与材料 C、φ 值有关的系数；

$\sigma_i(i=1,2,3)$——主应力；

σ_t——材料抗拉强度。

式(5-1-2)为 Drucker-Prager 屈服条件,式(5-1-3)为低抗拉或不抗拉条件。当材料满足式(5-1-2)时,即为塑性屈服;当材料满足式(5-1-3)时,即为脆性拉裂;当材料同时满足式(5-1-2)、式(5-1-3)时,即为弹塑性断裂。

3. 单元类型

对岩块和混凝土采用4结点平面等参元和过渡形式的三角形单元,对节理裂隙、层面、泥化夹层则采用广义的 4 结点和 3 结点的夹层单元及空气单元。

(五)计算成果分析

1. 位移与变形

1)天然工况

岩体在天然状态受重力作用的变形主要是下沉,计算结果表明,在主厂房、主变室和尾水闸门室拱顶处的竖向位移分别为 $V_1 = -5.91cm$, $V_2 = -6.62cm$, $V_3 = -6.75cm$,这与三个洞室顶部地表高程从低到高按下列近似的沉陷公式计算的结果相接近,该公式假定裂隙岩体近似为一条柱状无侧移的均质弹性体,其重力作用下的竖向位移公式为:

$$V = -\frac{(1-\mu^2)}{2E}\gamma(H^2 - y^2) \tag{5-1-4}$$

式中　H——不动点的 y 坐标,原点设在地表处;

　　　y、V 规定向上为正。

若取岩体的综合弹性模量 $E = 8 \times 10^3 MPa$, $\mu = 0.23$, $\gamma = 26.0kN/m^3$。代入式(5-1-4)计算,则得 $V'_1 = -5.74cm$, $V'_2 = -6.26cm$, $V'_3 = -6.86cm$,其结果与采用有限元计算所得成果很接近。

由于岩体层面倾向下游10°,所以岩体除下沉外,还产生向下游的滑移,在三个洞室中,主厂房位于上游,其滑移量最大,约为20cm。

由于天然状态的变形早已完成,因此在计算施工期和运行期各工况的变形值时,应扣除天然状态的初始变形值,工程上所关心的变形值为相对变形值。

2)工况 1(第一期开挖)

a. 弹性变形

在主厂房顶部和尾水管开挖(同时加锚杆和锚索)以后,主厂房拱顶最大下沉为0.87cm,相对于拱座的沉降量约为0.6cm,左、右拱座水平向变形分别为 -0.22cm、0.15cm(水平向右为正),呈扩张变形,外扩0.37cm,这可能与顶部挖空后拱顶下沉的影响有关。主厂房拱顶下沉量较大,除了自身和下部尾水管洞挖空的直接因素外,其上、下游拱座产生较大的外扩变形也是一个重要原因,同时也与洞周存在众多的抗力较弱的层面,特别是软弱夹层有关。

主变室、尾闸室虽未开挖,但受主厂房开挖影响,拱顶也分别下沉0.10cm、0.12cm。

b. 非线性变形

层面、节理及岩体的非线性效应的计入,加剧了主厂房拱顶的下沉,最大值达1.63cm,与弹性解相比增加了0.76cm。此时拱顶相对于左、右面拱座的下沉量分别为0.83cm、1.08cm。

对左、右拱座而言,非线性水平位移分别为 -0.08cm 和 0.03cm,外扩量只有0.11cm,比弹性解要小,这是水平层面向内滑移的缘故。

主变室、尾闸室受非线性效应影响,其拱顶下沉分别为0.45cm、0.50cm。

3）工况 2（第二期开挖）

a. 弹性变形

与工况 1 相比，各洞室拱顶下沉量增加了 0.05cm、0.37cm、0.34cm，分别达 0.94cm、0.47cm、0.47cm，受顶拱下沉影响，主厂房上部左、右拱座水平向变形仍呈扩张状，左、右拱座水平向位移分别为 -0.12cm、0.03cm，外扩 0.15cm，比工况 1 外扩量要小。开挖加深使主厂房边墙中部呈内缩状，内缩量约为 0.04cm。主变室与尾闸室水平向内缩量约为 0.09cm、0.02cm。

b. 非线性变形

与弹性解相比，拱顶的节理及岩石的非线性作用使顶拱下沉加剧，三洞室顶拱下沉量分别达 1.74cm、0.94cm、1.01cm，以主厂房增加量为最大，达 0.82cm。

此时拱座与侧墙的水平向变形受水平层面滑移的影响较大，主厂房左、右拱座水平向变形分别为 0.09cm、-0.11cm，导致主厂房拱座水平向呈内缩变形，内缩量达 0.2cm。主变室、尾闸室拱座内缩量变化不大，分别为 0.09cm、-0.01cm（-表示扩张）。

4）工况 3（第三期开挖）

a. 弹性变形

此工况的开挖，出现两个连通的采空域，一个是主厂房、主变室和母线洞连成一片，另一个是尾水闸门室和呈倒坡状的尾水管洞连成一片，因此各洞室拱顶下沉量继续加剧，分别为 2.23cm、2.46cm、2.38cm，与工况 2 相比，增量分别为 1.29cm、1.99cm、1.91cm，其中以主变压器室下沉量为最大。主厂房左、右拱座水平向变形分别为 -0.27cm、-0.02cm，产生逆向上游的变形量达 0.25cm，与本次开挖造成两个采空域有关，这种开挖形式加大了被挖空的岩体的逆向挤压力。

b. 非线性变形

非线性解的计入，使三洞室拱顶下沉加剧，分别增加到 3.23cm、3.37cm、3.39cm，与弹性解相比，增量分别为 1.00cm、0.91cm、1.01cm。主厂房左侧墙的向内变形为 0.25cm（x 正向），大于右侧墙向内变形（x 负向）值，内缩达 0.24cm。与弹性解相比，主厂房左、右拱座变形增量分别为 0.25cm、-0.05cm；主变室左、右拱座变形增量分别为 0.11cm、-0.07cm；尾闸室的左侧墙的向内变形却小于右侧墙向内变形值，左、右拱座变形增量分别为 +0.01cm、-0.08cm。

5）工况 4（洞室开挖完成工况）

a. 弹性变形

此时洞室全部挖空，与工况 3 相比，三洞室下沉增量分别为 0.18cm、0.21cm、0.15cm，下沉量达 2.41cm、2.67cm、2.53cm。此时，拱顶 x 向位移基本逆向上游，除主厂房侧墙外，其他侧墙变形也逆向上游，且以主厂房为甚。导致这种水平逆向变形的原因是在开挖完成后，三个洞室和母线洞、尾水管洞基本连成一片，鉴于尾水洞是倾向上游的斜洞，连通的洞室在一定程度上加剧了岩体间的逆向挤压。该工况由于各洞室全部挖空，大大削弱了岩体刚度，因而变形量最大，是施工期控制工况。

b. 非线性变形

在非线性变形中，各洞室拱顶下沉量分别增加至 3.45cm、3.64cm、3.58cm，主变室拱顶下沉为最大。同工况 2 和工况 3 一样,受非线性效应影响,各拱座向内收缩,主厂房、主变室、尾闸室左、右拱座水平向增量位移与弹性解比分别为 0.23cm、-0.11cm,0.03cm、-0.13cm,-0.05cm、-0.01cm。

6)工况 5(吊车荷载作用)

本工况对应主厂房下部水轮机层回填工况。其变形比工况 4 小,与工况 3 基本相同,三洞室拱顶下沉量分别为 2.19cm、2.44cm、2.63cm,与工况 4 相比,分别减少了 0.22cm、0.23cm、0.15cm,说明吊车荷载对围岩变形影响不大。

主厂房特征点变形量见表 5-1-4。

表 5-1-4　　　　　　　　　　　　　主厂房特征点变形量

工况		拱顶竖向变形（cm）	拱座部位水平向变形(cm)			边墙中部水平向变形(cm)			开挖高程（m）
		(17)	上游(13)	下游(23)	合计	上游(8)	下游(27)	合计	
1	弹性	-0.87	-0.22	0.15	0.37 外扩				155
	塑性	-1.63	-0.08	0.03	0.11 外扩				
2	弹性	-0.94	-0.12	0.03	0.15 外扩	-0.09	0.02	0.11 外扩	145
	塑性	-1.74	-0.09	0.11	0.20 内缩	-0.04	-0.07	0.03 内缩	
3	弹性	-2.23	-0.27	-0.02	0.25 逆	0.03	0.01	0.02 内缩	134.5
	塑性	-3.24	-0.02	-0.07	0.05 内缩	0.25	-0.01	0.26 内缩	
4	弹性	-2.41	-0.32	-0.23	0.09 逆	0.10	0.28	0.18 内缩	全部挖空
	塑性	-3.45	-0.09	-0.34	0.25 逆	0.35	-0.39	0.74 内缩	
5	弹性	-2.19	-0.27	-0.01	0.26 逆	0.02	0.02	0	混凝土回填至 134.5
	塑性	-3.21	-0.02	-0.06	0.04 内缩	0.24	-0.01	0.25 内缩	

注:1.水平向变位,向左为正;竖向变位,向上为正。

2.(13)、(23)、(8)、(27)、(17)为有限元计算结点号。

2.应力成果分析

1)天然状态的应力

按近似公式计算,垂直应力 $\sigma_y = -\gamma y$,水平应力 $\sigma_x = \mu\sigma_y$。

主厂房拱顶应力分量分别为:$\sigma_{y1} = -2.08$MPa,$\sigma_{x1} = -0.52$MPa;主变室拱顶预应力分量分别为:$\sigma_{y2} = -2.53$MPa,$\sigma_{x2} = -0.63$MPa;尾水闸门室拱顶应力分量分别为:$\sigma_{y3} = -2.91$MPa,$\sigma_{x3} = -0.73$MPa。有限元计算结果与上述数值相近。

2)毛洞状态开挖完成工况

本工况为开挖完成后,且无支护加固情况,围岩应力状态相对各工况为最差,见表 5-1-5。

表 5-1-5 毛洞状态各洞室控制应力 σ_r、σ_θ 值 （单位：MPa）

类别		主厂房						主变室						尾闸室					
		拱圈		左墙		右墙		拱圈		左墙		右墙		拱圈		左墙		右墙	
		min	max	min	max	min	max	min	max	min	max	min	max	min	max	min	max	min	max
弹性解	σ_r	−1.75	−0.04	−3.83	0.5	−1.32	0.35	−11.3	−1.7	−1.02	−0.11	−0.53	−0.04	−1.22	−0.29	−0.91	−0.46	−0.48	−0.06
	σ_θ	−3.4	−0.06	−11.6	−3.13	−7.96	−3.25	−4.81	−0.25	−4.87	−3.43	−3.39	−3.03	−2.64	−0.39	−4.20	−2.70	−3.59	−2.02
非线性解	σ_r	−1.64	2.84	−5.66	0.48	−4.57	4.42	−1.28	2.54	−2.65	−0.67	−1.40	−0.27	−1.47	0.51	−2.79	−0.42	−0.96	0.20
	σ_θ	−5.04	−0.16	−14.5	−2.96	−10.2	0.01	−4.15	−0.16	−5.61	−4.33	−3.57	−1.28	−2.63	0.03	−4.54	−3.44	−4.25	−1.4

注："−"表示压应力；"+"表示拉应力。

此工况在施工过程中并不存在，计算的目的主要是为了分析对比。

由计算结果可见，在弹性状态环向应力 σ_θ 基本上未出现拉应力，但拱座处的压应力值得注意，在主厂房拱座下面（边墙顶部）的 σ_θ 为 −11.60MPa。径向应力 σ_r 在主厂房左、右拱座处分别出现近乎水平方向的拉应力为 0.05MPa、0.35MPa。主变室、尾闸室基本未出现拉应力。

计入非线性效应后，各洞室拱圈受力类似两端固定、中间有铰的单铰拱，拱冠 σ_θ 压应力增大，而左半拱和右半拱的中部 σ_θ 压应力减小，两端拱座和边墙顶部连接处压应力增大，而边墙上部 σ_θ 压应力普遍增大，下部则略有减小。至于径向应力 σ_r，各洞室拱圈左半拱中部出现拉应力，主厂房为 2.84MPa，主变室为 2.54MPa，尾闸室为 0.51MPa，特别是主厂房右边墙母线洞，软弱夹层下部单元出现 4.42MPa 拉应力，都远远超出了围岩的抗拉强度。其余部位 σ_r 压应力呈增长趋势，上述现象是由于洞室全部挖空后，出现高边墙，拱圈作用削弱，使边墙的承载加大。

3）工况 1

此工况对应第一期开挖，即主厂房顶拱及尾水管的开挖。各洞室控制应力见表 5-1-6。

表 5-1-6 工况 1 各洞室 σ_r、σ_θ 控制应力值 （单位：MPa）

类别		主厂房						主变室						尾闸室					
		拱圈		左墙		右墙		拱圈		左墙		右墙		拱圈		左墙		右墙	
		min	max	min	max	min	max	min	max	min	max	min	max	min	max	min	max	min	max
弹性解	σ_r	−1.76	−0.04	−2.13	−0.25	−2.05	−0.53	−2.68	−1.37	−1.06	−0.92	−0.89	−0.72	−3.18	−1.86	−0.68	−0.59	−0.58	−0.47
	σ_θ	−2.28	0.61	−11.9	−3.07	−9.0	−3.4	−2.47	−0.71	−3.55	−3.12	−2.75	−2.58	−1.68	−0.47	−3.21	−2.96	−3.47	−3.24
非线性解	σ_r	−1.69	2.48	−8.01	−0.07	−5.65	−0.66	−2.96	−1.45	−2.09	−1.30	−1.87	−1.00	−4.89	−2.01	−1.64	−0.89	1.78	−0.66
	σ_θ	−3.75	−0.01	−14.5	−1.16	−8.77	−2.6	−2.68	−0.43	−4.46	−1.18	−2.95	−0.99	−2.54	−0.27	−4.03	−1.38	−4.43	−3.22

注："−"表示压应力；"+"表示拉应力。

a. 弹性应力

主厂房上部开挖后，拱顶中部出现环向拉应力（x 向），达 0.61MPa，主厂房左、右两侧拱座应力集中，导致边墙顶部 σ_θ 压应力的最大值分别为 −11.92MPa、9.00MPa，σ_r 均为压应力，最小压应力在主厂房拱顶，为 −0.04MPa，而侧墙的最大 σ_r 压应力为 2.13MPa。

b.非线性应力

非线性效应的计入,使拱圈工作类似单铰拱,主厂房拱顶 σ_θ 由拉变为微压(-0.01MPa),拱座与边墙顶部连接单元的 σ_θ(y 向)压应力增大,达 -14.51MPa ,同时 σ_r 也有一定变化,在主厂房拱顶,受节理滑移影响,拱顶出现 2.48MPa 的拉应力,拱座的 σ_r(x 向)压应力也有所增加,左、右拱座分别为 8.01MPa 、 -5.65MPa ,其中左拱座增量相对较大,这是进入非线性后,拱的作用削弱,而边墙承载份量加大所引起的。

c.锚杆、锚索应力

由于锚杆均为预应力锚杆或张拉锚杆,所以主厂房顶拱的锚杆均呈拉应力状态,且以拱座的水平向预应力锚杆拉应力为最大,右拱座与边墙顶部交接处达 132.8MPa ,左拱座处为 123.6MPa 。拱顶上预应力锚索最大拉应力值为 947.10MPa ,出现在拱顶偏右的 4# 锚索上。非线性效应的计入,使得锚索应力略有增加,最大拉应力值为 950.6MPa (4# 锚索),这与位移分析中非线性效应的计入使拱顶下沉加剧是相吻合的。

4)工况 2

此工况对应第二期开挖,即主厂房上半墙、主变室与尾闸室拱顶。各洞室控制应力见表 5-1-7。

表 5-1-7　　　　　　**工况 2 各洞室 σ_r 、 σ_θ 控制应力值**　　　　　　（单位:MPa）

类别		主厂房						主变室						尾闸室					
		拱圈		左墙		右墙		拱圈		左墙		右墙		拱圈		左墙		右墙	
		min	max	min	max	min	max	min	max	min	max	min	max	min	max	min	max	min	max
弹性解	σ_r	-1.65	-0.08	-1.90	-0.18	-1.77	-0.31	-1.58	-0.22	-1.63	-0.47	-1.67	-1.06	-1.96	-0.39	-1.39	-0.38	-1.39	-0.86
	σ_θ	-2.64	0.10	-9.2	-0.41	-7.3	-3.3	-5.4	-0.09	-6.78	-3.99	-6.5	-3.22	-4.2	0.40	-6.37	-3.67	-6.25	-4.18
非线性解	σ_r	-1.33	2.61	-5.21	-0.41	-4.96	-0.36	-1.18	2.7	-3.05	-1.29	-2.75	-1.6	-1.78	0.48	-4.66	-1.70	-3.81	-1.22
	σ_θ	-3.62	0.50	-11.8	-1.1	-8.5	-3.05	-4.45	0.18	-5.87	-4.51	-5.0	-2.9	-2.0	1.29	-5.75	-4.13	-7.93	-6.33

注:" $-$ "表示压应力;" $+$ "表示拉应力。

a.弹性应力

此工况,三个洞室上部均已开挖,拱顶环向应力 σ_θ 出现拉应力或微压,主厂房为 0.10MPa ,尾闸室为 0.40MPa 。各洞室左、右两拱座 σ_r 、 σ_θ 均呈压应力状态。

此时主厂房继续开挖,导致洞室进一步向内变形,拱顶下沉加剧使新开挖的主变室和尾闸室的拱顶 σ_θ 压应力减小,甚至变成拉应力,而主厂房边墙开挖高度的增大,反而使拱圈挤压作用加大,故该拱顶拉应力比工况 1 要小。

b.非线性应力

非线性的计入,尤其是层面节理的滑移,使附近岩块变形受拉,导致主厂房、主变室、尾闸室的拱顶径向拉应力 σ_r 分别达 2.61MPa 、 2.70MPa 、 0.48MPa ,而环向应力 σ_θ 分别达 0.50MPa 、 0.18MPa 、 1.29MPa ,这些拉应力可能引起岩块的开裂。

c.锚杆、锚索应力

本工况锚杆应力比工况 1 略大,右拱座处锚杆拉应力为 137.3MPa ,左拱座处为 145.4MPa ,顶拱上锚索应力与工况 1 相比变化较小,弹性解和非线性解的最大值分别为

947.00MPa、951.70MPa,仍在 4# 锚杆。

5)工况 3

此工况对应第三期开挖情况,即主厂房中部墙、主变室与母线洞及尾闸室下部墙。各洞室控制应力如表 5-1-8 所示。

表 5-1-8　　　　　　　　　　工况 3 各洞室 σ_r、σ_θ 控制应力值　　　　　　　　（单位:MPa）

类别		主厂房						主变室						尾闸室					
		拱圈		左墙		右墙		拱圈		左墙		右墙		拱圈		左墙		右墙	
		min	max	min	max	min	max	min	max	min	max	min	max	min	max	min	max	min	max
弹性解	σ_r	−1.65	−0.08	−2.8	−0.10	−2.3	−0.10	−1.2	−0.21	−1.3	−0.18	−0.50	−0.06	−1.28	−0.35	−0.90	−0.45	−0.55	−0.07
	σ_θ	−0.291	0.40	−11.4	−3.14	−9.02	−3.36	−5.86	−0.50	−5.09	−3.47	−2.96	−2.49	−3.28	−0.74	−4.03	−2.68	−5.02	−1.96
非线性解	σ_r	−1.44	2.45	−5.55	0.12	−6.13	−0.43	−0.93	3.01	−3.04	−0.79	−1.16	−0.26	−1.32	1.72	−2.75	−0.43	−1.24	−0.17
	σ_θ	−4.93	0.57	−14.1	−2.89	−8.27	0.09	−4.8	−0.15	−5.18	−3.9	−3.36	−1.19	−2.67	0.46	−4.53	−3.43	−4.12	−1.33

注:"−"表示拉应力;"+"表示拉应力。

a.弹性应力

与工况 2 相比,各洞室应力受洞室的进一步采空影响较大,加上尾水管洞倒斜上游的因素,各洞室产生向上游变形的趋势,左半拱偏压,右半拱呈现受拉趋势。如主厂房环向应力在左拱顶呈偏压状态,由工况 2 的 −2.64MPa 变化到 −2.91MPa,而右拱顶则呈偏拉状态,此时 $\sigma_{\theta max} = 0.40$MPa。主变室 σ_θ 也呈左拱顶偏压、右拱顶偏拉趋势,尚未出现拉应力,但其变化幅度不及主厂房,而尾闸室拱顶与工况 2 相比 σ_θ 相对变化不大。

相对工况 2 而言,径向应力 σ_r 增量不大,仅在主厂房左墙下部出现 0.14MPa 的拉应力,这与此处存在一水平软弱层面有关。

b.非线性应力

相对于弹性解来说,非线性效应的计入,使主厂房顶拱中部(拱冠)环向应力 σ_θ 呈偏压状态,拉应力消失,但顶拱右边出现 0.57MPa 拉应力,同样地,在尾闸室顶拱右侧也出现 0.46MPa 的拉应力。主厂房侧墙的大部分区域 σ_θ 压应力有所增减,幅值在 −1.00MPa 左右。

值得一提的是,在主厂房右下部墙,与母线洞连接处出现 $\sigma_\theta = 3.42$MPa 的拉应力,这一方面与该处存在软弱夹层有关,另一方面该处位于开挖界面的角缘区,产生了应力集中现象。

σ_r 变化较大。在主厂房、主变室、尾闸室拱圈分别出现了 2.45MPa、3.01MPa、1.72MPa 拉应力,这主要是非线性计入后,顶拱的节理滑移导致的,表现在变形上,非线性效应下顶拱下沉增量为 1cm 左右。

c.锚杆、锚索应力

本工况左拱座处锚杆拉应力为 149.1MPa,右拱座处拉应力为 144.3MPa。锚索应力弹性解和非线性解的最大值分别为 944.7MPa 和 946.9MPa(4# 锚索)。

6)工况 4

a.弹性应力

本工况对应第 4 期开挖,即主厂房水轮机层的开挖。与工况 3 相比,本次增量基本上使主厂房拱顶环向应力 σ_θ 呈加压趋势,而其他两洞室顶拱环向应力 σ_θ 变化不大,详见表 5-1-9。

表 5-1-9　　　　　　　　　工况 4 各洞室 σ_r、σ_θ 控制应力值　　　　　　　　　（单位:MPa）

类别		主厂房						主变室						尾闸室					
		拱圈		左墙		右墙		拱圈		左墙		右墙		拱圈		左墙		右墙	
		min	max	min	max	min	max	min	max	min	max	min	max	min	max	min	max	min	max
弹性解	σ_r	−1.72	−0.10	−3.85	0.29	−1.31	0.10	−1.13	−0.17	−1.03	−0.14	−0.63	−0.07	−1.21	−0.29	−0.92	−0.46	−0.49	−0.05
	σ_θ	−3.4	−0.05	−11.5	−3.13	−7.96	−3.26	−4.8	−0.25	−4.87	−3.43	−2.56	−3.39	−3.15	−0.39	−4.2	−2.7	−3.58	−2.02
非线性解	σ_r	−1.68	2.78	−5.76	0.37	−4.67	4.34	−1.28	2.46	−2.68	−0.67	−1.41	−0.28	−1.53	0.45	−2.81	−0.43	−1.11	0.21
	σ_θ	−5.04	−0.17	−14.4	−3.69	−10.1	0.06	−2.83	−0.17	−5.61	−4.32	−3.57	−1.31	−2.63	0.03	−4.55	3.44	−4.08	−1.4

径向应力 σ_r 也仅在主厂房左墙中部出现 0.29MPa 的拉应力,这与该位置存在有软弱夹层有关。

b.非线应力

非线性解的介入使主厂房 σ_θ 压应力有一定变化,在弹性解中主厂房左拱顶内层单元的 σ_θ 由 −3.40MPa 降至 −1.35MPa,相反右拱顶呈加压状态,从弹性解的 −0.96MPa 变化至 −2.62MPa。主变室和尾闸室左、右拱顶基本上呈加拉趋势,但幅值不大。

计入非线性后,σ_r 变化相对较大,各洞室拱顶 σ_r 值分别为 2.78MPa、2.46MPa、0.45MPa。值得注意的是其最大值均出现在左拱顶,这一结果与水平向位移均是逆向上游的变形特点相吻合。此外,主厂房右墙母线洞口和软弱夹层的附近单元出现 4.34MPa 的拉应力。

c.锚杆、锚索应力

此时锚杆应力除在水轮机层附近有所变化外,其他部位增减不大,与工况 3 相近,左拱座处最大拉应力为 149.4MPa,右拱座处锚杆拉应力为 142.9MPa。

锚索应力也与工况 3 相近,弹性及非线性解最大值分别为 944.60MPa 和 947.0MPa（4# 锚索）。

7)工况 5

本工况对应水轮机层回填,从变形分析可知,变形量比工况 4 小,应力成果也有同上结论,除个别位置应力有所改变外,右下半墙出现 3.96MPa 拉应力,其他分布规律基本同工况 4。各工况锚索应力值见表 5-1-10。

3.洞群影响范围"破坏区"分布

计算"开裂区"是以岩块的拉应力超过 0.35MPa,而层面和节理开始出现拉应力来定义的;塑性区是以非线性单元应力满足 Drucker-Prager 准则而定义的。考虑到计算容量的限制,主厂房仅以洞室周围两圈岩体,主变室和尾闸室仅以洞室周围一圈岩体单元作为非线性单元,而层面、节理在洞室影响范围均作为弹性不抗拉元或弹塑性不抗拉元处理。

鉴于洞室均处在山体深部,故洞群岩体、节理、层面在天然状态下大多已进入塑性状态,但开裂单元不多。

表 5-1-10　　　　　　　　　　　　　拱顶锚索应力值　　　　　　　　　　（单位:MPa）

状态	锚索编号	工况 1	工况 2	工况 3	工况 4	工况 5
弹性	1	837.1	840.1	839.7	889.1	839.6
	2	882.0	881.9	885.4	885.0	885.3
	3	929.3	929.0	928.9	929.0	928.7
	4	947.1	947.0	944.7	944.8	944.7
	5	932.7	934.7	934.5	935.9	934.8
塑性	1	840.7	845.9	849.2	849.5	948.9
	2	883.4	884.0	890.2	890.5	970.1
	3	929.3	929.0	929.5	930.6	929.2
	4	950.6	951.7	946.9	947.0	946.8
	5	940.1	943.5	941.4	942.2	941.3

毛洞状态下开裂区明显增多,在主厂房和主变室拱圈左半部、主变室左下部、主变室与尾闸室之间、尾闸室拱圈中部及右下墙岩体,均出现了不少开裂单元。

至于锚固状态对应的工况 1 至工况 5,随着开挖的进展,洞周塑性区变化不大,仅有个别单元回到了弹性。而开裂区有所变化,开裂区大多出现在开挖区附近和其影响带上。如工况 1,在主厂房拱顶,主厂房与主变室及尾闸室之间的岩体,还有尾水管洞上部岩体等均出现开裂区;工况 2 则在主变室和尾闸室拱顶新增开裂单元;工况 3 在尾闸室右边墙下部及母线洞下部岩体增加开裂单元;工况 4 使主变室底部开裂区扩大等;工况 5 变化不大。总体来看,塑性区较大,还有一些开裂单元,洞室之间的岩体大部分进入塑性状态,甚至在天然状态下已有部分岩体处于塑性屈服或开裂状态。由此看来,小浪底地下厂房洞室群的“破坏”形式主要是塑性屈服和塑性硬化,还未达到软化状态。

(六)结论

(1)地下洞室考虑岩体层面、节理变形的不连续介质模型的变形,应力分布规律是突变的、不连续的,这与通常的连续介质模型的情况是不同的。尤其在细部有着明显的差异,这种计算模型比较符合岩体的实际情况。

(2)地下洞室群按不连续介质模型计算的应力,除了在拱圈可能出现环向拉应力 σ_θ 外,还由于层面的滑移、挤压而导致拱圈出现了不少的径向拉应力 σ_r,而且比环向应力大,成为控制应力。这是与连续介质模型计算结果所不同的。

(3)计算结果表明,个别洞室的加固支护是必需的,尤其在工况 4 开挖时,不作支护是难以成洞的。加固支护的作用是在洞室围岩变形较大时能有效地阻止其变形,改善岩体的应力状态,提高岩体强度,增加岩体的稳定。现场施工表明,张拉锚杆和预应力锚杆的作用远比砂浆锚杆大,在开挖时能及时阻止围岩变形。

(4)在开挖过程中,有几处围岩受力条件较差,对稳定十分不利,如各洞室顶拱、主厂房右侧墙母线洞入口处、主变室底部、主变室与尾闸室之间的岩体,相对比较薄弱,应加强观测,及时调整支护参数,确保围岩稳定。

第二节　三维非线性有限元分析

一、计算模型

地下洞室群包括主厂房、主变室、尾闸室、母线洞、引水洞、尾水管洞、尾水洞等。

计算范围:垂直水流方向(x向),宽度取300m;顺水流方向(y向),宽度取500m;铅垂方向(z向),从地下50m高程至地表约300m高程。

采用等效的均质岩体连续介质模型,计算中模拟厂房顶部的软弱岩层T^{5-1}及厂房上游侧墙附近的泥化夹层,同时在洞群周围布置了反映喷锚支护加固作用的非线性单元及等效的锚杆单元。其中块体单元总数为3 243,锚杆单元总数为368。

二、计算参数

(一)材料参数

材料参数见表5-2-1。

表5-2-1　　　　　　　　　　　　　　　　材料参数

材料	$E(t/m^2)$	μ	f	$C(t/m^2)$	$\gamma(t/m^3)$	$\sigma^0(kg/cm^2)$
岩体	9.56×10^5	0.25	0.65	2.60	2.60	4.00
T^{5-1}	3.1×10^5	0.26	0.50	2.60	2.60	0.00
泥化夹层	5.0×10^3	0.38	0.25	1.90	1.90	0.00
混凝土	3.0×10^6	0.167	1.00	200	2.50	17.5

注:锚杆弹模 $E = 2.1 \times 10^7 \ t/m^2$。

(二)计算荷载

(1)岩体自重。

(2)运行期水压力,上游水位按275m高程计算。

(3)吊车荷载:主厂房岩壁梁上的最大轮压为685kN/m,尾闸室岩台梁上最大轮压为500kN/m,动力系数取1.2。

(4)地震荷载:本区地震基本烈度为Ⅶ度,地下厂房埋深70~100m,计算中可不考虑地震的影响。但由于洞群密集,左岸山体较单薄,沿水流方向地震按8度计算。

三、计算工况

(一)施工期工况

施工期分5种工况。

工况1:自重荷载(引水洞已开挖)。

工况2:主厂房165.05~155.0m高程及尾闸室162.65~155.35m高程顶拱开挖支护;主厂房118.0m高程以下、尾闸室下部和尾水洞的开挖支护。

工况 3:主厂房 155～145.5m 高程、主变室 162.8～144.5m 高程的开挖支护。

工况 4:主厂房 145.5～118.0m 高程及母线洞、尾闸室 155.35～142.0m 高程的开挖支护。

工况 5:主厂房水轮机层回填混凝土范围为 118.0～134.5m 高程。

(二)运行期工况

运行期分 3 种工况。

工况 6:水位达到 275m 高程,引水洞、尾水管洞、尾水洞承受水压力。

工况 7－1:在工况 6 的基础上,施加吊车荷载。

工况 7－2:在工况 6 的基础上,施加顺水流方向(－y 向)的水平地震力,按 8 度计算。

四、计算成果分析

(一)各洞室径向位移绝对值和相对值

各洞室径向位移绝对值和相对值见表 5-2-2。

(1)工况 1:自重作用。洞室开挖前已经完成的自重作用下的位移称做绝对位移。洞周围的最大径向位移绝对值发生在未开挖的主厂房、主变室、尾闸室的顶拱中部,下沉量分别为 4.32cm、3.93cm、4.21cm。

由于三洞室上部有向下游倾斜的软弱岩层 T^{5-1},其弹性模量 E 仅为一般岩体的 1/3 左右,使洞室附近沿水流向的位移上游侧大于下游侧,且有向下游方向的位移产生,主厂房为 －0.11～0.05cm,尾闸室为 －0.03～0.02cm。

以下为工况 2 至工况 7 相对于工况 1 的横向位移,即开挖后的相对径向位移,这是我们所关心的。

(2)工况 2:主厂房、主变室、尾闸室的顶拱部位相对下沉了 0.71cm、0.25cm、0.76cm,此时主变室顶拱尚未开挖,故相对下沉值小。在上节节理模型分析中,主厂房下沉了 2.095cm,比本节连续介质模型的值大得多,这是因为前者的计算模型中考虑了众多的节理、泥化夹层和层面,并未涉及空间的作用。在本工况中,主厂房、尾闸室出现了较大的相对径向位移值。在三洞室两侧径向位移值接近对称。

(3)工况 3:主变室及其母线洞开挖,主厂房、尾闸室的上边墙范围开挖。主厂房、主变室、尾闸室顶拱比工况 2 增加了 0.09cm、0.41cm、0.05cm 的下沉位移。主变室由于初次开挖,下沉量十分明显。上述这些位移增量均小于节理模型得出的值。

在三洞室两侧位移值基本对称。主变室、尾闸室由于靠近 T^{5-1} 软弱岩层,受 T^{5-1} 的影响较大,故左侧位移值大都大于右侧位移值。主厂房还受左侧泥化夹层和母线洞开挖的影响,其位移值在拱座处左侧值略小于右侧值,其边墙部位则左侧值略大于右侧值。在工况 3～7 中均有相似情况出现。

(4)工况 4:主厂房、尾闸室的下边墙范围开挖。三洞室的顶拱下沉总量达到 0.88cm、0.83cm、0.82cm,前两洞室达到最大值,尾闸室接近最大值。边墙的位移值均增大,主厂房、尾闸室的两侧墙内缩达到 0.43cm、0.78cm,尾闸室的洞室高,故其值较大。这时主变室左侧墙中点位移值接近于 0,右侧墙中点位移值为 0.24cm(向外)。

(5)工况 5:主厂房水轮机层回填。施加了回填土的重力,回填对主厂房起到了加固作用,增加了主厂房的刚度,使顶拱位移值减少了 0.02cm,边墙位移值也有 0.11～0.13cm

表 5-2-2 　　　　　　　　　　　　　　　　　截面 1 的径向位移　　　　　　　　　　　　　　　　　　（单位：cm）

项目	主厂房					主变室				尾闸室				
	顶拱	上游拱座	下游拱座	上游边墙	下游边墙	顶拱	上游拱座	下游拱座	顶拱	上游拱座	下游拱座	上游边墙	下游边墙	
绝对位移														
工况 1	-4.32	-2.62	-2.47	-0.11	0.05	-3.93	-2.42	-2.35	-4.21	-2.54	-2.50	-0.03	0.02	
相对位移														
工况 2	-0.71	-0.14	-0.14	-0.08	-0.04	-0.25	-0.19	-0.18	-0.76	-0.32	-0.35	-0.07	-0.11	
工况 3	-0.78	-0.24	-0.26	-0.12	-0.09	-0.66	-0.27	-0.23	-0.81	-0.41	-0.42	-0.20	-0.18	
工况 4	-0.88	-0.29	-0.44	-0.19	-0.24	-0.83	-0.32	-0.21	-0.82	-0.48	-0.44	-0.44	-0.34	
工况 5	-0.86	-0.30	-0.33	-0.19	-0.11	-0.78	-0.36	-0.16	-0.83	-0.48	-0.42	-0.47	-0.34	
工况 6	-0.81	-0.27	-0.31	-0.18	-0.14	-0.72	-0.30	-0.14	-0.75	-0.44	-0.41	-0.44	-0.36	
工况 7-1	-0.81	-0.27	-0.31	-0.18	-0.14	-0.73	-0.30	-0.14	-0.76	-0.44	-0.41	-0.44	-0.36	
工况 7-2	-0.83	-0.32	-0.02	-0.23	-0.21	-0.83	-0.59	+0.15	-0.79	-0.75	-0.25	-0.82	-0.22	

注：1. 工况 1 表示自重作用下的绝对位移值。

2. 工况 2～7 表示施工期及运行期的相对位移值。

3. "+"表示向外位移；"-"表示向内位移。

的减少,主变室的位移在拱顶也略有减少,在侧墙有些调整。尾闸室顶拱位移达到 0.83cm,侧墙两侧内缩达到 0.81cm,均比工况 4 略增大,达到施工期最大值。

(6)工况 6:运行期的径向水压力作用。从表 5-2-2 中可见,三洞室位移值都略有减少,这是由于下部洞室的进水部分受水压力作用的缘故。

(7)工况 7-1:主厂房、尾闸室的吊车梁上吊车荷载作用。由于吊车荷载比之自重荷载相对较小,几乎与工况 6 相同,即吊车荷载对位移的影响很小。

(8)工况 7-2:顺水流向(-y 向)地震力作用。三洞室顶拱的位移值略大于工况 6,但没有超过工况 4、5 的最大值。边墙上的位移值明显增加,达到最大值,三洞室上游侧拱座的位移值达到 -0.32cm、-0.59cm、-0.75cm;尾闸室上游侧墙的位移值达到 0.82cm(见表 5-2-2),且两侧呈明显的不对称分布。上游拱座的位移大于下游拱座的位移,而边墙中部的位移则相反,这与地震力的方向有关。

从工况 7-2 的相对径向位移值情况来看:

(1)洞室顶拱的位移最大值发生在工况 4、5,边墙位移最大值发生在工况 4、7-2。这些值均小于节理模型分析得出的值。径向位移的最大值如表 5-2-3 所示,其中"-"号仅表示向内缩的径向位移。

表 5-2-3　　　　　　　　　　　　径向位移最大值　　　　　　　　　　(单位:cm)

位置	主厂房	主变室	尾闸室	
顶拱	工况 4 -0.88	工况 4 -0.83	工况 4 -0.82	工况 5 -0.83
边墙	工况 4 -0.44	工况 7-2 -0.59	工况 7-2 0.82	

(2)在工况 3~6 中,洞室两边墙的位移值分布基本对称,但由于受 T^{5-1} 岩层的影响,主变室、尾闸室左侧的略大于右侧;受 T^{5-1} 泥化夹层及母线洞开挖的影响,在主厂房上游拱座处的位移略小于下游拱座的位移值。

(3)三洞室中,主厂房的跨度大,其顶拱的下沉稍大于后两洞室;尾闸室的高度大,边墙易变形,故边墙的位移值大于主厂房(有下部回填混凝土)和主变室(高度较小)。

(4)三个截面 1、2、3 相比,自重作用下的绝对径向位移非常接近,相对差值小于 5%,而相对径向位移在截面 1 较大(其位置在厂房中部),截面 2 次之,截面 3(接近厂房端部,侧面约束强)最小。

(二)洞室周围的环向应力 σ_θ

按半无限大弹性体公式计算,$\sigma_z = -yH$,$\sigma_y = -\dfrac{\mu}{1-\mu}\gamma H$,得出主厂房、主变室、尾闸室顶拱中部的环向应力 σ_θ 为 -0.680MPa、-0.849MPa、-0.832MPa,工况 1 的结果为 -0.86MPa、-0.88MPa、-0.80MPa;三洞室侧墙中部的 σ_θ 弹性解为 3.00MPa,工况 1 的结果为 3.21~3.03MPa,从平衡条件来看,有限元解的应力与弹性解接近,其中主厂房的应

力受 T^{5-1} 岩层和泥化夹层的影响相比对弹性应力影响大些。

最大和最小的环向应力发生在洞室周围,在表 5-2-4 中给出了各工况下顶拱、边墙上的最大、最小 σ_θ 值。

表 5-2-4　　　　　　　　　　　洞室的环向应力 σ_θ　　　　　　　　　（单位:MPa）

项目		主厂房			主变室		尾闸室		
		顶　拱	上游边墙	下游边墙	顶　拱	边　墙	顶　拱	上游边墙	下游边墙
		$\max\sigma_\theta$	$\min\sigma_\theta$	$\min\sigma_\theta$	$\max\sigma_\theta$	$\min\sigma_\theta$	$\max\sigma_\theta$	$\min\sigma_\theta$	$\min\sigma_\theta$
施工期	工况 2	− 0.05					− 0.55		
	工况 3	− 0.32	− 4.99		− 0.51	− 5.59	− 0.66	− 4.42	
	工况 4	− 0.51	− 4.88	− 6.27	+ 0.14	− 5.98	− 0.74	− 4.54	− 4.01
	工况 5	− 0.36	− 4.80	− 6.50	− 0.07	− 5.90	− 0.77	− 4.49	− 3.99
运行期	工况 6	− 0.48	− 4.79	− 6.53	− 0.08	− 5.91	− 0.77	− 4.50	− 3.82
	工况 7 − 1	− 0.40	− 4.80	− 6.54	− 0.08	− 5.92	− 0.77	− 4.50	− 3.82
	工况 7 − 2	+ 0.46	− 4.88	− 6.39	− 0.01	− 5.92	− 1.36	− 4.38	− 3.72

注:"+"表示拉应力;"−"表示压应力。

(1)环向应力 σ_θ 的分布情况:最大应力发生在顶拱中部,一般为压应力,只有在个别情况下出现了拉应力(工况 4 下,主变室顶拱有拉应力 0.14MPa;工况 7 − 2 下,主厂房顶拱有拉应力 0.46MPa)。最小应力(即最大压应力)发生在边墙的上部或下部,在工况 7 − 1 下,最小为 − 6.54MPa。沿洞室的径向射线上,σ_θ 绝对值一般逐渐降低,并趋近于远处的较均匀的应力场值。

对于每一洞室,两侧的 σ_θ 分布基本对称。但由于受 T^{5-1} 软弱岩层的影响,左侧的 σ_θ 绝对值稍大于右侧的值。

(2)从表 5-2-5 可见,三洞室边墙出现的最小 σ_θ 值变化很小;顶拱上的最大 σ_θ 值变化也不大,且只有两处出现了拉应力,其他均为压应力。

顶拱上出现的最大 σ_θ 值及边墙上出现的最小 σ_θ 值如表 5-2-5 所示。从表中可见,洞室的压应力均在允许范围之内。顶拱一般为压应力,只有两处拉应力值得注意。其中在工况 7 − 2 的水平地震力作用下,主厂房出现 0.46MPa 的拉应力,需要采取加固措施。

表 5-2-5　　　　　　　　顶拱最大 σ_θ 值及边墙最小 σ_θ 值　　　　　　（单位:MPa）

项目		主厂房	主变室	尾闸室
顶拱最大 σ_θ 值		工况 7 − 2	工况 4	工况 2
		+ 0.46	+ 0.14	− 0.55
边墙最小 σ_θ 值		工况 7 − 1	工况 4	工况 4
		− 6.54	− 5.98	− 4.54

注:"+"表示拉应力;"−"表示压应力。

(3)三洞室相比,边墙上的最小 σ_θ 值,主厂房为 -6.54MPa,尾闸室为 -4.54MPa,而主变室为 -5.98MPa;顶拱上的最大 σ_θ 值除了两处出现的拉应力外,在多数工况下,主变室的值大于其他二洞室。从这些最大、最小应力值来看,主变室顶拱的应力状态相对差于其他二洞室,虽然主变室的高度、跨度均较小,但由于它处于两大洞室之间,因而其应力状态比主厂房和尾闸室要差,这是值得注意的现象。

(4)比较截面1、2、3,从 σ_θ 的绝对值来看,一般在截面1较大,其次为截面2,截面3则更小些。这是因为截面1在厂房中部,约束较少,截面3接近厂房端部,侧面的约束较强。

(5)从节理模型分析的结果看,由于考虑了层面、节理、泥化夹层的节理离散性质,得出的应力与本节有较大的区别。在节理模型中,弹性解的应力绝对值较大,较为危险;考虑非线性效应后,应力状态有较大的调整。例如主厂房开挖时,顶拱的应力 σ_θ 从弹性解的 $+8.7$MPa 变为非线性状态的 -0.01MPa,拱座的应力从 -14.73MPa、12.09MPa 变为 -10.04MPa、-10.23MPa;洞室的径向应力 σ_r 从弹性解到非线性状态也有很大的调整和变化。这说明节理模型比一般弹塑性有限元模型具有更大的调整变形和应力的能力。

从节理模型的最大、最小应力值来看,顶拱中出现的最大应力值,在主厂房、主变室、尾闸室分别为 -0.01MPa、$+0.26$MPa、$+1.55$MPa,前二值与本节中的值接近,而尾闸室受附近 T^{5-1} 软弱岩层、各种节理的滑移变形影响较大,所以产生了较大的拉应力。拱座在节理模型中产生了应力集中现象,例如主厂房拱座两侧达到 $-10.04 \sim -10.23$MPa 的压应力,而在本节中没有明显的应力集中现象。在节理模型中,各洞室的径向应力出现了较大的拉应力,例如最大 σ_r 值,在三洞室拱顶为 $+2.93$MPa、$+0.92$MPa、$+1.53$MPa,在侧墙上为 $+1.29$MPa、$+1.00$MPa、$+1.53$MPa。这些应力状态的区别都是由于节理模型具有较大的滑移变形及拉裂等可能性而引起的。

(三)锚杆的应力 σ

在三洞室周围布置了许多径向锚杆,计算中锚杆被等效折算入计算简图,未考虑锚杆的预拉应力。

(1)在施工期工况2~5中,主厂房、尾闸室,其顶拱锚杆大部分为压应力,其值较小;而在与水平线成30°角位置的右侧锚杆出现了小于3.6MPa的拉应力。对于主变室,顶拱上的锚杆均为压应力,一般左侧压应力值稍大于右侧。顶拱两侧锚杆应力的不对称性,是由于 T^{5-1} 软弱岩层的影响。

主厂房、尾闸室边墙上的锚杆上部为拉应力,下部为压应力;随施工过程的进展,压应力的数值及区域减小,拉应力的数值及区域增大。主变室边墙上的锚杆大部分为拉应力,其数值及区域也随施工进程而增大,主厂房、主变室、尾闸室边墙锚杆中最大拉应力分别达到29.46MPa、17.46MPa、16.03MPa。

由上述情况可见,在施工期随着施工的进展和各洞室边墙变形的发展和调整,锚杆逐渐起作用,但从拉应力值来看,其作用还不显著。

(2)在运行期,工况6、7-1、7-2中均有水压力作用,由于围岩变形的调整和非线性应力应变关系,工况6、7-1下锚杆内拉应力或压应力的值均有明显的增大;在工况7-2的水平地震力作用下,由于地震力方向与许多锚杆方向接近或平行,锚杆内应力的绝对值又有增加,见表5-2-6。

表 5-2-6　　　　　　　　　　　　　洞室周围锚杆的应力 σ_θ　　　　　　　　　　　　（单位：MPa）

项目		主厂房			主变室			尾闸室		
		顶　拱		边　墙	顶　拱		边　墙	顶　拱		边　墙
		$\min\sigma_\theta$	$\max\sigma_\theta$	$\max\sigma_\theta$	$\min\sigma_\theta$	$\max\sigma_\theta$	$\max\sigma_\theta$	$\min\sigma_\theta$	$\max\sigma_\theta$	$\max\sigma_\theta$
施工期	工况 2	− 15.96	3.55					− 13.49	1.38	
	工况 3	− 9.33	3.29	19.89	− 19.88	− 3.09	12.90	− 12.31	1.31	16.03
	工况 4	− 7.84	3.34	25.81	− 25.55	− 3.32	17.46	− 12.43	1.28	15.99
	工况 5	− 0.807	3.30	29.46	− 22.37	− 3.11	17.07	− 12.25	1.21	15.76
运行期	工况 6	− 21.07	13.25	71.38	− 74.04	− 9.26	49.83	− 45.93	4.74	180.45
	工况 7 − 1	− 40.23	23.20	143.28	− 135.82	− 22.17	100.11	− 80.34	8.27	687.11
	工况 7 − 2	− 64.34	33.15	138.95	− 204.11	− 31.70	150.39	− 114.75	11.80	1 193.78

注：" + "表示拉应力；" − "表示压应力。

在运行工况下，三洞室顶拱锚杆中的最大应力分别为 331.5MPa、− 9.26MPa、11.80MPa，其中主变室顶拱锚杆仍为压应力。主厂房、主变室边墙锚杆的最大拉应力为 138.95MPa、150.39MPa；尾闸室右边墙最下端（截面 1 处），在工况 7 − 1、7 − 2 中出现了 687.11MPa、1 193.71MPa 的锚杆拉应力。联系到尾闸室右边墙附近的岩体，出现了 0.998MPa 的拉应力（见表 5-2-8），可见尾闸室右边墙下部是应力集中之处，应予以加固（这个部位处于 6 个尾水管合并为 3 个尾水洞的位置，因此产生了应力集中现象）。

从上述施工、运行的工况来看，相比于围岩的绝对位移、相对位移和环向应力 σ_θ，锚杆在运行工况中应力绝对值明显增大，作用显著。可见锚杆是较为敏感的构件，在一定的变形、加载阶段，例如在运行工况，锚杆发挥了明显的作用。

（3）对比三洞室，在顶拱部位，主厂房的锚杆拉应力最大，其次为尾闸室，因为这两洞室跨度大；主变室没有出现拉应力 σ_θ，因为其跨度小，又处于两洞室之间，受到挤压。

在边墙中，三洞室均出现了较大的锚杆拉应力。主变室锚杆拉应力大于主厂房的值，也是由于其处于二洞室之间，易于变形。而尾闸室右下边墙的锚杆应力很大，说明右边墙下端出现了应力集中现象。

（4）在施工期，截面 1 上的锚杆应力值大于截面 2，而截面 3 上的值最小。在运行工况 6、7 − 1，截面 2 上的锚杆应力值较大。而在工况 7 − 2（地震力作用），截面 3 上的锚杆应力较大，其次为截面 2。

（5）在节理模型中，锚杆的作用在施工前期不显著，直到水轮机层开挖和回填以后，即运行工况中，锚杆的作用才明显地反映出来，锚杆的拉应力增大，使岩体的 σ_θ、σ_r 降低。在地震力作用下，锚杆内拉应力也达到最大，与本节的分析结果相似。

有限元分析结果，锚杆作用也是在运行期才较明显地发挥出来。两者均可看出，锚杆是到一定的变形、加载阶段才明显地发挥作用，而且能起较大的作用。

（四）塑性区的分布情况

（1）表 5-2-7 给出了各工况出现塑性单元的区域及其个数，一般只有部分单元为塑性状态,且数值很小,说明这些单元刚刚进入塑性状态。在施工期工况 2~5 中,工况 2 没有出现塑性区,在工况 3 中在主厂房左边墙上部有一单元的塑性区,在工况 4、5 下,三洞室的两侧边墙主要是下部出现了一部分塑性区,这两工况是出现塑性区相对较多的工况。在运行期的工况 6、7 – 1,塑性区比工况 4、5 有所减少,在工况 7 – 2 的水平地震力作用下,塑性区域比工况 6 稍有增加,但基本上没有超过工况 4、5 的塑性区域范围。

表 5-2-7 塑性区分布情况

项目		主厂房	主变室	尾闸室
施工期	工况 2			
	工况 3	左上墙(1)		
	工况 4	左下墙(2) 右下墙(3)	左下墙(1) 右下墙(2)	左下墙(1) 右下墙(1)
	工况 5	左下墙(2) 右下墙(2)	左下墙(1) 右下墙(1)	左下墙(1) 右下墙(1)
运行期	工况 6	左下墙(1)	左下墙(1) 右下墙(1)	右下墙(1)
	工况 7 – 1	左下墙(2) 右下墙(1)	左下墙(1)	右下墙(1)
	工况 7 – 2	左下墙(3) 右下墙(3)	左下墙(1) 右下墙(1)	

注:1.( )中数字表示在截面 1、2、3 中出现塑性单元最多的个数。

2. 左墙,即上游侧边墙;右墙,即下游侧边墙。

从总体来看,三洞室周围只有部分区域,主要为洞室边墙的下部出现了塑性单元,个数不多,且其 P 值(>0)很小,地下厂房洞室群周围没有连贯分布的塑性区,整个结构的屈服状态并不严重。这说明地下厂房洞室周围布置的锚杆起了一定的作用:锚杆本身承受了较大的应力,使洞室周围的塑性区域不连贯,塑性单元也不多,且洞室围岩的拉应力区很少,拉应力值相对也不大。

(2)在三洞室中,左、右边墙主要是下部出现一些塑性单元,其他部位很少出现塑性单元,在顶拱部位几乎没有出现塑性单元。

(3)由于节理模型中反映了岩体介质的不连续性质,且为平面模型,因此在节理模型中,洞室周围一层单元都进入塑性状态,主厂房周围还扩展到洞外第二层单元。本节反映岩体介质的不连续性质较少(主要为泥化夹层),且按三维分析,因此显示出的塑性状态并不严重。

(4)拉应力及开裂区的情况。拉应力的出现位置及其最大值示于表 5-2-8 中。

表 5-2-8 拉应力的出现位置及其最大值 （单位：MPa）

项目		主厂房	主变室	尾闸室	
施工期	工况 2	0.190 拱顶			
	工况 3	0.092 左上墙			
		0.070 拱顶			
	工况 4			0.308	右下墙
				0.244	左下墙
	工况 5			0.334	右下墙
				0.248	左下墙
运行期	工况 6			0.998	右下墙
				0.092	左下墙
	工况 7 – 1			0.998	右下墙
				0.092	左下墙
	工况 7 – 2			0.979	右下墙

在工况 2、3 中，只有主厂房顶拱及左上墙有两个单元出现拉应力，最大值为 0.19MPa 和 0.07MPa。在工况 4、5、6、7 – 1、7 – 2 中，只有尾闸室的左、右边墙下部个别单元出现了拉应力：在施工期，左、右边墙下部的最大拉应力分别为 0.248MPa、0.334MPa，在运行期分别为 0.092MPa 和 0.998MPa。结合锚杆应力在右边墙下端出现很大的拉应力，说明右边墙下端有应力集中现象存在。除了这些拉应力外，其他区域很少出现拉应力，所以整个结构开裂情况不严重，只有个别区域值得注意。

五、结论

(1)三洞室顶拱的最大相对径向位移出现在主厂房拱顶，其下沉量为 0.88cm，尾闸室侧墙最大相对内缩量为 1.04cm。

(2)三洞室的环向应力 σ_θ，除了主厂房顶拱的一个单元出现 0.46MPa、主变室顶拱的一个单元出现 0.14MPa 的拉应力外，其余顶拱部分及边墙上均为压应力。

(3)锚杆应力，除了尾闸室右边墙下端在工况 7 – 1、7 – 2 的拉应力超过 300.0MPa 外，其余顶拱、边墙上的锚杆应力均在允许值之内。

(4)塑性区分布，主要在三洞室的左、右边墙下部出现为数不多的塑性单元，且 P 值很小，说明整个结构的屈服状态并不严重。

(5)岩体的拉应力，在工况 2、3，仅在主厂房的顶拱及左边墙上部出现，分别为 0.19MPa 和 0.07MPa，在工况 4～7，仅在尾闸室的左、右边墙下部出现，其最大值分别为 0.092MPa、0.998MPa。尾闸室右边墙下部应力集中现象严重，岩体拉应力和锚杆拉应力都较大，应加强支护。

(6)锚杆的作用在运行期中较为显著。在运行工况 6、7 – 1、7 – 2 中锚杆应力的绝对值显著增大，同时在围岩中塑性区域不是连续分布，拉应力区一般较少出现，这是锚杆起了作用的缘故。若考虑锚杆的预拉应力作用，则对岩体的变形、应力状态将有更大的改善。在节理模型中,由于岩体中考虑以不连续的节理模型为主,因此锚杆的作用更加显著。

(7)从分析结果来看,在工况 7 – 1、7 – 2,尾闸室下游边墙下部(截面 1 附近)有应力集中现象产生,岩体的拉应力和锚杆的拉应力都较大,需要加固。此外,三洞室的顶拱中部也是易于出现拉应力的部位,值得关注。

第三节 两组相交节理岩体模型平面有限元计算

一、计算模型

计算采用 NAPARM 平面程序,主要是研究构造比较发育的节理裂隙岩体,在比较大的范围内存在多组节理面,且他们的排列具有规律的方向性,由这种岩石组成的岩体,其应力应变、破坏模式和强度特性都具有明显的非线性性质和各向异性特征。

计算中采用任意四边形等参元,节理单元和锚杆单元等采用增量法,将非线性问题分级逼近。考虑岩体材料的非线性模量和各向异性的特点,各增量段均进行破坏模式判别,修正当期的弹性矩阵$[Di]$及刚度矩阵$[Ki]$以满足要求。本程序可以计算岩体初始地应力场、岩体分期开挖、喷锚支护加固岩体的联合作用等;可模拟施工过程、加载卸载过程,得出分期开挖的应力场、变形场、稳定安全度及破坏模式、破坏过程等。

由于主厂房、主变室、尾水闸门室三大洞室平行布置,且具有足够的长度,可用平面应变问题来处理。

根据弹性力学理论,无限域中心孔的应力影响范围为$(3 \sim 5)D$,D 为孔洞直径。计算范围取为:主厂房上游面向上延伸 200m,尾水闸门室向下游延伸 170m,厂房洞群向下延伸 280m。

边界条件:在计算地应力场的过程中,底边节点除中间一个采用铰支座外,其余均为滑动支座,两侧边节点无约束;在施工的各个分期中,将两侧边节点上均加约束,地表为自由边。

本次计算共划分 738 个单元,7 612 个节点,其中有 4 个四节点一维单元,5 个三角形单元,其余均为四节点二维等参单元。

二、材料参数

(1)地下洞室所穿过的地层材料类型见表 5-3-1。

表 5-3-1 地层材料类型

地下建筑物名称	作为围岩的地层	地下建筑物名称	作为围岩的地层
引水发电洞	T_1^{3-2}—T_1^{4-1}	主变室	T_1^4
主厂房	T_1^{3-1}—T_1^{4-1}	尾水洞	T_1^{3-1}—T_1^{5-1}

(2)地下厂房围岩基本力学参数建议值见表 5-3-2。

表 5-3-2　　　　　　　　　　　　　　　地下厂房围岩基本力学参数建议值

地层代号	E_a(GPa)		E_0(GPa)		γ_d(kN/m³)	μ	K_0(N/cm³)	R_c(MPa)	Q
	垂直	平行	垂直	平行					
T_1^{3-1}	11.5	14	7.7	9.3	26.2	0.21	6 500	100	11.8
T_1^{3-2}	11	13	7.3	8.6	26.1	0.22	6 000	60	14.3
T_1^4	12	15	8	10	26.3	0.20	7 000	150	12.7
T_1^{5-1}	8	11	6	8	26.0	0.24	4 500	50	8.3
T_1^{5-2}	11.5	14	7.7	9.3	26.2	0.21	6 500	120	13.5

注：R_c 为岩石饱和单轴抗压强度。

(3)各类岩石平均抗剪强度见表 5-3-3。

表 5-3-3　　　　　　　　　　　　　　　　各类岩石平均抗剪强度

岩石类型	f	C(MPa)
硅质、钙硅质砂岩	1.6	29.4
硅质、硅钙质砂岩	1.4	15.7
泥钙质、钙泥质砂岩	1.2	23.5
T_1^{6-1}硅泥质砂岩	0.59	9.6
T_1^{5-2}粉砂质泥岩	0.52	2.0
F_{236}、F_{238}强度影响的钙质砂岩	1.07	0.15

(4)各类结构面抗剪强度建议值见表 5-3-4。

表 5-3-4　　　　　　　　　　　　　　　各类结构面抗剪强度建议值

结构面	抗剪断值		抗剪值	
	f	C(MPa)	f	C(MPa)
细砂岩层面	0.8	0.2	0.75	0.05
粉砂岩层面	0.7	0.2	0.65	0.01
泥岩(页岩)层面	0.8	0.2	0.65	0.01
节理面			0.8~1.15	

(5)锚杆参数。锚杆采用的容重为 78kN/m³,弹性模量为 2.1MPa,各洞室采用的支护参数如下。

主厂房顶拱：Φ25 砂浆锚杆, $L = 8\text{m}/4\text{m}$ 交替布置, @2m×2m;

主厂房边墙：Φ25 砂浆锚杆, $L = 6\text{m}/4\text{m}$ 交替布置, @2m×2m;

主变室顶拱：Φ25 砂浆锚杆, $L = 7\text{m}/3\text{m}$ 交替布置, @2m×2m;

主变室边墙：⊻25 砂浆锚杆，$L = 5m/3m$ 交替布置，@2m×2m；

尾闸室顶拱：⊻25 砂浆锚杆，$L = 5m/3m$ 交替布置，@2m×2m；

尾闸室边墙：⊻25 砂浆锚杆，$L = 4m$ 交替布置，@2m×2m。

在计算中，原设计边墙中的锚杆长于顶拱，而由于围岩层面接近水平，顶拱比较危险，故顶拱锚杆应长一些。所以，在本次计算中采用了顶拱锚杆长于边墙锚杆。

三、计算工况

在实际工程施工中，由于受施工机械限制，将洞室开挖分成 6 期，每次开挖高度为 8～10m，加上计算地应力场和最后在岩锚吊车梁上施加轮压荷载，共分为 8 期，即第 1 期为地应力场的计算，第 2 期到第 7 期为开挖的运算，第 8 期为施加吊车荷载 685kN/m。计算分期开挖图见图 5-3-1。

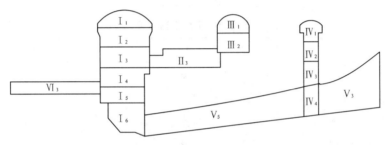

图 5-3-1　计算分期开挖图

由于机组混凝土浇筑后对上、下游高边墙起支撑作用，为安全计不考虑机组混凝土的支护作用。

在各期计算中，由于考虑了非线性模型，加载均分为 3 次加到最大值，而锚杆是在第 3 次加载时参与受荷，这样与适时支护是比较符合的。

在程序中，对开挖的处理是将开挖的单元的弹性模量降至几乎为 0，并使其周围未开挖的单元产生应力释放，借以模拟分期开挖。对于引水洞、母线洞、尾水管洞等处的不完全开挖，利用开挖比（所谓开挖比，即开挖部分的面积与未开挖时的总面积的比值）来调整弹性模量，借以模拟横向洞不完全开挖。则

模拟弹性模量 =（1 – 开挖比）× 原岩石的弹性模量

几个主要洞室的开挖比如下：母线洞为 0.31；尾水洞为 0.51；引水洞为 0.27。

四、计算条件

小浪底的围岩为近水平状的岩层受陡角节理切割，呈砖墙式结构，节理一般延伸不长，很少有贯穿多层的节理。一般情况下，剖面上只发育两组节理，把岩石切割成矩形块体。节理在垂直层面方向的贯穿性不强，节理连通率在 50% 以下，可将围岩概化为图 5-3-2(a) 所示的仿真模型。在留有相当安全度的条件下，把陡倾角节理简化为贯通性的，即为图 5-3-2(b) 所示的两组相交节理模型。其节理面强度参数见表 5-3-5。

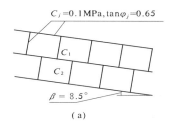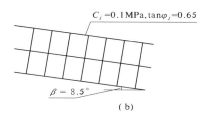

$C_j=0.1\text{MPa},\tan\varphi_j=0.65$

（a）

$C_j=0.1\text{MPa},\tan\varphi_j=0.65$

（b）

$\beta=8.5°$

图 5-3-2　计算模型

表 5-3-5　　　　　　　　　　　　**岩体节理强度参数**

计算情况	平行层面节理		垂直层面节理	
	C_j（MPa）	$\tan\varphi_j$	C_j（MPa）	$\tan\varphi_j$
1	0.1	0.65	2.0	0.80
2	0.1	0.65	1.0	0.80
3	0.1	0.65	0.5	0.65

五、计算成果分析

（一）位移

主厂房各期开挖后顶拱、底板最大位移值见表 5-3-6、图 5-3-3。

表 5-3-6　　　　　　　　**主厂房各期开挖后顶拱、底板最大位移值**　　　　　　　（单位：mm）

开挖分期	情况 1（$C_j-2.0$）		情况 2（$C_j-1.0$）		情况 3（$C_j-0.5$）	
	顶拱	底板	顶拱	底板	顶拱	底板
2 期	− 7.2	8.06	− 7.21	8.06	− 7.23	8.1
3 期	− 6.0	12.1	− 6.3	11.98	− 6.7	12.0
4 期	− 5.6	14.2	− 5.62	14.10	− 5.68	13.8
5 期	− 4.8	15.3	− 5.24	15.31	− 5.26	15.6
6 期	− 4.3	16.2	− 4.33	16.28	− 4.8	16.0
7 期	− 4.2	15.6	− 4.42	15.6	− 4.7	16.3
8 期	− 4.3	15.6	− 4.62	15.38	− 4.8	16.3

注：1.洞室顶拱、底板变位取向上为"＋"，向下为"－"。

2.上、下游边墙取向下游变位为"＋"，向上游变位为"－"。

主厂房第 7、第 8 期开挖后上、下游边墙最大位移值见表 5-3-7。

从上述图及表中可以得出以下结论：

（1）顶拱自开挖一直到加吊车荷载各期中，顶拱始终向下变位，且变位值均小于 10mm，变位很小；上游边墙向下游变位 6.46～6.8mm，下游边墙向上游变位 7.69～7.9mm，变位均很小，说明围岩稳定性良好，下游边墙变位大于上游边墙变位，是因为下游边墙上既有母线洞，又有尾水管洞之故。

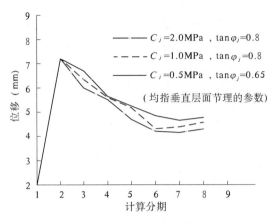

图 5-3-3　各期主厂房顶拱最大位移

表 5-3-7　　　　　　　主厂房第 7、第 8 期开挖后上、下游边墙最大位移值　　　　　（单位:mm）

计算情况	垂直层面节理强度（MPa）	第 7 期		第 8 期	
		上游边墙最大位移	下游边墙最大位移	上游边墙最大位移	下游边墙最大位移
1	$C_j = 2.0$	6.37	−7.52	6.46	−7.69
2	$C_j = 1.0$	6.47	−7.58	6.60	−7.72
3	$C_j = 0.5$	6.59	−7.64	6.80	−7.90

（2）顶拱变位的最大值出现在第 1 期开挖中，且随分期开挖向下，顶拱略有上升趋势，到第 6、第 7、第 8 期逐渐趋于稳定。分析原因是侧向地应力的作用使洞顶拱向上变位，由于在本次计算中 $\mu = 0.3$，则 $K = \mu/(1-\mu) = 0.43$，这在其他地下厂房的设计计算与实测结果中，若侧向地应力不太小，均有此现象。

（3）岩锚吊车梁受载之后，与前一期相比洞周变位很小。上、下游边墙的变位并无增加，这是因为吊车荷载虽大，但相对于围岩承载力来讲并不太大。许多工程的计算及实测结果也表明，吊车梁荷载的影响是局部的。

（4）在计算中水平层面上抗剪参数采用 $C_j = 0.1\text{MPa}$ 很小，垂直节理面上抗剪参数 C_j 由 2.0MPa 减为 0.5MPa，而洞周变位增加较小，这说明节理、层面接近水平或垂直时，层面、节理面上的抗剪强度对岩体强度削弱及围岩稳定的影响不大。

（二）塑性区范围

由三组参数计算的结果得出如下结论：

（1）围岩塑性区均较小，各期开挖过程中，除顶拱和底板有较大的松弛范围外，其余部分有少量塑性区出现，破坏单元很少。

（2）黏结力 C 值的大小对塑性区影响较大，随 C 值的减小，塑性区明显增多。

（3）洞室围岩在开挖后基本是稳定的，而破坏形式除个别单元外主要为沿水平层面的剪切破坏。

(三)锚杆应力

计算结果表明,顶拱锚杆应力较大,一般在 50.0~70.0MPa 之间,而边墙的锚杆应力较小,一般平均在 30MPa 左右,这说明对于小浪底这种层面接近水平的岩体而言,顶拱比边墙要危险些,更需加强支护。锚杆最大应力出现在最后一期的顶拱上,数值如表 5-3-8 所示。

表 5-3-8 锚杆最大应力值

垂直层面节理强度(MPa)	锚杆最大应力(MPa)
$C_j = 2.0$	73.55
$C_j = 1.0$	74.06
$C_j = 0.5$	74.87

从表 5-3-8 中所列数据看,随 C 值增大,锚杆最大应力有减小趋势,但差别并不大。

在母线洞、尾水管洞之间的锚杆,有些出现了压应力,且应力较小,一般均小于 10MPa,只有 1~2 个节点略大于 10MPa,这是由于尾水管与母线洞处的单元并未消失,只是弹性模量折减所造成的。

(四)岩锚吊车梁锚杆应力

(1)岩锚吊车梁锚杆应力值见表 5-3-9。

表 5-3-9 岩锚吊车梁锚杆应力值 (单位:MPa)

开挖分期	$C_j = 2.0$MPa 情况		$C_j = 1.0$MPa 情况		$C_j = 0.5$MPa 情况	
	上游边壁	下游边壁	上游边壁	下游边壁	上游边壁	下游边壁
3	6.21	13.80	10.06	13.82	12.89	25.16
4	16.96	37.38	20.71	38.36	23.91	47.73
5	19.76	39.51	23.60	41.46	27.01	49.47
6	21.88	40.17	25.83	42.04	27.93	50.79
7	23.82	40.69	27.00	42.47	28.40	50.99
8	25.73	43.80	31.77	46.51	34.68	53.91

注:表中所列为靠近岩壁的锚杆平均应力。

(2)主厂房上游吊车梁锚杆随岩锚深度不同的平均应力值见表 5-3-10。

表 5-3-10 主厂房上游吊车梁锚杆随岩锚深度不同的平均应力值 (单位:MPa)

开挖分期	(1) 锚固深度 0~4.3m	(2) 锚固深度 4.3~8m	(3) 锚固深度 8~12m
3	12.89	11.76	3.17
5	27.01	25.82	6.32
7	28.40	26.13	9.14
8	34.68	30.37	11.37

注:表中(1)、(2)、(3)为分段号。

从表中可以得出以下结论:

(1)随着 C 值的减小,吊车梁锚杆应力有增大的趋势,但应力值均在允许范围之内。

(2)吊车梁锚杆在计算第 3 到第 4 期时,应力有明显的增大,后渐缓,至第 7 期开挖后和第 8 期在施加轮压荷载后,锚杆应力又有显著增长,增长值在 3.0~4.0MPa。这是因为原有锚杆中的应力是由围岩变形产生的,吊车梁荷载加上去之后,锚杆应力增加不大。国内几个地下厂房岩锚梁锚杆实测结果也是如此,一般只增加 10.0MPa 左右。因此,原来挪威人建议的用静力平衡法设计锚杆的方法是不正确的。主要是没有考虑围岩变形对锚杆应力的影响。实际上围岩变形对锚杆应力的影响远大于吊车轮压荷载。

(3)岩锚梁锚杆在计算中是按砂浆锚杆考虑的,从表 5-3-10 中可以得出,随岩锚深度的增加,锚杆应力在减小。由此可知,岩锚吊车梁锚杆应力主要集中在 8m 深度以内。

实际上靠近洞壁第一段处的锚杆应力将大于表中数值,因此建议在靠近洞壁 1~2m 长范围内的吊车梁锚杆上包以塑料薄膜,使钢筋与围岩分开,将锚杆应力向深部转移。

(4)上游侧吊车梁锚杆受力小于下游侧,这是因为下游侧墙中开洞较多,洞壁边墙变位较大。在实际施工中,下游母线洞、尾水管洞的开挖应特别小心,仔细做好支护,否则下游侧吊车梁锚杆应力会大幅度增加,甚至达到屈服状态。

(五)洞周切向应力

由计算结果可知,沿洞室周边单元切向应力几乎均为压应力。应力最大值出现在主厂房上部靠上游边壁处,为 9.89MPa,相应 $C_j = 1.0$MPa。总的看起来,边壁周边应力是比较均匀的。顶拱应力值较小,一般在 1.0~2.0MPa,这是由于采用了较大的侧向地应力之故。本次计算中 $\mu = 0.3$,则 $K = \mu/(1-\mu) = 0.43$。由于周边单元的应力值基本在允许应力范围之内,是较为安全的。

(六)小结

(1)计算结果表明:顶拱变位略大于边墙变位;顶拱处出现少量拉应力或较小的压应力,两组节理模型在顶拱处出现的应力分别为 +0.8MPa、+1.2MPa、-1.0MPa。计算中采用 $\mu = 0.3$,则 $K = \mu/(1-\mu) = 0.43$,在顶拱附近局部范围内出现屈服区,施工中应对顶拱加强注意,考虑到近铅垂方向节理的存在,在两洞交叉处的局部地区,个别锚杆应力较大,因此在两洞交叉处应加强支护。

(2)利用两组弱面模型对吊车梁锚杆应力进行计算,吊车荷载施加前后,锚杆中应力增加不多,因此岩锚吊车梁的安全是足够的,关键是在施工中应注意爆破装药量、钻孔方向、混凝土与岩壁、混凝土与锚杆间的黏着力、锚固方向深度等都要保证质量,按设计要求进行施工。

第四节　离散元(块体单元法)平面数值模型分析

一、计算方法

小浪底地下厂房所在区域的地质构造具有水平和垂直两组结构面将岩体切割成岩块的特点。接近水平的结构面由泥化夹层、不同岩类的层面和节理面组成,且为通缝。接近垂直的结构面为岩体的节理裂隙面,对每一条节理裂隙并不一定连通。由于这些结构面的抗拉强度均为零,弹性模量很低,特别是近水平向的泥化夹层,其弹性模量更低。因此,可以认为岩体的变形主要发生在比较软弱的结构面,可能的破坏面也位于结构面。岩体本身变形很小,主要产生刚体位移,因而各块体的位移并不连续,采用一般的连续介质数学模型分析不能反映实际变形情况。Cundall 于 1971 年提出用离散元法分析裂隙岩体的稳定,采用这种方法能较好地处理不连续介质问题。其基本原理为节理裂隙所切割的岩体假定为完全分割的块体镶嵌系统,在洞室开挖前,系统处于平衡状态。洞室开挖瞬时完成,洞室内边缘上的块体失去了被挖掉部分岩体的支撑,在重力作用下产生位移,即位置上的变化。块体的位移使它与四周相邻块体间的接触发生变化,有的邻接面由接触变成分离,有的由接触变成“嵌入”,假设块体为刚体,其表面允许有变形(即嵌入),把嵌入变形 δ 与作用力 F 的关系定义为:

$$K\delta = F$$

并采用增量法迭代求解:

$$K\Delta\delta = \Delta F$$

由于小浪底地下厂房围岩十分破碎,抗拉强度几乎为零,会形成较大范围的塑性区,若采用效率较高的变劲度迭代方法求解会导致不收敛,因而采用常劲度增量迭代法求解,即不管施加哪一级荷载增量,上式中的整体劲度矩阵 K 始终采用弹性阶段的初始劲度矩阵 K_0。

二、计算模型

(一)计算范围

采用第一节中概化地质模型图所包括的全部范围,垂直方向取地表以下约 200m,水平方向的宽度约 270m,按平面问题计算。

(二)物理模型

根据地质概化图,模型中考虑了 19 条水平裂隙,其中 11 条为泥化夹层,其他为岩层层面和节理面。垂直方向节理为 34 条,块体单元是由裂隙面分割而成的。为了更好地模拟地下洞室开挖的轮廓形状和更好地反映实际变形和应力状态,洞室附近的块体尺寸较小,远离洞室处的块体尺寸较大,块体单元最大尺寸约 12m × 25m,最小尺寸约 2.5m × 2.5m。整个块体离散元模型由 708 个结点和 2 075 个单元组成,其中块体单元 708 个,缝单元 1 367 个,有些缝单元是人为设置的假想缝面,其材料参数采用岩本身的实际值,以反映实际岩块相互嵌砌的情况。

对于横向的母线洞和尾水管洞,由于不是连续的开挖体,应考虑它们的空间效应,采取降低该部分弹性模量而不开挖的方法进行处理,取一个机组段的长度 26.5m 与横向洞的开挖宽度 13.5m 之比(即 13.5/26.5 = 0.51)作为该处岩体变形模量的 0.51 倍进行分析。

(三)材料参数

材料参数见表 5-4-1、表 5-4-2。

表 5-4-1   岩体材料参数

岩层代号	变形模量 E（MPa）	抗拉强度（MPa）	抗压强度（MPa）	抗剪强度		泊松比 μ	容重（t/m³）
				f	C（MPa）		
T_1^{5-3}	7 500	1.3	20	0.91	0.5	0.22	2.61
T_1^{5-2}	8 500	2.6	40	0.97	0.6	0.21	2.62
T_1^{5-1}	7 000	1.1	17	0.67	0.2	0.24	2.60
T_1^4	9 000	3.3	50	1.02	0.6	0.20	2.63
T_1^{3-2}	8 000	1.3	20	0.87	0.4	0.22	2.61
T_1^{3-1}	8 500	2.6	33	0.92	0.5	0.21	2.62
T_1^2	7 500	1.3	20			0.22	2.60

表 5-4-2   结构面材料参数

参数	泥化夹层	层面	各岩组节理面		
			T_1^4、T_1^{3-1}、T_1^{5-2}	T_1^{5-3}、T_1^{3-2}、T_1^2	T_1^{5-1}
f	0.25	0.6	0.83	0.7	0.57
C（MPa）	0.005	0.01	0.05	0.05	0.05
厚度（cm）	2	0	0	0	0
变形模量 E（MPa）	50	7 000	10 000	10 000	10 000
泊松比 μ	0.35	0.21	0.21	0.21	0.21
抗拉强度（MPa）	0	0	0	0	0

（四）锚杆及锚索的模拟

本计算分析主要是研究岩体在洞室开挖及加锚后的变形和应力状态,不研究锚杆和锚索本身的受力状态,因而采用等效参数的数学模型。根据变形相等的原则,求出缝面材料的等效参数。

设缝面材料的变形模量、抗拉强度和凝聚力分别为 E、R、C,锚杆(索)材料的弹性模量、抗拉强度和抗剪强度分别为 E_s、R_s、C_s,缝面面积为 F,穿过缝面的锚杆(索)面积为 F_s,则缝面材料的等效弹模为 E_0,等效抗拉强度为 R_0,等效凝聚力为 C_0,其值分别为

$$E_0 = E + E_s \frac{F_s}{F}$$

$$R_0 = R + R_s \frac{F_s}{F}$$

$$C_0 = C + C_s \frac{F_s}{F}$$

（五）地应力

小浪底工程厂坝区域是以自重应力为主导的地应力场,考虑到地下洞室群围岩结构

面比较发育,岩体破碎,因此按自重应力计算地应力。

(六)计算工况

1.施工期

地下洞室分 4 期开挖,计算每级开挖后洞室围岩的变形、应力状态以及屈服情况。为了比较,对每级开挖同时施加支护(锚杆和锚索)的情况及不加支护的情况进行分析。

2.运行期

对开挖后的厂房首先进行混凝土回填,使 134.5m 高程以下成为一个中空(尾水管)的实体,考虑吊车荷载和地震作用两种工况。主厂房吊车荷载按 685kN/m,尾水闸门室吊车荷载按 500kN/m 计算。地震作用按 7 度考虑。

三、计算成果分析

(一)位移状态

各工况的位移值见表 5-4-3。

表 5-4-3　　　　　　　　　　各工况位移值　　　　　　　　　(单位:cm)

工况			主厂房			主变室			尾闸室		
			Y_{max}	X_{max}	X_{max}	Y_{max}	X_{max}	X_{max}	Y_{max}	X_{max}	X_{max}
			顶拱	上游	下游	顶拱	上游	下游	顶拱	上游	下游
开挖期	1	毛洞	2.75	-0.07	-0.10						
		锚固	2.70	-0.13	-0.08						
	2	毛洞	3.08	-0.09	-0.32	2.35	-0.39	-0.22	2.13	-0.02	-0.06
		锚固	3.07	-0.13	-0.29	2.32	-0.38	-0.27	2.07	0.0	-0.06
	3	毛洞	3.46	-0.02	-0.31	2.77	-0.47	-0.37	2.57	-0.13	-0.11
		锚固	3.34	-0.02	-0.36	2.74	-0.49	-0.34	2.55	-0.16	-0.12
	4	毛洞	3.57	-0.05	-0.31	2.99	-0.45	-0.27	2.64	-0.10	-0.17
		锚固	3.51	-0.05	-0.33	2.00	-0.48	-0.36	2.58	-0.13	-0.14
运行期	5 吊车	毛洞	3.73	-0.86	-0.32	3.01	-0.45	-0.32	2.83	-0.10	-0.18
		锚固	3.68	-0.10	-0.32	3.05	0.41	-0.25	2.56	-0.10	-0.18
	6 垂直地震	毛洞	4.89	-0.12	-0.27	3.41	-0.11	-0.29	3.27	-0.07	-0.15
		锚固	4.01	-0.05	-0.32	3.38	-0.11	-0.29	3.12	0.09	-0.16
	7 水平地震	毛洞	3.74	0.34	-0.87	3.05	-0.44	-0.12	2.82	-0.07	-0.38
		锚固	3.73	-0.30	-0.85	3.07	-0.45	-0.03	2.85	-0.07	-0.12

从表 5-4-3 可知:

(1)由于重力作用,垂直向位移远大于水平向位移,这是计算假定引起的,因为计算中假定岩体的变形主要发生在比较软弱的结构面,岩体本身的变形很小,主要产生刚体位移,实际岩体的水平向变位也比较大。

(2)洞室垂直向最大位移发生在跨度最大的主厂房拱顶,随着跨度的减小,主变室拱顶位移次之,尾闸室拱顶位移最小。

(3)施工期,随着开挖荷载的增加,洞室拱顶垂直向位移逐渐增加,例如主厂房顶拱部位最大垂直位移,由第1期开挖时的2.7cm到第4期开挖时增加至3.51cm。

(4)运行期,吊车荷载对位移的影响较小,使垂直位移增加4%~7%。

水平向地震作用时,对位移的影响不大;垂直向地震作用时,对垂直向位移的影响最大,主厂房顶拱垂直向位移增加14%,主变室顶拱增加约17%,尾闸室顶拱增加约18%。

(二)应力状态

洞周围岩 σ_{1max} 和 σ_{3min} 值见表5-4-4。

表5-4-4   洞周围岩 σ_{1max} 和 σ_{3min} 值   (单位:MPa)

开挖级数		第1级	第2级	第3级	第4级	吊车荷载	垂直地震	水平地震
边开挖 边加固	σ_{1max}	0.323	0.474	1.111	1.063	1.063	1.045	0.962
	σ_{3min}	-3.334	-4.723	-4.733	-4.871	-4.595	-5.051 8	-4.712
不支护	σ_{1max}	0.333	0.514	1.280	1.249			
	σ_{3min}	-3.306	-4.704	-4.751	-4.823			

注:"-"表示压应力。

由表5-4-4可知:

(1)洞室四周围岩的应力以压应力为主,拉应力无论是数值还是范围都比较小,主要出现在开挖轮廓线附近。

例如,主厂房下游侧拱脚处当开挖到第4期且无支护的情况下,最大主应力为0.15MPa,而边开挖边支护情况下,最大主拉应力为0.02MPa;主变室最大拉应力发生在拱腰,约0.1MPa;尾闸室上、下游拱脚产生较大拉应力,未支护情况为1.34MPa,加固后降为1.06MPa。

(2)随着开挖过程的进行,洞室应力集中现象逐步消失,全部开挖完成后,应力分布变得较为均匀。但第4级开挖全部完成后,拉应力略有降低,而压应力仍有增加。

(3)吊车荷载和地震荷载的作用对应力分布影响不大,仅对吊车荷载作用处附近的应力产生局部影响。

(三)屈服情况

(1)主厂房顶拱仅在第1期开挖时产生一定范围的剪切屈服,屈服区主要发生在第1期和第2期开挖时即将被开挖的岩石内部,开挖结束后,主厂房左侧边墙局部岩体被拉开。

(2)尾水闸门门室的顶拱和右侧墙以及尾水管洞的上方主变室和尾闸室之间的岩体都有较大范围的屈服现象,但是如果考虑尾水管的空间效应(采用降低弹性模量而不开挖的模拟方案),则屈服范围将大大减小。

(3)对加固与不加固情况,屈服范围及分布情况相差不大,说明锚杆、锚索的作用对围岩的屈服状态影响不大。对块状岩体锚杆(索)的作用主要是悬挂理论。

第五节　地下厂房洞室群施工顺序优化研究

地下洞室群的施工开挖是不可逆的非线性过程,为了选择合理的分期开挖方案,进行了弹塑性有限元计算分析。

一、计算参数及破坏准则

(一)计算假定

(1)将岩体视为节理裂隙岩体,采用断裂损伤力学模型,着重分析在给定的支护条件下,开挖过程中围岩在压剪应力场作用下,其节理尖端产生次生裂纹而进一步扩展的可能性及其产生的附加变形,运用动态规划方法,以减少节理损伤扩展区为目标的优化分析。

(2)地下厂房施工开挖顺序优化计算是采用平面应变弹塑性方法。为了模拟开挖过程,整个洞室围岩及其内部都参与网格划分。网格由三角形和四边形等单元构成。总单元数为1 510个,总节点数为1 215个。

(二)计算参数

(1)根据地质资料围岩分为7个不同岩层,每个岩层内按等效均质各向同性介质考虑,岩石容重取26.1kN/m³。各层岩石力学参数见表5-5-1、表5-5-2。

表5-5-1　　　　　　　　　　厂房区节理裂隙面几何力学参数

节理分组	变形指标		抗剪强度指标	
	剪切刚度 (GPa/m)	法向刚度 (GPa/m)	φ (°)	C (MPa)
陡倾角节理	1.500	60.000	33	0.1
顺层节理	1.500	60.000	33	0.1

表5-5-2　　　　　　　　　　洞室群围岩分层岩体力学参数

岩层代号	E(GPa)	μ	C(MPa)	φ(°)
T_1^2	11.50	0.22	1.00	35
T_1^{3-1}	12.75	0.21	1.17	35
T_1^{3-2}	12.00	0.22	1.00	35
T_1^4	13.50	0.20	1.50	35
T_1^{5-1}	9.50	0.24	0.83	35
T_1^{5-2}	12.75	0.21	1.25	35
T_1^{5-3}	10.50	0.22	1.00	35

(2)初始地应力采用:竖向地应力 $\sigma_V = 4.16$MPa,水平地应力 $\sigma_H = 4.16 \times 0.8 = 3.328$MPa。

(3)主厂房喷锚支护参数如下:顶拱为张拉锚杆和砂浆锚杆Φ32,间距均为3.00m×3.00m,两种锚杆呈梅花形交错布置,喷混凝土20cm厚,挂钢筋网Φ8,间距为0.20m×

0.20m;边墙为张拉锚杆和砂浆锚杆⌀32,间距均为 3.00m × 3.00m,两种锚杆呈梅花形交错布置,喷混凝土 20cm 厚,挂钢筋网Φ8,间距为 0.25m × 0.25m。

(4)母线洞及尾水管洞挖空部位采用等效弹性模量 E' 及等效 C',按下式进行等效换算:$E' = \frac{1}{2}E$,$C' = \frac{1}{2}C$。

(5)在考虑喷锚支护的有限元计算中,喷射混凝土作为混凝土杆单元计算,其参数为:$E = 2.1 \times 10^4$MPa,$\mu = 0.17$,$\sigma_t = 1$MPa,$\gamma = 24$kN/m³,喷射混凝土杆单元共有 83 个。

①根据等效原则来考虑,即由提高锚固岩体的凝聚力和增大摩擦角来代替锚杆的作用。由于摩擦角改变较小,故不考虑,而凝聚力的提高可由下面的经验公式给出:

$$C_1 = C_0(1 + \xi \frac{\tau S}{ab}) \qquad (5\text{-}5\text{-}1)$$

$$\varphi_1 = \varphi_0 \qquad (5\text{-}5\text{-}2)$$

式中　C_0、φ_0——原岩体的凝聚力和内摩擦角;

　　　C_1、φ_1——锚固岩的凝聚力和内摩擦角;

　　　τ——锚杆材料的抗剪强度;

　　　S——锚杆材料的横截面面积;

　　　a、b——锚杆材料的纵横向间距;

　　　ξ——综合经验系数,一般可取 2 ~ 5。

②加锚节理面的抗剪强度的提高,可采用下式:

$$\tau_{bj} = \tau_j + \tau_{bd} + \tau_{bi} + \tau_{bs} \qquad (5\text{-}5\text{-}3)$$

式中　τ_{bj}——加锚节理面的抗剪强度;

　　　τ_j——节理面本身的抗剪强度;

　　　τ_{bd}——由杆体"销钉"作用引起的换算抗剪强度;

　　　τ_{bi}——由杆体轴向力相对节理面的垂直分量引起的换算抗剪强度;

　　　τ_{bs}——由杆体轴向力相对节理面的切向分量引起的换算抗剪强度。

(三)加载方式和破坏准则

计算模型的荷载主要考虑自重应力和构造应力,现场应力测量表明,厂房区所在深度内水平残余应力不很高,垂直方向地应力基本上等于自重应力。有限元法计算,把重力场和构造应力视为初始应力。洞室开挖产生卸载引起二次应力扰动和调整,采用洞室周边卸载的内加载方式。

破坏准则采用 Druker – Prager 屈服准则。

(四)基本假定

根据开挖分块图,假定母线洞和主变室的第 2 分块作为一起开挖;主厂房上游侧引水隧洞与主厂房第 4 分块作为一个分块;尾闸室第 3 分块与尾水洞作为一个分块;尾水管洞作为一个单独分块。具体分块见图 5-5-1。

二、洞室群施工顺序优化分析

大型洞室开挖过程的优化问题,可采用岩体动态施工规划原理,寻找一个目标函数,

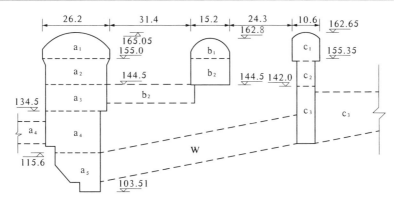

图 5-5-1　厂房洞室开挖分块　（单位：m）

使其满足围岩稳定，有最大限度的安全性，并且是最经济合理的。

首先对洞室群分步开挖进行自动排序，得出可能开挖顺序的所有组合，再运用动态规划原理，尽快地搜索出可行的最佳方案，每级搜索时，以围岩破损区面积定义为收益函数，通过同一级不同分块组合开挖所得破坏区面积的比较，同时考虑施工因素，确定以破损区面积较小且又不至于严重影响工期的分块组合作为继续搜索方向，直到选出最优方案。优化方案共 6 个。

方案 1：限定每次开挖 2 个分块，优化过程见表 5-5-3。

表 5-5-3　　　　　　　　　　　　　　方案 1 的优化过程

开挖步骤	开挖可行分块	分块组合	最大可行开挖分块组合	破损区面积(m²)	被选分块组合
Ⅰ	a_1 b_1 c_1 c_3	a_1b_1 a_1c_1 a_1c_3 b_1c_1 b_1c_3	a_1b_1 a_1c_1 a_1c_3	256.83 189.50 392.50	a_1c_1
Ⅱ	a_2 b_1 c_2 c_3	a_2b_1 a_2c_2 a_2c_3 b_1c_2 b_1c_3	a_2b_1 a_2c_1 a_2c_3 b_1c_2 b_1c_3	454.63 403.37 312.56 265.22 296.82	b_1c_2
Ⅲ	a_2 b_2 c_3	a_2b_2 a_2c_3 b_2c_3	a_2b_2 a_2c_3	513.25 495.71	a_2c_3
Ⅳ	a_3 w b_2	a_3w b_2w a_3b_2	a_3w a_3b_2	602.44 822.56	a_3w
Ⅴ	a_4 b_2	a_4b_2	a_4b_2		a_4b_2
Ⅵ	a_5	a_5	a_5	1 100.34	a_5

这样只需 14 次有限元计算就可找出最佳施工方案。优化施工顺序为 $a_1c_1 \rightarrow b_1c_2 \rightarrow a_2c_3 \rightarrow a_3w \rightarrow a_4b_2 \rightarrow a_5$，见图 5-5-2。

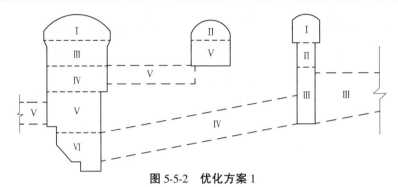

图 5-5-2　优化方案 1

方案 2:限定每次开挖 2 个分块,并假定第一步开挖 a_1c_3,优化过程见表 5-5-4。优化施工顺序为 $a_1c_3 \rightarrow b_1w \rightarrow a_2c_1 \rightarrow a_3c_2 \rightarrow a_4b_2 \rightarrow a_5$,见图 5-5-3。

表 5-5-4　　　　　　　　　　　　方案 2 的优化过程

开挖步骤	开挖可行分块	分块组合	最大可行开挖分块组合	破损区面积(m^2)	被选分块组合
I	a_1 c_3	a_1c_3	a_1c_3	392.50	a_1c_3
II	a_2 b_1 c_1 w	a_2b_1 a_2c_1 a_2w b_1c_1 b_1w c_1w	a_2b_1 a_2c_1 a_2w b_1c_1 b_1w c_1w	669.75 730.63 665.75 521.38 456.50 517.38	b_1w
III	a_2 c_1	a_2c_1	a_2c_1		a_2c_1
IV	a_3 b_2 c_2	a_3b_2 b_3c_2 b_2c_2	a_3b_2 a_3c_2	953.03 928.90	a_3c_2
V	a_4 b_2	a_4b_4	a_4b_2		a_4b_2
VI	a_5	a_5	a_5	1 259.12	a_5

方案 3:限定每次开挖 3 个分块。按照前述过程,同样可得每次同时开挖 3 块的优化施工顺序为 $a_1b_1c_3 \rightarrow a_2c_1w \rightarrow a_3b_2c_2 \rightarrow a_4 \rightarrow a_5$。此方案围岩破损区面积 $S = 1\ 335.80m^2$。

施工顺序见图 5-5-4。

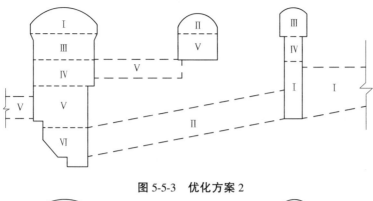

图 5-5-3 优化方案 2

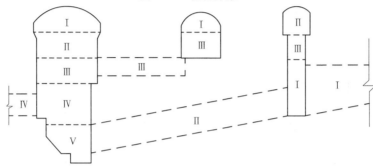

图 5-5-4 优化方案 3

方案 4:限定每次开挖 3 个分块,且限定第一步开挖 $a_1b_1c_1$。优化施工顺序为 $a_1b_1c_1 \rightarrow a_2b_2c_3 \rightarrow a_3wc_2 \rightarrow a_4 \rightarrow a_5$。该方案围岩破损区面积 $S = 1\ 440.75m^2$。

施工顺序见图 5-5-5。

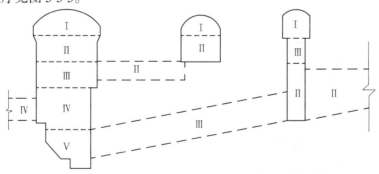

图 5-5-5 优化方案 4

方案 5:限定第一步开挖 a_1,然后每次同时开挖 2 个分块。优化施工顺序为 $a_1 \rightarrow b_1c_1 \rightarrow a_2c_3 \rightarrow a_3w \rightarrow a_4b_2 \rightarrow a_5c_2$。该方案围岩破损区面积 $S = 1\ 177.075m^2$。

施工顺序见图 5-5-6。

方案 6:限定第一步开挖 a_1,然后每次同时开挖 3 个分块。优化施工顺序为 $a_1 \rightarrow a_2b_1c_1 \rightarrow a_3wc_3 \rightarrow a_4b_2c_2 \rightarrow a_5$。该方案围岩破损区面积 $S = 1\ 268.49m^2$。

施工顺序见图 5-5-7。

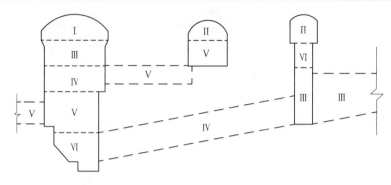

图 5-5-6 优化方案 5

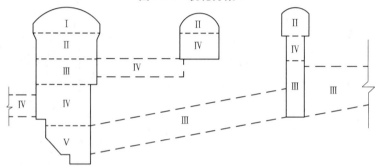

图 5-5-7 优化方案 6

三、优化方案与原计划方案比较

(一)原计划开挖方案

原计划开挖方案如图 5-5-8 所示。

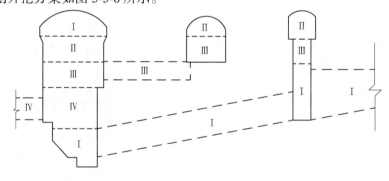

图 5-5-8 计划开挖方案

承包商原计划的开挖方案,Ⅲ、Ⅳ块开挖采用竖井溜渣,从尾水洞出渣,主要为了加快施工进度,保证第一个完工日期。

其围岩破损区面积 $S = 1\ 924.69\text{m}^2$。

(二)实际开挖方案

由于遇到复杂的地质条件和其他种种原因尾水洞工期滞后,只好另辟施工通道。

施工顺序如图 5-5-9 所示,其围岩破损区面积 $S = 1\ 806.42\text{m}^2$。

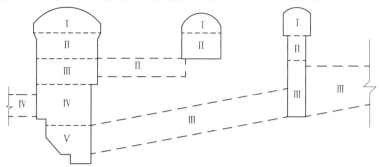

图 5-5-9　实际开挖方案

(三)优化方案与计划方案比较

优化方案与计划方案开挖效果比较见表 5-5-5。

表 5-5-5　　　　　　　　　　优化方案与计划方案开挖效果比较

方案	破损区面积（m²）	主厂房最大收敛位移(cm)		尾闸室最大收敛位移(cm)		e(%)	f(%)
		水平方向	垂直方向	水平方向	垂直方向		
计划开挖方案	1 924.69	1.21	1.18	1.47	0.39	100	0
实际开挖方案	1 806.42	1.20	0.44	1.60	0.36	93.86	6.14
优化方案 1	1 100.34	1.22	0.43	1.37	0.317	57.17	42.83
优化方案 2	1 259.12	1.18	0.48	1.49	0.37	65.42	34.58
优化方案 3	1 335.80	1.17	0.47	1.56	0.39	69.40	30.59
优化方案 4	1 440.75	1.17	0.46	1.54	0.37	74.86	25.14
优化方案 5	1 177.08	1.23	0.48	1.49	0.36	61.17	38.83
优化方案 6	1 268.49	1.23	0.45	1.49	0.37	65.91	34.10

为比较各方案破损区面积相对大小,定义 $e_{某方案} = \dfrac{S_{某方案}}{S_{计划方案}} \times 100\%$。用 e 来表征某方案破损区面积占计划方案破损区面积的百分比。

又定义 $f_{某方案} = 1 - e_{某方案}$。用 f 来表征某方案破损区面积相对计划方案减小的百分比。

从表 5-5-5 可见,优化方案 1 破损区面积最小,其破损区面积减小了 42.83%。因此,在施工条件允许时应优先选用方案 1。

当第一步开挖 a_1 时,可选用方案 6,原因是当开挖完第一步后,以后可同时开挖 3 个分块且破损区较小,这样既保证了工期,又维护了围岩的稳定,其破损区减小可达 34.1%。

四、结论

(1)大型地下工程施工顺序的优化,必须结合现场实际,使优化结果在实践上能够得以实施。因为方案 1～6 考虑了施工约束条件,因此是可行的备选方案。

(2)在优化分析中发现,为使最终破损区较小,应尽量避免同一开挖步序中各洞间互相影响,即应将各洞的开挖步序从时间和空间上尽量错开、远离。

(3)大型洞室群不宜先将其底部全部挖空,这将使围岩部分部位产生垂直向较大位移,且整个围岩破损区较大。

(4)优化方案 1～6 是结合施工条件得出的,可根据现场条件进行选用。采用优化方案无疑将提高围岩的安全度,并大大降低围岩加固成本。

第六章　地下厂房洞室群开挖与喷锚支护设计

第一节　厂区围岩分类及岩石力学指标

一、一般工程地质条件

(一)地层岩性

T_1^4岩组出露在厂房的顶拱及上、下游侧墙的上部(南端上游侧墙 140.5m 高程、下游侧墙 140.0m 高程、北端上游侧墙 146.3m 高程、下游侧墙 143.7m 高程以上),出露厚度 18.7～25.0m。硅质砂岩单层厚度为 0.4～1.0m,个别薄层为 0.1～0.2m,所夹极薄泥质粉砂岩厚 0.05～0.1m;T_1^{3-2}岩组出露于上、下游侧墙的下部及机窝的上部,出露最大厚度约 30m。钙质、钙泥质砂岩单层厚 1.0～2.0m,少数厚 0.5～0.7m;T_1^{3-1}岩组出露于机窝的下部及底板,出露厚度小于 10m。钙硅质砂岩单层厚 0.5～2.0m,少数大于 2.0m 或小于 0.5m。岩层产状:北端 80°～85°∠7°～10°,南端 95°～125°∠7°～8°,其他多为 95°～105°∠5°～11°。厂房轴线方向与岩层倾向的夹角为 90°～135°。

(二)断层

厂房在施工开挖中遇到 3 条小断层 f_1、f_2、f_3,其分布情况及特征见表 6-1-1。其中,f_3 小断层仅发育在下游侧墙的下部,在桩号 0+229m 约 152.7m 高程处尖灭,在上游侧墙为节理密集带,说明小断层为局部发育,在走向和倾向上延伸不长。

表 6-1-1　　厂房施工开挖揭露的断层位置及特征

断层编号	上游侧桩号(m) 侧墙顶	侧墙底	下游侧桩号(m) 侧墙顶	侧墙底	产状	断层带宽(cm)	断距(cm)	断层带填充物及特征	说明
f_1	0+092	0+091.3	0+104.2	0+101.3	15°～25°∠85°～88°(顶拱:190°∠88°)	5～50	10～30	断层角砾及少量岩屑,断层总体倾向 NE,局部倾向 SW	与洞轴线夹角 70°左右。拱顶桩号 0+99.7m
f_2	0+209.3	0+206.8	0+220.6	0+216.8	10°～45°∠80°～85°	15～80	5～15	断层角砾、泥、岩屑,断层总体倾向 NE,局部倾向 SW	与洞轴线夹角 70°左右。拱顶桩号 0+215.1m
f_3			0+229(152.7m)	0+246.5	200°～215°∠50°～59°	5～20		断层泥及角砾	桩号 0+229m 约 152.7m 高程处尖灭

(三)节理

据厂房顶拱及侧墙开挖揭露的节理统计,共发育5组节理,见表6-1-2。

表 6-1-2 　　　　　　　　　　　　　　厂房区节理走向分组

节理组编号	走向(°)	倾向	倾角(°)	说明
①	270 ~ 290	NNE/SSW	85 ~ 86	
②	340 ~ 350	NEE/SWW	83 ~ 86	同一组节理一般有两个
③	325 ~ 328	NE/SW	80 ~ 86	倾向,以表中前一个倾向
④	50 ~ 55	NW/SE	82 ~ 80	为主,后一个倾向是少数
⑤	0 ~ 20	NW/SE	80 ~ 82	

T_1^4 岩组中,节理密度一般为 1 ~ 2 条/m,局部为 0.5 条/m 或 2 ~ 3 条/m,节理发育程度属于稍发育 ~ 较发育,局部为不发育。T_1^{3-2} 岩组中,节理密度一般为 0.5 ~ 1 条/m,局部为 1 ~ 2 条/m,节理发育程度属不发育,局部为稍发育。节理张开宽度 0.3 ~ 2.0mm,钙膜充填、节理面平直粗糙。统计资料显示,厂房顶拱长度大于 3m 的节理有以下几个特点:

(1)在所发育的几组节理中,以 NWW 向即与厂房轴线近于垂直的一组节理最发育。这组节理发育密度大,沿走向延伸较长,一般都在 15m 以上。其次为 NNW 向即与厂房轴线近于平行的节理,这组节理沿走向延伸长度一般为 10 ~ 15m。其他 3 组节理不发育,只是在局部出现,而且沿走向延伸不长。

(2)不同的工程部位,节理发育程度也不同,厂房的南部(f_2 断层以南)比北部(0 + 070m 以北)发育,中部介于二者之间。厂房北部节理密度 1 条/(2 ~ 3m),节理延伸长度一般在 10m 以下;南部节理密度为 1 条/(1 ~ 1.5m),节理延伸长度一般在 20m 以上;中部节理密度为 1 条/(1.5 ~ 3.0m),延伸长度为 10 ~ 20m。

(3)节理在倾向方向延伸不长,一般不穿过软层,延伸长度大部分在 5m 以下,只有少数节理穿过软层,最长达 12m。由此可见,节理顺走向的延伸长度远远大于倾向方向的延伸长度。另外,在上、下游侧墙还发育有随机分布的规模较小的层间剪切带和节理裂隙密集带。

(四)泥化夹层

厂房顶拱和两侧墙开挖中发现多层泥化夹层,在高程 156 ~ 159m 之间有两层连续分布的夹泥层,位于拱座附近,其分布范围达 100 多 m。厂房顶拱以上,T_1^4 岩层内有 5 层泥化夹层,其高程分别为 174.5m、183.91m、184.65m、187.56m、192m,距厂房顶拱分别为 9.45m、18.86m、19.60m、22.51m、26.95m。除顶拱部位的泥化夹层分布范围较大外,大多数泥化夹层延伸不长,连续性较差,一般可见长度不超过 30m。厂房开挖揭露的泥化夹层分布情况表明,顶拱泥化夹层比两侧墙发育,顶拱泥化夹层连续性好、延伸长,有 2 层可见长度在 100m 以上。上、下游侧墙泥化夹层的分布以 1# 通风井为界,通风井以北泥化夹层很少,上、下游侧墙各有 1 层,可见长度都不超过 20m;通风井以南,特别是靠近厂房的南端泥化夹层比较发育,局部多达 5~6 层,但大部分泥化夹层可见长度在 15m 以下。显然,厂房泥化夹层的发育程度与节理发育程度是一致的,均为南端高于北端。

二、厂区围岩分类

根据开挖揭露的地质条件及试验获得的岩石力学指标,采用《水利水电工程地质勘察规范》(GB50287—99)附录 P 对厂房围岩进行分类,结果见表 6-1-3。

表 6-1-3　　　　　　　　　地下厂房水利水电围岩工程地质分类

岩组	饱和单轴抗压强度 R_c(MPa)	岩体完整性系数 K_V	结构面状态	地下水状态	主要结构面产状(顶拱/边墙)	总得分	围岩强度应力比	围岩类别
T_1^4	>127/30	较完整/25	平直粗糙/18	潮湿或干/0	-2 -6	67~71	>4	Ⅱ类
T_1^4(f_2 小断层以南)	>127/30	较完整/20	平直粗糙/18	潮湿或干/0	-2 -6	62~66	>4	Ⅲ类
T_1^{3-2}(地下水位以上)	64~123/25	完整/28	平直粗糙/20	微渗水/-2	-2 -6	65~69	>4	Ⅱ类
T_1^{3-2}(地下水位以下)	64~123/25	完整/28	平直粗糙/20	线流/-6	-2 -6	61~65	>4	Ⅲ类
T_1^{3-1}(地下水位以下)	>127/30	较完整/25	平直粗糙/25	线流/-8	-2 -6	59~63	>4	Ⅲ类
断层破碎带节理密集带层间剪切带	/12	较破碎/15	15	-2~-4	-5 -10	41~20		Ⅳ类

(一)水利水电工程围岩分类方法

该方法是《水利水电工程地质勘察规范》(GB50287—99)中规定的方法,用测出的围岩体积裂隙数,再用 N.Barton 经验公式计算 RQD 值,而后据此类比出岩体完整系数 K_V 值。其他各影响因素,按规定标准评分,由表 6-1-3 可知,厂房的围岩为Ⅲ类。其中 f_2 小断层以南和地下水位以下部分为Ⅲ类围岩,局部断层破碎带、节理密集带、层间剪切带为Ⅳ类围岩。

(二)RMR 与 Q 系统分类法

美国 Z.T.Bieniawski 提出的地质力学分类法,简称 RMR 分类法。用该法对厂房围岩分类结果是,除 T_1^4、T_1^{3-1} 岩组的等级比以前已列出的分类等级降低 1 级外,其他均相同。挪威 N.Barton 等人提出的 Q 系统分类法,与我国水电工程围岩分类法分析的结果大致相当,均属于中等偏上的围岩。

三、岩石力学指标

各类稳定分析采用的主要岩石力学指标见表 6-1-4。

表 6-1-4 主要岩石力学指标

岩组代号	平均干容重 (kN/m³)	弹性模量 (GPa)			变形模量 E_0(GPa)	岩石饱和抗压强度 Rc(MPa)	岩石抗拉强度 R_1(MPa)	层面摩擦系数 f	RMR的总评分	霍克-布朗常数		泊松比 μ
		垂直	水平	混合取值						m	s	
T_1^{5-3}	26.1	9.0	12.0	11.5	7.5	60	1.33	0.9	70	5.173 78	0.035 67	0.22
T_1^{6-2}	26.2	11.5	14.0	12.5	8.5	120	2.67	1.1	70	5.137 78	0.035 67	0.21
T_1^{5-1}	26.0	8.0	11.0	9.0	7.0	50	1.11	0.8	63	4.093 10	0.016 39	0.24
T_1^4	26.3	12.0	15.0	13.0	9.0	150	3.33	1.1	68.0	4.783 59	0.028 50	0.24
T_1^{3-2}	26.2	11.0	13.0	12.0	8.0	60	1.33	0.9	58	3.316 95	0.009 40	0.22
T_1^{3-1}	26.2	11.5	14.0	12.5	8.5	100	2.22	1.1	71	5.324 59	0.039 86	0.21
T_1^2	26.0	10.0	13.0	11.5	7.5	60	1.33	0.9	64	4.146 8	0.018 32	0.22

第二节 围岩稳定性分析

一、围岩稳定性分析的目的

围岩稳定性分析的目的是了解围岩的稳定状况。围岩的稳定性是新奥法所要研究的主题,如果围岩是稳定的就无需进行支护。所谓支护,主要是针对不稳定或有可能失去稳定的围岩的加固措施。了解围岩的稳定状况和围岩失稳、破坏形态是正确进行支护设计和评价支护效果的重要内容。

二、围岩稳定性分析的步骤

一般情况下,围岩稳定性分析可按下列步骤进行。

(一)判定洞室围岩的类型

对地下工程围岩的分类,国内外各方做了大量的探索和研究工作,提出的围岩分类方法不下百余种,国外应用最广泛的是以 Z.T.Bieniawski 的地质力学分类(简称 RMR 分类)为代表的和差计分法和以 Barton 的岩体质量 Q 系统分类(简称 Q 分类)为代表的综合乘积法。这些分类均经过大量工程实践,不断修正完善,并给出了相应的开挖支护准则,便于推广应用,近年来国内许多地下工程基本上都应用了这两种分类方法,并取得了较好的效果。

国内也有许多围岩分类法比较成熟,应用较多的有:①《工程岩体分级标准》(GB50218—94)中"岩体基本质量分级",它是根据岩体基本质量的定性特征与基本质量指标(BQ)相结合进行五级分类;②《水利水电工程地质勘察规范》(GB50287—99)中"围岩工程地质分类",它是以控制围岩稳定的岩石强度、岩体完整程度、结构面状态、地下水和主要结构面产状五项因素之和的总评分为基本判据,以围岩强度应力比为限定判据,进行五级分类;③《锚杆喷射混凝土支护技术规范》(GB50086—2001)中"围岩分级",采用了多因素定性和定量指标相结合的五级分类法,主要考虑了岩体的完整性、结构面性状、岩石强度、地下水和地应力状况等自然地质因素。在定性方面考虑了岩体完整性状态,定量方面增添了岩体声波指标和岩体完整性系数。

国内把围岩分为Ⅰ~Ⅴ级,分别表示围岩为稳定、稳定性较好、中等稳定、稳定性差和不稳定五种状态。前三级基本上是整体稳定的围岩,其破坏形式主要是局部块体、层状体的塌落和"片帮",产生的围岩压力主要是松散压力;后两级围岩则是整体不稳定的松散软弱围岩,大都会出现塑性状态,产生的围岩压力主要是形变压力。

(二)判断围岩失稳的可能性

根据初选的洞线和洞型、开挖方案、地质资料和岩体力学参数,初步分析围岩失稳的可能性,对于可能在洞室周边上出露的大块"危石",可采用赤平投影方法,确定有可能下塌的岩块的具体位置,按极限平衡方法,验算岩块是否沿着结构面滑动;对于岩性比较完整、强度比较高的岩体,可采用有限元法进行应力计算,了解洞室周围岩体内应力大小及其分布规律,确定受拉区的部位和范围。一般认为岩体不能承担拉应力,因此拉应力区被认为是不稳定的区域,应进行加固处理,或者调整布置或洞形,尽量消除拉应力区。对压应力值较大的区域,若压应力超过岩体强度,则出现塑性变形,应按弹塑性理论确定塑性区的范围。

(三)围岩稳定性评价

不同的分析计算方法应采取不同的评价标准,如工程类比法,围岩的分类级别即是稳定性标准;对于块体极限平衡法,则是以抗滑稳定安全系数评价围岩的稳定性;对于有限元法是从围岩塑性破坏区的范围、破坏机理等综合评价围岩的稳定性。必要时还应通过模型试验,验证上述成果的合理性。

(四)进行现场量测

进行现场量测,以检验分析成果的正确性,以便改进计算方法,修改支护设计和指导现场施工。

三、影响洞室围岩稳定性的主要因素

影响洞室围岩稳定性的因素很多,主要有以下几方面。

(一)岩体的地质结构

岩体的地质结构主要指断层、节理、裂隙、层面等软弱结构面的分布特点,如出现的频率、连通性、延伸长度、张开度、间距以及几组结构面组合情况等。国外常用 RQD 值来表示岩层的完整性,其值为 $RQD = \dfrac{在钻孔岩心中 10cm 以上的岩柱累计长度}{岩心总长度} \times 100\%$,国内常用"完整性系数" K_V 来表示岩层的完整性,分为 5 类。

$K_V > 0.75$	完整
$0.75 \geqslant K_V > 0.55$	较完整
$0.55 \geqslant K_V > 0.35$	完整性差
$0.35 \geqslant K_V > 0.15$	较破碎
$0.15 \geqslant K_V$	破碎

(二)岩石强度

在其他条件相同时,岩层的强度越高,围岩的稳定性越好,国内根据饱和单轴抗压强度将岩石强度划分为 4 级。

$R_c > 60\text{MPa}$ 坚硬岩石

$60 \geqslant R_c > 30$ 中等坚硬岩石

$30 \geqslant R_c > 15$ 较软弱岩石

$15 \geqslant R_c > 5$ 软岩

但是应该注意,岩石的 R_c 过大,而岩体的 K_V 值不大时,围岩的稳定性仍然是比较差的,因为尽管岩石强度很高,但对稳定性起不了那么大的作用。反过来说,若岩石的 R_c 很低,而相应的岩体 K_V 值很高,则围岩的稳定性也很差。

(三)岩体的初始地应力状态

初始地应力状态是指洞室开挖前岩体内部就存在的应力大小和方向。地应力的大小和作用方向对地下洞室围岩稳定性有重大影响,因此普遍引起了工程界的关注。地应力可以通过现场试验来测定,目前常用的方法有:洞壁面的应力解除法和应力恢复法;钻孔中的孔底解除法和孔径法;水力压裂法等。由于地应力受到许多因素的影响,不同地区、不同工程,甚至同一个工程中的不同区段,地应力的大小也不同。一般认为地应力的垂直分量与自重应力相近,而水平分量则与构造应力有关,而且有最大水平主应力和最小水平主应力之分。200 多座隧洞实测地应力的统计资料表明,深部水平地应力与垂直地应力的比值接近 1。霍克在研究了世界各地实测地应力资料后认为:当深度小于 500m 时,水平地应力明显比垂直地应力大;当深度超过 1 000m 时,水平地应力与垂直地应力趋于相等。也就是说,当深度很大时,地应力处于静水压力状态。

工程中最关心的问题是作用在横断面上的垂直压力和水平压力的大小,此时的水平应力与垂直应力之比称为侧压力系数($\lambda = \dfrac{\sigma_H}{\sigma_V}$)。洞室开挖后,洞壁原来法向地应力释放,围岩应力重新分布,当应力值超过岩体极限强度时,岩体内发生塑性屈服变形而滑移或塌落,因此在高地应力区应考虑地应力方向问题,尽量选择洞室纵轴线走向与最大主应力方向平行或呈较小夹角,以有利于边壁的稳定,减小侧向压力或变形。

国外采用岩石强度应力比($S = \dfrac{R_c}{\sigma_1}$),即岩石单轴饱和抗压强度 R_c 与最大主应力 σ_1 的比值作为地应力分级标准,分级如下:

$S > 4$ 低地应力

$4 > S > 2$ 中等地应力

$S < 2$ 高地应力

(四)地下水

地下水对围岩的稳定性是很不利的,洞室开挖后,由于临空面的出现,地下水就沿着结构面流向洞室,从而造成许多不良后果:①由于渗透水压力作用,岩层的有效应力大大降低,从而降低了岩层的抗剪强度;②由于水流沿着结构面流动,加速了结构面的风化过程,或者把原来存在于结构面上的胶结物质溶蚀或带走,严重时甚至把结构面"架空",致使围岩失去稳定;③水流在洞周围形成指向洞内临空面的渗流梯度,增大了围岩向洞内运动的推力,使围岩失稳。

另外,洞室的布置形式、洞室形状、开挖程序和开挖方法等都会影响围岩的稳定性。

四、洞室围岩失稳破坏的主要形态

洞室围岩的破坏形态可分为两大类。

(一)局部性破坏

这种破坏多发生在受多组结构面切割的坚硬岩体中,其表现形式有开裂、错动、滑移、崩塌等。主要破坏形式是塌滑,一般指拱顶的塌落和边墙的滑移。这种情况多发生在块状岩体中,是结构面不利组合的直接结果。一般情况下,这种不稳定块体是由断层、节理、层面等地质结构面与洞室临空面交割而成的。解决这类问题可采用块体平衡法。

(二)整体性破坏

整体性破坏是由于大范围内岩体应力超限而引起的,也称为"强度破坏",多发生在围岩应力大而岩体强度低的岩层中,主要表现形式有弯裂、大范围塌落、边墙挤出、底鼓、断面缩小等。

弯裂多在层状岩体中发生,当洞壁拉应力超限或者岩层受弯变形过大时,首先在某处开裂,接着就成层或呈片状剥落,所谓的"片帮"现象就属于这一类破坏。

"压剪破坏"是整体性破坏的一种典型形式,它是由于围岩中的切向应力过大而围岩强度不足而引起的。对于结构破碎或较软弱的围岩来说,由于岩层本身的强度较低,而洞室开挖后围岩处于单轴或二轴应力状态下,就很容易发生"压剪破坏"。

五、围岩稳定性评价

不同的计算方法采用不同的评价标准。

(1)工程类比法,围岩的分类级别就是对围岩稳定性的评价;它的判别标准是毛洞围岩的稳定状态,如成形的好坏、有无局部落石掉块现象、坍塌范围的大小、洞室变形和变形速率及其收敛情况。在已经掌握大量工程实践资料的情况下,这种方法是最经济和最简便的方法,也是目前锚喷支护设计的主要方法。

(2)块体极限平衡法是以抗滑稳定安全系数评价围岩的稳定性,它的判别标准是块裂岩体是否沿其结构面滑移。

(3)有限元法是从围岩塑性破坏区的范围、破坏机理和安全度等因素综合评价围岩的稳定性。采用有限元分析围岩稳定时,可按照不同的设计阶段的精度要求采用相应的计算方法,如在初设阶段,对岩性比较完整、强度比较高的岩体,可采用线弹性或非线弹性分析;在技施设计阶段可采用弹塑性或黏弹塑性有限元分析法。对于比较复杂的大型工程,而且三维特征比较明显的洞室,可采用空间非线性有限元分析。

第三节　喷锚支护设计的基本原理

一、新奥法的基本原理

新奥法是相对于"传统方法"而言的,从设计的指导思想到洞室开挖和支护施工这一全过程看,新奥法与传统方法有本质的不同,着重体现在对于荷载和承载结构的认识这个主要问题上。传统方法中应用最广泛的要数前苏联普托洛奇阔诺夫提出的坍落拱理论。该理论认为,洞室开挖后,洞顶一般可形成一个坍落拱,拱外围岩仍能保持自身稳定,拱圈内及不能形成坍落拱的围岩均为散粒体。为了维持洞室稳定,必须对该散粒体进行支护。散粒体的自重就是构成支护结构的重要荷载。支护结构只是为了承受下塌岩石荷载而存在,它完全是一种"被动受压"的结构。

新奥法认为,岩体的破坏是它的应力超过了其相应的允许强度的结果,围岩中哪里应力超过允许值,哪里就首先产生破坏。围岩应力的大小与地应力状态和洞室布置等情况有关;而岩石强度一方面是岩体本身的固有特性,但另一方面又受到许多人为因素的影响,如开挖方法和支护措施等。新奥法是把围岩受力情况和岩体性质与它的破坏形态紧密地结合起来,在充分考虑围岩自身承载能力的基础上,因地制宜地搞好地下洞室的开挖和支护工作。由于多种因素的影响,洞室开挖后有可能失去稳定,为保证工程的正常运行,应进行支护。这种支护应在围岩破坏之前的适当时机进行,支护结构本身应能与围岩共同工作。也就是说,支护结构应与围岩紧密结合,既要具有一定的刚度,以提供一定的支护反力,限制围岩变形的自由发展,又要具有一定的柔性,以适应围岩的变形。实践证明,锚杆和喷射混凝土支护是满足这两种要求的最佳支护手段,而支护时机则可通过现场量测结果来确定。因此,锚杆支护、喷射混凝土支护和现场量测被称为新奥法的"三大支柱"。

新奥法还认为,围岩的破坏是有条件的,只要措施得当,多数岩体经过加固后都具有一定的承载力,有时还可以成为承载结构中的主体。支护结构与围岩紧密结合,可以承担由于围岩变形而产生的"变形压力",它在与围岩一起变形时还可以形成一定的反力。因此,支护结构一方面起到承载作用,阻止围岩变形的发展,另一方面由于其反力作用,又可以提高围岩的强度值,有助于维护围岩的稳定,它是"主动的加固结构"。新奥法把围岩不仅仅看成荷载,更把它看成是主要的承载结构,这是对普氏设计理论的重大变革。

新奥法的基本思想是充分利用围岩自身的承载能力,要做到这一点,首先就要使围岩免遭破坏,保证围岩稳定。因此,在选择洞室轴线时,应尽量避开不利的地质构造,选取有利于围岩稳定的地段;在决定洞室布置和洞室形状时,要选择一种围岩应力分布比较均匀的方案,避免因过大的应力集中而造成围岩破坏;在洞室开挖时,要尽量减少对围岩的扰动,要制定出合理的开挖程序和采用对围岩损伤最小的开挖方法,例如采用光面爆破和预裂爆破等。在锚喷支护时,既要让围岩承担大部分荷载,又要避免围岩产生过大的变形,应搞好"适时支护"。所谓"适时支护"就是支护的时机要恰到好处,过早了,支护结构可能承担很大的变形压力,这是很不经济的;过晚了,围岩可能因变形过大而导致破坏,这是不安全的。正确的做法是,让围岩产生一定的变形,但又要加以限制,不使它发展到有害的程度,达到既经济又安全的目的。

新奥法的核心是围岩的稳定问题,新奥法的基本理论是现代岩体力学。洞室开挖前,岩体内部各点处于平衡状态,开挖后,由于岩体内部应力变化,围岩产生向着临空面的变形,当变形量达到某种允许的界限值时,围岩就产生破坏,要使它不发生破坏就必须限制其变形的自由发展,这就需要在洞壁上施加一定的约束力(也称为支护反力 P_i),使围岩

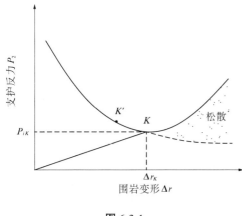

图 6-3-1

达到一种新的平衡状态。图 6-3-1 表示围岩径向变形与支护反力之间的关系曲线。图 6-3-1表明,欲使围岩产生的变形越小,所要施加的反力就越大。假若允许围岩产生较大的变形,就可以施加较小的反力,这种情况对支护结构设计来说,显然是有利的。但一般情况下,变形越大对围岩的稳定越不利,当变形超过某一允许值时,围岩则发生破坏,下塌的岩石压在支护结构上则形成通常所说的"松散压力",这时支护结构所受的压力反而增大了(如曲线上翘部分)。因此,成功的支护设计应该是以最小的 P_i 值来维护围岩的稳定,因为此时所需的支护最弱,所付出的代价最小。这种情况相应于图 6-3-1 中的 K 点,它所对应的支护反力 P_{iK} 称为最小反力 $P_{i\min}$。假若能够准确地决定 P_{iK} 的位置,此时围岩的承载能力就可以得到充分的发挥,而所施作的支护结构是最经济的。新奥法的支护时机正好选在 K 点上,因此它具有最好的经济效果。图中曲线要由开挖洞室现场实测资料点绘求得,一般不容易做到。理论公式,可按莫尔—库仑强度准则,根据塑性区内微分体的应力平衡条件,得到著名的芬涅尔公式:

$$P_i = \sigma_r = -C\cot\varphi + (\sigma_0 + C\cot\varphi)(1 - \sin\varphi)(R_0/R)^{2\sin\varphi/(1-\sin\varphi)} \tag{6-3-1}$$

式中　C、φ——岩体的凝聚力和内摩擦角;

　　　σ_0——岩体初始应力;

　　　R_0——洞室开挖半径;

　　　R——塑性区半径。

从岩石力学角度来看,岩体的抗剪强度是指它抵抗剪切破坏的能力,抗剪强度的大小与法向压力有关,它们之间的关系常用库仑定律表示:

$$\tau = \sigma\tan\varphi + C \tag{6-3-2}$$

式中　τ——抗剪强度,MPa;

　　　σ——法向压力,MPa;

　　　φ——内摩擦角,(°);

　　　C——凝聚力,MPa。

式(6-3-2)也可根据图 6-3-2 所示的几何关系改写为:

$$\sigma_1 = \sigma_3\left(\frac{1 + \sin\varphi}{1 - \sin\varphi}\right) + \frac{2C \cdot \cos\varphi}{1 - \sin\varphi} \tag{6-3-3}$$

当 $\sigma_3 = 0$ 时

$$\sigma_1 = \frac{2C \cdot \cos\varphi}{1 - \sin\varphi} \tag{6-3-4}$$

σ_1 就是单轴抗压强度,它是三轴受压下试件破坏的一种特殊情况,它也是一种剪切破坏,即压剪破坏,实际围岩的破坏正是这种情况。

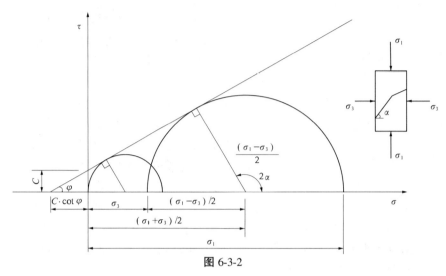

图 6-3-2

从式(6-3-3)可知，σ_3 的存在可以大大地提高围岩的抗压强度(σ_1)值。当 σ_3 为常数时，提高 σ_1 的多少与 φ、C 值有关，这是由岩体本身的性质所决定的。假若采用锚喷支护向围岩提供某一量值的 σ_3，就可以减少围岩发生破坏的可能性。新奥法就是利用围岩的这种特性，充分发挥围岩的承载能力，在洞室开挖后，向洞壁提供一个较小的均布的 P_i 就可以维持围岩的稳定，这就是新奥法的奥妙所在。

从图 6-3-3 可以看到，若采用支护结构来阻止变形 u(令 $u=0$)，则此时 σ_r 为最大值($\sigma_r = rh$)，如果允许变形产生，则随着 u 的增加 σ_r 很快减小，当 u 达到某值时，σ_r 不再减小反而趋向增大，即当围岩形成较大的松弛区，岩石抗力明显降低到连自重也不能承担时，松弛区的岩石压力将全部作用在支护上，如曲线 1(岩石特性曲线)的后段(虚线段)所示。曲线 2(支护适宜)反映开挖后施作支护，支护与围岩共同变形，u 增加 σ_r 也增加，当 u 发展到一定值，曲线 2 与曲线 1 相交，此时围岩压力与支护反力呈最小值相平衡，变形达到相对稳定，这就是新奥法采用柔性喷锚支护形式的优越性。

曲线 2 还反映了支护结构的刚度特性，支护结构的刚度越大(如曲线 3 所示)，则达到平衡时作用在支护结构上的压力也越大(如图 6-3-3 中 $P_i'' > P_i'$)。因此，支护要"及时"施作，并与围岩"紧贴"，还应该具有"柔性"，以保证产生足够的变形 u 和塑性圈，这样变形压力 P_i 才能减小。喷混凝土层正是保证了"及时""紧贴"和"柔性"，所以它的 P_i 值是较小的。曲线 4 表示支护过晚，使围岩变形加大，支护荷载加大，增加工程造价。

二、新奥法的基本内容

新奥法是一种把设计与施工凝为一体包括施工管理在内的技术方法，它涉及工程各个方面的技术问题，米勒教授的"22 条原理"被认为是对新奥法理论所作的一次比较全面的论述。概括起来，主要内容如下：

(1)地下工程在设计指导思想上，应该把衬砌与围岩当做一个整体来考虑，在承载方面，围岩起主要作用，要充分发挥围岩自身的承载能力，其先决条件是使围岩免遭破坏，维护围岩的稳定，尽可能利用围岩的固有强度。

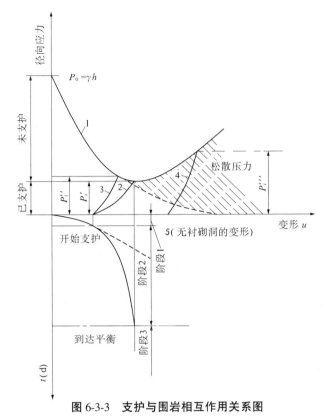

图 6-3-3　支护与围岩相互作用关系图

（2）在洞室开挖和支护施工的过程中，要提高开挖质量，尽量减少扰动，避免过大的应力集中。

（3）适时支护，要让围岩承担大部分荷载，防止围岩产生过大的变形和有害的松动，充分发挥围岩和支护结构的联合作用。

（4）应用现场量测资料及时修订原设计中的不合理部分和指导现场施工。

三、喷锚支护类型及作用

喷锚支护是喷射混凝土和锚杆支护的总称，根据不同的地质条件，有时是单独使用，有时是联合使用，有时还需使用钢筋网或钢拱架。

（一）喷射混凝土

喷射混凝土对围岩稳定有以下作用：

（1）喷射混凝土具有加固围岩的作用。地下洞室开挖后，破坏了岩体原来的相对平衡状态，引起洞室周围一定范围内岩体应力重新分布，并产生塑性变形，形成"塑性区"，喷射混凝土能有效地防止围岩变形的自由发展，从而免除或减轻岩体因松动、坍落而产生的压力。这种加固围岩的作用，特别是在松散软弱的岩体中效果更好。

（2）喷射混凝土的承载作用。喷射混凝土的性质与混凝土衬砌不同，混凝土衬砌由于其背后与围岩之间存在一定空隙，需要待围岩产生较大的变形后才能接触受力。而喷射混凝土与围岩接触紧密，黏结良好，具有较高的抗剪强度，与围岩一起共同作为承载结构。

(3)防止围岩风化。喷射混凝土可以及时、全面封闭整个岩面,隔断岩层与大气的联系,减少了岩层裸露时间,同时可以填补缺陷,堵塞渗漏通道,防止渗水和岩壁表面的风化。

(4)喷射混凝土可防止危石塌落。对喷射混凝土一方面要校核冲切强度,同时还要校核喷射混凝土与岩石表面间的拉应力,当最大拉应力大于喷射混凝土的黏结强度时,喷层在该处会被撕破,可按撕开作用计算喷射混凝土层厚度。

(二)锚杆(索)

锚杆对围岩稳定有以下作用:

(1)悬吊和连接作用。地下洞室的顶拱,由于节理裂隙的切割,形成不稳定块体,如果采用锚杆将不稳定块体锚固于稳定的岩体上,就可以保持顶拱围岩的稳定。在节理裂隙发育的坚硬岩层中多用来加固"危石"。

(2)组合梁作用。地下洞室的顶拱,如果是水平的层状岩层,在岩石荷载作用下,薄层岩石就像一根梁,在没有设置锚杆前,薄层岩石梁的弯曲是各自独立的,并在每一根"岩石梁"的下缘产生拉应力。设置锚杆后,将水平的薄层岩石串连起来,形成厚度较大的组合梁,使抗弯刚度增大,提高了围岩的承载能力。

(3)向围岩提供抗力,改善围岩受力状态。锚杆可以对围岩壁面提供一个与围岩变形方向相反的反力(P_i),使壁面围岩处于三向受力状态,提高了围岩内部的径向拉应力,使壁面附近的切向力降低,对围岩的稳定十分有利。

(4)加固作用。在块体围岩中,锚杆应力可以提高不连续面的摩擦力,有利于维持洞室的稳定。锚杆的加固作用还体现在岩体力学性质得到改善,可以提高内摩擦角,也就是说提高了围岩的抗剪强度。

(三)钢筋网对围岩的加固作用

钢筋网的作用在于防止松动岩石掉落,防止喷射混凝土因收缩而产生裂纹,同时使喷射混凝土应力得到较为均匀的分布。

第四节　地下洞室支护设计方法

地下工程设计的主要任务之一是设计支护结构。

20世纪初,为适应地下工程建设的需要,曾提出了不少的设计理论,其中最著名的是前苏联普托洛奇阔诺夫提出的坍落拱理论。该理论认为洞室开挖后,洞顶一般形成一个坍落拱,坍落拱以上散粒体的自重就构成支护结构的重要荷载。这个理论主要是依据承受山岩压力、保持岩体稳定不坍塌为准则而进行设计的。在很长一段时间内,工程界一直遵循普氏理论,但是人们在实践中发现,这种把围岩视为荷载的设计理论对于坚固系数$f_k \leqslant 2 \sim 3$的松散软岩尚可适用,对于硬岩或比较坚硬的岩石,坍落拱理论不适用,继续沿用该理论进行设计将会造成很大浪费。

20世纪60年代,随着地下工程建设的发展,一种新的方法诞生了,这就是"新奥地利隧道工程法",简称新奥法,它不是一种纯粹的理论,也不是一种施工方法,它是一种把设计与施工凝为一体的技术方法,它涉及工程各个方面的技术问题。新奥法出现以后,锚杆和喷射混凝土支护也得到了新的迅速发展。新奥法需要借助于喷锚支护这一手段,而喷锚支护的设计与施工也只有以新奥法原则为指导才会更有成效,它们之间的关系是"相辅相成"的。近年来国内外一些大跨度水电站地下厂房都成功地采用了喷锚支护的衬砌形式,作为永久支护,并获得了显著的经济效益。现在,无论是国内还是国外,喷锚支护都广泛应用于各种用途的洞室,但是直到目前为止,喷锚支护的设计理论并不十分成熟,实际工程的设计一般是先用"工程类比法"初选支护参数,然后再用有关的理论进行验算,必要时再通过模型试验来验证。

围岩的破坏形态有两种,一种是局部性破坏,一种是整体性破坏。根据围岩的两种破坏形态,分别采用两种支护方法,对局部性破坏,采用局部加强支护(随机支护),主要是压紧局部岩块之间的缝隙,根据开挖揭露出来的地质现象而局部加设的支护。对整体性破坏,则采用系统支护方法,主要是以形成围岩内压效应为目的,在地下洞室周围,按一定格式布置的系统支护。

一、锚杆支护设计

(一)锚杆的类型

锚杆的类型主要有:

(1)全长黏结型锚杆。有普通水泥砂浆锚杆、早强水泥砂浆锚杆、树脂卷锚杆、水泥卷锚杆等。

(2)端头锚固型锚杆。有机械锚固锚杆、树脂锚固锚杆、快硬水泥卷锚固锚杆等。

(3)摩擦型锚杆。有缝管锚杆、楔管锚杆、水胀锚杆等。

(4)预应力锚杆和自钻式锚杆等。

(二)局部锚杆设计

局部锚杆主要用于对局部或个别"危石"的加固。

1.锚杆的布置

局部锚杆也称为随机锚杆,它的布置没有固定的格式但应遵守下列原则:

(1)对于层状岩体,锚杆应垂直于层面布置;对块状或层面不明显的其他岩层,锚杆应垂直于滑动面或呈径向分布。

(2)拱腰以上局部锚杆的布置方向应有利于锚杆受拉,拱腰以下及边墙的局部锚杆布置方向应有利于提高抗滑力。

2.锚杆长度的确定

锚杆长度是最重要的参数之一,锚杆必须穿过结构面或松动区并进入稳定岩层一定深度。因此,锚杆长度 L 可用下式计算:

$$L = h_1 + h_2 + h_3 \tag{6-4-1}$$

式中　h_1——松动区深度或结构面至洞壁的距离;

　　　h_2——锚杆进入稳定岩层的深度或称为"内锚固长度";

　　　h_3——锚杆在洞壁处的外露长度。

(三)系统锚杆设计

当围岩有可能产生整体性破坏时,应采用系统锚杆来加固,在平面上,这种锚杆一般

采用矩形、梅花形、菱形等布置形式;在断面上,一般呈径向分布。设计的系统锚杆应满足下列条件:

(1)锚杆应穿过塑性区并进入弹性区一定深度,即:

$$L = R_p + h_2 + h_3 \qquad (6\text{-}4\text{-}2)$$

式中　R_p——塑性区半径;

其余符号含义同前。

在某些情况下不一定所有的锚杆都穿过塑性区。

(2)锚杆的间距和排距,一般为锚杆长度的 1/2 左右,但其绝对值应小于 1.5m。Ⅳ、Ⅴ类围岩中锚杆间距宜为 0.5~1.0m,并不大于 1.25m。

(3)在横断面上,锚杆轴线应与岩体结构面成较大的夹角,若结构面不明显,可垂直于洞室的轮廓线布置,称为径向布置。

(4)作为永久性支护的锚杆,锚孔内应填满水泥砂浆或其他具有防腐作用的胶结材料。

根据小浪底工程经验,在层状岩石中系统锚杆最好采用张拉锚杆,所谓张拉锚杆,并不是采用千斤顶对锚杆进行张拉,而是采用套筒扳手进行张拉,施工非常方便,按预先率定的扭矩将套筒扳手扭转几圈即可,这样可以及时地向洞壁施加一定的反力(即支护抗力),对防止围岩初期变形非常有效,这是小浪底工程成功地采用新奥法施工的关键。

根据每个工程部位的不同地质情况,可采用不同材料的张拉锚杆。有树脂卷张拉锚杆、水泥卷张拉锚杆、胀壳张拉锚杆等。

二、喷射混凝土支护设计

喷射混凝土厚度应根据围岩性质区别对待,一般软弱岩层喷射混凝土层厚度取 10~20cm,较硬岩层取 8~15cm,坚硬岩层取 7~10cm。但其最小厚度不应低于 50mm,最大厚度不宜超过 20cm。

喷射混凝土层的厚度,应根据围岩的不同破坏形式和不同部位分别计算:

(1)当"危石"处于拱腰以上部位时,喷射混凝土层的厚度应足以抵抗"危石"沿其下盘轮廓对喷层所造成的"冲切破坏";同时喷射混凝土与围岩之间的黏结力应足以抵抗由"危石"引起的"黏结破坏"。

(2)当"危石"处于拱腰以下或边墙部位时,应验算滑动面上抗滑稳定安全系数。

(3)当围岩产生整体性破坏时,应采用芬涅尔公式求出作用在喷射混凝土层的支护反力 P_i,据此计算喷射混凝土层的厚度。

三、喷、锚、网联合支护设计

喷、锚、网联合支护设计,是由岩体、锚杆、喷射混凝土层和钢筋网组成联合承载结构,它所能提供的抗力是各组成部分各自抗力之和,这一数值应大于计算的外载,并留一定的安全裕度。根据剪切破坏理论(见图 6-4-1)各部分支护抗力按下列方法计算:

(1)喷射混凝土层抗力 P_h,由喷射混凝土层的抗剪力来决定:

$$P_h = \frac{2d\cos\Psi}{b\sin\alpha}\tau_B \tag{6-4-3}$$

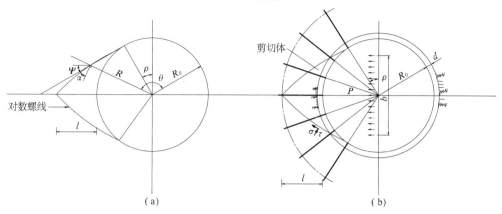

图 6-4-1　剪切体示意图

(2)钢筋网的抗力 P_y,由滑动面上所剪断的钢筋所提供的抗剪力来决定:

$$P_y = \frac{2A_y\cos\Psi}{C \cdot b \cdot \sin\alpha}R_{gB} \tag{6-4-4}$$

(3)锚杆的抗力 P_m,可由锚杆被拉断时的抗力来决定:

$$P_m = \frac{2SA_m \cdot \cos\beta}{a_1 a_2^2 b}R_g \tag{6-4-5}$$

式中　d——喷射混凝土层的厚度;

　　　Ψ——喷射混凝土层剪切面与水平轴所成的夹角;

　　　b——剪切楔形体高度;

　　　α——岩体的剪切角,$\alpha = \frac{\pi}{4} - \frac{\varphi}{2}$;

　　　C——钢筋网环向网距;

　　　A_y——钢筋网单根钢筋面积;

　　　S——剪切体弧长之半,$S = R_0(\frac{\pi}{2} - \rho)$;

　　　A_m——锚杆的断面面积;

　　　a_1、a_2——锚杆的间、排距;

　　　β——剪切区内锚杆的平均倾角,$\beta = \frac{1}{2}(90° - \rho)$;

　　　τ_B——混凝土抗剪强度,一般取 $\tau_B = 0.9 \times 0.2R$;

　　　R_{gB}——钢筋抗剪强度,一般取抗拉设计强度的 0.6 倍;

　　　R_g——锚杆抗拉强度;

　　　R——喷射混凝土抗压强度。

喷锚支护的总支护抗力为 $P_w = P_h + P_y + P_m$,总支护抗力应大于要求的支护抗力 P_i,P_i 是为了防止剪切楔形体的滑移所需要提供的最小支护抗力(见式 6-3-1)。

第五节　地下厂房喷锚支护设计

一、工程类比法

(一)工程类比法的方法和原则

工程类比设计方法通常分直接类比法和间接类比法两种。直接类比法一般根据围岩地质条件、洞室埋深、洞室形状与尺寸及施工条件等,将设计工程与上述条件基本相同的已建工程进行对比,由此确定洞室形状、支护类型和支护参数。间接类比法一般是根据现行规范,按照围岩分类确定各种参数。

工程类比法的设计原则是:①以已建工程的经验和实践为依据,进行综合分析比较,要搞清所设计工程的基本条件,不能生搬硬套;②分清围岩破坏是属于整体稳定性问题还是局部稳定性问题;③最终确定的支护参数要接受监控设计的指导,必要时进行修正。

(二)岩石支护

小浪底工程地下厂房三大洞室均采用喷锚支护作为永久支护形式。目前对锚杆和喷混凝土支护地下结构的工作机理,还不能从理论上解释得十分清楚,但在实践中所取得的成功是无可争辩的。

1.直接类比法

根据对国内外 42 个大型地下厂房的工程地质条件、洞室尺寸、锚杆参数(长度、直径、间距)、锚索参数(吨位、长度、间距)、喷射混凝土层厚度等有关资料统计,分析出锚杆长度(L)与洞跨(B)、洞高(H)的关系见图 6-5-1、图 6-5-2,洞跨和洞高与支护压力的关系曲线见图 6-5-3、图 6-5-4。表 6-5-1 列出了 20 个与小浪底工程相近的工程实例。

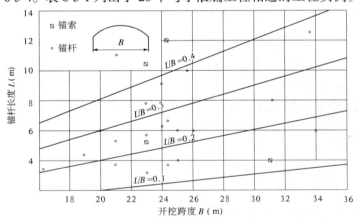

图 6-5-1　国内外地下厂房锚杆长度与洞室跨度的关系

(1)系统锚杆设计,由图 6-5-1、图 6-5-2 可以看出,系统锚杆的 L/B 值为 0.1 ~ 0.65,其中大多数 $L/B = 0.1 ~ 0.3$;L/H 值为 0.1 ~ 0.7,其中大多数 $L/H = 0.1 ~ 0.2$;系统锚杆间距一般为 1 ~ 3m,喷射混凝土层厚 $\delta = 0.1 ~ 0.25$m,大多采用挂网。从图 6-5-3、图 6-5-4 中可以看出,顶拱支护压力 P_B 为 0.05 ~ 0.20MPa,边墙支护压力 P_H 为 0.02 ~ 0.24MPa。从表 6-5-1 可以看出,顶拱采用混凝土衬砌的工程大都在 20 世纪 70 年代或以前,而 80 年代以后的工程很少采用刚性支护。

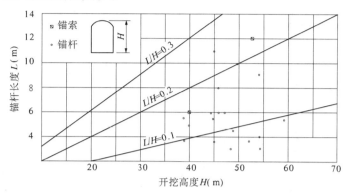

图 6-5-2　国内外地下厂房锚杆长度与洞室高度的关系

根据直接类比法选定小浪底工程地下厂房支护参数为:拱顶张拉锚杆Φ32@1.5m×1.5m, $L = 8m、6m$,间隔布置;边墙张拉锚杆Φ32@1.5m×1.5m, $L = 10m、6m$,间隔布置;$L/B = 0.267$, $L/H = 0.13$, $P_B = 0.075MPa$,喷射混凝土厚为 20cm。

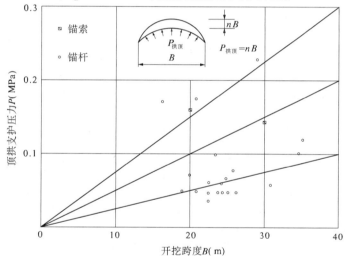

图 6-5-3　国内外大型地下厂房顶拱支护压力

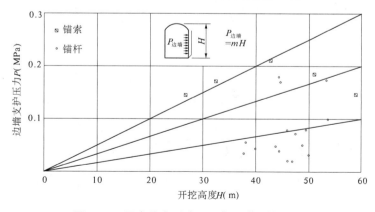

图 6-5-4　国内外大型地下厂房边墙支护压力

表 6-5-1

地下厂房锚喷支护工程实例

序号	电站名称	国名(投产年)	厂房尺寸 长×宽×高 (m×m×m)	岩石及地质情况	使用部位	喷锚支护类型及参数					村砌或喷混凝土厚度 δ(cm)	锚杆长(L)/洞跨(B)	锚杆长(L)/洞高(H)	支护压力 (MPa)
						类型	锚杆长 L (m)	间排距 (m)	锚杆直径 (mm)	预应力值 (10kN)				
1	白山	中国(1983)	121.5×25×54	花岗岩,有三组断层,四组节理	顶拱 边墙	砂浆 锚杆	3.5~4.5 2.5~3.5	1.5×1.5 1.5×1.5	25 22		挂网喷混凝土 δ=15	0.14~0.18	0.05~0.07	0.05 0.04
2	明湖	中国(1989)	127.2×21.2×45	砂岩夹有少量页岩和黏土页岩	顶拱 边墙	锚索+锚杆	7.5~15	2.0×2.0		10~60	顶拱混凝土村砌 δ=120	0.35~0.7	0.17~0.33	0.175 0.175
3	二滩	中国(在建)	296×31.2×72.5	正长岩,蚀变玄武岩	顶拱 边墙	砂浆锚杆 锚索+锚杆	4/8 25/10	1.5 3/1.5	28/28	145 175	挂网喷混凝土 δ=20	0.13~0.26	0.14~0.35	0.06 0.24
4	鲁布革	中国(1988)	125×19×38.4	灰岩	顶拱 边墙	砂浆锚杆	4~5 5~6	1.5 1.5	22~25 25		挂网喷混凝土	0.21~0.26	0.13~0.16	0.05 0.05
5	东风	中国(1996)	105×20×48	灰岩	顶拱 边墙	砂浆锚杆	5~7 4~5	1.2×1.3 1.2×1.3	25 25		挂网喷混凝土 δ=15	0.25~0.35	0.08~0.10	0.07 0.07
6	广蓄 (1期)	中国(1995)	146.5×21×44.5	黑云母花岗岩	顶拱 边墙	砂浆锚杆	3.0~4.3 4.3~7.0	1.5 1.5×2	25 25		挂网喷混凝土 δ=15	0.14~0.21	0.10~0.16	0.05 0.04
7	十三陵	中国(1995)	145×23×46.6	角砾岩	顶拱 边墙	砂浆锚杆 锚索+锚杆	5/3 15/8	1.5 3×9/1.5×1.5	28/28	60	顶拱混凝土村砌边墙挂网喷混凝土 δ=15	0.13~0.22	0.17~0.22	0.06 0.08
8	喜撰山	日本(1970)	60.4×25.7×49.6	砂质板岩	顶拱 边墙	预应力锚杆	5~15	3m²/根	27	10~40	顶拱混凝土村砌边墙挂网喷混凝土 δ=15	0.39	0.20	0.08 0.08
9	丘吉尔瀑布	加拿大(1974)	300×25×50	花岗岩及片麻岩	顶拱 边墙	张拉锚杆	4.5~7.5 4.5~6	1.5 2.1	34.9 25	12~20 12	挂网喷混凝土	0.24	0.10	0.07 0.03
10	买加	加拿大(1976)	237×24.4×44.2	石英片麻岩	顶拱 边墙	灌浆锚杆	6~7 6	1.5 1.5	25 25		顶拱喷混凝土 δ=10	0.26	0.13	0.05 0.05

续表 6-5-1

序号	电站名称	国名(投产年)	厂房尺寸 长×宽×高 (m×m×m)	岩石及地质情况	使用部位	喷锚支护类型及参数								
						类型	锚杆长 L (m)	间排距 (m)	锚杆直径 (mm)	预应力值 (10kN)	衬砌或喷混凝土厚度 δ(cm)	锚杆长(L)/洞跨(B)	锚杆长(L)/洞高(H)	支护压力 (MPa)
11	拉格郎德一—Ⅱ	加拿大(1982)	483×26×47	花岗片麻岩	顶拱 边墙	张拉锚杆	6.1 6.1	2.1 2.1	34.9 25	20.4 9.1	顶拱挂网喷混凝土	0.24	0.13	0.05 0.02
12	比尔思沃辅	美国(1973)	69×24×46	云母片岩	顶拱 边墙	灌浆锚杆	6.1 6.1	2.1 2.1	34.9 25		喷混凝土 δ=10	0.25	0.13	0.05 0.02
13	保罗—阿丰索—Ⅳ	巴西(1978)	210×24×54	花岗岩、混合岩、云母片麻岩	顶拱 边墙	张拉锚杆	9.0 9.0	1.5 1.5	32 32	22.5 22.5	挂网喷混凝土 δ=10~15	0.375	0.17	0.10 0.10
14	狄诺维克	英国(1978)	180.3×24.5×52.2	板岩	顶拱 边墙		12/3.7	6/2		120/20	挂网喷混凝土	0.15	0.49/0.23	0.06 0.06
15	木川	日本(1985)	96×23.3×45.4	砂页黑色片岩,夹有石英脉	顶拱 边墙	锚索+锚杆	3/20 13/10		25 21.8		顶拱混凝土衬砌 边墙喷混凝土	0.43	0.22	
16	瓦尔德克一—Ⅱ	德国(1974)	106×34×54	砂岩页岩夹层,节理发育	顶拱 边墙	预应力锚杆 锚索+锚杆	6 23/4	1.0 3×4/2×2		12 170/12	挂网喷混凝土	0.18	0.43/0.07	0.20 0.17
17	马吉尔湖	意大利(1971)	220×21×59	片岩	顶拱 边墙	锚索+锚杆	30~15/5.3	1.0 2.2×8/5, 4.4×8			顶拱混凝土衬砌 边墙喷混凝土	0.07/0.25~0.5		
18	德雷肯斯堡	南非(1981)	193×16.3×45	水平层状砂岩和粉砂岩	顶拱 边墙	砂浆锚杆	2~5	1.0	32		挂网喷混凝土	0.12~0.31	0.04~0.11	0.17 0.17
19	北地山	美国(1973)	100×23×40	片麻岩,石英岩	顶拱 边墙	预应力锚杆	10.7/7.6 6.2/4.9	1.5 1.5	25.4	9.1	挂网喷混凝土 δ=10.2	0.33~0.47	0.12~0.15	0.04 0.04
20	今市	日本(1985)	107×33.5×48.5	硅质砂岩,砂板岩	顶拱 边墙	预应力锚杆	15.10 5	2.0 2.0	29 29	39.5 21.1	挂网喷混凝土 δ=24	0.15~0.44	0.10~0.31	0.10 0.05

注:斜线左方为锚索参数,右方为锚杆参数。

(2)锚索设计,从表 6-5-1 中可以看出,国内外已建大型地下厂房,预应力锚索吨位一般为 1 000～1 700kN,长度为 10～20m,特别是与小浪底工程岩石条件相似、规模接近的瓦尔德克 II 电站,采用了 23m 长、1 700kN 锚索。考虑到小浪底工程地下厂房顶拱跨度大,且顶拱以上 23m 范围内分布有三层连续泥化夹层,而且岩石属于层状围岩,节理发育,所以在厂房顶拱设置长 25m,间排距 4.5m 和 6m、1 500kN 锚索,以提高层间摩阻力,起到"组合梁"作用。由于厂房边墙中上部位移较大,并有尾水管洞、母线洞与其相交,因而在边墙中部软岩部位增加了 12m 长、间排距 2m 和 4.5m、500kN 预应力锚杆,而岩壁梁部位也采用 500kN 预应力锚杆。

2.间接类比法

根据前述围岩分类结果,依据国内现行规范选用支护参数见表 6-5-2。

表 6-5-2　　　　　　　　　　间接类比法选用支护参数

规范名称	围岩类别	跨度（m）	喷层厚度（cm）	锚杆	
				直径(mm)	长度(m)
《锚杆喷射混凝土支护技术规范》	II 下	15～20	12～15		3.0～4.0
（GB50086—2001）	II 下	20～25	15～20		5.0～6.0
《水电站厂房设计规范》	II 下	16～20	12～15	18～22	2.5～3.5
（SD—335—89）	II 下	21～25	15～20	20～25	3.5～5.0

注:因小浪底工程招标设计时,水电站厂房设计新规范尚未出版,故采用原规范。

3.Q 系统类比法

Q 系统类比法是挪威岩土工程研究所 N.Barton 等人建议按岩体综合指标 Q 值选择喷锚支护参数的一种简便方法。图 6-5-5 是洞室支护分区图,共分 7 个区。从图中可以看出开挖尺寸、岩体质量、支护形式三者之间的关系。其中 1 区表示现浇混凝土衬砌;2 区为现浇混凝土衬砌或锚杆加钢纤维增强喷混凝土;3 区为锚杆加钢纤维增强喷混凝土;4 区为锚杆加喷混凝土;5 区为系统锚杆;6 区为零星随机锚杆;7 区无需支护。图中 F 表示需要挂网喷混凝土,S 表示需要喷混凝土,R 表示需要锚杆。

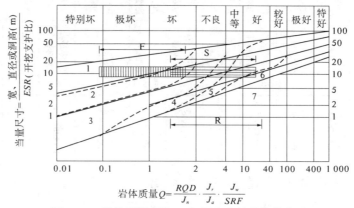

图 6-5-5　岩体质量指标 Q 与洞室支护选择的关系

根据小浪底地下厂房围岩 Q 值和洞室开挖尺寸,支护分区主要在 3、4、5 区,从分区图中可查表得出支护分类和支护建议,由此初步确定小浪底地下厂房支护参数见表 6-5-3。

表 6-5-3   **Q 系统法确定的支护参数**

部位	Q 值	支护类别	支护措施	拟选用的支护参数
南端顶拱	7	19	B(tg)1~2m + S(mr)10~15cm 锚杆长 $L = 3、5、7m$	张拉锚杆Φ32@1.5m×1.5m, $L = 6、8m$, 间隔布置,挂网喷射混凝土 $\delta = 15cm$
北端顶拱	12.5	15	B(tg)1.5~2m + S(mr)5~10cm 锚杆长 $L = 3、5、7m$	张拉锚杆Φ32@1.5m×1.5m, $L = 6、8m$, 间隔布置,挂网喷射混凝土 $\delta = 15cm$
边墙	12.5	20	B(tg)1.5~2m + S(mr)10~15cm 锚杆长 $L = 6、8、10m$	张拉锚杆Φ32@1.5m×1.5m, $L = 6、8m$, 间隔布置,挂网喷射混凝土 $\delta = 15cm$

注:B(tg)表示张拉锚杆;S(mr)表示钢筋网喷混凝土。

二、国内外专家咨询意见

(一)世行咨询专家组的评价(挪威岩石力学及隧洞专家 N. Barton 博士)

1990 年 11 月,第一次咨询报告指出:

(1)地下厂房深埋于雄厚山体内的布置,从地质角度看是安全可以接受的。

(2)在地下厂房部位,补充布置了 6 个钻孔,其勘探结果对地下厂房厂址是比较有利的。专家组对其中的 T_{628} 号钻孔岩心在郑州进行了察看。确认了主要洞室如地下厂房、主变室、尾水闸门室等,主要是在 T_1^4 地层中开挖。T_1^4 地层是由 95% ~ 97% 的砂岩和 3% ~ 5% 的粉砂岩组成的。T_1^4 地层中没有发现泥化夹层。据介绍其他钻孔与上述 T_{628} 钻孔所揭示的情况是类似的,都比较有利。

(3)60m 厚的强钙质硅砂岩地层 T_1^4 被选为布置发电设施的主要地下建筑物(厂房、主变室、尾闸室)是相当有利的。地下厂房边墙的 2/3 高度和全部顶拱均位于 T_1^4 岩组中,岩块尺寸一般为 0.5 ~ 1m 范围。只有厂房洞壁的下部位于较有利的 T_1^{3-2} 地层岩层中。

(4)根据此区域 6 个钻孔资料,黄委会地质总队划定岩层具有平均值 $Q = 12.4$。就进行厂房区域的岩石支护而言,特咨询专家组对所察看钻孔岩心计算的 Q 值为 7,比黄委会稍为保守一些。

(5)根据以前的勘探工作,没有发现重要断层穿过这些洞室区,最近的一条是 F_{28} 断层,已在 100m 之外,F_{238} 断层也相距 260m 之遥。

专家组认为,地下厂房地段的地质条件对地下厂房的施工是有利的。

(二)世行特咨专家组对地下厂房支护设计的具体建议

(1)在第一号咨询报告中,对地下厂房的支护作了初步估算,所得的支护要求如下。

顶拱部位:

锚杆间距 1.5m,长度 4m 和 8m 两种,交错布置;

钢纤维增强喷混凝土,厚 10 ~ 20cm;

当顶拱处出现有夹泥层时,采用长度为 10m 的锚索支护,锚索间距为 3m;

对于偶然出现的夹泥层,采用局部锚索支护。对于频繁出现的夹泥层,采用系统锚索处理。

边墙部位:

锚杆间距 2m,长度 8m 和 12m 两种,交错布置;

钢纤维增强喷混凝土,厚 10～20cm;

考虑到砂岩的岩性较为坚硬,而且岩层倾向有利(倾向墙内),下游边墙不需采用锚索加固,上游边墙内当有泥化夹层分布时,需要局部采用锚索加固。

(2)1991 年 5 月,在第二号咨询报告中,对地下厂房支护设计的初步评价(针对初步设计阶段,地下厂房支护设计图纸)。

拱部:

锚杆间距 1.5m,Φ28,长度 4m 和 8m 两种,交错布置,钢筋网喷混凝土厚 20cm。

边墙:

锚杆间距 1.5m,Φ25,长度 8m 和 12m 两种,交错布置,钢筋网喷混凝土厚 20cm。

(三)国内专家咨询意见

1991 年 12 月在郑州召开小浪底地下工程技术讨论会,水利部严克强副部长亲自主持,其主要意见如下:

(1)总的评价,小浪底地下工程地质条件已清楚,可建大型洞室,围岩整体是稳定的,但应注意局部滑动问题。

(2)地下厂房总体布置是合适的,设计方面总的看比较先进。按工程类比法,小浪底地质条件没有白山、二滩和鲁布革岩石质量好,按围岩分类,小浪底地下围岩应是Ⅲ类或Ⅲ类偏上,山体稳定没有大问题。

(3)地下厂房轴线方向是合理的,但与主要节理夹角偏小(<30°)。岩体属于缓倾角层状岩,厂房围岩稳定性顶拱比边墙差。

(4)厂房下游边墙,因开挖洞子多,围岩稳定性差。洞子开挖时,应及时支护、锁口,然后再向下开挖。

(5)个别专家提出锚杆偏多、偏长。建议顶拱锚杆可加长些,边墙锚杆可短些。另外要适当准备些钢支撑,断层带要超前锚固。

(6)平面有限元计算表明,有锚杆和无锚杆支护对变形影响较小,二滩打了许多锚索,小浪底设计图纸上没有见到锚索。有人认为锚索工艺复杂,造价高,最好不用锚索。喷混凝土层厚 20cm,国内实例较少,鲁布革喷混凝土层厚 15cm,国外专家建议采用钢纤维喷混凝土,因造价太高设计上未采用。

(7)采用岩壁吊车梁是可行的,设计时要考虑超挖影响。

(8)喷锚支护设计中,关键是岩体力学参数和边界条件,现在设计采用的岩体力学参数偏低。要有一个专门报告对岩石力学参数进行论证,基本资料正确,设计不会出现大问题。

(9)厂房顶拱部位要尽快打深洞,摸清节理裂隙、夹泥层的分布情况。

针对国内外专家建议,黄委会勘测规划设计研究院对支护参数做了相应调整,并采取了相应的工程措施。

三、极限平衡法

设计中用极限平衡法进行局部验算。

(一)喷锚网联合支护设计

根据弹塑性原理,采用式(6-3-1)计算围岩所需最小支护抗力 $P_{\min}$。

根据卡柯和恺利施尔所推导的围岩压力公式:

$$Z = \frac{\gamma R_0(1 - \sin\varphi)}{3\sin\varphi - 1}\left[1 - \left(\frac{R_0}{R}\right)^{\frac{3\sin\varphi - 1}{1 - \sin\varphi}}\right] \tag{6-5-1}$$

式中　γ——岩石容重;

其他符号含义同式(6-3-1)中。

令 $P_{\min} = Z$ 联立求解,即得最小支护抗力 $P_{\min}$。

根据选定的系统支护参数,求喷、锚、网联合作用下支护结构所能提供的总支护抗力为:

$$P_w = P_h + P_y + P_m$$

其中

喷混凝土 C25,厚度 20cm,所提供的支护抗力为 $P_h = 0.12$MPa;

系统张拉锚杆Φ32@1.5m×1.5m 所提供的支护抗力为 $P_m = 0.12$MPa;

钢筋网 Φ8@20cm×20cm 提供的支护抗力为 $P_y = 0.01$MPa。

则总支护抗力为 $P_w = P_h + P_m + P_y = 0.12 + 0.12 + 0.01 = 0.25$(MPa)。

对不同的岩体力学参数 φ、C 值进行敏感性分析。计算结果见表6-5-4。

表 6-5-4　　　　　　　　主厂房剪切滑移法计算结果

计算项目		计算结果					
喷、锚、网联合提供支护抗力 P_w(MPa)		0.25					
岩体力学参数	内摩擦角 φ(°)	33		35		45	
	凝聚力 C(MPa)	0.10	0.15	0.25	0.15	0.4	0.6
	初始应力 σ_0(MPa)	2.48					
	容重 γ(kN/m³)	26.2					
围岩所需最小支护抗力 $P_{\min}$(MPa)		0.16	0.152	0.141	0.148	0.099	0.035
安全系数 $K = P_w/P_{\min}$		1.56	1.64	1.77	1.67	2.53	7.14
松弛区深度 $S = R - R_0$(m)		10.47	9.51	8.45	9.92	5.18	1.99
加固深度占松弛区的比例 $M = L/(R - R_0)$(%)		66	74	95	70	>100	>100

表6-5-4 中,K 值和 M 值为衡量喷锚支护安全度的两项指标。对 K 值,当喷锚支护材料取设计强度时,$K = 1.5 \sim 2.0$ 即可满足要求。对于 M 值,一般认为锚杆加固深度与塑性圈深度的比值需大于 50%。验算结果表明,初选支护参数均满足要求。

(二)块体极限平衡分析

当地下洞室围岩内存在不利结构面组合时,岩体有可能产生坍塌和滑动,为此我们引进了加拿大多伦多大学编制的 UNWEDGE 程序进行分析计算,以此评价围岩的稳定性。程序基本假定为:①结构面是理想的平面;②结构面连续分布于被研究的有可能形成不稳定楔形体的空间,而楔形体内没有新的破裂面,结构面可以发生在岩体内的任何地方;③楔形体是刚性的,只承受自重荷载,不受现场开挖应力的作用。该程序一次能分析 3 个结构面的组合,若结构面多于 3 个时,则按排列组合方式分别进行计算。

计算参数见表 6-5-5。对表 6-5-5 中 5 个结构面,共进行 80 种组合,凡是毛洞时安全系数 $K > 2$ 的情况,不再分析研究,认为满足要求。以下对 $K < 2$ 的情况,列入表 6-5-6、表 6-5-7进一步分析计算,确定适当的支护措施,以保证围岩的稳定性。

表 6-5-5　　　　　　　　　　　　　　　主要结构面构造特征

结构面代号	产状			力学指标		说明
	走向	倾角	倾向	摩擦系数 f	凝聚力 C(MPa)	
J1 ~ J4	见表 1-4-4			0.5	0.05	裂隙
J5	NE8°	10°	SE98°	0.22	0.005	泥化夹层

表 6-5-6　　　　　　　　　　　　　　　主厂房顶拱不稳定楔形体情况

结构面组合分组序号	参与组合的结构面代号	楔形体(参数)			安全系数 K		
		高度 H(m)	底面积 F(m²)	重力 G/P (kN/kPa)	毛洞	喷混凝土 K/δ(cm)	系统锚杆
1	J1,J3,J5	5.04	240	7 420/31	0	2.59/10	3.60
2	J1,J2,J5	3.79	36.60	540/15	1.47	7.59/5	7.53
3	J2,J3,J5	5.51	235.50	8 330/35	0	2.22/10	3.14
4	J3,J4,J5	6.78	277	11 700/42	0.36	2.54/20	2.63
5	J1,J4,J5	5.50	114	3 140/28	0	3.64/10	4.03
6	J2,J4,J5	4.56	46	1 150/25	0	3.76/5	4.4
7 – 1	J1,J2,J3	12	4.15	390/94	2.26		
7 – 2	J1,J2,J3	26	19.4	3 970/204	1.07	2.01/10	
8 – 1	J1,J2,J4	12	13.7	1 290/94	1.37	2.72/5	
8 – 2	J1,J2,J4	26	64.50	13 380/207	0.67	1.81/20	
9 – 1	J2,J3,J4	12	16.6	980/59	1.56	3.14/5	
9 – 2	J2,J3,J4	26	77.88	9 990/128	0.78	2.14/20	

注:P 为单位面积上的压力;δ 为喷混凝土厚度。

表 6-5-7   主厂房边墙不稳定楔形体情况

部位	结构面组合分组序号	参与组合的结构面代号	楔形体			安全系数 K	
			高度 $H(m)$	底面积 $F(m^2)$	重力 $G(kN)$	毛洞	系统锚杆
上游边墙	1	J1,J3,J5	5.45	169.0	4 070	1.62	
	2	J2,J3,J5	5.45	166.5	4 770	1.62	
	5	J1,J4,J5	8.91	147.3	6 900	1.55	
	6	J2,J4,J5	12.60	129.0	13 010	1.57	> 2
下游边墙	4	J3,J4,J5	3.50	34.6	290	1.29	
北端墙	4	J3,J4,J5	10.0	84.5	3 860	1.69	
	5	J1,J4,J5	8.82	99.0	3 460	1.46	
南端墙	3	J2,J3,J5	8.26	98.5	2 810	1.93	

注:1～6 为节理面与层面组合,7～9 为节理面间的组合。

(三)成果分析

由表 6-5-6 可知,在毛洞时,主厂房顶拱部位可能存在 9 种不稳定楔形体,其中前 6 种为两组节理与层面组合情况,所形成的不稳定楔形体为矮胖型,特点是高度较小,底面积较大、单位面积上的压力较小(为 15～42kN/m²)。但安全系数 K 也比较小,其中第 2、4 种为沿双面滑动的楔形体,K 值分别为 1.47 和 0.36。第 1、3、5、6 种为直接坍落体,K 值均为 0。对上述 6 种情况,当采用系统张拉锚杆⏀32@1.5m×1.5m 进行支护,或者喷混凝土(C20)5～10cm,则 K 值均达到 2.0 以上,满足设计要求,我们认为这类不稳定楔形体便于加固处理。后面三种(第 7～9 种)为三组节理组合情况,形成的不稳定楔形体为尖高型。由于该程序假定结构面连续分布于被研究的范围内,这就可能导致在拱顶形成的楔形体,其高度比上覆岩体厚度还要大的不合理现象,为此,结合小浪底节理裂隙的切层情况,对顶拱以上所形成楔形体的高度 H,人为地分别以 12m 和 26m 两种情况计算。当 $H=12m$ 时,第 7 工况,在毛洞情况下,K 值大于 2.0;第 8、9 两种工况,仅喷混凝土(C20)5cm,也可满足设计要求,这种情况也比较容易加固处理。当 $H=26m$ 时,在毛洞情况下,三种情况(即第 7～9)的 K 值均不满足设计要求,且楔形体的高度大,底面积小,单位面积大,为 130～200kN/m²,即使截成 12m 高的三棱台,其压力仍为 92～167kN/m²,对这三种情况,只采用系统张拉锚杆不能满足要求,可具体分析节理组合的可能性,因为 J2 节理(NE60°),在厂区最不发育,只在导洞南半部局部发现,组成不稳定楔形体的概率不大,因此可根据现场节理出露的实际情况,采用随机锚索进行加强处理。

由表 6-5-7 可知,对上、下游边墙和南、北端墙。当裂隙切层深度用 26m 控制后,则可使产生的不稳定楔形体全部为节理与层面结合情况。

(1)上游边墙可能存在 4 种不稳定楔形体,沿层面滑动,这是由于倾向下游的层面采用了泥化夹层的 φ、C 值($\varphi=14°$,$C=5kPa$)偏低所引起的,因为层面倾角($\alpha=10°$)与其内摩擦角($\varphi = 14°$)很接近。毛洞时,其安全系数为 1.55 ~ 1.62,楔形体的最大高度(从顶点至底面的垂距)为 12.6m,最大重 13 010kN,当采用与节理相同的力学参数($\varphi = 30°$, $C = 5$kPa)时,即使节理切层深度不加限制,也不会产生不稳定楔形体。

(2)下游边墙只有一种不稳定楔形体,是由 J3、J4、J5 形成的并且沿着 J3、J4 双面滑动,尽管块体安全系数较小($K = 1.29$),但仅重 290kN,并不危险。

(3)端墙不稳定楔形体的安全系数为 1.43 ~ 1.93,最大重为 3 860kN,高度为 10m。

对于上述 8 种不稳定楔形体,不考虑喷混凝土的作用,当采用系统张拉锚杆 $\phi32$mm@ 1.5m × 1.5m,$L = 8$m、10m 时,其安全系数均大于 2,满足设计要求。

四、边界元与有限元耦合法

在第五章已对数值分析法在地下工程设计中的应用作了详细的论述,下面就边界元与有限元耦合法在小浪底地下厂房支护设计中的应用简单地加以介绍。

(一)计算方法

采用加拿大多伦多大学编的 PHASES 程序进行计算。PHASES 程序是一个有限元和边界元耦合使用程序,适用地下工程,它充分利用了有限元和边界元的特点,对较远范围的岩体用边界元模拟,按弹性的各向同性材料计算;对较近范围的围岩,则采用有限元模拟,并按弹塑性各向同性材料计算,采用 HOEK – BROWN 破坏准则。在边界元区域与有限元区域的交界处,岩体位移和应力一致。这样的处理方法有效地减小了模型规模,大大提高了计算的效率。

应力强度比值 K,即某点的岩体抗压强度与开挖后该点的实际应力的比值。对弹性和不抗拉材料,K 值可以小于 1,因为超应力是允许的,对塑性材料 K 值总是大于或等于 1。

(二)计算假定

(1)假定各类岩体为各向同性、均匀连续的非线性弹塑性介质,应力呈非线性变化。由于洞室沿纵轴线较长,可按平面应变问题计算。

(2)施工期分 4 期开挖,分别按毛洞和锚固状态进行计算。

(3)对母线洞、尾水管洞等横向洞室,采用降低弹性模量的办法模拟,即按洞室间岩柱厚度与机组段长度之比折减。

(4)初始应力以自重应力为主,考虑到构造应力的影响,给定垂直方向应力 $\sigma_V = 1.2\gamma H$(γ 为岩体容重,H 为上覆岩体厚度),水平方向应力 $\sigma_H = \lambda\sigma_V$。

(5)计算范围。有限元计算范围:垂直方向为 190m,水平方向为 220m,基本上按洞室高度的 3 倍选取。即主厂房顶拱以上、底板以下岩体厚度各 65m,上游岩体厚度 65m,尾闸室下游侧岩体厚度 45m。边界元计算范围:上部至地面为自由边界,其余三边为无限边界元。

(三)岩石力学参数及支护参数

岩石力学参数及支护参数见表 6-5-8、表 6-5-9、表 6-5-10。

表 6-5-8 地质力学参数

序号	地层	T (MN/m³)	弹性模量 E_V (MPa)	弹性模量 E_H (MPa)	饱和抗压强度 σ_C (MPa)	霍克布朗系数 RMR	霍克布朗系数 μ	霍克布朗系数 m	霍克布朗系数 S	地应力 σ_{H1} (MPa)	地应力 σ_{H2} (MPa)	地应力 σ_V (MPa)
1	T_1^{5-3}	0.026 1	9 000	12 000	60	70	0.22	5.317 78	0.035 67	2.51	2.51	3.31
2	T_1^{5-2}	0.026 2	11 500	14 000	120	70	0.21	5.137 78	0.035 67	2.51	2.51	3.31
3	T_1^{5-1}	0.026	8 000	11 000	50	63	0.24	4.001 31	0.016 39	2.51	2.51	3.31
4	T_1^4	0.026 3	12 000	15 000	150	68.5	0.20	4.869 79	0.030 2	2.51	2.51	3.31
5	T_1^{3-2}	0.026 2	11 000	13 000	60	64.5	0.22	4.221 51	0.019 76	2.51	2.51	3.31
6	T_1^{3-1}	0.026 2	11 500	14 000	100	65.5	0.21	4.375 0	0.021 64	2.61	2.51	3.31
7	T_1^2	0.026	10 000	13 000	60	64	0.22	4.416 8	0.018 32	2.51	2.51	3.31

表 6-5-9 锚索及锚杆力学参数

项目	锚索	锚杆 $\phi32mm$
直径(mm)	15.24×4	32
极限承载力(MN)	3.2	0.25
残余承载力(MN)	1.6	
预应力(MN)	2.0	0.15

表 6-5-10 支护参数

部位		锚杆及锚索 类型	直径 (mm)	间距 (m)	长度 (m)	极限承载力 (MN)	残余承载力 (MN)	预应力 (MN)
主厂房	顶拱	张拉锚杆	32	1.5×1.5	8、6	0.25		0.15
		预应力锚索	15.24×4	4.5×6	25	3.20	1.60	2.0
	边墙	张拉锚杆	32	1.5×1.5	10、6	0.25		0.15
主变室	顶拱及边墙	张拉锚杆	32	1.5×1.5	6、4	0.25		0.15
尾闸室	顶拱及边墙	张拉锚杆	32	1.5×1.5	5、3	0.25		0.15

(四)计算工况

(1)毛洞情况:按 3 种侧压力系数,每种情况分 4 步开挖,共 12 种工况。

(2)锚固情况:按 3 种侧压力系数,分别按 4 步开挖,并分步支护,共 12 种工况。

(五)计算成果分析

计算成果见表 6-5-11。

1.强度应力比 K

强度应力比 K 见图 6-5-6。总的趋势,顶拱围岩的强度应力比 K 值均比边墙的大,一般顶拱的 K 值为 2~3,边墙的 K 值为 1.1~2.0。

2.主应力

主应力见图 6-5-7、图 6-5-8。从主应力等值线看,主应力的量值比较小,在顶拱两拱脚处出现应力集中现象,集中应力的最大值为 10.5MPa。当洞室开挖以后,洞周应力发生释

表 6-5-11

计算结果

开挖步序	部位	$\lambda_1 = 0.4$					$\lambda_2 = 0.5$					$\lambda_3 = 0.8$				
		强度应力比 K	σ_1 (MPa)	σ_3 (MPa)	X_{max} (cm)	Y_{max} (cm)	强度应力比 K	σ_1 (MPa)	σ_3 (MPa)	X_{max} (cm)	Y_{max} (cm)	强度应力比 K	σ_1 (MPa)	σ_3 (MPa)	X_{max} (cm)	Y_{max} (cm)
一	顶拱	3.7	1.5	0.43	0	0.57~0.86	3.25	1.71	0.57	0	0.72~0.84	3~6	2.57	0.71	0	0.7~0.8
	上游边墙	2.0	9.6	1.94	0.1	0.14~0.43	2.0	9.26	2.36	0	0.12~0.36	3	10	2.29	0	0.11~0.34
	下游边墙	2.0	10.29	1.84	0	0.14~0.43	2.3	10.14	2.07	0	0.12~0.36	3	10.5	2.57	0	0.11~0.34
二	顶拱	4~5	1.61	0.40	0	0.86~1.2	3~4	1.93	0.71	0.1	0.96~1.12	2.67~3.50	3.2	1.02	0.24	0.86~1.13
	上游边墙	1.7	8.5	1.14	0.12	0.17~0.69	2	8.14	1.2	0.12~0.18	0.16~0.64	1.89~2.1	8.4	1.24	0.24~0.49	0.34~0.51
	下游边墙	>1.33	9.3	0.86	0	0.17~0.69	1.67	8.93	0.43	0	0.16~0.64	1.5~1.7	8.8	0.57	0.24	0.34~0.51
三	顶拱	4	1.18	0.57	0	1.2~1.4	3~5	2.14	0.86	0.01	1.18~1.38	2.0~3.5	3.4	1.02	0.26	1.07~1.5
	上游边墙	1.33~1.5	7.14	0.29	0.14~0.24	0.4~1.0	1.67	7.93	0.29	0.21~0.3	0.39~0.99	1.5~2.0	7.1	0.57	0.26~0.61	0.43~0.86
	下游边墙	1.17~1.33	8.29	-0.29	0.24~0.33	0.2~1.0	1.33	8.57	-0.36	0.29~0.43	0.2~0.99	1.33~1.83	8.2	-0.21	0.26~0.61	0.64~0.86
四	顶拱	4~5	2.57	1.02	0.18	1.37~1.6	3~5	2.86	1.13	0.24	1.35~1.58	2~3.3	5.71	1.43	0.39	1.29~1.5
	上游边墙	1.17	7.3	0.57	0.37~0.45	0.46~1.14	1.17~1.5	7.43	0.14	0.47~0.71	0.45~1.13	1.25~1.5	4.5	0.29	0.77~1.2	0.64~1.07
	下游边墙	1.08~1.17	4.14	-0.56	0.92~1.29	0.46~1.19	1.17~1.5	9.14	-0.43	1.18~1.65	0.45~1.19	1.3	2.43	-0.43	1.54~2.7	0.64~1.29
五	顶拱	4~5	2.67	1.29	0.18	1.5~1.6	3.5~6	2.93	1.43	0.24	1.46~1.56	2~3.33	4.86	2.14	0.39	1.26~1.5
	上游边墙	1.25	7.14	0.43	0.37~0.44	0.5~1.12	1.25~1.5	5.7	0.29	0.47~0.71	0.49~1.11	1.25~1.5	5.14	0.29	0.77~1.16	0.69~1.06
	下游边墙	1.17~1.33	4.14	-0.51	0.92~1.29	0.5~1.13	1.17~1.5	4.0	-0.46	1.18~1.65	0.49~1.13	1.25~1.5	4.29	-0.4	1.54~2.7	0.88~1.29

注:应力值拉为"－"。

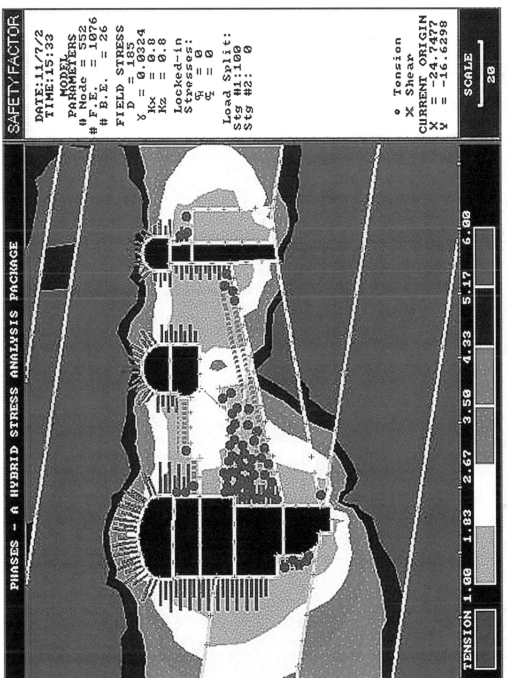

图 6-5-6　强度应力比 K

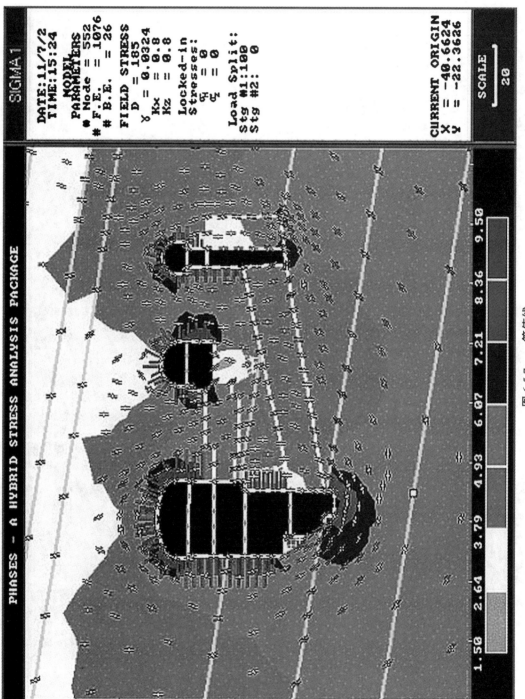

图 6-5-7 σ_1 等值线

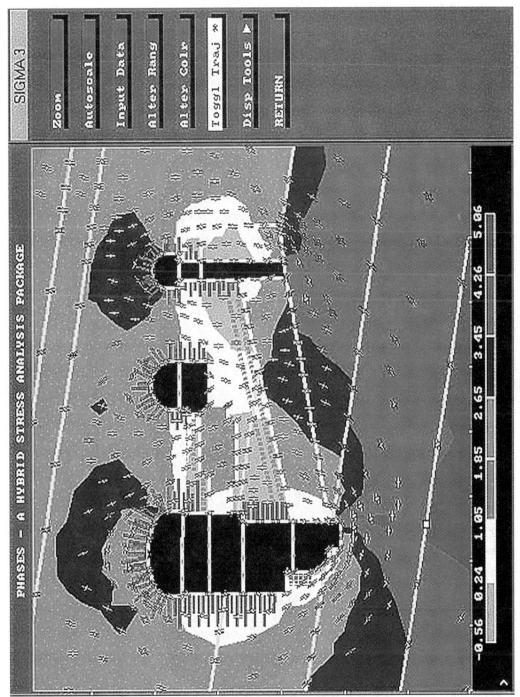

图 6-5-8 σ_3 等值线

放,洞顶垂直应力减小,洞室两侧水平应力减小,局部出现拉应力,最大值为 0.56MPa,发生在下游边墙与尾水管洞交叉部位,需加强支护。

3.位移

从计算情况看,洞室周边位移均指向洞室内侧,其量值随着侧压力系数增大,水平位移呈增加趋势,而垂直位移呈减小趋势,且随着开挖深度的增加,水平位移增加的速度较快,而垂直位移增加的速度较慢。

总的来看,位移数值不很大,当开挖完成后,顶拱垂直方向的最大位移为 $1.3 \sim 1.6\text{cm}$($\lambda_1 = 0.4$ 时),边墙水平方向的最大位移为 $1.5 \sim 2.7\text{cm}$($\lambda_3 = 0.8$ 时)。

4.屈服点

屈服点见图 6-5-6。洞室开挖到第三步,在主厂房下游边墙与母线洞交岔洞口附近,以及尾闸室下游边墙与尾水洞交叉洞口处,局部开始出现拉应力,并各有 2 个单元进入屈服状态。当开挖完成后,则在母线洞与尾水洞之间的岩体内出现大批屈服点,同时在主厂房的左下角和尾水管出口段的顶部也出现屈服点。这是该区弹性模量较低所引起的(折减后的弹性模量为原来的1/3)。

5.锚杆应力

锚杆和锚索的应力不大,均未达到屈服状态。从围岩变形量看,第四步和第五步几乎无变化,说明张拉锚杆和预应力锚索没有起作用。

综上所述,在给定的岩石力学参数情况下,由 PHASES 程序计算结果看,洞室围岩在整体上是稳定的,但是在尾水管洞与母线洞之间的岩体中出现大批屈服点。这是该区岩体单薄,变形量大所引起的。当然这些屈服点有些夸大,因为岩体开挖厚度不到原来的一半,而弹性模量取原来的1/3。另外,在平面问题计算中无法反映横洞的喷锚支护和钢筋混凝土衬砌的作用。

五、喷锚支护设计的基本原则

(1)根据地下厂房部位的工程地质条件,喷锚支护按维持Ⅲ类围岩稳定所需的支护强度设计。

(2)主厂房、主变室、尾闸室等,采用柔性的喷锚支护作为永久支护形式;母线洞以及各洞室交叉段,进出口段均采用钢筋混凝土衬砌作为永久支护形式。

(3)喷锚支护设计,按照新奥法原理,采用"设计→施工→监测→修正设计"的方法,在施工中加强现场监测,根据实际情况,随时调整支护参数。

六、支护参数的确定

(1)对小浪底地下厂房的支护设计,采用不同的数学模型,进行了各种方法的计算、分析和模型试验,从各个不同角度分析地下洞室围岩的稳定性,为支护设计提供了参考依据。但是这些计算和试验都是把错综复杂的围岩条件简化成某种抽象的数学模型,与工程实际有差别,另外,由于岩体力学参数不易确定,因此上述的计算和试验只能近似地反映小浪底地下厂房围岩稳定情况,与原型不是一一对应的关系。

(2)前面第四章试验研究及第五章的数值分析计算,是在不同时期进行的,并随着地质勘探工作的进展,以及对小浪底地质构造和地质参数认识的逐步深化,支护设计也随之作了相应的修改。并在施工开挖过程中,根据出现的实际情况,随时调整了支护参数。

(3)设计采用支护方案。根据工程类比法、数值分析法和模型试验结果,最终确定地下厂房主要洞室采用支护参数见表6-5-12。厂房顶拱锚索是施工图阶段增加的,详细情况见设计变更。

表6-5-12　　　　　　　　小浪底工程地下厂房主要洞室喷锚支护参数

编号	洞室名称及支护部位	围岩			岩体力学参数			选用支护参数							
								系统锚杆					喷混凝土层厚度 δ(cm)	钢筋网	
		名称及岩层	岩体质量 Q 值	类别	泊松比 μ	凝聚力 C(MPa)	内摩擦角 φ(°)	类型	直径(mm)	间距(m)	长度 L(m)	设计承载力 P(kN)		直径(mm)	间距(cm)
1	主厂房 顶拱	T_1^4 岩层以厚层硅质砂岩为主	12.7	Ⅲ	0.2	0.6	45	张拉锚杆	32 32	3×3 3×3	8.0 6.0	150 150	20	8	20×20
								锚索		4.5×6.0	25	1 500 (1 000)			
	主厂房 边墙	T_1^{3-2} 及 T_1^4 岩层以钙质细砂岩为主	12.7 14.3	Ⅲ	0.2			张拉锚杆	32 32	3×3 3×3	10.0 6.0	150 150	20	8	20×20
								泥化夹层部位两排500kN、L=12m预应力锚杆							
2	主变室 顶拱 边墙	位于 T_1^4	12.7	Ⅲ	0.2	0.6	45	张拉锚杆	32 32	2.4×2.4 2.4×2.4	8.0 4.0	150 150	15	6	20×20
								张拉锚杆	32 32	2.4×2.4 2.4×2.4	6.0 4.0	150 150	15	6	25×25
3	尾闸室 顶拱 边墙	岩层 T_1^4	12.7	Ⅱ下 Ⅲ	0.2	0.6	45	张拉锚杆	32 32	3×3 3×3	5.0 3.0	150 150	10	6	25×25
								张拉锚杆	25	1.5×1.5	4.0	165 100	10	6	25×25

注:锚索承载力()内数字为张拉锁定值。

七、设计变更

1989年招标设计工作开始,引水发电系统是按照初步设计审批的半地下厂房方案进行的,直到1991年7月份结束半地下厂房的招标设计工作才开始进入地下厂房招标设计工作。由于地下厂房确定的时间较晚,1991年的地质报告是根据半地下厂房方案调压井附近的钻孔资料推测的,认为:①地下厂房地段泥化夹层的分布范围不大,连续性差,产生泥化夹层的母岩处于尖灭状态;②对工程影响较大,在左坝肩连续分布的、产生 T_1^4 岩组第14层泥化夹层的母岩,在地下厂房地段已不存在;③岩体质量较好,Q 值均大于11.2,按巴尔顿系统分类法属于Ⅳ类围岩,相当于按照我国水利水电工程五级分类法,属于Ⅱ类围岩。

根据上述地质资料和世行专家建议以及国内外工程类比法,招标设计阶段主厂房选用的支护参数如下。

顶拱锚杆: Φ32@1.5m,L = 8m、4m,交错布置;

边墙锚杆: Φ32@1.5m,L = 10m、6m,交错布置;

喷混凝土层厚 20cm,挂钢筋网 Φ8,间距 20cm × 20cm。

1991 年 5 月,世行专家组在第二号咨询报告中,在对地下厂房支护设计的初步评价时指出:尽管如专家组在第一号报告中指出的那样,边墙锚杆还可以加大一些,但所选岩石加固(支护)水平仍显得很合理。

1991 年 12 月在郑州召开的地下工程技术讨论会上,严克强副部长亲自主持,专家认为小浪底地下厂房围岩应是Ⅲ类或Ⅲ类偏上。大跨度、高边墙地下洞室不做钢筋混凝土衬砌,采用柔性支护是比较先进的,并建议厂房顶拱部位应尽快打探洞,以摸清节理裂隙和泥化夹层的分布情况。

由于种种原因,厂房顶拱部位的探洞和 1# 通风竖井在招标设计阶段均未打通。1993 年 3 月 8 日,黄河小浪底水利枢纽工程标书在北京正式发售,至此,招标设计工作已经完成并进入施工图设计阶段。

1993 年 6 月份,厂房顶拱探洞完成,发现探洞内有两层连续分布的泥化夹层,高程在 156 ~ 159m 之间,位于拱座附近,沿洞轴线方向分布范围达 80 ~ 158m 之多。从 1# 通风竖井揭露的地质情况看,T_1^4 岩层中有多层泥化夹层存在,仅厂房顶拱以上就有五层泥化夹层。根据 1# 通风竖井开挖揭露的 T_1^4 岩组泥化夹层分布情况,并与坝址区所调查的 T_1^4 岩组的主要泥化夹层对比看,基本上是对应的,说明 T_1^4 岩组的主要泥化夹层在地下厂房区域内均存在,且连续性好。这个结论与招标设计阶段是大不相同的。为此,设计院提出厂房顶拱应增加系统锚索支护,以确保顶拱的稳定性。

施工图设计阶段修改了地质力学参数,重新进行有限元计算和地质力学模型试验,结果表明,厂房顶拱增加系统锚索支护是非常必要的。从提高围岩整体稳定性、减少位移量、缩小松动区范围,以及减小围岩中受拉区范围和拉应力数值看,预应力锚索和张拉锚杆的加固效果是比较显著的。

1994 年 4 月,加拿大咨询专家 SOLYMAR 先生在审查施工图时认为该工程所采用的支护抗力似乎有些偏低,根据过去的经验以及有限元分析结果看,支护抗力应接近于 0.2MPa,建议采用 3 000kN 级长度 25m 的锚索 350 根,总计 2 625 万 kN·m。设计院提出的方案是,顶拱增加 2 000kN 级长度 25m 的锚索 252 根,总计 1 260 万 kN·m,其支护抗力为 0.13MPa。由于 2 000kN 级锚索施工困难,现场改为 1 500kN 级长度 25m 的锚索 325 根,总计 121.9 万 kN·m,其支护抗力为 0.112MPa。

1994 年 5 月,国内专家在小浪底工地召开技术讨论会,对小浪底进水口、消力塘岩石边坡稳定及地下厂房位置和支护等问题进行了技术讨论,专家认为设计院提出的地下厂房支护设计原则是合理的,所选支护参数与国内外类似工程对比,水平大体相当。根据厂房 1# 通风竖井和施工导洞提供的地质素描资料,在 T_1^4 岩层中,顶拱以上发现有 4 层泥化夹层,对顶拱稳定不利,增加锚索是必要的。

1994年10月,水规总院在小浪底工地召开审查会,对"小浪底枢纽进口岩石边坡加固设计报告、泄水建筑物出口边坡加固设计报告和地下厂房支护设计报告"进行了审查。其中,对地下厂房部分的主要审查意见如下:①厂房位置和轴线选择是合适的;②同意设计院提出的支护设计原则;③同意设计采用的岩体支护抗力水平和提出的厂房支护设计方案,除系统锚杆外,采用预应力锚索加固围岩是必要的。

第六节　无柱吊车梁设计

一、主厂房岩壁吊车梁设计

岩壁吊车梁是近几年发展起来的一种特殊结构型式。地下结构尤其是水电站地下厂房在满足运行条件的前提下,为减小开挖跨度,采用岩壁吊车梁是一项有效的措施。其优点是利用围岩承载能力,使吊车荷载由锚固在岩壁斜面上的梁承担,不仅节省了吊车柱,还可使厂房跨度减小1~3m,而且吊车可以先期投入使用,加快机组安装进度,既减少了石方开挖,又节省了混凝土和钢材用量,其降低工程费用的效果是显著的。

岩壁吊车梁的结构特点就是利用长锚杆将钢筋混凝土梁锚固在岩壁上,国外20多年前就采用这种结构,其型式可以推溯到20世纪50年代的悬吊式吊车梁。应用较广泛并取得成功经验的首推挪威,已在几十座电站中采用该技术,并取得较好的经济效益。如今,我国的白山、鲁布革、广东抽水蓄能、湖南东风等电站地下厂房均采用类似的结构型式。

(一)基本资料

1. 工程地质条件

根据厂房的布置,岩壁梁位于T_1^4岩层,该层岩石以厚层、巨厚层硅质、钙质砂岩为主,有少量厚层钙质砂岩夹薄层泥质粉砂岩或粉砂质泥岩,厚60m左右,是坝址区岩石硬度最高的地层。厂区主要分布有三组节理裂隙,无较大断层通过。各组节理均为陡倾角,其密度一般为0.3~0.7m,其发育仅在一个单一岩层内,垂直层面方向的延伸长度一般小于3~5m,贯穿性不好,大部分节理属于波状粗糙型和平直粗糙型。只要在开挖完成之后及时采取锚杆加固措施,岩壁完全可以维持稳定。从地质条件看,采用岩壁式吊车梁是可行的。

2. 基本数据

1)岩石力学参数

节理面抗剪值:$\tan\varphi = 0.65$, $C = 0.05\text{MPa}$;

岩石允许承载力:$P = 3.0\text{MPa}$。

2)吊车及荷载

小浪底电站主厂房采用两台吊车,每台额定起重量5 000kN,吊车轨距23.5m,最大轮压800kN。吊车梁计算荷载如下。

(1)静荷载:

梁自重：$G = 96.6 \text{kN/m}$；

轨道及附件重：$P_1 = 2.0 \text{kN/m}$。

（2）动荷载：

吊车轮压换算为单位长度荷载：$P_1 = 685 \text{kN/m}$；

吊车水平制动力：$H = 49.6 \text{kN/m}$；

动力系数：按《水电站厂房设计规范》取 $\mu = 1.1$。

表6-6-1列有国内外岩壁吊车梁工程实例及其吊车荷载。表中最大的吊车荷载是东风电站，其单位长度荷载是 680kN/m，与小浪底电站吊车荷载（685kN/m）相接近，可见对大吨位吊车采用岩壁吊车梁作为吊车支承结构是可行的。

（二）结构型式与设计准则

1. 结构型式

在已建的地下工程中，所采用的无柱吊车梁有多种形式，表6-6-2所列的几种形式，从工程运行情况看，吊车梁和厂房围岩均未出现异常。从受力条件看岩台梁较好，但其开挖跨度较大；采用直壁牛腿虽然可以减小厂房开挖跨度，但锚杆受力较大；而岩壁式梁受力明确，可明显减小厂房开挖跨度，所以选用带有斜壁的岩壁吊车梁较为合适。

2. 尺寸拟定

参照上述工程实例并按照钢筋混凝土牛腿抗裂验算公式初步拟定尺寸。

抗裂验算公式：

$$F_{vs} \leq \beta \left(1 - 0.5 \frac{F_{hs}}{F_{vs}}\right) \frac{f_{tk} b h_0}{0.5 \frac{a}{h_0}} \tag{6-6-1}$$

式中　F_{vs}——牛腿上垂直压力（包括吊车荷载、梁轨道自重）；

　　　F_{hs}——牛腿上水平力；

　　　a——吊车荷载到岩壁距离；

　　　f_{tk}——混凝土抗拉强度；

　　　b——单宽 $b = 100 \text{cm}$；

　　　h_0——岩壁梁有效高度；

　　　β——裂缝控制系数，取 $\beta = 0.7$。

根据上述分析及桥吊布置的需要，吊车梁截面尺寸及结构型式如图6-6-1所示。

3. 设计准则与受力分析

从选用的结构型式看，梁体本身受力明确，把岩壁做成略微倾斜（20°左右）以便传递剪力，减少锚杆受力。计算时不考虑混凝土与岩面间黏结力，只考虑由正压力引起的摩擦力；梁上部锚杆是主要受力锚杆，只承受轴向拉力，而下部锚杆只起加固岩壁作用，在计算时可不考虑。如果将受力锚杆做成预应力的，既可确保梁体本身稳定，减少位移，又可改善岩壁梁周围岩体应力条件，从而确保岩体的稳定。不过采用预应力锚杆时，锚杆倾斜角应小于岩石面残余摩擦角，以免在预应力作用下，岩壁吊车梁及附近岩块向上滑移。

表 6-6-1

岩壁吊车梁工程实例

电站名称	施工年份	吊车跨度(m)	最大荷载(kN)	单位长度上荷载(kN/m)	说明
Gresslifoss	1965	13.3	1 400	400	吊车梁与混凝土屋顶相结合
Refsdal	1967	10	850		混凝土壁柱支撑钢梁
Mauranger	1971	15.8	1 100		模型试验(1:3比尺)
Skjomen	1971	12.8	1 100	321	
Vessingfoss	1971	13	1 380	330	
Grytten	1973	13.5	2 700	488	
Batsvatn	1974	11.2	700	210	
Nedalfoss	1974	12	1 020	280	
Bratsberg	1977	13	1 650	390	
Kvilldal	1977	17.9	2 350	595	
Oksla	1977	15	3 000	638	
Hylen	1978	16.6	1 500	382	
Qmvik	1978	7.5	83	38	
Srjordal	1981	12.5	1 320	330	
广蓄	1992	19.5	2 000	550	
东风	1994	20.0	2 500	680	
鲁布革	1988	16.5	1 600	262	
Slunkajavrre	1981	9.5	750	375	
Saurdal	1981	18.1	1 600	371	
Grana	1982	12.5	1 400	350	
Svorkmo	1983	11.35	1 050	300	
Slind	1984	9.5	750	375	
Kobbelv	1984	16	1 500	286	
Alta	1984	14.7	1 500	372	悬臂(梁)支撑钢梁
Hjorteland	1985	9	160		
Hogga	1986	11.8	700	146	
Jostedal	1987	16	2 250	567	
Fagervollar	1989	10.2	570	143	
NedreVinstra	1989	12.3	1 400	200	
NedreNea	1989	14	1 650	350	
SvQrtisen	(1989)	18.3	2 250	582	
太平驿	1992	17.0	1 250		
小浪底	1999	23.5	500	685	

表 6-6-2　　　　　　　　　　　　　吊车梁形式工程实例

工程名称	鲁布革	白山	广蓄	东风
吊车梁类型	岩壁式梁	岩壁牛腿	岩壁式梁	岩壁式梁
吊车吨位(kN)	1 600	1 500	2 000	2 500
吊车最大轮压(kN)	485		500	
吊车梁计算荷载(kN/m)	262	650	550	680

(三)设计方法

国内外一些参考资料所介绍的计算方法,主要类似于下述两种方法:力矢多边形法(图解法)和力矩平衡法(悬臂梁法)。

在设计中同时应用上述两种方法并互为验证。

1.采用单排锚杆时

梁体承受荷载包括吊车轮压、自重及水平制动力。

(1)力矢多边形法(或图解法)。受力分析如图 6-6-2 所示。

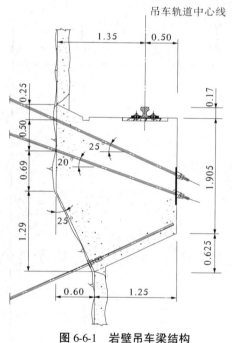

图 6-6-1　岩壁吊车梁结构

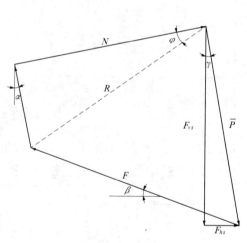

图 6-6-2　力矢多边形

锚杆受力:

$$F = \frac{P\cos(\alpha + \beta - \gamma)}{\sin(\alpha + \beta + \varphi)} \tag{6-6-2}$$

岩壁承受正压力:

$$N = \frac{P\cos\varphi \cdot \cos(\beta + \gamma)}{\sin(\alpha + \beta + \varphi)} \qquad (6\text{-}6\text{-}3)$$

式中 α——岩石斜壁与垂直向夹角;

β——锚杆与水平向夹角;

φ——岩石内摩擦角;

P——$P = \sqrt{F_{vs}^2 + F_{hs}^2}$;

γ——$\arctan F_{vs}/F_{hs}$;

F_{vs}——吊车竖向荷载(包括轮压、梁体自重);

F_{hs}——吊车水平荷载。

(2)力矩平衡法:按锚在岩壁上的悬臂梁计算。

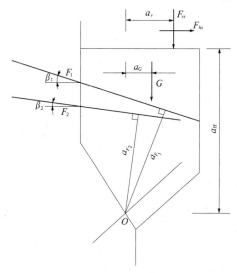

根据力矩平衡原理,所有外力对受压锚杆与基座交点 O 取矩得:$F \cdot a_F = \sum M_{外}$,即 $F = \sum M_{外}/a_F$,其中 $\sum M_{外} = F_{vs} \cdot a_v + G \cdot a_G + F_{hs} \cdot a_H$,式中符号见图6-6-3。

如果上述(1)、(2)两种方法所得结果比较接近,说明所选吊车梁尺寸较为合适,否则需要调整断面尺寸,直至求出满意结果。

2.采用双排受力锚杆

(1)力矢多边形法:受力锚杆采用双排时下排锚杆受力可按力臂大小予以折减。

假定:$n = a_{F_1}/a_{F_2}$,则有 $F_1/F_2 = n$。

根据图6-6-4得:

$$F_1/F_2 = \sin(\beta - \beta_2)/\sin(\beta_1 - \beta)$$

即 $n = \sin(\beta - \beta_2)/\sin(\beta_1 - \beta)$

则 $$\tan\beta = \frac{n\sin\beta_1 + \sin\beta_2}{n\cos\beta_1 + \cos\beta_2}$$

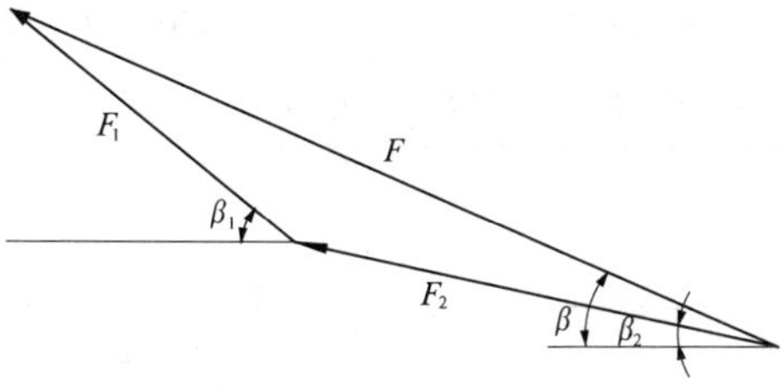

要求锚杆受力先由力矢多边形法中的锚杆受力求得合力 F 值,则每根锚杆受力:

图6-6-3

图6-6-4

$$F_1 = F\sin(\beta - \beta_2)/\sin(\beta_1 - \beta_2)$$
$$F_2 = F\sin(\beta_1 - \beta)/\sin(\beta_1 - \beta_2)$$

(2)力矩平衡法校核按图6-6-3所示,对 O 点取力矩,由内外力矩平衡得:

$$F_1 \cdot a_{F_1} + F_2 \cdot a_{F_2} = \sum M_{外}$$

根据前述 $n = F_1/F_2$,则有:

$$F_1 = n \sum M_{外} / (n \cdot a_{F_1} + a_{F_2})$$

$$F_2 = \sum M_{外} / (n \cdot a_{F_1} + a_{F_2})$$

(四)应用与计算结果

厂房岩壁吊车梁,经过分析比较采用双排受力锚杆,其中 $\beta_1 = 25°$、$\beta_2 = 20°$、$\alpha = 25°$、$\varphi = 33°$,吊车荷载 $P_1 = 685 \text{kN/m}$(动力系数 $\mu = 1.1$)。

1. 计算结果

按上述方法计算结果见表6-6-3、表6-6-4、表6-6-5。

表6-6-3 壁座角度与锚杆受力关系

计算方法	壁座角度								
	$\alpha = 0°$			$\alpha = 10°$			$\alpha = 25°$		
	受力(kN)		n	受力(kN)		n	受力(kN)		n
	F_1	F_2		F_1	F_2		F_1	F_2	
力矢多边形	504.8	415.8	1.214	399.0	328.7	1.214	278.9	229.9	1.213
力矩平衡	383.3	315.8	1.214	319.5	263.2	1.214	276.8	228.2	1.213

表6-6-4 锚杆倾角与锚杆受力关系

计算方法	锚杆角度								
	$\beta_1 = 25°, \beta_2 = 20°$			$\beta_1 = 15°, \beta_2 = 10°$			$\beta_1 = 5°, \beta_2 = 0°$		
	受力(kN)		n	受力(kN)		n	受力(kN)		n
	F_1	F_2		F_1	F_2		F_1	F_2	
力矢多边形	278.9	229.9	1.213	293.1	238.9	1.227	318.6	256.9	1.24
力矩平衡	276.8	228.2	1.213	254.8	207.7	1.227	242.9	195.9	1.24

表6-6-5 锚杆受力结果

超挖值 (cm)	力矢多边形(图解)法			力矩平衡(悬臂梁)法		
	受力(kN)		n	受力(kN)		n
	F_1	F_2		F_1	F_2	
0(设计开挖线)	275.9	224.8	1.227	250.8	204.4	1.227
20	278.9	229.9	1.213	276.8	228.2	1.213
40	282.5	235.5	1.201	298.3	248.4	1.201

(1)表6-6-3、表6-6-4是按不同 α、β 角求得锚杆受力(表中数字均是按设计允许超挖

线,超挖 20cm 求得的)。

(2)按 $\beta_1 = 25°$、$\beta_2 = 20°$、$\alpha = 25°$,并考虑不同超挖值时锚杆受力,如表 6-6-5 所示。从表中所列结果可以得知,按设计允许超挖 20cm 计算时,两种方法所得到的结果相接近,说明所选用的岩壁吊车梁是合适的。

最后选用受力锚杆,根据计算结果并取安全系数 $K = 2$ 时,应采用两排 500kN 预应力锚杆(用 Φ32 高强精轧螺纹钢筋),间距 90cm,交错布置。底排加固锚杆用 Φ32 普通砂浆锚杆。

2. 岩壁壁座承载力验算

壁座承受正压力:

$$N = P\cos\varphi\cos(\beta + \gamma)/\sin(\alpha + \beta + \gamma)$$

$$\alpha = 25°$$

$$P = \sqrt{F_{vs}^2 + F_{hs}^2}$$

$$N = 635.05\text{kN}$$

壁座承受正压应力 $\sigma = 0.447\text{MPa}$。

砂岩地基允许承载力 $P = 3.0\text{MPa}$。

由此可见岩壁壁座承载力是足够的,吊车荷载不会对岩壁造成危险。

3. 梁体结构设计

梁体本身配筋按钢筋混凝土牛腿结构设计,施工时分段浇筑,施工缝设置键槽。

受力钢筋面积:

$$A_g \geqslant \gamma_d\left(\frac{F_{vs} \cdot a}{0.85 f_y h_0} + 1.2\frac{F_{hs}}{f_y}\right) \tag{6-6-4}$$

式中　γ_d——钢筋混凝土系数;

　　　f_y——钢筋强度;

　　　a——竖向力作用点至岩壁距离。

经过分析计算,可以求出梁体的结构配筋。

(五)影响吊车梁稳定的因素

从前面分析计算可以看出,吊车梁受力情况取决于岩石质量、岩石斜壁角度、锚杆锚固深度及倾斜角度、施工质量等。

(1)岩石质量。从图解法计算锚杆受力的公式中可以看出,φ 值愈小,锚杆受力越大,另外岩壁本身受节理裂隙切割,可能有许多不稳定块体,因此浇筑梁体混凝土前,应先打系统锚杆加固岩壁。

(2)岩石斜壁角度 α。α 不同时锚杆受力不同,从表 6-6-3 可以看出,α 越小,锚杆受力越大。$\alpha = 90°$ 时,变成岩台梁,锚杆受力较小;而 $\alpha = 0$ 时,锚杆受力最大。

(3)锚杆与水平线夹角 β。从图解法中可以看出,β 越大,锚杆受力越小。但是 β 不宜太大,一是防止梁体在预应力锚杆作用下向上滑移,二是防止锚杆上方岩体太薄,岩石掉块影响吊车的正常使用。

(4)岩石超挖对锚杆受力的影响。由于岩石超挖部分需延伸吊车梁,使其自重增加,并使外力臂和内力臂均发生变化,故超挖值愈大,锚杆受力愈大。

(六)需要说明的问题

1.模型试验

岩壁吊车梁设计的关键是使梁体固定于岩壁,确保锚杆所受的力均匀分布到洞室周围松散区以外部位。由于围岩的复杂性,目前对于岩壁吊车梁设计主要依据工程经验。因此,对于重大的或大吨位的吊车梁则要通过现场模型试验确定。在挪威的 Skjomen 电站和 Kvilldal 电站做了两个模型,一种是采用普通锚杆,另一种是采用预应力锚杆。从试验结果看对锚杆施加预应力时效果较好,可使变位减小,且锚杆破坏强度很大,安全系数达 2 ~ 3.5,因此可以满足稳定要求。小浪底地下厂房岩壁梁在设计时采用 500kN 预应力锚杆,以满足吊车梁稳定要求。

2.锚杆深入岩壁深度 L

锚杆深入岩壁的深度 L 值,可参考挪威岩土所做的试验成果。根据实测结果,较好的岩石,在距岩壁表面不远处,锚杆拉应力即减小到很小的数值。故在较好的岩石壁面上做岩壁梁时,锚杆不必深入岩石很深,上部受力锚杆锚入岩石深度只要略大于该部位系统锚杆即可。鲁布革经验是 $L \geqslant 2 + 0.15H$(H 为边墙高度)。小浪底地下厂房岩壁梁受力锚杆长度 $L = 12.0\text{m}$,该部位系统锚杆长度 10m、6m。

3.施工对岩壁梁的影响

(1)施工对吊车梁的影响,为了防止施工爆破对梁体及边墙的毁坏,在混凝土吊车梁浇筑前,先对岩壁进行支护加固。如果在开挖时,因岩体变形而使吊车梁受力锚杆产生较大应力,应用贴墙混凝土柱将吊车梁支承起来,以保证安全运行。一般情况应在厂房直壁开挖到一定高程边墙收敛变形基本完成后,再开始浇筑吊车梁混凝土。模板应留在原位保护混凝土,以免受爆破影响。小浪底工程是在模板拆除后,采用废旧汽车轮胎作保护。吊车梁轨道安装时间应该在厂房全部开挖完成后,围岩变形趋于稳定时。

(2)为了确保岩台开挖成设计形状,技术规范中要求采取光面爆破,短进尺,放小炮,减小超挖,避免欠挖。

超挖大于 20cm 的部位,用钢筋混凝土补齐,梁下部增加 1m 高扶壁短柱,补打两排砂浆锚杆。下部超挖大于 40cm 时,需增加钢筋网片。

4.吊车梁分缝

1)伸缩缝

岩壁吊车梁纵向刚度不宜过大,以免岩壁因不同的地质条件产生不均匀变形而影响梁体。在地质条件有较大差异的地段,岩壁吊车梁宜设缝分开以适应围岩变化。基于上述原因,根据现场岩石的揭露情况,在厂房上下游 0 + 147.40m 桩号处设置伸缩缝,梁长分为 104.1m 和 116.65m(岩壁梁范围 0 + 30.75m ~ 0 + 251.50m)。

2)施工缝

分缝原则:一是减小混凝土干缩对梁体的不利影响;二是有利于提高混凝土的浇筑能

力;三是应避免在 6 条母线洞上部分缝;四是采用跳段浇筑。

根据上述原则,结合现场施工条件,从厂 0 + 030.75m 桩号计起,上游侧岩壁梁的浇筑段长度为 13m × 16.0 + 12.75m,分 17 段浇筑,下游侧岩壁梁长度为 13m × 15 + 5.72m + 11.84m + 8.19m,分 18 段浇筑。

为了保证剪力有效传递,采取如下两条措施:一是纵向钢筋跨施工缝连接;二是缝面设键槽,深 25cm,其面积约为梁截面面积的 1/4。

5. 跨进厂交通洞部位设计

因进厂交通洞洞顶高程超过吊车梁梁底高程,岩壁座无法形成。设计时曾做过钢梁、预制混凝土梁等方案,经综合比较确定采用直壁牛腿,上部用预应力锚杆锚固,下部将交通洞衬砌延伸至梁底,形成拱形梁,两侧边柱延伸至岩石基础。设计时悬吊锚杆与柱子各承担 50% 的荷载,柱子与岩石通过锚筋连成整体,这样既确保了岩壁梁稳定,又使该部位吊车梁与其他部位梁体成为有机的整体,外观效果也较好。

6. 吊车梁受力锚杆与系统锚杆的关系

从受力条件看,这两种锚杆作用不同。吊车梁受力锚杆只起抗拉拔作用,而系统锚杆是加固和支护围岩所需。为了使梁体与围岩成为一体共同受力,岩壁梁受力锚杆应长于系统锚杆。小浪底厂房边墙系统锚杆为 10m、6m 交错布置,而岩壁梁锚杆长度是 12.0m。桥机承载试验表明,由于梁体与围岩共同受力,故吊车梁在承受吊车荷载时只有很小的变形,确保了吊车梁的稳定。

(七)岩壁吊车梁承载试验

1. 试验方法

利用桥机荷载试验,同时进行岩壁吊车梁原型试验,验证设计假定和结构措施的正确性和合理性,为大吨位桥机在砂岩地区采用岩壁式吊车梁设计积累经验。

加载是通过特制吊笼装钢锭的办法来实现的。由于是结构承载试验而非破坏试验,所以加载分别为单桥机负荷的 75%、双桥机并车负荷的 75%、双桥机并车负荷的 100%、双桥机并车负荷的 110%,吊重分别为 3 750kN、7 500kN、10 000kN 和 11 000kN。按试验大纲要求四级荷载全部为动载试验。单机静载 125% 试验。

2. 测试项目

(1)观测断面位置。针对仪器埋设位置,断面位置桩号为 C—C(0 + 55.25m),B—B(0 + 129.25m),A—A(0 + 235.25m),设有预应力锚杆测力计、钢筋计、多点位移计、测缝计等。

(2)观测项目:①锚杆及钢筋应力;②岩石变位;③裂缝开合度。

为相互验证,在 B—B、C—C 断面,岩壁梁内侧粘贴反光片,采用 Net2B 进行观测,同时测定变形监测点的三维坐标,以检验上、下游梁之间收敛变化及任一梁体的水平位移和垂直变形量。

桥机停放位置以起吊中心为标志确定到达断面位置,各断面需停留 30min,以便读数。

3. 观测成果与分析

各级荷载观测成果见表 6-6-6。

表 6-6-6　　　　　　　　　　　　　观测成果

加载情况	观测部位	A—A 断面(0 + 235.25m 桩号)		B—B 断面(0 + 129.25m 桩号)	
		测缝计读数 （mm）	预应力锚杆测力计 （kN）	测缝计读数 （mm）	预应力锚杆测力计 （kN）
单桥机双小 车负荷 75%	上游	0	454.30	0	438.3
	下游	0	426.5	0	457.0
双桥机并车 负荷 75%	上游	0	454.4	0	438.3
	下游	0	427.0	0	457.0
双桥机并车 负荷 100%	上游	0	454.5	0.012/0	438.5
	下游	0.015/ − 0.01	429.0	0/ − 0.01	459.0
双桥机并车 负荷 110%	上游	0	454.5	0.016	438.5
	下游	0.02/ − 0.01	430.0	− 0.01	460.0

注:表中数字仅为最大增加值。

桥机负荷试验期间,岩壁梁各观测仪器测值设计规定限值如下:①预应力锚杆测力计和钢筋计测值≤500kN;②加载前后岩壁梁与岩面间的测缝计读数差≤0.08mm;③加载前上、下游岩壁梁收敛变形读数差≤4mm。

观测成果分析如下:

(1)多点位移计测值较小,均在 6mm 以内,其变化均在 1mm 以下。水平位移最大值为 0.6mm。最大沉陷值为 0.7mm。说明试验期间围岩变形未发生较大的变化。在荷载移走后基本恢复到原位,说明岩壁吊车梁的工作状态是在弹性范围内。

(2)当桥机到达观测断面时,吊车梁上部锚杆受拉,下部锚杆受压,测缝计读数显示出的吊车梁与岩面间裂缝开合度也印证了这一现象,说明设计假定是合理的。

(3)锚杆测力计和钢筋计的测值变化均不大,没有超过限值。

(4)测缝计测值变化最大为 0.02mm。

以上观测结果,说明岩壁梁桥机在超负荷运行时,仍然是安全可靠的。

二、尾闸室岩台吊车梁稳定分析

(一)基本资料

1. 地质条件

整个尾闸室 142.0m 高程以上位于 T_1^4 岩层,从开挖揭露情况看,没有大的构造穿过,但区域内节理裂隙较发育,主要有 4 组节理。根据地质素描图,在尾闸室上游侧岩台桩号 0 + 24m ~ 0 + 85m 区间内,有一组贯穿性大裂隙,其倾向 265°,倾角 83°。在复核岩石稳定的同时,应考虑该节理对岩台稳定性的影响。

2. 吊车荷载

上游侧最大轮压 P_{max} = 1 000kN;下游侧最大轮压 P_{max} = 800kN。

根据吊车最大轮压及轮距换算成单位长度荷重为:上游侧 P_1 = 500kN/m;下游侧 P_1 = 400kN/m。

(二)岩台稳定分析

岩石下部边墙设计支护参数见表6-5-12。开挖时,根据地质条件,为了施工方便,对闸槽边墙系统锚杆作了适当修正。

150m高程以上,由$\underline{\Phi}$32@1.5m,L = 5m、3m 张拉锚杆改为$\underline{\Phi}$32@1.0m,L = 5.0m 砂浆锚杆;150m高程以下,由$\underline{\Phi}$32@1.5m,L = 5m、3m 张拉锚杆改为$\underline{\Phi}$32、$\underline{\Phi}$25@1.5m,L = 5.0m 砂浆锚杆,两种锚杆交错布置。

在吊车荷载作用下,采用《锚杆喷射混凝土支护设计规范》(GBJ86—85)公式 3.3.9-1 校核。

$$K \cdot G_1 \leq f \cdot G_2 + n \cdot A_S \cdot f_{so} + C \cdot A \tag{6-6-5}$$

$$G_1 = (P_1 + P_2 + P_3)\sin\alpha \tag{6-6-6}$$

$$G_2 = (P_1 + P_2 + P_3)\cos\alpha \tag{6-6-7}$$

式中　G_1、G_2——不稳定岩块平行作用于滑动面和垂直作用于滑动面上的分力;

P_1、P_2、P_3——吊车荷载、梁自重、滑体自重;

A_S——单根锚杆截面面积;

n——锚杆根数;

A——岩石滑动面的面积;

C——岩石滑动面上的黏结力,取 0.1MPa;

f_{so}——锚杆抗剪强度;

f——岩石滑动面摩擦系数,取 0.65;

K——安全系数;

α——滑裂面倾角。

不同节理面倾角抗滑稳定安全系数见表6-6-7。

表 6-6-7　　　　　　　　　　　　　稳定安全系数 K

$\alpha(°)$	80	75	70	65
K	2.65	2.27	2.19	2.14

从表6-6-7可以看出,安全系数 K 均大于2,满足规范要求。

(三)局部稳定分析

由于承包商施工时未按设计要求采取控制爆破措施,未预留保护层,引起岩台超挖严重,局部岩石松动破坏,未形成岩台,需用混凝土修补成形后,方能浇筑上部吊车梁混凝土。

根据承包商提供的断面图,对不同超挖、不同倾角进行校核分析,在倾角大于55°时,需补打两排⬦32 砂浆锚杆。分析结果见表 6-6-8。

表 6-6-8   局部稳定分析

$\alpha(°)$	顶部超挖值 1.2m		顶部超挖值 1.0m		顶部超挖值 0.85m	
	考虑 C 值	不考虑 C 值	考虑 C 值	不考虑 C 值	考虑 C 值	不考虑 C 值
75	2.94	1.90	3.20	2.19	3.03	2.13
70	2.56	1.71	2.77	1.95	3.00	2.20
65	2.60	1.88	2.36	1.66	2.02	1.34
60	2.29	1.63	1.97	1.33	2.08	1.48
55	1.96	1.35	2.06	1.49	2.19	1.63

从表 6-6-8 中可以看出,考虑凝聚力 C 时,K 值基本上大于 2,满足要求。当不考虑 C 值时,局部安全系数有的小于 1.5,安全裕度不大。这些部位需要加强支护。

(四)综合加固措施

从前面各种计算分析看,尾闸室在岩石较为完整时,边墙是安全的,但由于岩石受爆破影响较为严重,不可预见因素较多,建议采用如下综合加固措施。

(1)岩台梁体的加固锚杆⬦32@1.5m,$L = 7.0m$ 张拉锚杆,建议由普通钢改为高强钢筋。

(2)超挖部位在系统支护后,应补打 2~3 排⬦32 砂浆锚杆。

(3)尾水洞、尾水管洞与尾闸室交接处,除安装钢支撑外,锁口处应补打两排 500kN 预应力锚杆,长度为 10m。

(4)对软弱岩体增加⬦32@1.0m,$L = 5.0m$ 的砂浆锚杆。

(五)岩台吊车梁配筋计算

按有限长或无限长弹性地基梁计算,计算结果为构造配筋。

第七节   地下厂房 1 500kN 预应力双层保护锚索的设计与应用

一、概述

小浪底地下厂房由于顶拱以上共有 3 层连续的泥化夹层,对厂房稳定不利,经综合分析采用长 25m、1 500kN 预应力锚索和 8m、6m 张拉锚杆及挂网喷混凝土综合加固方案,整个顶拱共用 325 根后张预应力锚索。该锚索采取双层保护措施,是目前较为先进的支护形式,适用于大跨度地下洞室和高边坡永久加固工程。

1 500kN 预应力锚索所用的钢绞线和配件均为进口材料,其形式与国内生产的相比具有许多优点,主要是能有效地保证锚索体在自由张拉段内有双层的防腐保护。即第一层为钢绞线涂油层和 PE 包裹,第二层为锚索体外的封闭 PVC 波纹管。灌浆采用一次性灌浆,与常用的二次注浆锚索的不同点是钢绞线之间用对中支架分开,张拉段内砂浆与钢绞线之间用 PE 聚乙烯管隔开,可以随时调整预应力。双层保护能长期有效地保证锚索发挥作用。

二、锚索的构造

(一)主要构件及材料

锚索体主要由以下部件所组成:①高强钢丝组成的钢绞线,每束由 7 根钢丝组成,公称直径为 15.24cm,用涂油层和 PE 塑料包裹,作为成品的防腐保护和制作成锚索时的第一保护层;钢绞线以成圈方式存放运输;②内部 PVC 硬质塑料支架;③PVC 波纹管;④PE 聚乙烯帽;⑤内、外部灌浆管、通风管;⑥外部定心器;⑦承压板;⑧预制钢筋混凝土锚固墩;⑨直径为 159mm×415mm 的钢质过渡段(喇叭形);⑩外部带有螺纹的锚固板;⑪外部保护钢质端帽等。详见图 6-7-1。

(二)锚索组装

锚索的组装在一封闭的车间内进行。首先将成圈的钢绞线按要求的长度进行切割,除去锚固端的 PE 保护包裹。用高压开水冲洗,除去锚固端的保护涂油层,形成单根钢绞线备用。

将若干根(小浪底 1 500kN 锚索用 10 根)钢绞线捆扎成一束,中间以硬质塑料支架分隔,支架约 1.0m 一个,保证钢绞线间有一定的均匀的间距,每根钢绞线与浆液充分地接触胶结,使自由张拉长度内钢绞线顺直。外部用绑扎钢丝扎紧,使其成为一个统一的整体。

将绑扎成一体的钢绞索,沿 PVC 硬质塑料支架中部小孔安装内部灌浆导管和通风软管,然后套入 PVC 波纹管内,锚固端部用 PE 聚乙烯端帽封口。在 PVC 波纹管外部安置外部定心器,保证锚索安装在钻孔的中心,周围有均匀的缝隙,同时也便于安装就位及对分段的 PVC 波纹管有加固的作用,定心器约 1.0m 一个。这个组合的波纹管外壳形成了锚索体的第二层保护。

安装外部灌浆导管及通风软管。在锚固端头部 1.0m 左右进行预灌浆,以便就位安装时锚索能顺利进入钻孔。最后将用于张拉而留出的部分钢绞索用一个临时钢帽保护,组装车间的工作完成。

三、锚索的设计

(一)锚索材料

1 500kN 预应力锚索,按 ASTM A416/85 标准设计,选用 270 级钢绞线,每根钢绞线由 7 根钢丝组成,公称直径 15.24mm,每根钢绞线净面积为 $A = 140mm^2$。钢丝的极限强度为 $1.860kN/mm^2$。

每根钢绞线的允许工作荷载为 T_W:

$$T_W \leqslant \frac{1}{1.6} \cdot A \cdot R_g = 162.75(kN) \tag{6-7-1}$$

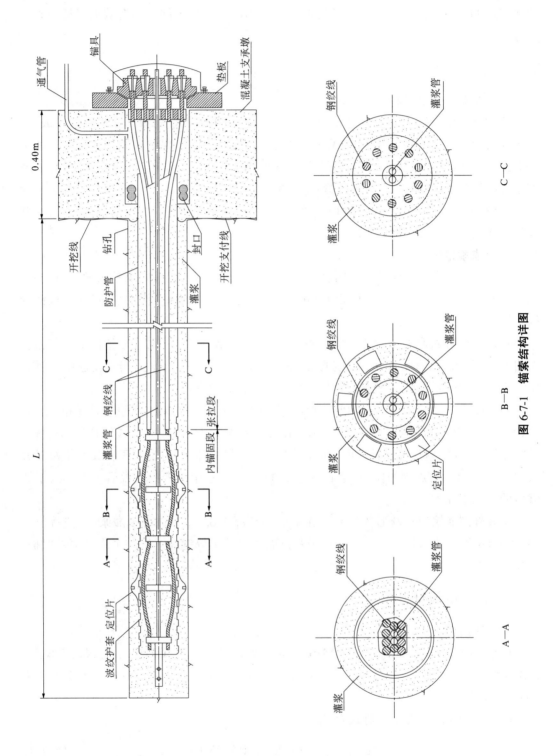

图 6-7-1 锚索结构详图

式中　A——钢绞线净面积，mm^2；

　　　R_g——钢绞线极限强度，kN/mm^2。

1 500kN 预应力锚索需要的钢绞线的根数为 G：

$$G \geqslant \frac{1\ 500}{T_W} = \frac{1\ 500}{162.75} = 9.22（根）$$

因此选用 10 根钢绞线组成一根锚索。

10 根钢绞线的极限承载力为 F_{pu}：

$$F_{pu} = 10 \times 140 \times 1\ 860 = 2\ 604\ 000（N）= 2\ 604kN$$

(二)内锚头设计

在选择了适当的胶结材料后，内锚头设计归结为所需要的锚固段长度和各个可能破坏面的设计。

(1)钢绞线和水泥砂浆间的黏结。根据工程类比及设计经验，水泥砂浆厚度大于5mm，灌浆浆体最小抗压强度为 30MPa 时，钢绞线的均匀极限黏结应力为 2.0MPa，安全系数取 2，求内锚固段长度：

$$L_1 = K \cdot F_{pu} / d_1 \cdot \pi \cdot 10 \cdot \tau_1 = 5.44（m） \tag{6-7-2}$$

式中　L_1——锚固长度，m；

　　　K——安全系数；

　　　τ_1——均匀极限黏结应力，MPa；

　　　d_1——钢绞线公称直径。

(2)水泥砂浆和 PVC 管间的黏结。波纹管外径为 125mm，依据工程经验，水泥砂浆和PVC 管间的黏结应力不小于 3.0MPa，安全系数取 2，求内锚固段长度：

$$L_2 = K \cdot F_{pu} / d_2 \cdot \pi \cdot \tau_2 = 4.42（m） \tag{6-7-3}$$

式中　d_2——波纹管外径，mm；

　　　τ_2——水泥砂浆与 PVC 管间的黏结应力，MPa。

(3)水泥砂浆与孔壁间的黏结。钻孔直径为 165mm，根据现场岩石情况和工程实例，水泥砂浆和孔壁间的黏结力取 2.0MPa，安全系数取 2，求内锚固段长度：

$$L_3 = K \cdot F_{pu} / d_3 \cdot \pi \cdot \tau_3 = 5.03（m） \tag{6-7-4}$$

式中　d_3——钻孔直径，mm；

　　　τ_3——水泥砂浆与孔壁间的黏结应力，MPa。

根据以上计算，选择 10 根钢绞线组成锚索，当内锚固段长度为 6.0m 时，则锚索抗拔能力安全系数大于 2.0，符合现行规范。

当地质条件发生变化时，内锚固段的长度也随之变化。小浪底地下厂房北部地质条件较好，内锚固段的长度为 6m，南部地质条件较差，内锚固段的长度为 8m。

四、锚索的安装和张拉

(一)锚索的安装

1.混凝土垫块安装

预制混凝土垫块为四棱台，其外形尺寸为上底面 54cm×54cm，下底面 100cm×100cm，高 40cm；混凝土强度为 30MPa，配Φ16 螺纹钢筋及Φ20 螺旋光面钢筋。

在锚索安装部位先进行喷混凝土找平，使所喷平面与混凝土垫块角度大致相当，用两根Φ20，$L = 2m$ 的张拉锚杆固定混凝土垫块，垫块四周用高标号砂浆封填，并预埋注浆管和排气管，当周围水泥砂浆达到一定强度后，往垫块与喷混凝土接触面之间注入高标号水泥砂浆，以确保锚索张拉时不会因局部应力过大而使混凝土垫块遭到破坏。

2.钻孔

采用 Atlas Copco 公司生产的 MustangA52 - CB 型液压潜孔钻孔机按照设计角度进行钻孔，孔深 25cm；钻头直径 165mm，臂长 6m，钻杆直径 90mm；钻机安装有吸尘器，配一台 Atlas ZRVS455 型、27m³/min、风压 1.2 ~ 2.5MPa 高压空压机供风。一般深 25m、直径 165mm 的钻孔需 4h 完成。

3.运输

运输车采用 5 个两轮平板车组成，两车之间铰接，用汽车或拖拉机牵引，该运输车行走、转弯都较方便。

4.预应力灌浆

因厂房顶拱岩石有软弱夹层存在，为避免软弱夹层遇水引起泥化，故不进行压水试验。根据钻孔情况判定锚固段岩层的好坏来确定是否进行预压力灌浆。在厂房顶拱 325 个孔中进行预压力灌浆的孔有 270 个，共灌入水泥 137 900kg。每孔平均灌入水泥 511kg，灌浆塞设在孔口 1m 处，灌浆浆液为纯水泥浆，水灰比 $W/C = 1:1$。灌浆压力以保证孔底处 0.2 ~ 0.4MPa 为准，达到此压力稳定 30min，每灌一个孔大约需 1h。

5.锚索安装

锚索安装前先检查孔壁内是否残留水泥浆，如影响锚索安装，则需重钻孔，以使锚索安装时孔壁无阻塞。

安装时每隔 1m 段用尼龙绳把一根钢丝绳绑扎在锚索索体上，用风动卷扬机通过安装在孔口的滑轮牵引钢丝绳，逐步把锚索送入孔内。锚索外端用于张拉的一段钢绞线放入一端封闭的钢管内，钢管用两个手动葫芦牵引，使钢管固定在混凝土垫墩的两根钢筋上，安装一根锚索大约需 1h。

6.灌浆

灌浆分为塞体灌浆和锚索索体灌浆。锚索固定后，用泡沫胶封填孔口波纹管与孔壁之间的空隙，待泡沫凝固后进行孔口 1m 段水泥灌浆，作为锚索索体灌浆时的止浆塞。孔口 1m 段灌浆称为塞体灌浆。塞体浆液达到一定强度后，开始进行锚索索体灌浆，波纹管内外同时从低处注浆管进行灌浆，待高处排气管排出的浆液不含气泡，关闭排气管继续缓慢加压，待压力突然上升时停止灌浆，使浆液充填全部钻孔空隙。

锚索灌浆浆液为纯水泥浆，并加入 6% FLOWCABLE 膨胀剂，W/C 为 0.362。从每根锚索排气管流出的浓浆取样，测 7d、28d 抗压强度。实测 7d 平均强度 34.6MPa，C_V 值为 0.216；28d 强度为 44.1MPa，C_V 值为 0.206。共灌入水泥 121 250kg，平均每孔灌入水泥 373kg，每灌一个孔大约需 1h。

(二)锚索的张拉

当锚固灌浆达到 30MPa 后，对锚索进行张拉。锚索的张拉按以下步骤进行：以压力计或荷载仪控制，均匀加载达到工作荷载的 125%，加载速率为 40kN/min。测量锚索的位移值。保持荷载 20min，这期间进一步测取位移读数。当锚索的张拉结果达到下述条件后，即认为此根锚索是合格的：

（1）当荷载达到工作荷载的 125%，保持 20min 后，所测得的锚索的徐变不超过 2mm。

（2）在荷载峰值时，预应力锚索的弹性变形在下述两个限值之内：①上限为锚索或钢筋理论弹性伸长值，等于自由段长度加 50% 锚固长度的伸长值；②下限为锚索或钢筋理论弹性伸长值，等于 80% 自由段长度的伸长值。

当锚索张拉合格后，将荷载降到设计规定荷载 1 000kN 锁定（为适应厂房顶拱变形，用设计荷载的 66.6% 锁定）。

五、锚索的拉拔试验

承包商应按照技术规范要求，至少应在岩石开挖前 60d 进行其所建议使用的岩锚的原型现场试验，以确认在相似岩石条件下，每一种类型的岩锚是否与规定要求相符合。每种类型的岩锚应在工程师选定的即将支护的不同岩石类型的典型的地面和地下岩石面上进行试验。只有当岩锚验收试验合格，经工程师批准后方可在现场进行施工。

预应力锚索的拉拔试验，在 8 号施工洞与 8b 施工洞交叉部位顶拱上进行，共做了 5 根长 25m 的试验锚索。试验锚索安装完毕，灌浆强度达到 30MPa，并安装好相应试验设备后，工程师在场的情况下，按下述步骤进行。

阶段 A：施加 50kN 的定位荷载。

阶段 B：百分表指针调零，记录加上参考点高程的读数。

阶段 C：逐渐增加荷载到表 6-7-1 中的第一级荷载。

表 6-7-1 锚索加载次序

最小观察时间	工作荷载	荷载等级（工作荷载的百分数）	荷载值（kN）
30min		30	450
60min		60	900
3h	1 500kN	100	1 500
3h		110	1 650
3h		125	1 875

阶段 D：施工荷载达到要求的值后，对表 6-7-1 中列出的各个荷载等级，记录最小观测时间范围内的百分表读数从施加荷载到要求量值后，每间隔 1min、3min、5min、10min、15min、30min、1h、2h、3h，直到规定的时间结束，记录读数，绘出时间徐变—位移曲线。每一级加载开始及结束，应记录参考点高程。

阶段 E：将荷载降到定位荷载 50kN，确定锚索永久变形，并记录百分表的读数和参考点的高程。

阶段 F：将荷载加到先前达到的量值，记录百分表读数和参考点高程，然后将荷载逐渐增加到表 6-7-1 中的下一级荷载。

阶段 G：重复阶段 D、E、F，直到荷载加到工作荷载的 100% 即 1 500kN。在工作荷载的 30%～100% 间的荷载等级间连续循环加载 20 次。每隔 5 次加、卸循环后，记录百分表读数和最大、最小荷载一次。随后将荷载降到定位荷载 50kN，然后施加 100% 的工作荷载，观察 3h。

阶段 H:执行完阶段 D、E、F 的工序后,按表 6-7-1 所列加到荷载的下一级,即 1 650kN,观察 3h,记录后,进行下一级荷载的试验直到 125% 的工作荷载。

循环加载后,试验锚索重新加载到设计规定的锁定荷载即 1 000kN 后,将其锁定。

现场试验得到:

弹性伸长上限值为 $a = (A - A_0)(L_1 + 0.5L_2)/(EF_e) = 157.00(\text{mm})$。

弹性伸长下限值为 $b = 0.8L_1(A - A_0)/(EF_e) = 109.00(\text{mm})$。

A_0 为初始工作荷载,kN;A 为超张拉荷载,kN;L_1 为锚索自由段长度,mm;L_2 为锚索黏结长度,mm;E 为钢绞线弹性模量,kN/mm²;F_e 为索体断面面积,mm²。

张拉锁定后,切除钢铰线,安上外锚头钢帽,钢帽内注满水泥砂浆用于防腐。

从表 6-7-2 中最初的一级加、卸载可以看出,经一个循环后产生了 1.6mm 的永久变形,各级的永久变形相加最后可得总永久变形为 8.6mm,而 $1.27A_f$ 时总变形为 146.00mm,所以弹性变形为 $146.0 - 8.6 = 137.4(\text{mm})$。符合其限值 108.98 ~ 156.67mm 之规定,将表 6-7-2 中数据以应力—应变曲线表示见表 6-7-3、图 6-7-2、图 6-7-3,锚索徐变曲线见图 6-7-4,混凝土承墩徐变曲线见图 6-7-5。

表 6-7-2 <center>现场超张拉实测数据</center> (单位:mm)

加载过程	初始荷载	荷载等级					
		A_0	$0.3A_f$	$0.6A_f$	$1.0A_f$	$1.1A_f$	$1.27A_f$
加载	0.0	120.6	151.2				
		0.0	30.6				
加载		122.2	151.4				
		10.6	30.8				
加载		122.2	148.8	185.3			
		1.6	28.2	64.7			
加载		122.8	154.6	186.8			
		2.2	34.0	66.2			
加载		124.2	154.8	186.5	234.4	(循环加载 20 次)	
		2.2	32.8	64.5	112.4		
加载		124.4	158.9	193.2	234.9		
		2.4	36.9	71.2	112.9		
加载		124.4	152.3	184.2	231.3	244.9	
		2.4	30.3	62.2	109.3	112.9	
加载		127.4	161.1	196.8	235.3	245.0	
		5.7	39.1	74.8	113.3	123.0	
加载		127.7	156.6	188.9	231.7	244.3	267.1
		5.7	163.9	197.6	246.0	258.6	268.0
加载		8.6	41.9	75.6	124.0	136.6	146.0

注:A_0 为定位荷载;A_f 为工作荷载。

表 6-7-3		20%～100%间循环加载实测数据					(单位:mm)
加载过程	初始荷载	荷载等级					
		A_0		$0.3A_f$		$0.6A_f$	$1.0A_f$
加载	0.0	122.8 0.0		135.6 30.8		182.6 59.6	229.7 106.9
卸载							
加载				259.9 37.1			229.2 106.4
卸载							
加载				158.7 35.9			230.1 108.0
卸载							
加载				156.9 34.1			230.8 107.3
卸载							
加载				154.9 32.1			229.8 107.0

上限 $a = (A - A_0)(L_1 + 0.5L_2)/(EF_e) = 157(\text{mm})$

下限 $b = 0.8L_1(A - A_0)/(EF_e) = 109(\text{mm})$

六、小结

按设计要求,小浪底工程地下厂房顶拱锚索在施工前于厂房端部 8# 施工交通洞做了 5 组现场试验,从承包商提供的现场试验读数及观测记录看(试验全过程由监理工程师在场),试验程序及结果满足设计要求。

厂房顶拱锚索安装自 1995 年 6 月 15 日开始,与顶拱开挖及喷锚支护交叉施工,于 1996 年 2 月 15 日完成,历时 8 个月,平均月完成 36 根。截至 1997 年 4 月厂房基坑开挖已基本完成。从现场监测结果看,锚索可以有效地控制厂房围岩的变形。从监测结果看,锚索安装前顶拱变形速率最大值曾达 1mm/d(相对收敛值),锚索就位并锁定后,变形速率明显降低,顶拱变位(收敛值)稳定在 17mm 左右。

从现场测试结果或者模型试验结果可以看出,对于层状围岩,特别是存在泥化夹层的大跨度地下洞室,顶拱施加预应力锚索是必要的,也是有效的。用锚索或者长锚杆将数层

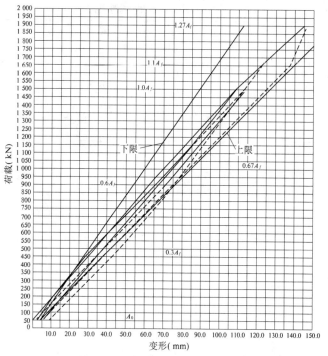

图 6-7-2　超张拉时应力—应变曲线

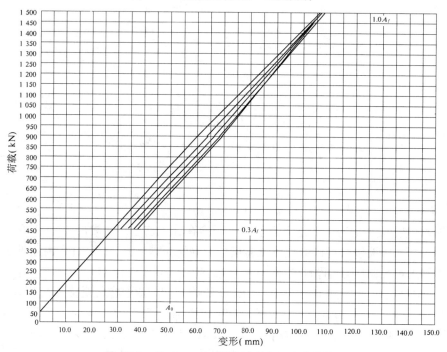

图 6-7-3　30% ~ 100% 张拉时应力—应变曲线

平缓的岩层穿在一起,增大了层间的摩阻力,从结构力学观点看形成"组合梁",改善了围岩受力条件,提高了洞室稳定性,确保了工程安全。

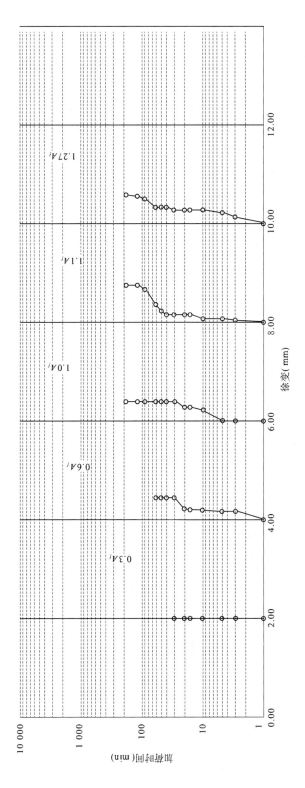

图 6-7-4 锚索徐变曲线

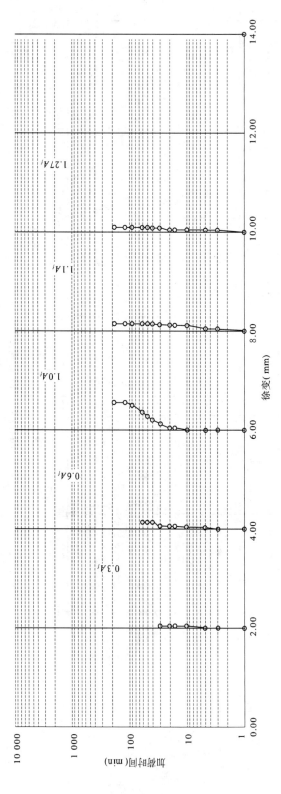

图 6-7-5 混凝土承墩徐变曲线

第八节 国际招标文件——技术规范的编制

小浪底工程采用国际招标,其技术规范的内容涉及面很广,内容也相当丰富,这里仅摘录一部分与新奥法施工有关的章节,供读者更深入、系统地了解新奥法的施工方法。

一、岩石开挖

(一)总则

(1)本规定适用岩石明挖及地下开挖。

(2)岩石开挖施工应符合现代爆破及开挖技术,采用的方法和技术应最大限度地减少开挖支付线以外的超挖,而且应尽可能保持开挖支付线以外岩石结构的完整性。

(3)要求开挖的岩石应避免出现裂缝、破碎、劈裂和岩层开裂。开挖支付线以外的松动岩石应剥离,清理到未受爆破扰动的新鲜岩石面。超挖部分应用混凝土或其他可接受的材料回填。

(4)直到上一循环的系统锚杆已经布置好、断面形状检查通过、开挖支付线内的残余岩石清理完,才能开始下一循环开挖。

(二)开挖记录

承包商应保持爆破及开挖工作的准确记录,且在每班结束后向工程师提交两份记录复印件,记录表格应有承包商和工程师代理人的签名以证实记录的准确性和完整性。

(1)下列资料的详细记录:钻进方式和钻机数量,钻孔位置、尺寸及深度,每一循环采用炸药的类型及用量,雷管的类型、位置、引爆方式,每一爆破的延时顺序、掌子面位置、进尺长度及地震仪测读数等。

(2)每班采用的其他开挖方法和凿岩的详细资料,以及开挖和出渣方量。

(3)安装的每一岩石砂浆锚杆、张拉锚杆、预应力锚索的数目、长度、位置、类型、规格和完成时间,包括试验的详细资料。

(4)喷混凝土的厚度、次数、方法。

(5)开挖人员和承包商永久设备的数目及类别。

(6)辅助系统诸如通风、供电、照明、压缩空气、用水的安装以及离开挖面的距离。

(7)每一循环的起止时间,其中包括搬迁、准备、钻孔、装药、爆破、通风、清理、岩石支护的安装、出渣,也包括无施工活动的时间。

(8)发生的意外情况,包括岩石坍落、不稳定面及软基、涌水。

(三)爆破

承包商应采用控制爆破技术,以满足本规范规定的开挖要求。对每一类型的岩石条件,承包商首先应进行试验爆破,然后调整最小抵抗线、钻孔形式和深度、炸药类型和数量、爆破顺序以及爆破孔延时方式以达到本规范的要求。

至迟每一区域岩石开始开挖40d前,承包商应向工程师提交其准备在这一区域采用的钻爆法的详细资料,以供工程师检查。提交的资料包括将要遇到的各类不同岩石的下述资料:①爆破孔的典型直径、间距、深度、类型和倾角;②使用炸药的典型类型、强度、数量、药卷质量及分布;③典型的延时顺序和形式;④承包商拟采用的任一特殊方法的说明。

每一爆破钻进开始前24h,承包商应向工程师提交爆破的全部详细资料,包括下述具体数据:①每一爆破的位置、深度和面积;②每一钻孔、每一延时、每一爆破将采用炸药的类型、强度、数量、药棒量及分布;③延时顺序及形式。

在指定地区无论何时,如果先前采用的计划不能开挖出符合本规范要求的岩石面,承包商应在继续开挖邻近地区前向工程师提交一份修改计划。

承包商只能聘用合格的有经验的人员监督和实施爆破。

(四)振动控制

建筑物附近质点速度峰值是控制地面振动容许水平的标准。

承包商应利用地震仪监控所有爆破作业,确定地面振动的震级及烈度。承包商应提供并使用这些监测仪器测量质点振动速度。设备应为三维型,可以测量竖直、水平、纵向波形。

(1)爆破产生的振动在离爆破30m处所引起的质点速度峰值不应超过100mm/s,或者离爆破60m处不超过50mm/s。尽管有这些限制,承包商还应尽量减少地面振动,而这些振动可能使岩体造成破裂、粉碎、劈裂或损坏。通常要求岩体,特别是在隧洞洞口附近不受扰动。

(2)在建筑物附近,包括隧洞附近,离每个结构最近点60m半径处所量测的质点速度峰值不应超过50mm/s,半径30m处所测质点速度峰值不应超过100mm/s。

在本承包商或其他承包商浇筑混凝土、喷混凝土、灌浆后24h内,各自对应的30m范围内不应进行爆破。浇筑混凝土60h内,灌浆60h,混凝土表面量测的质点最大速率不应超过25mm/s。

一旦监测的爆破结果表明承包商的爆破方法对开挖、灌浆或混凝土施工产生不利影响,承包商应改变其施工方法以防止损坏。

更换或修补由开挖振动而损坏的混凝土或灌浆,业主不另加费用。

(五)周边控制爆破

应采用周边控制爆破技术,以使开挖的岩石面符合图纸要求的开挖线、开挖坡、开挖高程和开挖尺寸,并使其对开挖支付线处或开挖支付线外的岩石影响最小。

周边控制爆破的钻孔直径不应小于42mm,沿开挖支付线应采用单排小间隔钻孔,最大深度10m。周边钻孔的间距可根据观测结果修改。

垂直于开挖支付线5m距离内的所有爆破孔直径应小于75mm,装药方式与引爆顺序应确保主炸药引爆后掌子面所受破坏影响最小。

(六)地质素描

明挖和地下开挖中出露的岩石面均应冲洗,以备工程师检查和做地质素描。要求开挖支付线处的出露岩石面,应在喷混凝土前准备工作后进行地质素描。隧洞和其他地下开挖工作面应在开始钻孔前进行地质素描。承包商在其施工计划中应给工程师留下不少于45min的时间,以供给各个隧洞工作面做地质素描。

(七)结构开挖

(1)离厂房边墙和底板开挖支付线2m之内的岩石,包括安装间、副厂房、主变室、尾闸室相应岩石,爆破时应采用小剂量炸药并平行于开挖线分3层或多个薄层进行作业,以求不损坏开挖支付线外部的岩石。这类开挖称结构开挖。

(2)在厂房岩壁吊车梁和尾闸室岩台吊车梁附近的结构开挖,应按图纸所示的岩石面形状进行施工。在顶部掌子面开挖完成并支护后,邻近这些部位的岩台开挖应采用水平钻进和周边控制爆破,以使超挖最小。吊车轨道混凝土模板应留在原位保护混凝土,直到开挖完成或吊车安装开始,两者取较早者。

(3)如果工程师认为将要浇筑混凝土的倾斜岩石面的削坡偏离了图纸所示的开挖线、开挖坡、开挖尺寸和高程,对混凝土牛腿的承载能力产生不利的影响,承包商应按工程师的要求进行开挖并使之成形。如工程师要求这种附加开挖和形状修整应采用手工操作,则不允许爆破。如果工程师认为这种必要的附加开挖和整形是由于承包商的疏忽所致,则概不另支付费用。

(八)地下开挖

(1)隧洞开挖应在入口开挖出露的岩石面已经加固并设置了排水系统后才能进行。

(2)交叉部位在掘进前应实施超前支护以确保安全。

(3)局部加宽。未预先获得工程师同意,承包商不应出于自己的目的加宽任何隧洞、竖井、闸室或其他地下开挖。

(九)断层带开挖

隧洞中断层带的位置,将由工程师在开挖过程中以及当第一个循环已贯穿到断层带后确定。在每一个断层带确定后,隧洞的开挖直径将从断层带始端起按图示进行扩大,并要求对进入断层带的第一个循环长度进行局部周边开挖。

二、岩石支护

(一)岩石支护系统

对岩石明挖及地下开挖的任一部分,图中所示的岩石支护系统都由系统岩石锚杆、钢筋网、喷混凝土和混凝土联合组成,上述岩石支护系统属于典型布置,它将适于预期的岩石条件以及工程将要承受的荷载。当明挖及地下开挖某部开挖面出露的实际岩石条件确定后,根据岩石条件如工程师认为可加强或减少支护系统时,他可以修改图中的岩石支护系统。岩石支护系统的修改可通过增大或减小系统锚杆长度或间距或两者同时进行,还可以增大或减小喷混凝土层的最小厚度或增加随机锚杆、回头锚杆或钢丝网。掌子面前安装的超前锚杆或其他岩石支护将使用在图示要求部位和断层带以及类似的岩石不稳定区域。这种超前支护使用的超前锚杆或其他岩石支护将作为系统锚杆对待。

喷第一层混凝土后、喷第二层混凝土前,系统锚杆以图示的网格状安装布置。除非工程师另有要求,不应调整网格的间距以适应实际岩石条件。系统岩石锚杆可以是非张拉树脂灌浆锚杆,也可以是非张拉水泥砂浆锚杆。系统张拉锚杆可以是胀壳张拉锚杆,也可以是树脂灌浆张拉锚杆。系统预应力锚索(杆)可以是后张水泥灌浆预应力锚杆,也可以是后张水泥灌浆预应力锚索,除非另有要求。

随机锚杆应在工程师要求的地方,或者在承包商要求经工程师同意的地方安置,以给局部开挖岩石表面提供附加支护。随机锚杆应在第一层喷混凝土喷射后,第二层喷混凝土喷射前布置。随机张拉锚杆可以是胀壳张拉锚杆,也可以是树脂灌浆张拉锚杆。随机预应力锚索(杆)可以是后张水泥灌浆预应力锚杆,也可以是后张水泥灌浆预应力锚索。

(二)采用标准

本规范提到或下面所列或者既在本规范中提到又列在下面的规程、施工、规范、技术标准以及推荐的施工方法将构成技术规范的一部分:

(1)美国混凝土学会 ACI318《钢筋混凝土建筑物规程要求》;

(2)美国钢结构学会 AISC《结构钢设计、制作、安装规范》;

(3)美国标准 ASTMA36M《结构钢规范》;

(4)美国标准 ASTMA47M《铁素体可锻铸铁技术规程(标准)》;

(5)美国标准 ASTMA185M《混凝土配筋中的焊接钢丝、构架、平面、规范》;

(6)美国标准 ASTMA325M《结构钢部件高强螺栓技术规范(标准)》;

(7)美国标准 ASTMA392M《镀锌钢丝编结保护手册技术标准》;

(8)美国标准 ASTMA421M《预应力混凝土无涂层的应力解除钢丝规范》;

(9)美国标准 ASTMA615M《混凝土配筋中变形和光面钢坯钢筋技术规范》;

(10)美国标准 ASTMA722M《预应力混凝土中无涂层的高强钢筋规范》;

(11)美国标准 ASTMC109M《水硬性水泥砂浆抗压强度的试验方法》;

(12)美国标准 ASTMC150《硅酸盐水泥规范》;

(13)美国焊接学会 AWSD1.1《建筑结构焊接规程》;

(14)中国标准 GB38《螺栓技术条件》;

(15)中国标准 GB175《硅酸盐水泥和普通硅酸盐水泥》;

(16)中国标准 GB699《优质碳素结构钢技术条件》;

(17)中国标准 GB700《碳素结构钢》;

(18)中国标准 GB701《普通低碳钢热轧圆盘条》;

(19)中国标准 GB3077《合金结构钢技术条件》;

(20)中国标准 GB4463《预应力混凝土用钢筋热处理》;

(21)中国标准 GB5224《预应力混凝土用钢绞线》;

(22)中国标准 SDJ207《水工混凝土施工规范》;

(23)中国标准 SDJS7《水利水电地下工程喷锚支护施工技术规范》;

(24)中国标准 GBJ86《锚杆喷射混凝土支护技术规范》;

(25)中国标准 SDJ211《水工建筑物岩石基础开挖工程施工技术规范》;

(26)中国标准 SDJ212《水工建筑物地下开挖施工技术规范》。

(三)材料

1.总则

锚杆使用的所有钢材应是新材料,不含油脂、杂质、锈蚀以及其他有害物质。胀壳锚具和锚杆其他构件应是工厂的标准产品,这些工厂生产提供这些产品的历史应不少于5年。

裸钢表面应防腐蚀,仅在安装时才取下防止螺纹受机械损伤的坚固塑料帽和塑料护套。

长度大于 3m 的锚杆提升和储存时应至少有两点栓牢,点距不超过 2m。

2. 非张拉锚杆

非张拉水泥砂浆锚杆和非张拉树脂灌浆锚杆应采用变形钢筋。国产钢筋应符合 GB1499 Ⅱ级要求,进口钢筋应符合 ASTMA615M400 级标准。

国产支座板、螺帽、垫圈应符合 GB38,进口的应符合 ASTMA325M 标准。

非张拉锚杆的抗拔力应与表 6-8-1 所列的抗拔力相同。

3. 张拉锚杆

1)概述

张拉锚杆应尽可能按最大长度供料,连接套管的使用应尽量少。系统张拉锚杆应由承包商设计,每个锚头要有足够的抗拔力以满足表 6-8-1 所列要求。随机和回头张拉锚杆的锚固件应与系统张拉锚杆相同。

表 6-8-1　　　　　　　　　　　　张拉锚杆最小锚固能力

锚杆直径(mm)	要求抗拔出能力(kN)	锚杆直径(mm)	要求抗拔出能力(kN)
22	120	30	220
25	160	32	250

2)胀壳张拉锚杆

国产胀壳张拉锚杆应符合 GB1499,进口的应符合 ASTM 规定的 A615M400 级。张拉锚杆应有胀壳式锚固端并留有空心以供灌浆。

3)树脂灌浆张拉锚杆

树脂灌浆张拉锚杆应采用变形钢筋,符合 ASTM 规定的 A615M400 级要求,在钢筋的一端应留有 200mm 长的螺纹段。国产钢筋应符合 GB1499 Ⅱ级要求。连接张拉锚杆用的螺纹连接套管应具备锚杆最小屈服强度的 125%。

4)承压板和垫圈

张拉锚杆组件应包括 200mm × 200mm × 10mm 的承压板(符合 GB699、GB700、GB3077 或符合 ASTMA36),还包括螺帽和平面、斜面、半球面垫圈(符合 GB699、GB700、GB3077 或符合 ASTMA325M)。

5)张拉设备

锚杆张拉应使用套筒扳手。套筒扳手具有一个控制装置以便在超出需要的扭矩范围时切断。同时还应提供能使锚杆达到极限强度的液压油缸千斤顶、压力表。所有张拉设备都应由独立的部门在张拉及试验操作前一个月时间内校定,以后每月重校一次。率定或重新率定证明的复印件应在率定或重新率定后两天内提交给工程师。

4. 后张预应力锚杆、锚索

1)后张预应力锚杆

后张预应力锚杆应采用直径 32mm 的高强螺纹钢筋,符合 ASTMA722,极限抗拉强度不小于 1 035MPa,屈服强度不小于 830MPa。

2)后张预应力锚索

后张预应力钢绞线由 7 根直径不小于 4mm 的冷拔钢丝组成,符合 GB5224 的要求,极限抗拉强度要求 1 860MPa,应变 1%时,屈服强度 1 670MPa。

所有钢绞线应无接头且长度连续,运到现场时,应已加工到需要的长度并包装于滑动护套内,以便于立即施工。钢绞线应成盘并绑扎结实以免过早松开。

锚具和张拉设备应经工程师批准。

3)内锚头

承包商应针对图中显示的各类预应力锚索(杆)承载力以及即将支护的不同岩石条件,设计预应力锚杆或预应力锚索的内锚头。

锚具应满足 ACI318 的最低要求。假如承包商的现场试验证明砂浆或树脂灌浆内锚头可 100%达到钢绞线或钢筋的极限抗拉强度,也可采用砂浆或树脂灌浆作内锚头,业主不承担试验的额外费用。

连接套管、锚固部件、锚固加载端至少应能够达到钢铰线或钢筋极限抗拉强度的100%。

4)防腐

后张预应力锚杆和后张预应力锚索在自由张拉长度段内,应设置双重防腐保护,内锚固段也应具有防腐保护。

塑料护套和护套辅件,诸如端帽、灌浆帽、灌浆管和密封帽应用硬 PE 和 PVC 材料制作而成,材料应不含氧化物和其他易引起钢材腐蚀和氢脆的成分。塑料应不与混凝土和其他成分起反应。塑料护套应不影响在规定的灌浆 28d 抗压强度达到 5MPa 的最小黏结力。

5)定心装置

对预应力锚索应当使用定心装置,使得预应力锚索在钻孔中的位置能够端正,并使锚索周围有不少于 50mm 的灌浆层。定心装置应由钢材、塑料或任何对高强钢不产生副作用的材料组成。不能使用木制定心装置。

6)张拉设备

张拉设备包括对锚索施加极限强度的液压油缸千斤顶和标定读数为 100Pa 或增量读数更少的荷载盒。千斤顶测压计应采用公制单位。

所有的张拉设备都应在张拉和试验前一个月时间内率定,而且以后每隔一个星期重新率定一次。率定或重新率定证明的复印件应在率定或重新率定后两天内提交给工程师。

7)保护

后张预应力锚索在安装前的装卸、储存、维护中应采用某种方法以防止锈蚀和机械损坏。

组装、装卸、放置预应力锚索所使用的后张拉设备不应损伤钢筋、钢绞线或防腐层。

5. 水泥浆

(1)水泥浆所用水泥应符合 GB175,525 号普通硅酸盐水泥的要求。

(2)除砂浆锚杆外,所有的岩石锚杆使用的砂浆,由水泥、批准的膨胀添加剂和水组成。砂浆锚杆采用的砂浆应和混凝土中规定的水泥和细骨料比例相同。可加进塑化剂以改善泵送能力。浆液中也可采用其他控制析水和缓凝的添加剂,只有当试验证明使用外加剂可以改进灌浆的特性且不含损坏钢材和灌浆本身的材料时才能使用外加剂。

(3)灌浆浆液,水灰比应在 0.38～0.45 范围内。

(4)承包商应在锚杆安装前最少不少于 60d 完成试验项目,确定每种拌和浆液的材料配比。试验项目应确定拌和稠度、实际拌和比、初凝和终凝时间、最优含砂量、外加剂及其与灌浆拌和料成分的相容性以及可能影响灌浆质量的其他性能。试验应使用将用于灌浆的实际材料。

(5)灌浆开始 40d 前,应提交给工程师实验室试验,试验结果以备检查。

(6)浆液的 28d 抗压强度不应低于 30MPa。

6. 树脂浆液

树脂浆液为环氧树脂或聚酯树脂卷,它可直接插入钻孔中。

树脂卷应避免日光直射,存放温度应低于 25℃。不同凝固时间的树脂卷应从颜色上区别出来。

7. 钢筋网

钢筋网应由承包商按照 GB701 用直径 6mm 或 8mm 的光面钢筋制作。

8. 钢桁架

地下开挖中遇到不稳定岩石时,承包商可以在需要的地方设计和使用加强桁架,桁架可以是钢支撑或钢桁架。地下开挖开始 60d 前承包商应向工程师递交他所选钢桁架的详细资料供审查,其中包括详细的设计计算。

9. 岩石支护的应急供应

要求的岩石支护数量完全取决于开挖过程中所遇到的实际地质条件。无论何时,承包商的现场存货应保证砂浆锚杆、张拉锚杆、预应力锚索(杆)、钢筋网、钢支撑或钢桁架构件和辅助配件有下列的最小储备量,以备岩石支护急需之用。

(1)无论何时,储存的应急张拉锚杆的最小总长度为 5 000m。不可预见张拉锚杆的长度应在一定范围之内,可以是胀壳式张拉锚杆,也可以是树脂灌浆张拉锚杆。

(2)无论何时,至少储备 10 根 15m 长以及 10 根 20m 长的应急预应力锚索。

(3)无论何时,至少储备 100m² 应急钢筋网。

(4)无论何时,至少应储备适用于发电洞和尾水洞开挖尺寸要求的 10 套以上应急钢支撑或钢桁架的制造所需要的装配件。

(四)实施

1. 概述

岩石明挖中,爆破结束 16h 内或下一个台阶开挖前(以时间短者为准)在每一台阶应布置所有系统砂浆锚杆,布置并张拉所有系统张拉锚杆和随机张拉锚杆。

地下开挖中,爆破后 6h 内,所有系统砂浆锚杆、系统张拉锚杆、随机张拉锚杆应安装张拉到离掌子面 1.5m 范围内。爆破后 16h 内或下个循环开挖开始前(以时间短者为准),所有系统砂浆锚杆、系统张拉锚杆、随机张拉锚杆应安装张拉到掌子面。

系统张拉锚杆应按图示安装并与开挖支付线正交,除非遇到的岩石条件另有要求。

用于稳定局部岩面的随机张拉锚杆和回头张拉锚杆应定向安装,以适应遇到的实际岩石条件。

应在工程师在场时安装首批 100 根砂浆锚杆和首批 50 根张拉锚杆。

安装前应在岩石锚杆永久出露端涂上防腐化合物涂层,涂层上如有缺陷,应在安装和张拉后重涂。

2. 钻孔

锚杆的钻孔应在图示位置和方向钻至所要求的长度。钻眼偏离图示方向不能超过 2%,除非工程师另有要求或此处另有规定。支撑主厂房桥式起重机轨道的混凝土岩锚吊车梁的后张拉预应力锚索的钻孔不应偏离图示线,其斜度不超过 1%,投影到开挖支付线上的钻孔中心线位置在任何方向不应偏离图示位置 1cm。

随机张拉锚杆和回头张拉锚杆轴环的位置应由工程师标定在开挖岩石表面上。每一循环或每一台阶开挖结束,承包商应冲洗开挖面并提供通道进入开挖面来布设随机张拉锚杆。

钻孔的直径、位置、方向如有不对,应在工程师指定的地方按要求重新钻孔,业主不另付费用。

锚杆即将安装前,钻孔应用插入孔底的硬管,采用循环清水或吹入高压水气混合物冲洗干净钻孔内的碎石或石渣,直到回出的水是清水为止,然后慢慢抽出管子。

钻孔应使用盖子或其他合适方法保护起来,以防堵塞或发生故障。在灌浆施工完成前,被堵塞或发生故障的任何钻孔应以工程师接受的方式清理干净,或另钻孔代替,业主不另加费用。

3. 灌浆

水泥砂浆采用高速搅拌器拌和,拌和的时间不应少于 3min,除水泥砂浆锚杆外,所有水泥砂浆均应通过 1.25mm 的筛子。砂浆一经拌和,应尽快使用。拌和后超过 1h 的砂浆不应再用。

4. 非张拉锚杆

1)水泥砂浆锚杆

水泥砂浆锚杆应按图示安装。

钻孔冲洗干净以后,应用水泥砂浆充填。锚杆应插入孔中,用连接于锚杆端部的驱动接头将其推进砂浆中直到钻孔的全深。锚杆应按图示露出开挖岩面或喷混凝土面之外。安装完毕后,岩石和混凝土上的锚杆应保持至少 48h 不受扰动。只有当锚杆用来锚固喷混凝土、焊接钢筋网或链结钢筋网时,才使用螺帽和垫圈。

如果周围气温低于 1℃,钻孔和锚杆钢材应按工程师批准的方法预热。

2)树脂灌浆锚杆

承包商应按树脂卷厂商规定的树脂卷直径和相应的锚杆直径钻孔。每个锚杆孔的孔径在孔长范围内应是一致的。

钻孔在用水冲洗前,应先用压缩空气清除孔中的碎屑、泥浆、碎石。锚杆露出开挖岩面或喷混凝土的长度见图示要求。

浆液应使用固化时间相同的单一型号树脂卷。

应将足够的适于钻孔长度和直径的树脂卷推入孔底,如需要,可采用挡板定位。

将锚杆插入孔中时,应借助气动工具和锚杆螺纹端的连接套管,按照树脂制造商推荐的速率稳定地旋转锚杆,锚杆全部插入后仍应连续旋转 30s,保持锚杆于原位直到树脂硬化。孔口流出的多余树脂应清理掉。

只有当锚杆用来锚定喷混凝土、钢筋网时,才使用螺帽、垫圈。

5. 张拉锚杆

1)钻孔尺寸

当安装没有连接套管的张拉锚杆附件时,钻孔直径在全长范围内应均匀一致。当钻孔场地限制以及岩石条件要求使用带连接套管的张拉锚杆时,可采用套钻。

2)张拉

锚杆应使用套筒扳手张拉,使其产生不小于 350N·m 的扭矩。套筒扳手应有一控制装置,能在超出需要的扭矩范围时断开。在施工中,如工程师要求,套筒扳手应进行率定。

3)胀壳张拉锚杆

锚杆应插入钻孔,通过可控套筒扳手固定扭紧内锚头。张拉锚杆按图示要求荷载张拉。

距工作面 5.5m 以内的张拉锚杆应在每次掘进循环后 4h 内重新张拉到图示要求荷载。距工作面超过 5.5m 的张拉锚杆,灌浆前任何时候,工程师或承包商发现张拉锚杆松动,或者由于承压板下的岩石掉块以及其他任何原因引起张力损失,承包商应再施加规定的扭矩。灌浆前 14h 内应重新扭紧锚杆。这种灌浆应在安装之后尽快进行,但必须保证在锚杆位置 30m 范围以内无爆破作业。张拉锚杆的灌浆压力应在 0.1～0.15MPa 之间。

承包商由于自己的目的临时加固岩面所安装的张拉锚杆不需灌浆,但这类张拉锚杆在有效期内应按规定程序重新扭紧。

如果发现由于爆破作业引起张拉锚杆损坏或失效和锚头在不滑动时在锚杆上施加的扭矩达不到要求值时,应在失效的锚杆附近重新打入新的锚杆来替代它。

4)树脂灌浆张拉锚杆

在安装张拉锚杆前钻孔应采用压缩空气冲洗,以清除碎石、泥浆、碎屑。不能用水冲洗钻孔。

浆液用两种类型的树脂卷组成,每种有不同的锚固和张拉凝固时间,两种树脂凝固时间差值应不少于 15min。水泥浆可以用来代替凝固缓慢的树脂浆液。

为了适应钻孔长度和孔径的需要以及形成适当的锚杆张拉锚固长度,应将足够数量的速凝树脂卷放到钻孔的底部,如有必要,应借助挡板固定。锚杆的剩余黏结长度段可采用缓凝树脂卷。当快凝树脂卷定位后才应将缓凝树脂卷插进去。

伸出孔眼的张拉锚杆螺纹段应用防护套或适当的防黏结剂保护好,以免受树脂污染。

锚杆插入孔眼过程中,应依靠气动工具和锚杆螺纹端部拧的连接套筒以厂家推荐的速率稳定地旋转锚杆。锚杆全部插入后仍应连续旋转 30s,除非厂家另有推荐。锚杆应维持原位直到速凝树脂硬化,孔口流出的多余树脂应清理掉。

当树脂锚头终凝后,按图示要求荷载张拉锚杆,张拉锚杆应在缓凝树脂凝固前进行,张拉锚杆可以采用轴向或者套筒扳手张拉。

如果周围大气温度低于1℃,锚杆和树脂卷要用工程师认可的方法预热。在有冰或临近水区的区域不能安装锚杆。锚杆安装前应将附近的岩石完全解冻,树脂凝固时锚杆端部应与附近的岩石面分离开。

6. 后张预应力锚索(杆)

桥机轨道中的后张拉预应力锚杆应在安装吊车轨道前15d内进行张拉及验证试验,只有当锚固灌浆抗压强度达到30MPa后,才能张拉和试验后张拉预应力锚索(杆)。

预应力锚索(杆)应按下述方法进行张拉和试验。

首先,施加工作荷载值的125%。加载期间,位移测量精度要达到0.025mm,荷载用压力计或荷载仪控制。预应力锚索应均匀加载,加载速率大约为40kN/min。荷载应保持20min以测试徐变,这期间将测取进一步的位移读数。如果在20min的徐变测试中位移不超过2mm,则预应力锚索(杆)是可以接受的;如果20min的徐变测试发现位移超过2mm,应再保持荷载45min,继续观测进一步的位移读数。工程师将检查荷载与位移以及位移与时间的关系。如果在荷载峰值时,预应力锚索(杆)的弹性变形在下述两个限值之内,则预应力锚索(杆)是合格的:

(1)上限对应于锚索或钢筋的伸长值,等于自由长度加50%黏结长度时的理论弹性伸张值。

(2)下限对应于锚索或钢筋的伸长值,等于80%自由长度时的理论弹性伸长值。

如果证实预应力锚索是合格的,荷载应降到许可荷载值并随之锁定;如不合格,应另外代替。

第二步预应力锚索灌浆,应在预应力锚索荷载锁定后24h内进行。

如锚索荷载锁定之后没有在24h内进行第二阶段灌浆,则应在工程师在场的情况下,进行测试来检查锚索荷载。如果锚头在相当于工作荷载作用下不会抬松其承压板,则锚索被认为合格,可进行第二阶段灌浆。在施加的荷载小于工作荷载的情况下,如果锚索头松动,则锚索应重新加载到工作荷载的125%,而且应遵照上述的张拉程序对锚索重新进行初始应力张拉。

承包商应以良好的工作状态供应、储备、维修所有设备,包括张拉后张预应力砂浆锚索所要求的备用零部件。这些设备包括中心孔液压千斤顶、配有仪表的精确度可达8%的读数式应变测量装置、具有读数精度1%的荷载计。

对于每一个后张预应力锚索的安装,承包商应提供宽敞的安全平台,平台上能容纳承包商人员及设备和至少两名工程师代表,工程师代表是为了进行或监督所需记录、测量并且验收锚索。

张拉应由有从事这种工作经验的人员进行,且使用为张拉系统特别设计的设备,以确保张拉在安全的条件下进行。

人员不准直接站立在液压千斤顶的端部、上方、设备和结构的边缘之间的位置。

7. 钢筋网

钢筋网应安置在图纸所示的部位,以适应开挖岩石的不平整表面。钢筋网应固定到系统砂浆锚杆和系统张拉锚杆的托板上。另外,如果钢筋网在系统砂浆锚杆和系统张拉锚杆已安装好后设置,则钢筋网应借助有垫圈、螺帽的托板使其连接于系统砂浆锚杆和系统张拉锚杆上。

钢筋网的搭接长度不小于 20cm,并用钢丝系紧。应使用 50cm 长的锚杆使钢筋网边缘贴紧岩石面并进行搭接锚固。

当钢筋网与岩石表面贴紧后,应在钢筋网之间、周围和背后喷射不小于 5cm 厚的一层喷混凝土保护层。

主厂房,包括安装间和副厂房、主变室和尾管室的钢筋网,应两个方向(10m 中心距)焊接到锚杆上作为接地系统的一部分。

(五)质量保证

1. 提交文件

1)岩锚详细资料

岩石开挖前不少于 60d,承包商应向工程师提交每种类型的岩锚的设计、外形、安装方法的详细资料,以供审查。

如果承包商计划使用预先装配好的岩锚,则提交文件包括生产厂商提供的试验数据和证据,证明拟采用的岩锚类型已在与现场类似岩石条件的明挖和地下开挖中使用过至少 5 年。

提交文件包括下述资料:

(1)胀壳式张拉锚杆和预应力锚索锚固设计资料和试验数据;

(2)各种岩石类型的锚固设计承载力;

(3)预应力锚杆和预应力锚索材料的等级和性能;

(4)建议的预应力锚杆和预应力锚索的工作荷载取用极限荷载的百分比;

(5)防腐蚀的方法和细节;

(6)灌浆的拌和料、强度、外加剂;

(7)钻孔方法、设备、最大钻孔压力;

(8)安装方法;

(9)灌浆细节和灌浆压力;

(10)预应力锚索的自由应力段防黏结方法;

(11)具有设备、荷载仪、压力计细节和精度的验收和预测设备;

(12)验收试验步骤;

(13)消除应力和重新施加应力的规定和细节。

2)材料试验

岩锚加工开始前不少于 20d,应将加工岩锚所用钢材的工厂试验证明提交给工程师。工厂试验证明包括钢材的极限强度、屈服强度、屈服延伸率、弹性模量。

每批运到工地的岩锚中,工程师将从每类中每 60t 中选出 2 根作为试样,在工程师在场时由承包商进行试验。试验应符合本规范和 SDJ207,且应在使用工程之前完成该材料的各项试验。任一试验如果显示材料不满足规定的要求,工程师将另选择 4 根试样由承包商当面进行试验,如果这 4 根试样中的任一试验结果显示材料仍不满足规范要求,本批所有的岩锚均应从现场撤掉。

3)验收试验设备

验收试验开始前不少于10d和重新率定后5d内,承包商应向工程师递交泵、千斤顶和张拉设备、荷载仪的率定证明的复印件。

2.岩锚的验收试验

承包商至少应在岩石开挖60d前进行他建议使用的岩锚的原型现场试验,以确认在现场现有岩石条件下每一种类型的岩锚是否与规定要求相符合。每种类型的岩锚应在工程师选定的即将支护的不同岩石类型的典型的地面和地下岩石面上进行试验。承包商应提供所有现场试验的设备,每一种安装试验完成后7d内,应向工程师提交现场试验的读数及观察记录。

每次现场试验开始前,至少提前24h通知工程师,以便其能到场检查试验安装情况。

1)砂浆锚杆和张拉锚杆

对承包商建议使用的每种类型的砂浆锚杆和张拉锚杆,至少应选择10根进行安装、加载和拉出。应按工程师要求将锚杆安装在水平至与水平成30°范围内的三个不同方向,使用液压千斤顶和刻度增量为0.02mm单位的百分表观测砂浆锚杆和张拉锚杆的位移。所有荷载试验应在工程师在现场时进行。在试验中,若连续10根以上的锚杆的加载超过了要求的荷载,则可以认为此种锚杆是合格的。

现场安装时承包商采用的安装程序应能产生令人满意的拉拔试验结果。如果按照质量控制试验要求所做的检验荷载试验表明砂浆锚杆或张拉锚杆的承载力小于初始荷载试验所得结果,则应改变砂浆锚杆和张拉锚杆采用的安装步骤。

2)后张拉预应力锚索(杆)

在工程师要求的位置,每种承载力的后张拉预应力锚杆至少安装5根进行加载试验。如承包商选用后张拉预应力锚索,则至少应安装10根后张拉预应力锚索进行加载试验。

参考销钉应安装在承压板上,在预应力岩锚施加定位荷载前、后以及在每级荷载施加的起始和终止时,都应预测销钉的位移。

对承压板要进行精确的控制观测,以确定由于施加荷载和地面沉陷引起的承压板位移,同时分别确定钢材拉伸应变,以及与锚索或锚杆张拉有关的黏结部分的可能徐变。应在远离试验区至少50m处设立两个控制水准点,避免任何的锚索张拉对水准点高程的影响。

做荷载试验时,预应力锚索应按表6-8-2和阶段A~H进行。

表 6-8-2　　　　　　　　　　　　　锚索加载次序

最小观察时间	荷载(工作荷载的百分数)	最小观察时间	荷载(工作荷载的百分数)
30min	30	3h	110
60min	60	3h	125
3h	100		

阶段 A:施加 30KN 定位荷载。

阶段 B:百分表指针调零,记录加上参考点高程的读数。

阶段 C:逐渐增加荷载到表 6-8-2 中列出的第一级荷载。

阶段 D:施加荷载到要求的量值后,对表 6-8-2 列出的这个荷载等级,记录最小预测时间范围内的百分表读数。从施加荷载到要求量值后,每间隔 1min、3min、5min、10min、15min、30min、1h、2h、3h,直到规定时间结束,应记录读数,以绘出时间徐变位移曲线。每一级加载开始及结束应记录参考点的高程。

阶段 E:将荷载降到支座荷载 30kN,确定锚索永久变形并记录百分表的读数和参考点的高程。

阶段 F:将荷载加到先前得到的量值,记录百分表读数和参考点高程,然后将荷载逐渐增加到表 6-8-2 中的下一级荷载。

阶段 G:重复阶段 D、E、F 直到荷载加到图示工作荷载的 100%,在进行观察前,应对锚索在工作荷载的 30%~100% 之间循环加载 20 次。每间隔 5 次加卸循环后,记录百分表读数以及最大最小荷载,在每次卸载和重新加载循环之间不应中断。随后,将荷载降到支座荷载 30kN,然后施加 100% 的工作荷载,至少进行表 6-8-2 中的最短时间观察。

阶段 H:在执行完阶段 D、E、F 规定的工序后,荷载按表 6-8-2 所列增值继续施加,在每级施加荷载增量之间,至少应观察 3h,如有明显的徐变发生,可以增加观察时间。

循环加载后,试验岩锚应重新加载到 110% 的工作荷载,锁定并完成第二阶段的灌浆。当荷载从千斤顶加到荷载分布板上时,应考虑预应力岩锚有张拉应力损失。

3. 质量控制试验

开挖岩石表面每安装 20 个不同类型的砂浆锚杆和张拉锚杆,就应在工程师在场的情况下对其中的一个进行一次质量控制程序的试验荷载试验。所有后张拉预应力锚索均应按本规范规定进行检验荷载试验。

工程师将解释试验结果。应更换不能满足检验试验的任何砂浆锚杆和张拉锚杆,业主不另行支付费用,对由于锚杆承载能力不足引起的不能满足检验荷载试验要求所需更换安装的新砂浆锚杆和张拉锚杆应进行重复试验。

胀壳张拉锚杆应在灌浆前进行试验。树脂灌浆张拉锚杆应在灌浆后,锚固区树脂浆达到设计强度时才进行试验。

如果在 8h 工作班中安装的一个或多个任意类型的砂浆锚杆或张拉锚杆不能满足拉拔试验要求,工程师可以在验收前要求安装附加锚杆。拉拔试验中所有由于锚杆屈服或锚固端滑移而引起失效的砂浆锚杆和张拉锚杆均应更换,业主不另支付费用。

工程师可以在合同期内承包商施工的任何阶段要求重新检验试验,以确保锚杆安装方法满足所遇地质条件要求。

4. 记录

对每一开挖循环,承包商应对所有岩锚、钢筋网、喷混凝土作完整的施工记录,承包商至迟应在岩石支护安装后的第二天向工程师提交一份记录复印件。

对每根砂浆锚杆、张拉锚杆、预应力锚索的安装应提供下述资料:

(1)日期、时间、位置,砂浆锚杆、张拉锚杆、预应力锚索的类型,钻眼及安装程序,钻孔所遇土和岩层记录。

(2)钻孔详细资料,包括钻机直径和长度、钻孔方法、钻孔的特殊情况、钻机和切头类型、钻孔冲洗方法。

(3)浆液类型和成分、灌浆日期、注浆量及灌浆压力。

所有试验结果均应以工程师同意的格式和可以接受的方式记录。试验结果的复印件至迟应在试验完成的当班结束时提交给工程师。

对每根后张拉水泥灌浆预应力锚索(杆)的试验应提供下述资料:①荷载(kN)与锚索自由端变形(mm)的关系;②恒载作用下徐变(mm)与时间的对数坐标关系;③弹性变形和永久变形(mm)的分配;④各级荷载作用下承压板的沉降变形(mm)与时间的对数坐标关系。

三、喷混凝土

(一)工作内容

按本规范规定和图纸要求提供一切劳务、监管人员、永久设备、承包商的设备和材料,并完成岩石开挖面上喷混凝土的供应、拌和与喷射等所需的各项工作。

(二)适用标准

本规范提到的或列在下面的或者既在本规范中提到又列在下面的规程、技术标准、施工规范以及推荐的施工方法将作为本规范的组成部分。

(1)美国混凝土学会 ACI301《建筑结构混凝土技术标准》;

(2)美国混凝土学会 ACI506《喷混凝土指南》;

(3)美国混凝土学会 ACI506.2《喷混凝土的材料、配合比和使用导则》;

(4)美国混凝土学会 ACI506.3《喷射手资格导则》;

(5)美国标准 ASTMC39《混凝土圆柱体试件抗压强度试验的标准方法》;

(6)美国标准 ASTMC42《混凝土钻取试心和截锯试梁的制备与试验的方法》;

(7)美国标准 ASTMC309《混凝土养护模剂技术标准》;

(8)中国标准 GB175《硅酸盐水泥、普通硅酸盐水泥》;

(9)中国标准 GBJ86《锚杆喷射混凝土支护技术规范》;

(10)中国标准 SD105《水工混凝土试验规程》;

(11)中国标准 SDJS7《水利水电地下工程锚喷支护施工技术规范》。

(三)材料

1. 喷混凝土组成物

喷混凝土由骨料、水泥、外加剂和水组成。在喷混凝土中可以外加硅粉。

2. 骨料

承包商可在图纸所示的料场取得喷混凝土用粗、细骨料。

喷混凝土骨料运输和临时堆放时不应受污和受损。

运往喷混凝土拌和厂的喷混凝土骨料要坚硬、密实和耐久,有害物质的含量按质量计不超过 1%。骨料湿度应不小于 5%和不大于 7%。

(1)细骨料。喷混凝土所用细骨料应级配良好,并在表 6-8-3 所列范围内。

表 6-8-3		喷混凝土细骨料	
筛眼尺寸(mm)	过筛百分数(按质量计)	筛眼尺寸(mm)	过筛百分数(按质量计)
5	95~100	0.630	25~60
2.5	80~100	0.315	10~30
1.25	50~85	0.160	2~10

(2)粗骨料。喷混凝土所用粗骨料应级配良好,并在表 6-8-4 所列范围内。

表 6-8-4		喷混凝土粗骨料	
筛眼尺寸(mm)	过筛百分数(按质量计)	筛眼尺寸(mm)	过筛百分数(按质量计)
14	100	5	0~20
10	85~100	2.5	0~5

3. 水泥

用于喷混凝土的水泥应符合 GB175,525 号普通硅酸盐水泥的要求。

4. 外加剂

应使用经工程师批准的促凝剂,并应按照生产厂商推荐的方法来加快喷混凝土的初凝和早期强度的发展。初凝时间不应超过 5min,终凝时间不应超过 10min。

如果采用氯化钙作为促凝剂,氯化钙的含量不能超过水泥质量的 2%。

5. 水

喷混凝土用水应干净、新鲜,油、酸、碱、盐、泥砂、有机物和其他有害物质不超过有害含量,并符合 JGJ63 要求。

6. 空气

喷混凝土使用的空气不应含油脂和其他润滑油。

7. 喷混凝土和拌和

应按 ACI506 规范进行喷混凝土的拌和设计,并保证喷混凝土 1d 龄期的最小抗压强度为 5MPa,28d 龄期的最小抗压强度主厂房为 25MPa,其他洞室的均为 20MPa。喷混凝土的水灰比不超过 0.4(按质量计)。

在对建筑物开始喷混凝土前 40d 内,承包商应向工程师提交喷混凝土拌和设计的详细资料以及相应的实验室试验结果。

为了减少回弹和尘埃,承包商应优先采用湿拌法。如果承包商决定采用干拌,他应向工程师证明并使其满意,灰尘可以控制在最小限度,并且符合中国有关健康和安全的规定。

(四)施工

1. 喷混凝土设备

喷射混凝土设备运到现场 60d 前,承包商应向工程师提交计划采用的喷射混凝土设备的类型、厂商名称、型号、工作条件的详细情况,以供审查。在提交单中,承包商还应指明设备的最低操作气压。

2. 准备

将混凝土喷射到任何表面以前,包括先前喷射过喷混凝土的表面在内的所有表面均应除去回弹物、污物、泥浆、石屑、冰块、油脂、松散物、养护物以及其他有害物质,先前喷射的混凝土表面应用喷气枪清理。

在即将喷混凝土到岩石表面和先前的喷混凝土表面前,先要把这些表面用水湿润。但应控制露出该表面上的水,使其在喷混凝土和凝固期内不能拌入、冲刷或渗进喷混凝土中。

与喷混凝土不能黏结的光滑表面,以及影响喷混凝土黏结的有油漆、油、油膜或其他污染物的表面,都应进行凿毛或喷砂处理。

3. 喷射手的熟练程度

喷射手至少应有在最近 5 年内从事过一次类似工程的经验,或者应在最近 5 年内有此类工作经验的工长直接带领下工作。在每一班组开始喷混凝土 10d 以前,每一班组应在指定的试验板上喷射混凝土,向工程师证实达到合格的熟练程度。喷射手要通过ACI506.3 规定的喷射手资格考试的现场测试和笔试。

4. 喷射

应尽早对图纸所示的开挖岩面喷混凝土,且应在岩石开挖之后 24h 以内进行。

喷混凝土材料应在拌和之前称量配料。

干拌喷混凝土进入喷混凝土设备之前应进行预湿。预湿料在初步拌和后 60min 内未使用的应弃于图纸所示的弃料场。

湿拌设备中的喷混凝土至少应在使用前搅拌 1.5min。湿拌混凝土初步拌和后 60min 内未使用的应弃于图纸所示的弃料场,拌和机应用清水冲洗干净。湿拌混凝土坍落度应限于 6 ~ 10cm 之间。

当环境温度低于 5℃或高于 35℃时不得喷射混凝土。

当工程师认为由于不良气候包括风会使喷射混凝土过程中喷射物离析而使喷混凝土不能有效喷射到工作面时,工作区应给予遮盖。在喷混凝土充分养护以前,喷混凝土要一直加以保护以免受到损害。

喷射的混凝土应形成密实、均匀、平整的面,收缩裂缝最小以及在喷混凝土和岩石之间或喷混凝土层之间没有回弹夹杂物、空腔、可见的黏结薄弱点。喷混凝土的最小厚度均不能小于图中显示的最小厚度。无论何处,喷混凝土深入图示混凝土支付线内的厚度也不能大于 5cm。

喷混凝土的稠度应均匀一致,且在稠度最小时喷射没有下陷点。从喷嘴喷出的材料应是连续和均匀的,喷射率应当均匀。喷嘴应按事先定好的距离和位置定位,从而确保喷出材料以尽量接近 90°的角度喷在该喷的表面上。

喷混凝土应分两层或两层以上喷射。每层喷混凝土的最小厚度应在 25 ~ 50mm 之间。每层都应在前一层开始初凝时马上开始。

在进行多层喷混凝土施工时,如中断喷射,应使刚施工的喷混凝土不受扰动,直到终凝,当表面浮浆、松散材料、污物、其他有害物质和回弹体通过扫除、冲洗或其他方法清除后才进行后续层喷混凝土的施工。若喷混凝土表面光滑,应对已喷混凝土表面打毛后才能继续开始后一层的施工。前一层表面应保持湿润,直至后一层喷射完毕。

应用风水枪清理要喷混凝土面上的回弹体,回弹材料不能重新利用,应送至图纸所示的弃料区。回弹量应控制在最低限度。洞壁和洞底板交接处及岩面上不允许有回弹物的堆积。

如果工程师认为回弹过多,承包商应修改其配合比设计或喷射工艺或修改两者。

向垂直表面和陡斜表面喷混凝土时,应从下而上进行喷射,以防止在喷混凝土层掺有回弹料,并防止因新喷混凝土向下滑动而形成空洞。

在喷混凝土区域的边缘,与此相邻处如果不再喷混凝土或设置有喷混凝土施工缝,则边部的喷射面应光滑平整并与相邻的岩石面呈45°角。

在现有结构表面,还没有进行张拉的锚杆、锚索、排水孔和监测设备附近喷混凝土时,这些结构物都应加盖保护。

钢丝网和钢筋网喷混凝土保护层厚至少应达到5cm。

喷混凝土中不应允许砂窝形成,任何这样的砂窝都应挖除并用新喷混凝土填补。

在喷混凝土前,应在工程师指定的岩石表面或在先前喷过混凝土的地方插上一定长度的标志钢筋用来表示下一层喷混凝土的最小厚度。检查喷混凝土层的最小厚度应在工程师指定位置的喷混凝土层上挖出一个喷混凝土芯到下一层喷混凝土面。隧洞内每20m一个断面,每个断面上沿周界有5处和工程师要求的其他位置需取喷混凝土芯,在工程师检查之后,所有检查孔应立即用水泥砂浆把孔填满。

5. 支撑架支护区的喷混凝土

对钢桁架或混凝土支护的岩石进行喷混凝土时,松动的垫片应去除或填实或楔紧或采用工程师同意的其他方法进行紧固。

6. 养护

喷射混凝土表面一出现第一批干斑点,其表面应采用喷水、养护剂或工程师批准的其他方法进行养护,养护剂应符合ASTMC309标准,养护从开始天算起至少连续7d。对于随后需浇筑混凝土或再喷混凝土的表面,不能采用养护剂养护。

7. 修补

若喷混凝土与上层混凝土面或岩石之间黏结有缺陷,或不符合规定要求,或在施工期间被损坏,承包商均应把这样的喷混凝土进行清除,直至露出完好喷混凝土或岩石,并代之以新喷混凝土直到工程师满意,业主不另支付其费用。不允许手工修补。

8. 安全措施

由于在喷混凝土外加剂中含有适量有毒碱性氢氧化物和其他化学物质,将引起皮肤和呼吸道感染,因此要采用安全措施。在喷射有毒外加剂的混凝土时,喷射手和助手应穿戴备有防毒口罩的面罩、手套和其他保护衣服。在喷射混凝土的区域附近应备有眼睛冲洗设施。

(五)质量保证

1. 试验板

工程师将对材料和喷混凝土进行试验,承包商应予以合作,提供工程师所需的帮助,以检查设备的运行状况、评价试拌和设计、观察喷混凝土工艺并获取试验试样。

在任何喷混凝土工作开始 40d 前承包商应提供 15cm 的标准立方体和试验板试样。每一种试拌和设计要制作 6 个 15cm 的标准立方体和 3 块试验板。试验板内的喷混凝土应密实、匀质并且无回弹体、离析或层面之间黏结缺陷。

承包商制作试验板时工程师应在场，作喷混凝土的岩面应是图示需喷混凝土的有代表性的岩面。按本规范规定，第一块试验板是向下在水平岩面上喷混凝土时得到的，第二块试验板是向上在水平岩面喷混凝土时得到的，第三块试验板是向垂直或接近垂直的岩面喷混凝土时得到的。每块测试板不应小于 $0.5m^2$，喷混凝土的厚度不应小于 25cm。

混凝土喷射后 7h 承包商应使用取芯设备按 ASTMC42 的规定从每块试验板上取直径 10cm 的芯样。工程师要对这些芯样进行试验，以证实喷混凝土满足强度要求。承包商应负责取样并标上标签。试验将根据 ASTMC39 的规定进行。

承包商对配合比和喷射距离、喷射率、喷射角、层厚、各层间间隔时间、拌和与喷射间的间隔时间和周围情况等喷射过程的详细情况应作出记录。

使用以前没有用过的喷射设备前和喷射材料或配合比改变前应制作类似的试验板并取样。

2. 现场质量控制

对于喷混凝土拌和的常规质量检查，承包商按 ASTMC39 要求提供 15cm 标准立方体喷混凝土并对所喷混凝土取芯样。该立方体和芯样供工程师做试验以确定已喷混凝土强度。每天按工程师指定的地点，按 ASTMC39 要求的直径和长度从所喷混凝土上取 3 个标准立方体和 3 个芯样，或从每 $500m^2$ 喷混凝土中取 3 个标准立方体和 3 个芯样，以取得试样多者为准。

立方体试验和试验板试验两者的试验结果应与所要求的平均抗压强度相符合。抗压强度低于规定强度的概率限于 1/5，即 5 个试样中允许有 1 个低于规定强度值，但对拌和设计评估试验要求离差系数为 15%，对质量检查试验要求离差系数可为 20%。任意连续 6 个试验所得平均值不应小于规定的强度。

如试验表明喷混凝土不能满足要求，承包商应按工程师要求采取补救措施。

工程师怀疑所喷混凝土与下面的岩面或喷混凝土层没有黏结时，根据工程师要求应提取芯样。

喷混凝土中的孔洞应按照 ACI301 标准回填。

第九节　地下洞室群施工开挖特点

小浪底工程以其洞室众多，中外闻名，在左岸 $1km^2$ 范围内，布置大小洞室 108 个，其中引水发电系统第三标，各种洞室就有 60 多个，最大的洞室为地下厂房，跨度 26.2m，高度 61.44m；较小的洞室有排水洞，其断面为 2.5m×3.0m，由于洞室种类繁多，布置集中，施工难度较大。

一、引水发电洞施工

引水发电洞按部位可分为进口 50m 段、上平段、斜井段和下平段 4 部分。

(一)进口50m段的开挖

为减少与泄水建筑物第二标的施工干扰,标书规定,进口50m段开挖由第二标完成。发电洞进口底板开挖高程,1#至4#洞为187.71m,5#和6#洞为189.87m。在进口台阶开挖进行到190m和185m高程时分两层进行,与进口边坡开挖和其他洞口开挖交叉进行。开挖采用液压多臂钻水平钻孔,进尺一般在3m左右,掏槽孔呈梅花形布置,孔距1m左右,周边孔孔距0.4~0.6m,周边采用光面爆破。洞内石渣采用装卸机运至洞口平台外的边坡上,再用自卸汽车运到堆渣场。喷锚支护紧跟掌子面,以保证开挖面岩石的稳定及施工安全。

(二)上平段的开挖

6条发电洞上平段的开挖是从8B洞内进行的,开挖断面分为两部分,上部顶拱开挖高度为7m,下部底拱开挖高度为2.4m。8B洞是8#施工支洞向上游侧的延伸段,是专门用来进行发电洞上平段和斜井段开挖的,其开挖断面宽9.7m、高7.3m,最大坡度10%,全长345.21m。在与1#和2#发电洞相交处扩挖发电洞形成高12.2m、宽12m、长26.3m的压力钢管安装车间,在顶拱部位安装两排⚲32@1.0m、长8m的张拉锚杆,用于安装单行吊车轨道,以便进行压力钢管的安装。在8B洞开挖支护后,从8B洞进行发电洞上游的开挖,开挖前沿断面线的顶拱外部安装超前锚杆,支护洞脸。采用水平凿进法进行开挖。开始两个循环开挖3.5m×3.5m的导洞,每炮进尺1.5m,接着开挖形成上部断面。而后上部全断面凿进,进尺控制在每循环3m。开挖15m后,进入正常开挖循环,每循环钻孔深度4.5m,每炮进尺4m,用液压钻机水平钻进,利用操作平台人工装药,非电雷管起爆。用装卸机自卸汽车出渣,经过8B洞、8#洞将石渣运往堆渣场。洞身临时支护为⚲25@1.5m×1.5m、长4m的张拉锚杆,喷混凝土厚度为10cm。

(三)斜井段的开挖

从8B洞向下游进行上弯段开挖,前6m采用先开挖3.5m×3.5m的中导洞,每炮进尺1.5m,然后沿顶拱进行上部断面的开挖,开挖超过上弯段后停止,再进行斜井段的开挖,首先自上而下开挖一条3m×2m的导洞,用手风钻机垂直钻孔,孔深2.0m,非电雷管起爆,人工装斗车,用卷扬机拉到8B洞装自卸汽车运到渣场。导洞完成后,进行斜井扩挖,用手风钻钻孔,人工清渣,通过导洞溜到下平段,用装载机配自卸车从17C洞出渣。

(四)下平段的开挖

下平段的开挖是通过从17C洞开挖的6条连接洞分别进入6条发电洞下平段的,开挖按照先顶拱后底部的顺序进行,顶拱开挖高度为7m。在开挖超过发电洞下弯段约10m后,回过来扩挖发电洞下弯段的顶拱,与斜井段的导洞挖通,并及时进行锚杆和喷混凝土支护。顶拱开挖完成后再进行底部剩余部分开挖,采用水平钻孔的方法进行。

二、地下厂房的开挖

地下厂房开挖共分10层进行,每层高度约6m(见图6-9-1)。分别从三个位于不同高程的8#、17#、17C交通洞进行。

厂房顶拱开挖采用多臂钻水平钻进,台阶开挖采用潜孔钻垂直钻爆,边墙及结构部位采用预留保护层,然后用控制爆破法进行结构开挖,以达到设计的体形要求和减少对围岩

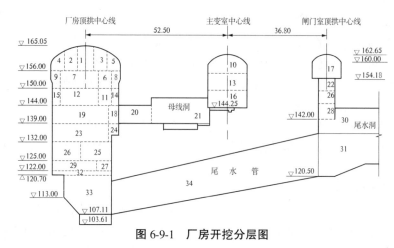

图 6-9-1　厂房开挖分层图

的破坏。机坑开挖原计划从尾水管洞进行,由于尾水洞开挖工期拖后,改为从厂房机坑下游斜坡道分层进行开挖。

在顶拱开挖过程中穿插进行了顶拱 325 根预应力锚杆的安装,在台阶开挖过程中进行了岩壁梁混凝土浇筑和预应力锚杆安装等施工。

(一)厂房顶拱开挖

为了便于顶拱 8m 长的张拉锚杆的施工及锚索安装,厂房顶拱从高程 165.05m 到 156m 最大开挖高度为 9m,采用钻爆法水平掘进,分 5 个断面依次跟进,8# 交通洞作为施工通道。

(1)开挖顺序。顶拱开挖分为 3 个阶段。

第一阶段,首先从 8# 交通洞开始,进行 1 断面开挖到桩号 0 + 070m 左右,开始扩挖 2、3 断面,在 0 + 000 ~ 0 + 050m 形成开阔的施工区,以便各种机械设备有足够的空间进行作业。

第二阶段,开挖 1、2、3 断面,分头掘进,并顺序拉开一定距离(约 20m)交叉作业,当 3 断面掘进到桩号 0 + 100m 左右时,在桩号 0 + 000 ~ 0 + 050m 之间开始进行 3、4、5、6 排锚索施工。

第三阶段,在 1、2、3 断面锚索施工完成 70m 后开始 4、5 断面的扩挖,然后进行 1、2、7、8 排锚索的安装。这种多工作面、多循环的施工方法,提高了设备的利用率,缩短了工期。

(2)钻爆方法。采用多臂钻钻孔,利用钻架平台人工装药,非电雷管起爆,卡特轮式装卸机装渣,自卸汽车运渣,运往堆渣场。

(3)喷锚支护。厂房顶拱系统支护采用 20cm 厚喷混凝土和一层钢筋网。喷混凝土分三层喷护,第一层喷混凝土不小于 5cm,并安装锚杆到掌子面,在开挖爆破后立即进行,完成后方可进行下一循环钻爆施工。紧跟掌子面喷第一层混凝土,目的是及时封闭围岩,防止围岩产生过大的变形。

挂钢筋网 $\phi 8 @ 20cm \times 20cm$ 和第二层喷混凝土约 10cm,允许滞后开挖掌子面约 30m。

第三层喷混凝土在锚索、排水管安装完成后进行,要求喷混凝土覆盖排水管。

(4)锚杆安装施工。厂房顶拱锚杆为 $\Phi 32 @ 1.5m \times 1.5m$,长度 6m 和 8m 的张拉锚杆交叉布置。采用树脂卷作为锚固剂,速凝和缓凝树脂卷一次装入孔内。然后插入锚杆并用多臂钻带动锚杆在孔中旋转 45s,使树脂卷内成分混合发生反应,与锚杆充分胶结,从而起到锚固作用。为了保证锚杆质量,必须选择与钻孔孔径和锚杆直径相匹配的树脂卷直径,从而确保锚杆安装后孔内锚固剂的饱满。对于6m长锚杆,采用速凝固化卷4卷,固化时间12min,缓凝固化卷8卷,固化时间为40min。树脂卷规格为35mm×500mm,钻孔直径为45mm。对8m长锚杆,采用中速凝固化卷6卷,缓凝固化卷10卷。

锚杆的张拉采用扭矩扳手,对围岩施加预应力。技术规范规定,对于Φ32锚杆,施加的扭矩是350N·m。锚杆的张拉时间应在速凝卷固化之后,缓凝卷固化之前,一般在12~40min之间。

(5)顶拱锚索安装(见第六章第七节)。

(二)厂房台阶开挖

厂房高程156~122m之间的开挖称为台阶开挖,共分6层开挖。主要采用液压履带钻机垂直钻孔、水平分段爆破的方法,一般是周边孔先预裂,然后再主爆,结构部位采用控制爆破技术。

第一层台阶开挖从高程156~150m,台阶高6m,由于岩壁梁处在该层中,根据技术规范要求,岩壁梁部位要求采用水平钻孔控制爆破,尽量减少超挖。开挖中采用中间拉槽,两边预留保护层水平凿进的方法。中间拉槽开挖宽度14m,采用履带式液压垂直钻孔进行台阶开挖,轮式装载机装渣,36t自卸汽车经8#施工洞和17#交通洞运往渣场。两边保护层宽度为6m,采用多臂钻水平钻孔,上、下游岩壁梁部位按设计形状钻孔,采用光面爆破。

第二、三层台阶开挖分别为高程150~144m、144~138m两个台阶,开挖高度均为6m,采用先进行两边预裂,再进行中间台阶主爆的开挖方法。这两层开挖从17#交通洞出渣。在这两层开挖的同时,进行了1#~6#母线洞从厂房方向约10m的开挖,而其余部分后期从主变室内开挖。

第四、五、六层开挖,从138~122m之间的台阶开始,从上游面开挖一个斜坡道先打通4#发电洞下平段,通过17C洞出渣,随着其他发电洞下平段的打通,这两层的开挖可以从6个工作面同时进行。

在进行最后一层台阶开挖时,没有挖到机坑高程120m,而是开挖到122m高程,这是为了在机坑上部留2m保护层,按结构开挖进行,在高程122m沿机坑轮廓线进行预裂爆破,安装砂浆锚杆,再进行机坑开挖。

喷锚支护的施工顺序是开挖后紧跟掌子面喷一层不小于5cm厚的混凝土,并安装锚杆到掌子面,然后进行下一循环的钻爆作业,挂钢筋网和喷第二层混凝土,一般滞后掌子面20m,并与掌子面开挖作业同时进行。

(三)厂房机坑开挖

厂房机坑是指120~103m高程之间的部分,由于上部台阶开挖预留了2m的保护层,所以在122~103m高程之间,保护层的开挖与机坑开挖是一起进行的。机坑开挖是采用台阶开挖的方式分5层进行的,在进行每层开挖时先按机坑形状进行边孔预裂,然后进行该层台阶的主爆。

原计划机坑开挖是通过竖井溜渣从尾水管洞出渣的,由于尾水洞工期拖后,而采用了厂房斜坡道方案,在厂房内沿厂房下游侧从1#机坑120m高程向6#机坑107m高程开挖一条斜坡道,从 17C 洞出渣,保证了工期。

三、主变室和尾闸室的施工

(一)主变室的开挖施工

主变室分为顶拱层、中间层和底层三层进行开挖。顶拱层下游侧分别与 19#、20# 电缆洞连通,右端墙与 35# 交通洞(3# 通风竖井)相通。在高程 154.3m 有悬臂式岩壁梁。上游边墙 148.8m 有 6 条跨度 8.2m 的母线洞与厂房相通。

1.顶拱层开挖

主变室顶拱层(162.0～155.0m 高程)的开挖是从 33B 施工支洞进行的,33B 施工支洞在桩号 0＋040m 处进入主变室,向两侧扩挖,形成工作面。先开挖 4m×3.5m 的下导洞,然后进行全断面光爆掘进。

2.中间层开挖

中间层为 155.0～149.0m 高程,先进行直孔台阶爆破,每次起爆 10～15m,两边留宽 2.5m 的保护层,水平钻孔,周边采用光面爆破技术进行开挖,由左端墙与 17# 交通洞连通的 33# 交通洞出渣。

3.底层开挖

底层为 149.0～144.25m 高程,先进行上游边墙预裂爆破,然后分上、下游两块台阶进行开挖,台阶高 4.75m,宽 7.2m。从 33# 洞经 17# 交通洞出渣。

(二)尾闸室的开挖施工

1.尾闸室顶拱开挖

尾闸室顶拱开挖从 162.65m 高程至 156m 高程,开挖高度 6m,也是从 33B 施工支洞进行的。33B 施工支洞在靠近尾闸室左端垂直进入尾闸室顶拱,向两边扩挖形成上、下游掌子面,然后,采用中间掏槽全断面水平凿进的方法进行开挖。开挖的初期从 33B 施工支洞出渣,随着左端顶拱的完成,在左端底板向 34# 交通洞开挖一个竖井。后期尾闸室顶拱开挖石渣通过竖井溜渣到 34# 交通洞,然后从 34# 交通洞经 17# 交通洞出渣。

2.尾闸室台阶开挖

由于尾闸室在 154.18m 高程处设计有预留岩台,开挖后在其上浇筑混凝土岩台梁,开挖中必须保护好该岩台。因此,在顶拱开挖完成后,154.18m 高程以上留 2m 保护层暂不开挖,先进行中槽开挖,待中槽开挖至 150m 以后,再进行岩台上部保护层的开挖。中槽宽度为 6m,开挖之前先沿上下游岩台各安装一排预埋岩石锚杆以保护岩台,然后采用先对边墙预裂再主爆的方法进行中槽开挖,开挖出渣从 33# 交通洞通过 17# 交通洞运往堆渣场。

中槽台阶开挖至 142.0m 高程,其以下闸门井位置的开挖是从相应的尾水洞进行的。

(三)主变室和尾闸室的岩石支护

开挖后及时喷 5cm 厚的素混凝土,并安装锚杆,之后进行下一循环钻爆施工,挂网和第二层喷混凝土施工滞后开挖面一定距离,与开挖同时进行。

四、尾水洞施工

尾水洞的开挖分 3 层进行,即顶拱开挖从 146.70m 高程至 136.26m 高程,台阶开挖从

136.26m 高程至 125m 高程,分两层进行。

(一)尾水洞顶拱开挖

尾水洞沿全长分为 D—D 断面、C_1—C_1 断面和 C_2—C_2 断面 3 种形式。其中洞口段为 D—D 断面,长度 30m,断面尺寸较大,宽为 16.4m,高为 23.2m。

洞口支护完成后,进行 D—D 断面开挖。首先在顶拱中部开挖一个宽 4~4.5m、高 6.5m 的导洞,该导洞的开挖采用短进尺,钻孔深度 1.5m,每循环进尺 1.2m,放炮后随即喷 10cm 厚混凝土,挂钢筋网 $\phi8@0.25m\times0.25m$,并安装 5m 长的张拉锚杆;第二步顶拱导洞完成 6m 后开始下扩,扩挖高度 4.5m;第三步进行右边 4.3m 宽部分的扩挖,接着扩挖左边的 4.3m 宽部分,也采用短进尺,并且喷锚支护紧跟掌子面;第四步安装钢桁架。

C_1—C_1 断面开挖宽度 12.9m,开挖从 144.5m 高程至 136.45m 高程。为了保证顶拱开挖的稳定性,采用 2 个断面跟进的方法进行开挖。右边导洞先行,左边扩挖跟进,导洞与扩挖断面的距离保持在 15~20m。用 ATLAS 液压多臂钻水平钻孔,用操作平台人工装药,非电雷管起爆,周边孔采用光面爆破。轮式装载机配自卸汽车出渣。

开挖后第一层 5cm 厚的喷混凝土紧跟掌子面,在下一循环放炮前完成上一循环 $\phi32@1.5m$ 双向、$L=4m$ 的张拉锚杆的安装。挂网和第二层喷混凝土滞后开挖面 30m 进行。

(二)尾水洞台阶开挖

尾水洞的台阶开挖分两层进行。采用履带式液压潜孔钻垂直钻孔,两边墙先进行预裂,然后台阶主爆,每次爆破长度 20~30m。爆破后用装载机配自卸汽车出渣。

明流尾水洞每条长 800~1 000m,穿过多层岩体,地质条件比较复杂。施工过程中由于遇到了不良的地质条件和承包商开挖方法不当,造成顶拱大量超挖,特别是拱座部位超挖严重,最大超挖深度达到 2.68m,大部分洞段近乎平顶,受力条件十分不利,影响顶拱围岩的稳定性。

尾水洞招标设计为:除出口段 30m 为 2m 厚的混凝土衬砌外,其余洞身段为喷锚支护 30cm 厚与薄混凝土衬砌联合作用。由于顶拱超挖严重,需要回填大量混凝土,承包商多次要求取消顶拱混凝土衬砌,改用钢纤维喷混凝土。

1996 年 2 月 27 日,加拿大咨询专家致函业主、设计院和工程师,建议取消尾水洞顶拱衬砌混凝土,用 25cm 厚的钢纤维喷混凝土代替,这样可避免超填混凝土引起的工期的延长和索赔。设计院考虑进口钢纤维费用较高,于 1996 年 3 月发出关于尾水洞顶拱取消混凝土衬砌的通知,要求喷混凝土厚度由 15cm 改为 20cm,挂双层钢筋网,并于 1996 年 5 月发布取消尾水洞顶拱混凝土衬砌的设计修改图。为此,承包商提出第一个完工日期要拖后 4 个月,该设计修改方案未能执行。

1996 年 6 月 11 日,业主、设计院和工程师再次召开三方协调会,为了减少合同纠纷,决定恢复原设计方案(尾水洞顶拱混凝土衬砌方案)。

1996 年 12 月 19 日,加拿大咨询专家又致函业主,再此重申尾水洞取消顶拱混凝土衬砌方案。

为了加块施工进度,设计院同意取消尾水洞顶拱混凝土衬砌,坚持改为喷混凝土挂双层钢筋网,并根据地质素描揭露出来的不良地质情况和承包商提供的 3 条尾水洞实测开挖断面图(其中有 1 000 多个超挖严重的断面图),于 1997 年 4 月 20 日,发出关于尾水洞顶拱支护意见的通知及取消尾水洞顶拱混凝土衬砌的设计修改图,要求对顶拱加强支护,但未按设计要求进行加固处理。

施工过程中,承包商的收敛监测也存在一些问题,其中有 13 个观测断面均未测到顶拱变形,其他断面收敛值比较分散,无法评价顶拱围岩的稳定,因此对尾水洞顶拱的稳定性应予以关注。

第七章　地下厂房排水与防潮设计

第一节　排水与防潮的重要性

小浪底地下厂房根据枢纽总布置和地形地质条件,采用首部式布置方案,位于左岸 T 形山梁交会处,距主坝防渗帷幕较近,地下水位较高。为了保证主厂房内有良好的工作条件,保证建筑物和机电设备的有效使用年限,各建筑物需要采取良好的防排水措施,这也是地下厂房喷锚支护作为永久支护是否成功的关键所在。

近年来,我国已投产的水电站地下厂房都不同程度地采取了防排水措施,总的来说是成功的,起了不少作用,积累了不少经验。像东风水电站地下厂房位于地下水十分发育的喀斯特地形区,采取了灌、堵、排相结合的方法,较好地解决了地下厂房渗水问题。

地下厂房排水方式,一般采取厂外排水和洞室本身排水两种措施,根据具体情况,采用不同的排水方式,“因地制宜、因势利导”,是解决地下水问题的一个原则。

第二节　设计原则

排水和防潮设计的原则主要有以下几个方面:

(1)查清地下水的类型、性质、渗流规律。

(2)避免在洞室壁后或支护背后形成堵水,造成静水压力,从而使洞壁或支护失稳破坏。

(3)对首部布置方式,由于厂房靠近进水口,地下水位较高,应以防为主,防排结合。

(4)厂区山体地表应进行清理整治,使地表水流排泄畅通,防止、减少地表水入渗。

(5)防潮隔墙与岩石面净距不小于 15cm,以利于防潮和通风。

第三节　系统排水设计

一、基本情况

(一)厂区水文地质和工程地质概况

厂房上游距大坝主排水幕 23~120m,厂区地层从岩性看分为两类:一类为硅钙质砂岩,裂隙发育,张开度较大,透水性较好;另一类为泥质粉砂岩与黏土岩,裂隙不发育,透水性差。主要透水层自上而下为 T_1^5、T_1^4、T_1^{3-2}、T_1^{3-1}、T_1^{1-2},其下部 P_2^4 为相对不透水层,上部 T_1^6,透水性微弱。厂区在水库蓄水前地下水位较低,约为 125m,施工期排水不成问题。关键是水库蓄水后,地下水位抬高,影响厂房安全,做好厂房排水设计是非常必要的。

(二)主坝防渗帷幕及排水设计概况

枢纽大坝为壤土斜心墙堆石坝,坝高 160.0m,河床坝段设一道 1.2m 厚的混凝土防渗墙。左岸山体内,沿坝轴线方向设厚 1.4m 的灌浆帷幕一道,其底部高程在地下厂房区域为 140.0m。蓄水后,因渗水量较大,将帷幕加深到 90.0m。灌浆帷幕下游 25m 处设一道主排水幕,排水廊道高程为 180 ~ 190m,排水幕顶线高程为 220 ~ 236.0m,底线高程为 170 ~ 180.0m,排水孔孔距 3.0m,孔径 130mm。

二、厂外排水设计

地下厂房布置在 T_1^4 和 T_1^{3-2} 岩层中,其中 T_1^4 岩层透水性较强。为了降低地下水位,沿厂房四周设置两层排水廊道,向上、下打排水孔,形成封闭的排水幕,以有效拦截地下水。

为了便于厂房各洞室的施工,先后开通了顶拱施工支洞 8# 洞、压力管道上平段施工支洞 8B# 洞、主变室顶拱施工支洞 33B# 洞。厂房上层 28# 排水洞的布置充分利用这些施工支洞,共减少 321.5m 长的隧洞,节省了工程造价,详见图 7-3-1。28# 排水洞通过与上述支洞连通组成了封闭排水通道,底层(压力管道下部)有 30# 排水洞。这样,围绕主厂房、主变室和尾闸室的周边,有以高程 158 ~ 163.5m 的 28# 排水洞和高程 117.0 ~ 126.0m 的 30# 排水洞上、下二层相互对应的排水洞。两层排水洞通过 $\phi76mm@3.0m$ 排水孔连通形成排水幕,并从 28 号排水洞顶向上打 $\phi76mm@3.0m$ 顶部高程 198.0m 的排水孔,形成上部排水幕,再从 30# 排水洞往下打 $\phi76mm@3.0m$ 的排水孔,穿过 T_1^{3-1} 岩层直到高程 100.0m 和 85.0m,形成下部排水幕。这三部分排水幕在主厂房四周构成一道封闭的排水幕,有效地截断水库方向(包括西沟水库)渗透的地下水。

排水洞的底坡最小按 0.005 设计,以利于排水。为了增强排水效果,28# 排水洞除锁口处采用混凝土衬砌外,其余均采用喷锚支护作为永久支护。28# 洞内渗水除 8B# 洞和 8# 洞通过落水孔排入下层廊道外,其余均自流到尾水洞内(通过落水孔排入尾水洞内),减轻了厂内集水井的负担。30# 排水洞内渗水通过自流汇入 32# 排水洞流入集水井内,用排水泵抽排至尾水洞内。

渗漏集水井泵房布置在主厂房 3#、4# 机组段之间,泵房底板高程 118.2m,面积 5.5m × 7.4m,设两台排水能力 $Q = 1000m^3/h$ 深井泵。渗漏集水井底部高程 103.76m,集水井容积约 350m³,平面尺寸 6.7m × 5.0m。

三、厂内排水设计

(一)系统排水设计

1. 顶拱排水

顶拱排水方式有明槽、明管、暗管 3 种方式。经综合比较选用暗管排水方式,岩石渗水由 PVC 集水管汇集后,通过汇水管流向吊车梁排水沟内或底部排水沟内,如图 7-3-2 所示。该方式的优点是可以将渗水集中排走以免影响吊顶的运用,缺点是检修不便。

顶拱排水孔方向尽量用垂直孔以保证排水畅通,孔深度按经验法穿过坍落拱 0.5m 以上,尽量防止或者减缓坍落拱的形成,减小山岩压力。

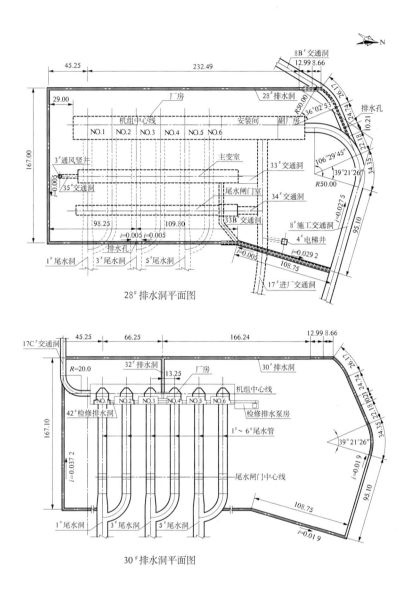

图 7-3-1　厂房排水系统布置图　（单位:m）

2.边墙排水

边墙排水方式与顶拱相同,采用暗排,并做防潮隔墙,隔墙根部做排水沟,坡度不小于 0.005。排水孔方向与水平夹角为 0°~10°,以利于排水,孔深与顶拱排水孔接近。

3.排水参数拟定

根据小浪底厂房地质条件和洞室几何形状,参照国内外已建工程如加拿大的买加、拉格郎德 Ⅱ,中国的白山、东风、鲁布革等水电站,地下厂房系统排水参数如表 7-3-1 所示。厂房排水孔布置如图 7-3-3 所示。

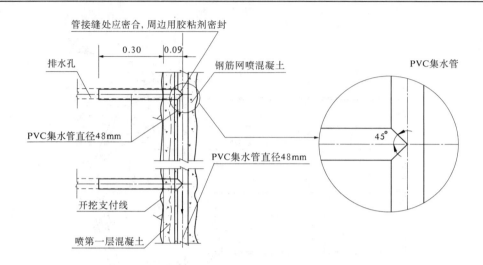

图 7-3-2　厂房排水详图　（单位：m）

表 7-3-1 地下厂房系统排水参数

洞室名称	尺寸（长×宽×高）(m×m×m)	排水孔直径(mm)	深度(m)	间距(m×m)
主厂房	$251.5 \times 25 \times 61.45$	48	8.0	4.5×6
主变室	$174.4 \times 14.4 \times 17.85$	48	6.0	4.8×4.8
尾闸室	$175.8 \times 10.6 \times 20.65$	48	6.0	4.5×4.5

4.局部排水设计及构造要求

地下厂房洞室很多，地质条件有好有差，地下水主要通过裂隙、节理渗出，因此排水应根据具体情况设置。对于岩石破碎、渗水量大的地方，排水孔间距应适当加密。

对于厂房顶拱即使布置有排水设施，吊顶仍然需要设置防水层，并将吊顶设计成拱形，以利排水。隔墙内还布置一道 20cm 左右的小堤，一是防止墙脚渗水，二是防止砂浆或安装隔墙时污物掉入排水沟内。排水管之间的接缝要严密以防止渗水，施工时，特别是喷最外层混凝土时要保护好排水管，防止错位，确保排水畅通。

（二）三维渗流计算

1.基本条件

地下厂房位于左岸单薄分水岭北部 T 形山梁内。计算范围南北长约 330.0m，东西宽约 170.0m。上游边墙距大坝排水幕轴线 23～120.0m。除地下厂房洞室群外，对土坝左岸渗流影响较大的建筑物有消力塘和西沟水库。左岸地层从岩性看，基本上由两类岩石组成：一类为钙质砂岩，裂隙发育，透水性较好；另一类为泥质粉砂岩、黏土岩和页岩，裂隙不发育或闭合，透水性差。本区主要透水层自上而下分为五层，即 T_1^5、T_1^4、T_1^{3-2}、T_1^{3-1} 和 T_1^{1-2}，其下部 P_2^4 层可视为相对不透水层。顶层 T_1^6 岩层主要分布在东侧，其岩性以泥质粉砂岩为主，透水性微弱。左岸地下厂房区主要断层有：F_{28}，分布在本区的西侧，走向 55°，大致呈南北方向穿越本区；F_{461}，走向 140°，构成本区北部边界；南侧，分布有东西走向的 F_{236} 和 F_{238} 两条断层，走向 95°，它们在东部逐渐合二为一，从消力塘的北部穿过。上述

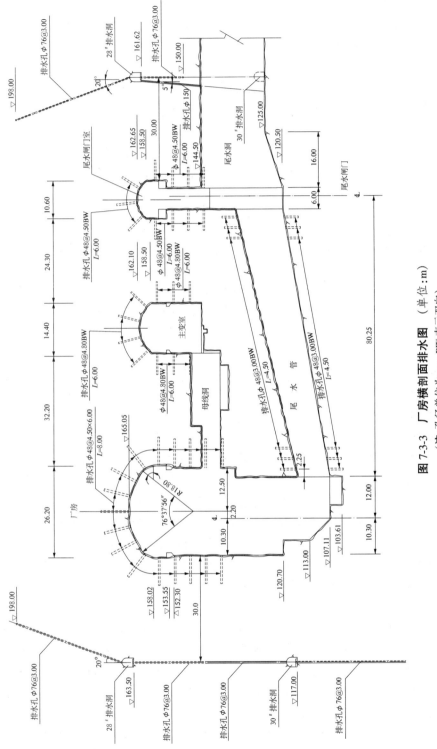

图 7-3-3 厂房横剖面排水图（单位：m）

（注：孔径单位为 mm；BW 表示双向）

断层均有断层泥存在,因而在垂直断层方向上具有隔水性,可认为不透水。据此可以将地下厂房区域视作南、北和西侧均由断层隔开,东侧以桥沟为界,底部以 P_2^4 为不透水层的独立水文地质单元,以此作为地下厂房三维渗流的计算区域。渗流场各岩层的渗透系数见表 7-3-2。

表 7-3-2　　　　　　　　　　　　　　岩层渗透系数

介质名称	T_1^6	T_1^5	T_1^4	T_1^{3-2}	T_1^{3-1}	T_1^{1-2}	F_{28}	帷幕灌浆	
								$K=0.3$	$K=0.03$
渗透系数 (m/d)	0.01	0.053	0.30	0.01	0.10	0.03	1.00	0.05	0.01

注:K 为围岩的渗透系数,m/d。

2. 计算区域划分和边界条件确定

1)计算区域

由于断层均有断层泥存在,因而断层具有隔水性。计算区域,南部以 F_{236} 和 F_{238} 断层为界,北至小南庄以北 100m 的 F_{461} 断层为界,东部以桥沟为界,西部以 F_{28} 断层为界,整个渗流场底部以不透水的 P_2^4 岩层为隔水底板。

2)边界条件

单薄分水岭西坡 275.0m 等高线至 F_{28} 断层之区内为上游入渗区,其水头按库水位 275.0m 控制。F_{28} 断层影响带按 10m 考虑。下游岩坡及消力塘构成下游排泄区。下游水位按 134.65m 控制,西沟水库水位按 217.5m 控制。

3)计算成果及分析

计算采用有限元法,按各向同性多孔介质模型,将整个渗流场剖分成 20 个剖面,每个剖面上布置 260 个结点,共进行 3 种方案的计算。第一方案为沿厂房四周设置两层排水廊道,上游侧为 3 层排水廊道。用排水孔将各层廊道互相连通,渗水从最底层廊道排到厂房内渗漏泵房,采用水泵抽排到下游尾水洞内。第一层 28# 排水廊道沿厂房四周布置,其底部高程为 160.10～164.36m;第二层 29# 排水廊道在下游侧尾水洞部位留有缺口,其底部高程为 140.00～140.83m;第三层 30# 排水廊道仅在上游侧设置,其底部高程为 117.00～125.00m,廊道底部未向下打排水孔。排水孔间距为 3.0m,孔径 0.076m。厂房排水幕底线高程为 115.00m;第二方案是对第一方案排水幕进行部分修改,修改的内容是将地下厂房上游排水幕的底线加深至 T_1^{3-1} 底板,高程在 83.0～95.0m 之间;第三方案是为排除西沟水库的不利影响,同时为了降低尾水洞的外水压力,以免恶化洞室的工作条件,在第二方案的基础上,将地下厂房左侧排水幕的底线沿 29# 排水洞向下游方向延长 360.0m,延长部分的排水廊道出口高程为 134.0m,井底部高程在 100～115.0m 之间。

对以上 3 个方案的计算成果分析后得出如下结论:

(1)第一方案由于厂房区上游排水幕没有打至 T_1^{3-1} 层的底部,未能消除渗流通过 T_1^{3-1} 层对 T_1^{3-2} 弱透水层的渗透压力,致使在地下厂房区内的自由面较高,一般地下水位均在 148.6m 左右,从而对厂房的稳定造成不利影响。同时在该区的东北部出现一个长

450m、宽 750m 的出渗区。

(2)第二方案由于加深了上游排水幕,所以地下厂房区的自由面高程一般不超过 140.0m,基本上可以满足为保持厂房稳定而对渗流的要求,但厂房后部尾水洞区域的自由面仍然较高。同时,该方案的出渗区与方案一基本上保持不变。

(3)第三方案由于加深了上游排水幕并且延长了左侧的排水幕,从而加强了地下厂房的上游和左侧排水幕的排渗效果,同时也消除了东北部的出渗区。厂房区内与第一方案相比较,消减水头达 4.9 ~ 19.4m,大部分消减水头在 10.0m 以上。除上游排水幕和主排水幕重合的一段外,厂房上游排水幕上的水头大都在 134.6 ~ 165.5m 之间;厂房右侧排水幕上的水头在 123.7 ~ 126.9m 之间;厂房左侧排水幕上的水头在 126.6 ~ 133.9m 之间;厂房下游排水幕上的水头在 126.6 ~ 133.9m 之间。地下厂房区域内,地下水自由面高程一般在 123.6 ~ 140.7m 之间,平均水位 133.04m。尾水洞所在的区域内,地下水自由面高程一般在 135.4 ~ 145.4m 之间,使尾水洞区域的地下水自由面比第一方案普遍下降 10.0 ~ 20.0m,降低了尾水洞的外水压力。可以同时满足地下厂房区和尾水洞区对渗流的要求。

(4)进入地下厂房区域的渗流量和最大水力比降如表 7-3-3、表 7-3-4 所示。

表 7-3-3　　　　　　　　　　　　　进入地下厂房区的渗流量

方案	第一方案	第二方案	第三方案
渗流量 $Q(\text{m}^3/\text{d})$	4 249.76	5 059.85	4 240.51

注:第三方案的 Q 不包括左侧延长部分的流量。

表 7-3-4　　　　　　　　　　　进入地下厂房区排水幕的最大水力比降

方案	5		6		8		9		11		12		13		14		排水幕	
	上游	下游	上游	下游	上游	下游	上游	下游	上游	下游	上游	下游	上游	下游	上游	下游	右侧中间	左侧中间
第一方案	2.67	0.66	3.24	0.49	3.79		3.93	1.73	3.98	1.12	4.64	1.34	4.42	1.78	4.45	2.82	1.87	3.77
第二方案	0.98	0.41	0.97	0.36	0.96		1.19	0.94	1.56	0.72	2.02	0.82	1.34	1.38	1.37	2.16	1.42	2.60
第三方案	0.94	0.28	0.94	0.18	0.96		1.07	0.67	1.53	0.43	2.00	0.52	1.33	0.85	1.34	1.64	1.20	2.33

3.小结

小浪底地下厂房三维渗流计算结果表明:

(1)地下厂房排渗工程布置应考虑透水层层状分布的特点,厂房上游的排水幕应穿越 T_1^4、T_1^{3-2} 和 T_1^{3-1} 层,特别是 T_1^4 和 T_1^{3-1} 两个主要透水层为好。

(2)第三方案,可以达到降低厂房区地下水位至设计要求的目的。

(3)为降低西沟水库对厂房后部尾水洞区的影响,适当延长左侧排水幕是完全必要的。

第四节　防潮设计

一、主厂房防潮设计

主厂房防潮隔墙在发电机层 146.9m 高程以下采用砖墙,砖墙靠近岩石侧的抹面采用 20mm 厚的防水水泥砂浆。发电机层 146.9m 高程以上采用 GRC 板(珍珠岩防水混凝土轻质板)。水轮机层(134.5m 高程)边墙与防潮隔墙之间设排水沟,以汇集边墙及厂内渗水,并通过汇水管流入集水井内。

厂房吊顶按防水吊顶设计,吊顶与防潮隔墙相连并形成厂内防潮系统。吊顶采用镀铝锌压型钢板作为面层,夹层为玻璃丝绵以满足防潮吸音要求。主次龙骨采用轻质型钢,用斜拉杆与顶拱插筋相连,既满足防火、防水、防潮要求,又方便施工,并能达到装饰美观的效果。

二、主变室防潮设计

主变室防潮隔墙采用 GRC 板,边墙与防潮隔墙之间设置排水沟,通过母线洞内排水管沟,将渗水排至主厂房下游边墙排水沟内。吊顶采用防潮耐火的玻璃钢材料,主次龙骨采用型钢。

其他洞室由于电气设备较少,没有作防潮处理。

三、通风排潮运用

地下厂房系统通过 17# 进厂交通洞、8# 施工交通洞、无压尾水洞进风,1# ~ 3# 通风竖井、高压电缆出线洞排风。通风方式采用下送上排、上送下排多层串联。针对厂房内湿度超标问题,采用组合变换的升温去湿方式。水轮机层、母线层引用回水泵房、发电机层热风,升温降湿,使厂内相对湿度控制在规范范围以内。送风、回风均通过防潮隔墙通道和吊物孔、楼梯间来完成。主厂房风量一部分由主厂房吊顶,通过 1# 通风竖井排出厂外,尾闸室顶部 2# 通风竖井根据运用情况,可以向尾闸室送风也可以排风。另一部分进入母线洞,经主变室直接进入主变洞吊顶风道,通过 3# 通风竖井排出厂外,使得整个系统既能保证正常通风降温,又能使湿度符合规范要求,确保机电设备安全运行。

第五节　施工期及运用期厂房渗水处理

一、渗水基本情况

厂房洞室开挖形成后,普遍有渗水现象,局部滴水成流。顶拱、边墙完成喷锚支护和系统排水孔后,顶拱渗水范围明显减小,顶拱下游侧 0 + 090 ~ 0 + 200m 桩号滴水严重处已干。但上游侧有些部位滴水仍较严重,特别在雨季,岩壁梁以上数十处滴流不断。28#、

30#排水洞大部分排水孔均有滴水,部分洞段沿喷混凝土裂隙有渗水。30#排水洞由于底板排水孔打入透水层,在水库蓄水后,部分排水孔沿裂隙有大量涌水。根据1999年7月记录,平均排水量为2 400m³/d。

水库下闸蓄水后,对厂房围岩渗漏水情况进行系统调查,库水位在220m以下时,30#排水洞排水量维持在3 000m³/d左右,厂房边墙及顶拱没有发现大量渗水现象,这期间仅1998年夏季由于降水较多及上游帷幕灌浆孔施工,造成安装间和6#机组段顶拱及边墙局部滴水不断,但并没有带来太大影响。库水位超过220m后,30#排水洞排水量逐步增大,库水位到234.1m时,30#洞排水量约7 000m³/d,厂房区域总排水量达9 000m³/d(包括28#排水洞、4#排水洞及检修泵房)左右。厂房边墙及顶拱在桩号0+059~0+110m、0+185~0+230m之间渗水滴流不断,6#母线洞处也有渗水,需要采取处理措施。

截至2003年11月15日,水库在260m水位以上运行了41d,对各种观测资料分析结果表明,枢纽各建筑物运行未见异常。虽然坝基和左右岸坝肩基岩渗漏量偏大,但鉴于小浪底水利枢纽区的水文地质条件及相对总入渗前缘长度约4.5km、水头130m的情况,从总体上看,出现这样的渗漏量是正常的,且渗水均为清水,虽然运行库水位超过265m,但未发现有影响大坝及枢纽建筑物安全运行的迹象。具体分析如下:

(1)天然铺盖防渗效果十分明显。如2000年坝前淤积面升高后,河床部位渗压计的渗压值陡降15~20m,其他部位的渗压值也都降低5~10m。位于防渗墙上游的渗压计渗压过程线表明,随着坝前淤积面的升高和逐渐固结,消减水头值也在逐渐增大,坝前淤积高程约182m,消减水头值达48m。

(2)左岸排水幕下游侧观测水位最高180m,低于设计警戒值(设计控制条件)200m的要求。厂房区北侧排水洞渗水量随库水位上升明显增加,如30#排水洞总渗水量,250m水位时为8 677m³/d,265.3m水位时为11 462m³/d。

对30#排水洞,当库水位低于235m时,库水位每升高1m,渗水量增加156m³/(m·d);2002年当库水位235~240m时,库水位每升高1m,渗水量增加548m³/(m·d);2003年当库水位240~260m时,库水位每升高1m,渗水量增加291.3m³/(m·d)。库水位超过240m以后渗水量增加幅度反而减小,说明2002年以来采取的各种工程措施是有效的。

另外,由于在左坝肩岸坡三角区对帷幕采取了补强灌浆,2#排水洞渗漏量大大减少,由原240m库水位约1 700m³/d,减为260m库水位时的114m³/d。但是库水位高于240m后,4#排水洞部分洞段上部排水孔渗水量显著增加。

(3)由于坝前淤积面抬高,右岸1#排水洞在260m库水位时的渗漏量与2002年240m库水位时的渗漏量基本相当。

二、渗漏水原因分析

(一)地质因素

1.地形地貌及地层岩性

厂房区上游发育有风雨沟,下游有桥沟河,南为黄河,北有西沟及石板沟,区内发育有翁沟和葱沟。区内表面大部分被黄土覆盖,加之冲沟的切割,地表径流通畅,故降水补给地下水的条件相对较差。厂房区分布的基岩主要为三叠系刘家沟组及和尚沟组的T_1^1~

T_1^6 岩组。厂房底板以上分布有 T_1^3、T_1^4、T_1^5、T_1^6 岩组,其中组成厂房的围岩为 T_1^3、T_1^4 岩组。从组成各岩组的岩性看,由两类岩体组成:一类为比较坚硬的硅、钙质砂岩,裂隙发育,张开度大,透水性好;另一类为泥质粉砂岩、黏土岩和页岩,裂隙不发育或闭合,透水性差。本区西部风雨沟东侧的 F_{28} 断层及北部的 F_{461} 断层的断距均在 300m 左右,为隔水边界;南部有近东西向的 F_{236}、F_{238} 断层;东部消力塘、尾水渠部位经开挖揭露,发现有一组近南北向的断层和地表覆盖的 T_1^1 岩组隔断了桥沟河河水与基岩地下水的水力联系。因此,在西、北、东三个方向不存在地下水向区内侧大量补给,厂房区域处在一个相对独立的水文地质单元。据观测资料分析,区域内基岩无统一地下水位,地下水位一般在 120 ~ 125m,最高水位实测值为 139m,且水位变化基本不受黄河水位升降影响。

2. 地下水的渗流特性

地下水的渗流特性受岩性、构造及风化卸荷作用控制,厂房区域内基岩表现出显著的层状非均质各向异性渗透特征。从宏观上看,砂岩类地层的渗透性大于泥岩类地层的渗透性,顺层方向的渗透性大于垂层方向的渗透性,浅部岩体的渗透性大于深部岩体的渗透性,顺断裂方向的渗透性大于垂直断裂方向的渗透性,但对于 T_1^1、T_1^2 岩组,由于节理比较发育,其垂层渗透系数大于顺层渗透系数。区内基岩裂隙岩体的上述渗透特征,决定了其地下水渗流运动的基本规律。根据开挖过程中观察,地下厂房基本上是在干燥状态下施工的,地下水多在局部洞段沿节理面或层面(尤其是软岩层)形成潮湿渗水或滴水现象,个别点可见地下水沿节理或节理密集带以涌流形式出现。这些现象表明厂房区基岩裂隙水具有典型的层状裂隙网络渗流特征,即潜水位以下的岩体并非全部处于饱和状态,地下水仅赋存和运移于部分具有一定张开度的节理所构成的裂隙网络中,形不成连续的潜水面。

厂房区域地表呈 T 形山梁,两侧各有一条冲沟,岭脊单薄,冲沟发育,地表排泄通畅。厂房区域地表分布薄层黄土,上覆岩体中 T_1^{5-1}、T_1^{5-3} 地层透水性相对较弱,尤其是 T_1^{5-1} 地层软岩岩层比例占 40% 左右,为刘家沟组地层中软岩比例最高的层位,可见,地表水垂向入渗条件差。组成厂房的围岩主要为 T_1^4、T_1^{3-2},仅机坑下部进入 T_1^{3-1},各岩层的压水试验资料表明,T_1^4 应属强透水至中等透水地层,T_1^{3-2} 与 T_1^{3-1} 为弱透水地层。各透水岩层的渗透特征见表 7-5-1。

表 7-5-1   各透水岩层的渗透特征

岩层代号	透水性分类	砂岩层含量(%)	泥岩层含量(%)	顺层渗透性(m/d)	垂层渗透性(m/d)	各向异性度
T_1^5	砂泥岩类	71	29	0.640 0	0.006 1	104.10
T_1^4	砂岩类	95	5	0.620 0	1.040 0	0.60
T_1^{3-2}	泥岩类	43	57	0.000 9	0.001 5	0.60
T_1^{3-1}	砂岩类	90	10	0.420 0	0.710 0	0.60
T_1^{2-1}	砂泥岩类	50	50	0.050 0	0.004 9	10.20

3. 施工期渗水原因分析

在厂房施工过程中,出现了呈星点状渗水漏水现象,主要分布在 6# 机组段至安装间及桩号 0 + 185 ~ 0 + 210m。出水点多集中在顶拱及上游侧墙,大部分呈滴水状,局部呈线流状,且雨季渗水点和渗水量明显增多,这是由沿 f_1、f_2 两个小断层带的渗水引起的,给施工造成一定影响。

据调查,地下水的出露多分布在局部洞段,沿节理或层理形成潮湿渗水或滴水现象,个别地段地下水沿节理或节理密集带以涌流形式出现。这些现象表明厂房区基岩裂隙水具有典型的层状裂隙网络渗流特征,即潜水位以下的岩体并非全部处于饱和状态,地下水仅赋存和运移于部分具有一定张开度的节理裂隙网络中,形不成连续的潜水面。

厂房区由于受地层软硬岩相间分布,以及泥化夹层的成层分布和节理切层连通性的差异影响,岩层顺层渗透性明显好于垂层渗透性。对地下厂施工过程中的渗水来源的分析发现,渗水主要来源于施工用水,如厂房上游 4# 灌浆洞和 4# 排水洞施工用水,灌浆孔压水和排水孔洗孔用水均与透水性强的 T_1^1 地层建立了水力联系,施工用水通过 T_1^1 地层向厂房运移,引起厂房漏水。

当库水位低于 210m 时,库水位于 F_{28} 断层的上盘(即北西盘),由于断层的隔水作用,库水对地下厂房的影响不大。当库水位高于 210m 时,库水入渗到 F_{28} 断层的下盘,此时,F_{28} 断层已经失去阻水作用,库水对地下厂房的影响增大。因此,30#、28# 排水洞的排水量明显增大。由于地下水在岩体中的流速缓慢,库水渗透到地下厂房需要一定的时间,所以地下厂房(28#、30#)的漏水量滞后于库水位,而非同步。

(二)渗透特征

根据枢纽区的水文地质条件,枢纽区的渗漏表现为以下三个特征:

(1)层状透水。所谓层状透水是指沿透水岩体产生的渗漏,主要透水岩层左岸为 T_1^{3-1}、T_1^4、T_1^{5-2}、T_1^{5-3}。左、右岸相对隔水岩层埋深较大,帷幕底未伸入到相对隔水岩层内,属于悬挂式帷幕。左、右两岸岩层倾向下游,主要透水岩层在库区出露于地面以上,具有良好的库水入渗补给条件,库水从帷幕以下的透水岩层产生层状渗透。

(2)带状透水。所谓带状透水,是指沿断层及其两侧影响带产生的渗漏。左岸有 F_{28}、F_{236}、F_{238}、F_{240} 及 F_{461} 断层,除 F_{28} 断层外,它们均呈上、下游方向展布,库水沿断层带帷幕下面绕渗,可能形成带状渗漏。

(3)壳状透水。所谓壳状透水,是指沿岩体表部风化卸荷带形成的渗漏。

(三)对地下厂房渗漏水的影响

(1)喷混凝土施工时对排水管保护不够,造成部分排水管堵塞。

(2)渗水中含有大量的游离钙质,造成部分排水管堵塞而失效。

(3)厂房上游钻孔、灌浆等施工因素的影响。

(4)4# 灌浆洞灌浆孔压水、渗压计钻孔用水、副坝基础灌浆孔压水等施工用水通过 T_1^4 地层向厂房渗流,引起厂房漏水量增加。

三、地下厂房渗漏水处理措施

(一)专家咨询意见

"小浪底水利枢纽 265m 水位安全运行专家咨询会"专家咨询意见和主要建议如下:

(1)地下厂房顶拱部位渗漏水量较大,从长期运行角度来看,将严重影响厂房运行安全,应以"堵排结合"为原则,抓紧提出设计方案,及时进行处理。

(2)从左岸山体渗漏监测情况看,当库水位在240m以下时,由于采取了一系列防渗工程措施,渗漏量已明显减小。但库水位超过240m后,左岸山体渗漏量明显增加,且总水量超过设计原估算值。长期渗漏可能会弱化岩层中的软弱夹层的力学性能,甚至造成冲蚀破坏,引起机械管涌,影响山体稳定。在已有的处理措施下,本着"堵排结合"的原则,进一步对左岸水文地质条件进行分析研究,必要时补充地质勘查,提出更有针对性的工程措施,及时进行处理,有效控制渗漏总量,并使集中渗漏部位的渗漏量有显著减少,确保长期运行安全。

(3)由于左岸山体防渗帷幕幕体较为单薄,目前渗漏水量和流速均较大,会加速帷幕灌浆的水泥结石中的钙质析出,应通过水质分析等手段评价帷幕的耐久性,必要时实施补强灌浆。

(4)小浪底水利枢纽在260m以上水位运行了40余天,取得的观测数据可信,分析结果表明目前建筑物及两岸边坡运行安全,无异常,变形、渗压均在设计值以内,初步经受了高水位运行的考验。虽然右岸及坝基渗漏随着水库淤积升高渗漏量减少,但因左岸山体渗漏量仍偏大,是影响枢纽长期安全运行的潜在因素,需进一步采取工程措施,在渗压不超过警戒值(或合理数值)的条件下,尽可能把渗漏水量降下来,确保工程长期运行安全。在制定调度运行规程时,虽然可以考虑已有高水位长期运行的过程,但应根据枢纽承担的任务、调度运行及调水调沙的具体要求,在对左岸山体渗漏采取必要的工程措施后,慎重、适当地控制高水位运行的水位区间及时段。

(5)应进一步查明西沟水库对厂房区渗水的影响,以便采取必要的处理措施。

(二)厂外防渗补强措施

由于地下厂房靠近进水口,渗透途径较短,做好防渗帷幕的设计与施工是非常重要的。小浪底工程由于帷幕底未伸入到相对隔水岩层内,属于悬挂帷幕。库水很容易从帷幕以下的透水岩层渗流到地下厂房。另一方面,由于帷幕幕体单薄,单排帷幕难以封堵所有宽大裂隙。因此,帷幕防渗效果难以保证,形成了通过帷幕体的渗水。

左岸山体内有密集的泄洪排沙洞群和地下厂房等重要建筑物,长期较大流量的渗漏,地下水位将会升高,对这些建筑物的安全是十分不利的。长期渗漏对软岩、泥化夹层、断层破碎带等将会产生渗透变形,影响左岸山体稳定。因此,针对大坝两岸渗漏情况,按照"先堵后排,堵排结合"的指导思想,结合地质条件,于2001~2004年对防渗帷幕实施了一系列的补强灌浆和加强幕后排水的工程措施。

1.帷幕补强灌浆

(1)在3#和4#灌浆洞内,对原一排孔帷幕区增加到两排孔帷幕,底线达到90m高程。主要封堵强透水岩层 T_1^{3-1}。

(2)在4#灌浆洞内,向下补打一排灌浆孔,幕底线达到140m高程。主要封堵强透水岩层 T_1^4。

(3)从3#灌浆洞北端对4#、5#、6#发电洞下部岩体,由原来一排环形灌浆孔再增加一排,幕底线达到90m高程。主要封堵 T_1^{3-1} 岩层。

(4)对 3$^\#$ 灌浆洞南端洞顶以上的岸坡三角区,由单排灌浆孔增加到两排。

(5)封堵帷幕线上的 5 个渗漏通道,底线到 90m 高程,上线至 245m 高程,主要封堵 T_1^{3-1}、T_1^5 岩层。

(6)从 3$^\#$ 明流洞以北,由地面进行补强灌浆,孔底高程达到 120m。

(7)对高程 275m 以下的进水塔后边坡及其他迎水面裸露的岩石边坡,喷 0.15m 厚混凝土予以封闭。

(8)对西沟水库库盆采用回填土防渗和右岸边坡采用钢筋混凝土面板防渗。

2.对 4$^\#$、28$^\#$ 排水洞加密加深排水孔

通过上述工程措施,有效地减少了左岸山体,特别是地下厂房区的渗水量。根据 2005 年监测资料分析,在 260m 同水位情况下,防渗处理后与处理前相比,地下厂房顶拱渗水量减少 83%,4$^\#$ 排水洞排水量减少 80%,28$^\#$ 排水洞排水量减少 77%,30$^\#$ 排水洞排水量减少 33%。效果十分显著,左岸渗水得到有效遏制,说明做好防渗帷幕是非常重要的。

(三)地下厂房顶拱渗漏水的处理

施工期间尽管地下厂房顶拱安装有许多纵横交织的暗排水管路,但由于 PVC 管管壁较薄,喷混凝土后被压偏,使渗水难以排出,加之岩石裂隙水杂乱无章,因此大部分排水管失去作用,致使厂房顶拱到处渗水,影响机组安全运行,为此采取工程措施,将渗水有序引出厂外。

1.渗漏水特点

厂房顶拱渗水主要表现为:①基岩喷混凝土裂缝渗漏;②基岩喷混凝土单点渗漏;③锚杆周边渗漏;④锚索周边渗漏;⑤锚杆废弃孔洞渗漏。把以上几种不同特点的渗漏方式归纳为裂缝渗漏和单点渗漏两大类型,采取相应的施工方法和步骤分别进行处理。

2.施工方法及步骤

(1)裂缝渗水堵排施工方法及步骤:沿裂隙走向开凿不规则 V 形槽→清理基面→埋设排水波纹管→敷填堵漏王浆→寻找薄弱环节,再止水,反复多次→TS 堵漏宝整体抗渗→埋设 BW 止水条,填塞密封腻子→做混凝土砂浆保护层→涂刷 K$_{11}$ 防水浆液→养护→完工。渗水裂缝施工剖面见图 7-5-1。

(2)单点渗水处理施工方法及步骤:以渗漏点为中心开凿混凝土(或喷混凝土),形成圆锥状孔洞→清理基面→埋设引水波纹管→敷填堵漏王浆→4h 后沿堵漏王浆与混凝土结合处埋设 BW 止水条→TS 堵漏宝砂浆找平→做混凝土砂浆保护层→涂刷 K$_{11}$ 防水浆液→养护→完工。渗水点施工剖面见图 7-5-2。

3.引排水系统

(1)为了达到理想的整体处理效果,保证处理后的部位不再有任何渗水滴漏,并要保证渗水部位处理后不再产生新的渗漏通道,还须设置一个完善、通畅的引排水系统,将各个渗水部位的引漏层的排水管串联起来,集中引至排水沟内。一般按 3~5 根排水半管集中到一内径较大的排水波纹管内集中排出(管内径为 45~60mm)。

(2)为尽量减少渗水形成的钙化物阻塞排水管,排水管出口应浸没在排水沟水面以下,以阻止空气中的二氧化碳进入排水管,防止或减少钙化物的产生。

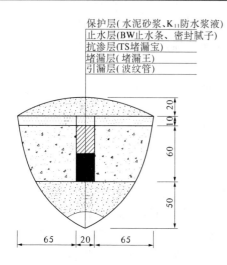

图 7-5-1 渗水裂缝施工剖面图（单位:mm）

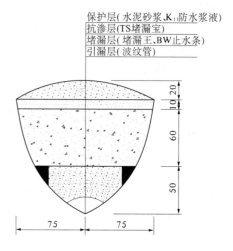

图 7-5-2 渗水点施工剖面图（单位:mm）

4.施工技术要求

(1)裂隙渗水处理开槽后,应认真进行清理,不得有松动块和污物,而后用水冲洗干净,方可进行下道工序,开槽深度原则上不能破坏钢筋网。

(2)在基面尚保持湿润的情况下安装排水波纹半管于不规则 V 形槽的底部;敷填堵漏王浆应带橡胶手套压紧压实,保证其黏接质量,堵漏层完成后置放 1～2d,再检查寻找薄弱部位进行反复处理完成堵漏层工序;然后再进行抗渗层、止水层工序,待 TS 堵漏宝固化并干燥后,安装 BW 止水条、粘贴密封腻子,做混凝土砂浆保护层,将 K_{11} 防水粉与相应添加剂按比例充分拌匀,分 3～4 次均匀涂刷,以便堵塞一切细微渗水通道。

(3)单点渗水处理凿"坑"面应进行认真清理和冲洗,其余工序同(2)。

(4)养护。

处理裂隙渗水时,堵漏层、抗渗层和加固层的实施过程中要用水进行养护,特别是抗渗层完毕的 2d 内须不间断养护,不得使其表面干燥。裂隙渗水和单点渗水处理完毕后,应有不少于 7d 的养护期。

5.效果

采用该堵漏方法后,地下洞室岩壁无规则的渗漏得到了有效的控制。地下洞室岩壁、混凝土喷层的渗漏封堵与渗漏水集中的引排,解决了地下洞室渗漏部位滴水现象,使得该洞段洞壁处于相对干燥的状态,保证其安全运用。

地下工程的渗漏水一般均存在,只是大小不同而已,采用引排为主的堵漏处理方案,对于柔性支护的地下厂房是比较有利的。

第八章　地下洞室安全监测与围岩稳定性评价

第一节　洞室群监测设计

一、监测设计原则

(1)突出重点、兼顾全局,即以重要工程和危及建筑物安全的因素为重点监测对象,同时兼顾全局。

(2)以监测建筑物安全为主,观测项目和测点的布设应满足工程安全运行的需要,同时兼顾到验证设计,以达到提高设计水平的目的。

(3)永久监测要尽可能地与施工期的监测相结合,以指导施工。

(4)观测设备要具有可靠性,特别是监测建筑物安全的测点,必要时在这些特别重要的测点上布置两套不同的观测设备,以便互相校核并可防止观测设备失灵。观测设备的选择要便于实现自动数据采集,同时考虑留有人工观测接口。

二、地下厂房监测设计

(一)监测断面的选择

根据地下厂房的布置情况,本着"少而精"的设计原则,共选择3个横断面进行监测,分别位于1#机组中心线、5#机组中心线段和安装间,其中1#、5#机组段向下游延伸到主变室,构成上、下游对应的监测断面。位于1#机组段和5#机组段的监测断面,其所处部位边墙较高,上游侧墙岩体节理裂隙较发育,且有泥化夹层,下游侧有母线洞和尾水管洞;位于安装间的监测断面,其开挖高度低于主厂房段,且下游侧结构型式也与前两个断面不同。

(二)监测项目的选择

1.围岩变形监测

由于围岩的稳定是地下洞室最关心的问题,而变形监测是监测围岩稳定最直观、最有效的方法,因此被作为地下厂房监测的重点。设有多点位移计、收敛计、测斜仪、引张线等。

上述各监测项目的具体布设情况见图8-1-1。

1)多点位移计和收敛计的布置

在上述三个监测断面的厂房顶拱中心线处、两拱脚处、上下游边墙的不同高程、基础岩层中,分别布置多点位移计,并要求在地下厂房开挖之前将3个断面顶拱中心线的3支多点位移计安装埋设完毕,以便监测到开挖初期的主要变形。但是由于种种原因,顶拱多点位移计的安装仍然是在开挖后进行的,因此厂房顶拱在开挖初期70%～90%的主要变形并未监测到。另外在上述监测断面的150m高程分别布设3对永久收敛测点。在施工

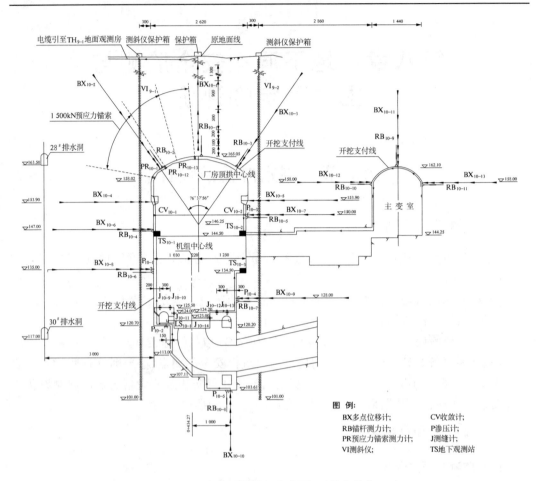

图 8-1-1 厂房监测仪器剖面布置 （尺寸单位:cm）

过程中,发现边墙的开挖变形过大,同时采用人工进行收敛监测越来越困难,因此在 1#、2#、5# 机组 3 个断面的 133m 高程又分别增加 3 对永久收敛监测点。

　　2)测斜仪的布置

　　为了监测厂房边墙在施工期和运行期的挠度变形情况,在 1#、5# 机组段上、下游边墙岩体内布设 4 支测斜管,采用活动测斜仪对边墙各部位的挠度变形进行监测。

　　3)静力水准系统布置

　　为了监测机组段之间以及厂房上、下游之间的不均匀沉陷,在厂房操作廊道内设置一套静力水准系统,共设 6 个监测点,分别位于厂房上、下游操作廊道内,其中 3 个测点在上游侧 121.5m 高程廊道内,另 3 个测点在下游侧 120m 高程廊道内,各点分别布设在 1#、3#、5# 机组段,采用直接水准监测。

　　2.围岩渗流监测

　　对地下厂房来说,渗漏水不但影响机组安全运行,也是影响围岩稳定的重要因素之一,因此将渗流监测作为地下厂房的主要监测项目。

　　(1)为监测厂房边墙附近地下水位和岩层渗透压力分布情况,在厂房内部 1# 和 5# 机组监测断面上、下游边墙不同高程、基础廊道底部、肘管段底部分别布设 1 支渗压计;在安装间监测断面上、下游边墙也布设有渗压计。另外,在排水廊道四周布设 14 支渗压计,以便监测厂外地下水位分布情况。

(2)为了监测厂房周围山体内的渗流量,采取分区、分段、分层的方法来监测不同区域的渗流量,其中在厂房 28# 排水洞布设 4 座量水堰。另外,在施工期间发现渗水严重,又在 8B# 洞和 17# 交通洞布设 2 座量水堰,以便了解厂房各部位渗水情况。

3.应力监测

由于小浪底地质条件较差,且地下厂房采用柔性支护设计方案,为了了解顶拱预应力锚索的锚固效果,在上述三个监测断面中分别选择 3 根锚索,在每根预应力锚索的锚固端安装 1 支预应力测力计,以监测锚索预应力变化情况。为了监测系统张拉锚杆的锚固效果,在上述三个监测断面中布设的多点位移计附近,均布设 1 支锚杆测力计。

4.岩壁吊车梁的监测

岩壁吊车梁是近几年发展起来的一种特殊结构型式。它利用围岩的承载能力,使吊车荷载由锚固在岩壁斜面上的钢筋混凝土梁承担。目前岩壁吊车梁锚固设计中所采用的刚体平衡法是学习北欧国家的简化的计算方法,未考虑混凝土梁与岩石间的黏结力和地基反力。计算方法本身并不十分完善,岩壁梁锚固参数设计主要靠工程类比法,因此对岩壁梁的变形监测和受拉锚杆的应力监测是非常必要的。岩壁吊车梁监测断面的选择与厂房的 3 个监测断面相同,即分别位于 1# 机组、5# 机组及安装间,其中安装间仅在上游侧布设监测仪器,其余 2 个断面在上、下游侧均设有监测仪器。

(1)为了监测岩壁梁部位岩体内不同深度的变形情况,在每个监测断面水平方向埋设一套六点式多点位移计。

(2)在上游侧,沿岩壁梁方向布设一条双向引张线,以监测岩壁梁水平、垂直方向的变形情况。

(3)为了监测岩壁梁与岩石的接缝开合度,在上述每个监测断面上,布设 4 支测缝计。

(4)为了监测岩壁梁 500kN 预应力锚杆的锚固效果,在上述每个监测断面上布设预应力锚杆测力计,以便监测预应力锚杆所受总拉力变化情况,另外沿预应力锚杆长度方向布设 3 支钢筋计,以便监测锚杆应力变化情况。同时还可以与安装在端部的锚杆测力计所监测的数据互相校核。

三、引水发电洞监测设计

(一)监测断面选择

根据引水发电洞沿程地质和结构情况,在 1# 和 5# 发电洞分别选取 3 个断面进行监测,其中一个断面位于帷幕前钢筋混凝土衬砌段,其他 2 个断面布设在高压钢管段(一个断面位于钢管上平段与上斜段的转弯处,另一个断面位于下平直段,接近厂房边墙)。

(二)监测项目的选择

1.沿洞身外水压力监测

在 1#、5# 发电洞每个监测断面上均布设有渗压计,布设在高压钢管混凝土衬砌结构外的渗压计,用来监测作用在衬砌结构上的外水压力情况,而布设在衬砌结构与高压钢管之间的渗压计,用来监测直接作用在高压钢管上的外水压力情况。这些断面上布设的渗压计,结合左岸山体内部埋设的渗压计,可以监测到不同库水位时发电洞沿程外水压力分布情况。

2. 围岩变形监测

在洞顶布置 1 套多点位移计,以监测洞顶的下沉和岩石内部各点的位移情况,在水平方向埋设 2 套多点位移计和洞顶的测点配合,一方面可以监测洞身的水平收敛变形和垂直收敛变形情况,另一方面可监测岩石不同深度的位移情况。

3. 洞身混凝土衬砌及高压钢管衬砌结构的应力应变监测

采用钢筋计、应变计、无应力计、钢板计等,以监测钢筋的应力,混凝土的应力、应变,钢板的应力等。

4. 混凝土衬砌结构和围岩接缝开合度的监测

在三个监测断面的顶部、底部和洞身两侧各布置 1 支测缝计,以监测混凝土衬砌结构和围岩接缝开合情况。

四、尾水洞监测设计

(一)监测断面的选择

尾水洞为 3 条明流洞,断面尺寸为 12m×18m,城门洞形,长度为 800~900m。由于断面尺寸较大,埋深较浅,岩体节理裂隙发育,且为薄混凝土衬砌,选择 3 个断面进行监测,分别位于尾水洞的前部、中部和出口末端。

(二)监测项目的选择

(1)沿程外水压力监测:在每个监测断面的底板和顶拱分别布设 1 支渗压计,监测地下水位分布情况。

(2)围岩变形监测:在每个监测断面的顶拱和边墙的 2/3 高度的两侧分别布设 1 支多点位移计,以监测不同岩层的位移情况和洞室收敛变形情况。

第二节　监测成果分析

一、主厂房变形监测成果

(一)施工期收敛监测成果

由于厂房第一台阶开挖(156m 高程)没有埋设永久监测仪器,只能借助于承包商监测的成果。施工初期,承包商对施工期监测比较重视,监测人员技术熟练,监测结果比较可靠。厂房第一台阶开挖高度为 9m,顶拱分 S_1、S_2、S_3、S_4、S_5 五块开挖(见图 8-2-1)。收敛监测断面和监测成果见表 8-2-1、表 8-2-2、表 8-2-3。中导洞开挖于 1995 年 2 月 5 日开始,3 月 2 日即开始收敛观测,此时收敛监测值较小,一般顶拱为 3~4mm,边墙为 5~9mm。1995 年 5 月 8 日~8 月 29 日,由中导洞 S_1 向两侧 S_2、S_3 扩挖过程中,在监测断面0+20m测得的收敛变形曲线,边墙收敛值达到 30mm(见图 8-2-2),在 5# 机组段 0+135m 断面进行扩挖时,测得的收敛变形曲线,顶拱收敛值达到 17mm(见图 8-2-3),此时厂房第一个台阶开挖高程为 156m,跨度为 17m,尚未开挖到设计断面(设计开挖跨度为 26.2m)。

综合国内外各种规范,地下洞室围岩稳定变形控制标准多在 20~40mm,按这一标准衡量,上述测值已经接近收敛变形警戒值,是值得重视的。说明在当时情况下,厂房顶拱围岩的安全稳定性并不是很高。认为地下厂房安全稳定不存在任何问题的看法是不妥的。

图 8-2-2 和图 8-2-3 是把洞室围岩收敛变形和开挖两种过程线放在一起加以比较,从

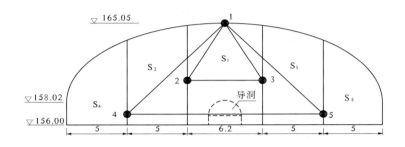

图 8-2-1　厂房第一台阶开挖示意图　(单位:m)

表 8-2-1　　　　　　　　　地下洞室施工期监测收敛量测断面数量统计

洞室名称	收敛测线号	断面数量	安设桩号(m)
地下厂房	2-3,1-3,1-2	2	0+020、　　0+037
	4-5,1-5,1-4	9	0+020、　　0+023、　　0+037、　　0+073、 0+099、　　0+100、　　0+124、　　0+135、　　0+247
	6-7	1	0+100
	8-9	9	0+020、　　0+037、　　0+073、　　0+240、 0+100、　　0+124、　　0+150、　　0+175、　　0+215
厂房中导洞	2-3,1-3,1-2	8	0+022、　　0+035、　　0+050、　　0+140 0+030、　　0+067、　　0+012、　　0+026
主变室	4-5,1-5,1-4	2	0+140、　　0+165
	6-7	2	0+080、　　0+110
	8-9	2	0+020、　　0+050
尾闸室	4-5,1-5,1-4	4	0+030、　　0+075、　　0+110、　　0+155
1#尾水洞	4-5,1-5,1-4	1	1+240
3#尾水洞	4-5,1-5,1-4	3	1+226、　　1+104、　　1+082
5#尾水洞	4-5,1-5,1-4	4	1+078、　　1+045、　　1+880、　　0+846
	2-3,1-3,1-2	2	0+565、　　0+580

表 8-2-2　　　　　　　　　　　地下洞室 4 – 5、1 – 5、1 – 4 测线收敛量测成果统计

建筑物	桩号 （m）	始测时间 （年-月-日）	终测时间 （年-月-日）	收敛值（mm）		
				4 – 5	1 – 5	1 – 4
地下厂房	0 + 020	1995-09-01	1996-01-15	– 1	– 3	0
	0 + 023	1995-04-27	1995-05-09	– 4	1	– 1
	0 + 037	1995-05-13	1995-10-10	– 4	1	– 1
	0 + 073	1995-05-09	1996-03-22	0	– 6	2
	0 + 099	1995-06-12	1995-08-09			
	0 + 100	1995-09-16	1995-11-10	0	0	– 1
	0 + 124	1995-06-15	1995-09-22	0	– 5	2
	0 + 135	1995-06-15	1995-11-02	– 2	– 17	– 6
	0 + 247	1995-08-25	1995-11-18	1	5	0
主变室	0 + 140	1996-09-05	1996-09-18	– 1		
	0 + 165	1996-09-05	1996-09-12	– 1.9		
尾闸室	0 + 030	1996-09-10	1996-11-07	2.09		
	0 + 075	1996-09-10	1996-11-07	0.1		
	0 + 110	1996-09-10	1996-11-22	– 1.65		
	0 + 155	1996-09-10	1996-11-22	2.96		
1# 尾水洞	1 + 240	1996-09-12	1996-09-19	– 1.1	– 1.5	– 1
3# 尾水洞	1 + 226	1996-09-07	1996-11-08	– 1.05	2.45	3.11
	1 + 104	1996-09-07	1996-11-15	– 1.24	1.54	7.61
	1 + 082	1996-09-07	1996-11-15	0.1	4.92	3.57
5# 尾水洞	1 + 078	1996-11-20	1996-11-21	0.13	0	0
	1 + 045	1996-11-20	1996-11-21	0.06	0	0
	0 + 880	1996-09-11	1996-11-15	– 0.9	3.24	3.35
	0 + 846	1996-09-11	1996-11-15	– 1.1	2.19	1.62
	0 + 580	1996-11-13	1996-11-21	0.23	0	0
	0 + 565	1996-11-20	1996-11-21	– 0.06	0	0

表 8-2-3　　　　　　地下洞室 2－3、1－3、1－2 测线收敛量测成果统计

建筑物	桩号（m）	始测时间（年-月-日）	终测时间（年-月-日）	收敛值（mm）		
				2－3	1－3	1－2
地下厂房	0＋020	1995-03-29	1995-08-29	－30	－13	－12
	0＋037	1995-04-11	1995-09-18	－11	－5	－7
厂房中导洞	0＋012	1995-03-08	1995-03-25	－1	0	－1
	0＋026	1995-03-03	1996-03-23	0	0	0
	0＋022	1995-03-03	1995-03-30	－6	0	0
	0＋035	1995-03-03	1995-04-07	0	0	0
	0＋050	1995-03-04	1995-04-14	－1	0	0
	0＋140	1995-06-05	1995-06-26	－1	－1	－2
	0＋030	1995-03-02	1995-04-07	－3	0	0
	0＋067	1996-03-04	1996-04-13	0	0	0
8#交通洞	0＋165	1996-09-05	1996-09-12	－1.9		
	0＋030	1996-09-10	1996-11-07	2.09		
	0＋075	1996-09-10	1996-11-07	0.1		
	0＋110	1996-09-10	1996-11-22	－1.65		
	0＋155	1996-09-10	1996-11-22	2.96		
	1＋240	1996-09-12	1996-09-19	－1.1	－1.5	－1
	1＋226	1996-09-07	1996-11-08	－1.05	2.45	3.11
	1＋104	1996-09-07	1996-11-15	－1.24	1.54	7.61
	1＋082	1996-09-07	1996-11-15	0.1	4.92	3.57
5#尾水洞	1＋078	1996-11-20	1996-11-21	0.13	0	0
	1＋045	1996-11-20	1996-11-21	0.06	0	0
	0＋880	1996-09-11	1996-11-15	－0.9	3.24	3.35
	0＋846	1996-09-11	1996-11-15	－1.1	2.19	1.62
	0＋580	1996-11-13	1996-11-21	0.23	0	0
	0＋565	1996-11-20	1996-11-21	－0.06	0	0

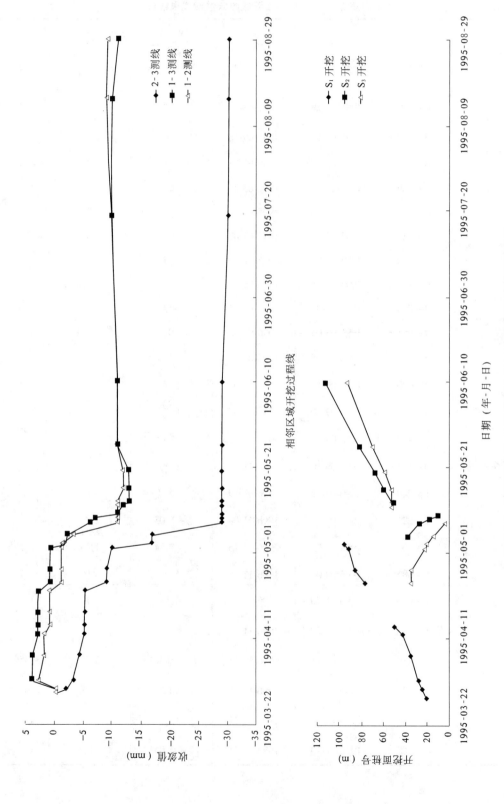

图 8-2-2 地下厂房 0+20 断面 2-3、1-3、1-2 测线收敛量测过程线

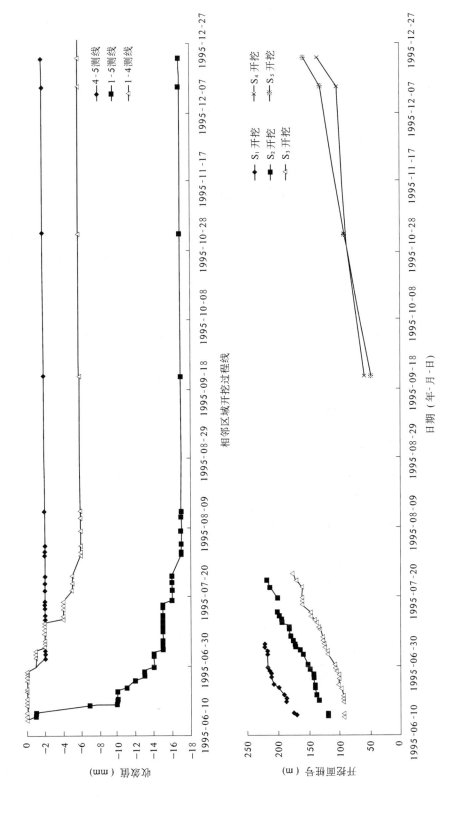

图 8-2-3　地下厂房 0 + 135 断面 4-5,1-5,1-4 测线收敛量测过程线

中可以看出,由开挖引起的空间效应变形是地下厂房收敛变形中最重要的组成部分,时间效应比重很小。

从上述图表中还可以看出,收敛值较大的断面主要集中在桩号 0 + 020m 和 0 + 135m 及其附近洞段,这与两个部位节理裂隙相对比较发育、岩体较破碎是一致的。在地下厂房中,另一个地质条件较差的部位为桩号 0 + 247m 断面附近。但是由于端墙的支撑作用,开挖空间效应引起的变形,一般只有中部洞段的 1/2 左右,故该断面的收敛变形值较中部两个断面小得多。

1996 年 8 月份以来,由于承包商监测方法有误,使收敛变形监测成果的精度和可靠度大为降低。主厂房 150 ~ 139m 高程分两层开挖,从 1996 年 12 月,在半年时间内,承包商监测人员只是象征性地进行少数几次监测,这两层台阶开挖大体上可分为上层上游、下游、中槽和下层上游、下游、中槽 6 种开挖过程,共有 11 个监测断面(见表 8-2-4),至少有 66 次开挖面通过监测断面的机会,但承包商提供的开挖变形只有 5 个监测断面、5 次监测成果,且其中 4 次都是对边墙变形影响较小的中槽开挖,因此测得的变形值很小,都在 6mm 以下,这是不符合边墙中部开挖变形的实际情况的。为此,设计院要求承包商增加 132m 和 122m 高程上的临时收敛监测断面,以弥补上述缺陷。收敛监测结果见表 8-2-5。

表 8-2-4　　　　　　　　　**地下厂房高程 150m、139m 台阶开挖变形统计**

桩号 (m)	测线号	开挖时间 (年-月-日 ~ 月-日)	开挖方式	是否测得 开挖变形	变形量或有关情况
0 + 020	8 - 9	1996-10-10 ~ 10-14	下层中槽	是	6.60mm
0 + 037	8 - 9	1996-10-10 ~ 10-14	下层中槽	是	2.44mm
0 + 073	8 - 9	1996-08-31 ~ 09-05	上层上游 下层下游	否	8 月 31 日未测, 9 月 3 日取初值
		1996-09-25 ~ 10-14	上层上游 下层上游 下层下游	否	10 月 11 日、10 月 14 日 以后均未测
0 + 100	8 - 9	1996-09-02 ~ 09-11	上层上游 下层下游	否	9 月 2 日、9 月 6 日、9 月 11 日 取初值,9 月 3 日未测
		1996-09-20 ~ 10-11	下层下游	否	9 月 18 日至 10 月 11 日未测, 10 月 11 日取初值
0 + 115	10 - 11	1996-12-24 ~ 12-29	下层上游	是	1.93mm
0 + 124	8 - 9	1996-09-11 ~ 10-11	上层上游 下层下游	否	9 月 18 日至 10 月 11 日未测, 9 月 12 日、9 月 17 日测值不 可靠,10 月 11 日取初值
		1996-10-14 ~ 10-22	下层下游	否	10 月 18 日以后未测

续表 8-2-4

桩号 （m）	测线号	开挖时间 （年-月-日 ~ 月-日）	开挖方式	是否测得 开挖变形	变形量或有关情况
0+150	8–9	1996-09-18 ~ 10-11	上层上游 下层下游	否	9月19日至10月10日未测， 10月11日取初值
		1996-10-18 ~ 10-25	下层下游	否	未测
0+165	10–11	1996-12-28 ~ 12-31	上层中槽	是	1.83mm
0+175	8–9	1996-09-25 ~ 10-11	上层上游 下层下游	否	9月26日至10月10日未测 10月11日取初值
		1996-10-18 ~ 10-25	下层下游	否	未测
0+215	8–9	1996-12-02 ~ 12-03	下层中槽 下层下游	是	2.64mm
0+240	8–9	1996-12-04 ~ 12-12	下层上游 下层下游	否	测量截止日期 1996-12-04

表 8-2-5 主厂房边墙施工期开挖变形监测值

桩号（m）	132m 高程		122m 高程	
	监测时间 （年-月-日）	收敛变形值 （mm）	监测时间 （年-月-日）	收敛变形值 （mm）
0+115（6#机组）	1997-08-01	−20.38	1997-08-01	−11.74
0+165（4#机组）	1997-08-13	−23.82	1997-07-28	−22.03
0+190（3#机组）			1998-06-01	−13.58
0+218（2#机组）	1998-07-13	−13.52	1998-06-01	−14.92
	1998-09-14	−15.20	1998-06-29	−16.82
	1998-09-07	−15.00		
	1998-10-12	−15.09		

由于施工期承包商的收敛监测未能测到发生在地下厂房边墙腰部的最大收敛变形，根据小浪底地质资料分析，地下厂房顶拱和边墙部位的围岩在大部分区段没有本质的差别，因此可以推测，地下厂房边墙腰部围岩的收敛变形值可达 20 ~ 40mm，从表 8-2-5 监测结果，已经说明这种推测是正确的。在桩号 0 + 115m，高程 132m、122m 的两条水平测线累

计收敛值已分别达到20.38mm和11.74mm。在桩号0+165m,高程132m、122m的两条水平测线累计收敛值已分别达到23.82mm和22.03mm。基本上反映了该高程部位岩体的变形情况。

(二)永久收敛变形监测

地下厂房在高程150m、133m分别设3个永久观测断面,测得的最大收敛变形值见表8-2-6,收敛变形曲线见图8-2-4和图8-2-5。

表8-2-6 主厂房边墙永久测点变形值

桩号(m)	150m 高程		133m 高程	
	监测时间 (年-月-日)	收敛变形值 (mm)	监测时间 (年-月-日)	收敛变形值 (mm)
0+055.25(安装间)	1998-09-27	-9.4		
0+129.25(5#机组)	1998-09-06	-18.7	1998-09-27	-11.4
0+235.25(1#机组)	1999-04-03	-16.2	1999-04-03	-8.4
0+182.25(3#机组)			1998-10-25	-13.2

(三)多点位移计观测

地下厂房顶拱开挖从1995年2月15日开始,于1996年2月15日完成,由于工期较紧,永久性观测仪器的安装较晚,大部分是在第一个台阶开挖后安装的,厂房顶拱开挖中,因自重应力和构造应力释放而产生的大量变形未观测到。另一方面,由于埋设的六测点差动式多点位移计性能较差,容易受周围大气湿度、温度的影响,大部分测值呈跳动式的,规律性差。厂房顶拱5~10m范围测得的竖向位移小于1.5mm,个别测点的最大值为3.25mm;边墙上多点位移测值一般为1.8~3.2mm,个别测点的最大位移值为6.77mm。从多点位移测得的变形值看,显然偏小。

(四)岩壁梁监测资料分析

地下厂房采用2台2×2 500kN的双小车桥机,荷载较大,为了检验岩壁梁在桥机运行过程中的变形情况,对岩壁梁进行了单桥机100%(5 000kN)和双桥机并车110%(11 000kN)的静载和动载试验,单桥机125%(12 500kN)的静载试验只在安装间断面进行。试验设3个监测断面,分别在桩号0+55.25m(位于安装间)、0+129.25m(位于5#机组段)、0+235.25m(位于1#机组段)。埋设的仪器有多点位移计、预应力锚杆测力计、钢筋计、测缝计等。另外在岩壁梁上还设置了3组6个测点(反光靶),进行水平和垂直两个方向的观测。

为了使试验工作顺利进行,设计提出了各种观测仪器现场观测的警戒值:①预应力锚杆测力计和钢筋计测值≤500kN;②加载前后岩壁梁与岩面间的测缝计读数差≤0.08mm;③加载前后上、下游岩壁梁收敛变形读数差≤4mm。加载试验观测成果见表8-2-7。

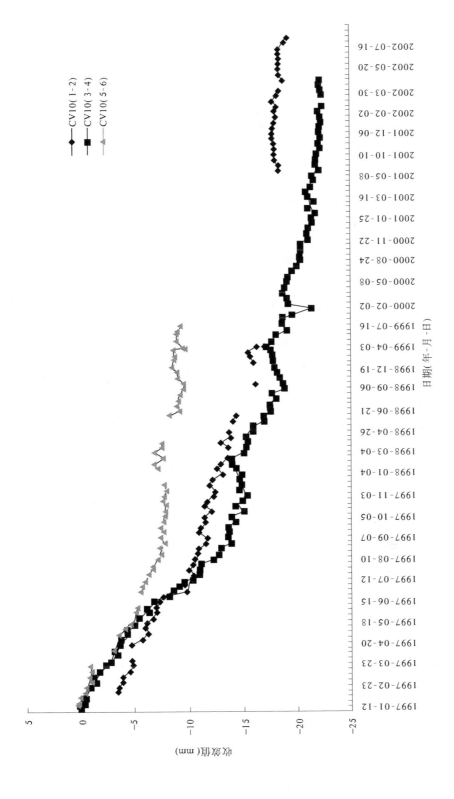

图 8-2-4　厂房 150m 高程收敛值变化图
(注:收敛数值为"-"表示向内敛,为"+"表示张开)

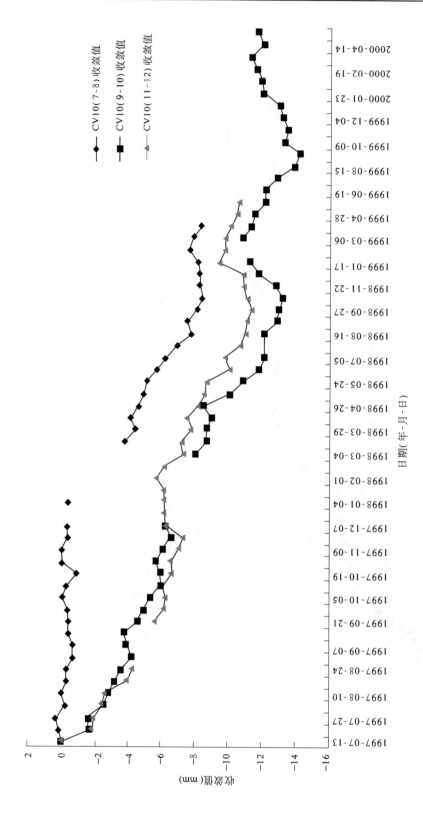

图 8-2-5 厂房 133m 高程收敛值变化图

(注:收敛值为"－"表示向内敛,为"＋"表示张开)

表 8-2-7　　　　　　　　　　　　　　　　　观测成果

加载情况		A 断面(0 + 235.25m)		B 断面(0 + 129.25m)	
		测缝计读数差 (mm)	预应力锚杆 测力计(kN)	测缝计读数差 (mm)	预应力锚杆 测力计(kN)
单桥机双小车负荷 75%	上游	0	454.3	0	438.3
	下游	0	426.5	0	457.0
双桥机并车负荷 75%	上游	0	454.4	0	438.3
	下游	0	427.0	0	457.0
双桥机并车负荷 100%	上游	0	454.5	0.012/0	438.5
	下游	0.015/ − 0.01	429.0	0	459.0
双桥机并车负荷 110%	上游	0	454.5	0.016	438.5
	下游	0.02/ − 0.01	430.0	− 0.01	460.0

多点位移计测值较小,均在 6mm 以内,变化值均在 1mm 以下。水平位移最大值为 0.6mm,最大沉陷量为 0.7mm,在荷载移去后基本恢复到原位。观测结果表明,桥机试验期间围岩变形很小,预应力锚杆测力计测值以及岩壁梁与岩石间裂缝的开合度均满足设计要求,说明岩壁梁在桥机满负荷运行时是安全可靠的。

(五)厂房基础沉陷监测成果

该项目从 1999 年 9 月 27 日开始观测,观测周期为两周一次。监测成果见表 8-2-8。

表 8-2-8　　　　　　　　　　　　　　　　　监测成果　　　　　　　　　　　　　　　(单位:mm)

点号	BM_{10-1}	BM_{10-2}	BM_{10-3}	BM_{10-4}	BM_{10-5}	BM_{10-6}
累计沉陷量	2.8	3.4	2.7	3.8	2.8	3.7
期内周平均变化量	0.038	0.046	0.037	0.052	0.038	0.051

注:其中 BM_{10-1}、BM_{10-3}、BM_{10-5} 在上游廊道内;BM_{10-2}、BM_{10-4}、BM_{10-6} 在下游廊道内。

从表 8-2-8 看出各测点累计位移均为正值,说明厂房基础变形表现为微量下沉,最大下沉量为 3.8mm,发生在 3# 机组段下游侧操作廊道内,从表 8-2-8 中还可看出,同一廊道内的 3 个测点累计位移量很接近,下游 120m 高程廊道内位移值为 3.4 ~ 3.8mm,上游 121.5m 高程廊道内位移值为 2.7 ~ 2.8mm,下游廊道内的沉降量比上游大,其差值约 1mm。总的变化趋势明显,从 1999 年 9 月 27 日开始监测,至 2001 年以后基本趋于稳定,整个监测过程未见异常变化。

二、主变室变形监测成果

主变室分 3 个台阶开挖,施工期共设置 6 个收敛监测断面,18 条收敛测线。由于测桩高程仅高于开挖高程 1m 或 2m,因而所测得的收敛变形值较小,一般为 1mm 左右,最大值仅为 3.70mm,不能反映开挖变形的实际情况。多点位移计所测得的岩体内部位移值也很小,顶拱竖向位移值小于 0.5mm,上游边墙最大水平位移 8.5mm,下游边墙最大水平位移 5.5mm。施工过程中母线洞开挖和厂房下卧对主变室影响不大。各监测点监测资料表明,主变室围岩处于稳定状态。

三、尾闸室变形监测成果

边墙最大收敛值为 14.14mm,1997 年 5 月以前变形比较平稳,随着下部台阶开挖,变形逐渐增大,特别是下游尾水洞开挖时,变形突然增加,说明下游尾水洞开挖对边墙变形影响较大。为此,在与尾水洞交叉段增加 16 榀钢支撑后,变形未继续发展,围岩趋于稳定。

第三节   围岩允许变形控制标准

一、设计控制值

围岩变形或位移是围岩内部发生变化的外观表现,也是围岩发生破坏的先兆,因此把它作为评价围岩稳定性的重要指标。一般认为,地下洞室围岩所产生的变形不应超过"允许变形量",否则就认为是不安全的。但是,由于影响围岩变形的因素很多,而且也很复杂,因此目前世界各国对"允许变形量"没有统一的明确规定,各工程都是针对本工程的实际情况来制定其相应的标准。

(一)规范要求

根据《锚杆喷射混凝土支护技术规范》(GBJ86—85),洞周允许相对收敛量见表 8-3-1。

表 8-3-1   洞周允许相对收敛量(%)

围岩类别	洞室埋深(m)		
	< 50	50 ~ 300	300 ~ 500
Ⅲ	0.1 ~ 0.37	0.2 ~ 0.5	0.4 ~ 1.2
Ⅳ	0.15 ~ 0.5	0.4 ~ 1.2	0.8 ~ 2.0
Ⅴ	0.2 ~ 0.8	0.6 ~ 1.6	1.0 ~ 3.0

考虑到地下厂房为大跨度、高边墙,且该区又有泥化夹层分布,为保证安全,在任何部位的实测相对收敛量达到允许收敛量的 70% 时,应立即采取措施加强支护。

(二)经验公式计算

根据前苏联英斯特柯夫关于洞室周边可能的变形值 δ 的建议:

顶拱中部 $\qquad\qquad\qquad\qquad \delta_1 = 12\dfrac{b}{f^{1.5}}$ （mm）

边墙 $\qquad\qquad\qquad\qquad\quad \delta_2 = 4.5\dfrac{H^{1.5}}{f^2}$ （mm）

式中　f——普氏岩石坚固系数,取 5;

　　　b——洞室跨度,m,为 26.2m;

　　　H——边墙自拱脚至底板的高度,m,$H = 50$m。

计算结果:$\delta_1 = 28$mm;$\delta_2 = 63$mm。

(三)现场控制标准

(1)缪勒提出,顶部下沉允许值为 40～50mm。

(2)奥地利陶思隧洞,建议允许位移量为 50～150mm。

(3)奥地利阿尔贝格隧洞,净空位移的最大允许值为隧洞半径或锚杆长度的 0.1 倍,最好控制在 0.03～0.04 倍。

(4)美国某些工程对位移速率的规定:第一天的位移量应小于允许变形量的 1/5～1/4,为 2.54～3.18mm,第一周内平均每天的位移量应小于允许位移量的 1/20,约为 0.063mm。

根据国内外各种规范,结合小浪底工程地质情况,建议地下厂房洞室群区域,围岩允许变形控制值见表 8-3-2。

表 8-3-2　　　　　　　　　　　　围岩允许变形控制值

部位	允许实测收敛值(mm)		
	主厂房	主变室	尾水洞
顶拱	20～40	9～15	14～25
边墙	30～50	5～10	16～25

二、数值分析计算及模型试验变形值

综合第五章数值分析计算结果,得出地下厂房围岩变形最大值见表 8-3-3。模型试验研究得出的围岩变形值见表 8-3-4。

表 8-3-3　　　　　　　　　有限元计算围岩变形值　　　　　　　(单位:mm)

洞室	顶拱	上游边墙	下游边墙	说明
主厂房	35.1	4.4	6.8	顶拱未加锚索
主变室	19.2	2.3	6.9	
尾闸室	40.9	6.4	8.8	

表 8-3-4　　　　　　　　地质力学模型试验围岩变形值　　　　　　(单位:mm)

洞室	顶拱	上游边墙	下游边墙	说明
主厂房	23.1	16.8	9.2	150m 高程
		20.8	25.0	139m 高程
		14.3	21.7	124m 高程
主变室		13.7	7.6	中部
尾闸室	13.5	8.2	9.4	144m 高程

第四节　地下洞室围岩稳定性评价

一、主厂房

地下洞室围岩稳定主要决定于施工期。厂房顶拱在第一层 S_2、S_3 断面(见图 8-2-1)扩挖时,收敛值达到最大,为 17mm 左右,随着厂房下部开挖和张拉锚杆、预应力锚索的安装,顶拱位移逐渐减小,且有向上反弹的趋势。多点位移计观测结果,大部分位移计 0～10m 深各测点的位移值接近,说明由于喷锚网联合作用,拱顶形成刚固的组合拱,特别是厂房顶拱预应力锚索安装后,位移值较小,说明厂房顶拱围岩是稳定的,预应力锚索的加固效果显著。

厂房边墙在第一层 S_2、S_3 断面扩挖时,收敛值达到 30mm,这是开挖过程中毛洞的收敛值。喷锚支护加固后,在桩号 0＋115m,高程 132m、122m 两条水平测线中累计收敛值分别达到 20.38mm 和 11.74mm;在桩号 0＋165m,高程 132m、122m 两条水平测线中累计收敛值分别达到 23.82mm 和 22.03mm,上述测值基本上反映了该高程岩体的变形情况。根据开挖揭露的地质情况,估计厂房腰部收敛变形值可达 30～50mm,上述测值均在允许收敛变形范围内。

从多点位移计和测斜管观测结果看,位移值较小,且大部分位移计在 0～4m 深各测点位移值接近,说明厂房边墙经过喷锚支护加固后,已形成相对刚固的岩体,边墙围岩是稳定的。

在开挖过程中,上游边墙和南端墙在高程 143～146m 出现一层 30cm 厚软岩,对边墙稳定不利,设计要求增加两排 500kN 随机预应力锚杆予以加固。厂房下游边墙在尾水管洞开挖时,发现 1#、2# 尾水管洞与厂房边墙交叉部位,洞顶出现多道环形裂缝。当时的收敛变形值和变形速率明显增加,最大收敛值为 18.38mm,变形速率达 0.54mm/d,这是 f_2 小断层和节理裂隙的影响及尾水管洞开挖后未及时进行混凝土衬砌引起的,补打 12 根长5m、直径 32mm 的回头锚杆后,裂缝未继续发展。

综上所述,在厂房施工过程中,由于严格控制施工质量,未发生塌方和较大的变形,因此地下厂房围岩是安全稳定的。

二、主变室

从开挖揭露的地质情况看,岩体质量比预计的好,收敛变形和多点位移计测值都较小,喷锚支护后,围岩是稳定的。

三、尾闸室

尾闸室开挖过程中,遇到多条小断层和节理密集带,岩体较破碎,在上游侧桩号 0＋020～0＋100m,高程 154.18m 岩台,发现一组与洞轴线近于平行的贯穿性大节理,对拱座稳定十分不利,加之承包商爆破开挖时未按设计要求预留保护层和未进行控制爆破,装药量过大,使大部分岩台松动破碎,导致裂隙张开,引起上游边墙超挖严重。设计要求采用钢筋混凝土将超挖部位补到设计断面,并要求在尾闸室与尾水管洞和尾水洞交叉洞口顶部分别增加两排 500kN 预应力锚杆予以加固。承包商按工程师要求补浇了一部分混凝土,补打了 $\phi32mm$ 锚杆,但均未达到设计要求。因此,对岩台梁的稳定表示担心。

四、明流尾水洞

明流尾水洞长 800～1 000m,穿过 T_1^4～T_1^{6-1} 多层岩体,地质条件比较复杂。施工过程中由于承包商开挖方法不当,顶拱超挖严重,最大超挖达 2.68m,且拱座超挖较多,大部分成为平拱,影响顶拱稳定性。尾水洞原设计采用 30cm 薄混凝土衬砌,主要是减小水流粗糙率和封闭岩石表面不受风化。由于顶拱超挖严重,需要回填大量混凝土,承包商多次要求取消顶拱混凝土衬砌。加拿大专家和业主同意承包商的意见,设计单位根据业主的意见,全面查阅了开挖过程中揭露的地质情况和顶拱超挖情况,对原设计复核后,提出取消顶拱混凝土衬砌后的加固处理意见。但最终未按设计要求进行加固处理。

施工过程中,承包商的收敛监测也存在一些问题,其中 13 个观测断面均未测顶拱变形,其他收敛值比较分散,无法评价顶拱围岩的稳定性。

尾水洞交叉部位跨度达 28m,开挖中又遇到小断层与节理形成的不利的组合体,对洞顶稳定不利。根据设计要求在 3# 和 4# 尾水洞交叉段安装了 6 根 1 500kN 预应力锚索,在 1#、2#、5# 与 6# 尾水洞交叉段各安装了 4 根锚索,保证了施工期的安全。永久支护为 1.5m 厚钢筋混凝土衬砌,结构安全是有保障的。

尾水洞出口部位,是 F_{240} 断层和大节理交会区,岩体稳定性较差,在开挖洞口时,洞脸出现许多裂缝,影响洞口边坡稳定。设计要求在尾水洞出口部位用钢支撑进行加固,每条洞出口段安装 13 榀钢支撑加固后,裂隙没有发展,边坡趋于稳定。永久支护为 2m 厚钢筋混凝土衬砌,可以保证结构的安全。

在小浪底地下洞室施工过程中,我们深深体会到设计、施工、监测三者是不可分割的。一个好的设计,没有一个好的施工质量作保证是无法实现的,地下厂房开挖过程中,由于严格控制施工质量,采用控制爆破和预裂爆破技术,承包商十分重视监测工作。厂房顶拱和吊车梁岩壁斜面的开挖都成型很好,且较少出现超挖现象。而在尾闸室和尾水洞开挖过程中,由于承包商开挖方法不当,产生严重超挖现象,岩体松动开裂,并且出现较大的变形,这不但破坏了围岩的稳定性,处理起来也将很困难。因此,对地下工程来说,要牢牢遵循新奥法原理,采用设计→施工→监测→修正设计的施工方案,是非常重要的原则。

五、世行咨询团的意见

世行咨询团专家组,分别与 1996 年 9 月 26 日和 1997 年 4 月 10 日提交了第四号、第五号咨询报告,并就厂房施工状况和稳定性阐述意见,现摘录如下。

(一)第四号报告中关于地下厂房的意见

(1)高程 150～144.5m 间采用预裂爆破,结果不尽人意,建议采用光面爆破。

(2)厂房上游边墙出现的几处小的渗流不会对厂房产生任何不良影响。

(3)安装在厂房顶拱 3 个位移计的读数显示出所有观测点都在向上移动。咨询团认为这种变形是因为水平与垂直应力之比大于实测或假定的比值。在小浪底这种规模的大跨度顶拱水平层状岩石中,无论出现向上移动或产生非常小的位移都是很常见的事。无论怎么样,我们完全有理由相信厂房顶拱足够安全。

(4)咨询团担心的是高边墙的稳定性,所以对此应多加小心,无论何时都尽可能缩小整个边墙的裸露长度,或使裸露时间尽可能短。

(二)第五号报告中关于地下厂房的意见

(1)截止到 1997 年 4 月份,厂房已完成高程 126m 平台施工。边墙开挖全部采用预裂爆破法。特咨团在第四号报告中,对预裂爆破方法表示担忧,不过这次看到爆破结果普遍有改进。

(2)为了处理泥化夹层,在厂房上游侧增加了 500kN 预应力锚杆是必要的。

(3)厂房共设置了 3 个监测断面。观测仪器包括多点位移计,锚索、锚杆测力计,测斜管,测压管等,顶拱位移只有 2.6mm,边墙位移一般不超过 2mm。

(4)因为边墙特别高,特咨团在上次报告中表示对边墙剩余部分开挖的稳定性深为担忧,并建议开挖时特别注意,任何时候都要尽可能减少整个边墙的临空面长度,或尽可能缩短临空时间。洞室下部 1/3 开挖刚刚开始,边墙稳定至关重要。咨询团强烈建议对下部位移要进行认真观测,并及时向工程师和承包商提供仪器读数。除位移计读数外,还要读取收敛位移值。

第九章　反馈分析

第一节　反馈分析方法简述

围岩变形反馈分析主要包括三项内容:围岩变形监测、反分析、稳定控制标准。其中围岩变形监测和稳定控制标准已在第八章介绍过,本章只介绍反分析内容。

围岩变形反分析方法,其主要思路是以现场量测变形为基础,反推岩体力学参数。它与常规的稳定分析方法相反,不是先用由试验所得的岩石力学参数,输入有限元计算程序求出应力应变,而是采用现场开挖引起的位移,推求与之相应的各种力学参数,也就是用位移作为已知量去求围岩的应力场和岩体的 C、f 值,然后再用所求得的岩体力学参数进行正分析计算,再与现场量测变形相比较,如此反复多次,直到基本吻合为止,这样得到的岩石力学参数和应力应变就比较符合实际。

本次计算,二维和三维分析均采用三维连续介质快速拉格朗日法数值分析软件FLAC3D(1997,2.0 版本),该软件由美国 Itasca 顾问公司开发,是国际上知名的主要针对岩土介质的数值分析软件。

一、快速拉格朗日数值分析方法——FLAC3D 基本原理

(一)连续介质力学基本公式

连续介质力学是拉格朗日数值分析方法的基础,所用的基本数学公式有下面几个。

(1)应变速率公式:

$$\zeta_{ij} = \frac{1}{2}(v_{i,j} + v_{j,i}) \tag{9-1-1}$$

式中　$v_{i,j}$、$v_{j,i}$——质点运动速度对位置坐标的偏导数。

该公式基于几何方程,给出了介质应变速率与质点运动速度的关系。

(2)质点运动方程:

$$\sigma_{ij,j} + \rho b_i = \rho \frac{\mathrm{d}v_i}{\mathrm{d}t} \tag{9-1-2}$$

式中　$\sigma_{ij,j}$——应力对位置坐标的偏导数;

ρ——介质密度;

b_i——介质单位质量体力;

$\dfrac{\mathrm{d}v_i}{\mathrm{d}t}$——质点加速度。

该公式基于牛顿运动定律,给出了质点运动速度与介质应力和荷载的关系。

(3)本构方程：

$$\frac{\mathrm{d}\sigma_{ij}}{\mathrm{d}t} = H_{ij}(\sigma_{ij}, \zeta_{ij}, k) \tag{9-1-3}$$

式中　$\dfrac{\mathrm{d}\sigma_{ij}}{\mathrm{d}t}$——应力变化速率；

H_{ij}——一个给定的函数；

σ_{ij}——应力；

ζ_{ij}——应变速率；

k——一个考虑荷载历史的参数。

(二)数值分析处理方法

(1)连续介质离散化。由三维网格代替，所有力(包括外加的和内部相互之间的)集中于网格结点。

(2)有限差分近似求解。变量的一阶空间和时间导数用有限差分求解，假定变量对于小的空间和时间步线性变化。

(3)通过运动方程求解。连续介质的运动转化为牛顿定律支配的有限个结点的运动，体系的平衡状态通过结点的运动达到。

FLAC 求解的基本过程是：确定"不平衡结点力"(根据外荷载和单元应力)→确定"结点加速度"(根据牛顿第二定律)→确定"结点速度"(结点加速度对时间积分)→确定"结点位移"(结点速度对时间积分)→确定"单元应变率"(根据结点速度)→确定"单元应变"(单元应变率对时间积分)→确定单元应力(根据介质的本构关系模型)。

根据单元应力确定新的结点不平衡力，重复上面的过程，直到结点不平衡力近似为零，此时系统达到静力平衡状态。当经过充分的计算循环，结点不平衡力达到一个非零的常数而不再变化时，系统的一部分处于无限的塑性流动状态。

FLAC 提供了岩土体常用的一些本构关系模型，包括弹性、弹塑性以及流变模型。除了连续介质使用的六面体单元外，还提供了 4 种类型的结构单元：壳单元、柱单元、梁单元、索单元，这些单元类型可用于模拟洞室支护、衬砌、锚索、岩栓等人工结构。FLAC 支持介质开挖，对介质开挖的模拟，是将挖除部分的单元定义为"空单元"，空单元的应力被设置为零。

(三)时间步长、阻尼力

FLAC3D 将连续介质简化为多质点振动(或运动)体系，在外荷载作用下体系经过振动而达到平衡状态。取时间步长 $\Delta t = 1$，根据振动体系数值求解的稳定性要求，确定结点质量。四面体对结点 l 的质量贡献为：

$$m^l = \frac{\alpha_1}{9V}\max(n_i^{(l)}s^{(l)})^2 \qquad (i = 1,3) \tag{9-1-4}$$

式中　$\alpha_1 = K + \dfrac{4}{3}G$；

K——体积模量；

G——剪切模量；

V——四面体体积；

$n_i^{(l)}$——四面体 l 面单位外法线矢量的 i 分量;

$s^{(l)}$——四面体 l 面的面积。

结点 l 的阻尼力为:

$$f_{(i)}^{(l)} = -\alpha \mid F_{(i)}^{(l)} \mid \mathrm{sign}(V_{(i)}^{(l)}) \tag{9-1-5}$$

式中　$F_{(i)}^{(l)}$——l 结点不平衡力;

$V_{(i)}^{(l)}$——l 结点运动速度;

i——第 i 方向($i = 1, 2, 3$)。

$\mathrm{sign}(V_{(i)}^{(l)})$ 的意义是:

$$\mathrm{sign}(V_{(i)}^{(l)}) = \begin{cases} +1 & (V_{(i)}^{(l)} > 0) \\ -1 & (V_{(i)}^{(l)} < 0) \\ 0 & (V_{(i)}^{(l)} = 0) \end{cases}$$

二、岩体流变本构关系

采用 FLAC3D 给出的黏塑性模型,它是一个基于经验的岩体蠕变黏弹性模型(WIPP 模型)和 Drucker-Prager 弹塑性模型的组合。基本公式如下。

(1)总应变率。由偏斜部分和平均部分组成:

$$\dot{\varepsilon}_{ij} = \dot{\varepsilon}_{ij}^{d} + \frac{\dot{\varepsilon}_{kk} \cdot \delta_{ij}}{3} \tag{9-1-6}$$

(2)偏斜应变率。由弹性、黏性、塑性三部分组成:

$$\dot{\varepsilon}_{ij}^{d} = \dot{\varepsilon}_{ij}^{de} + \dot{\varepsilon}_{ij}^{dv} + \dot{\varepsilon}_{ij}^{dp} \tag{9-1-7}$$

(3)弹性偏应变率。由偏应力和弹性常数确定:

$$\dot{\varepsilon}_{ij}^{de} = \frac{\dot{\sigma}_{ij}^{d}}{2G} \tag{9-1-8}$$

(4)黏性偏应变率。由偏应力和蠕变速率 $\dot{\varepsilon}$ 确定:

$$\dot{\varepsilon}_{ij}^{dv} = \frac{3}{2} \left\{ \frac{\sigma_{ij}^{d}}{\bar{\sigma}} \right\} \dot{\varepsilon} \tag{9-1-9}$$

$\dot{\varepsilon}$ 由首期蠕变速率 $\dot{\varepsilon}_p$ 和二期蠕变速率 $\dot{\varepsilon}_s$ 构成:

$$\dot{\varepsilon} = \dot{\varepsilon}_p + \dot{\varepsilon}_s \tag{9-1-10}$$

其中

$$\dot{\varepsilon}_p = \begin{cases} (A - B\varepsilon_p)\dot{\varepsilon}_s & (\dot{\varepsilon}_s \geqslant \dot{\varepsilon}_{ss}) \\ [A - B(\dot{\varepsilon}_{ss}/\dot{\varepsilon}_s)\varepsilon_p]\dot{\varepsilon}_s & (\dot{\varepsilon}_s < \dot{\varepsilon}_{ss}) \end{cases} \tag{9-1-11}$$

$$\dot{\varepsilon}_s = D\bar{\sigma}^{-n}\mathrm{e}^{(-Q/RT)} \tag{9-1-12}$$

式中　D、n、A、B、$\dot{\varepsilon}_{ss}$——材料常数;

R——普适气体常数;

Q——激活能;

T——温度;

$\bar{\sigma}$——一种应力度量(Von Mises 不变量),其表达式为:

$$\bar{\sigma} = \sqrt{\frac{3\sigma_{ij}^d \sigma_{ij}^d}{2}} \qquad (9-1-13)$$

(5)塑性偏应变率。由偏应力、屈服准则、塑性势函数确定。对于剪切屈服,有:

$$\dot{\varepsilon}_{ij}^{dp} = \lambda \frac{\partial g^s}{\partial \sigma_{ij}^d} = \lambda \frac{\sigma_{ij}^d}{2\tau} \qquad (9-1-14)$$

对于拉伸屈服,有:

$$\dot{\varepsilon}_{ij}^{dp} = \lambda \frac{\partial g^t}{\partial \sigma_{ij}^d} = 0 \qquad (9-1-15)$$

式中　λ——由屈服方程确定的系数。

Drucker – Prager 准则剪切屈服方程为:

$$f^s = \tau + q_\phi \sigma_0 - k_\phi = 0 \qquad (9-1-16)$$

拉伸屈服方程为:

$$f^t = \sigma_0 - \sigma^t = 0 \qquad (9-1-17)$$

剪切屈服的塑性势函数为(不相关联流动法则):

$$g^s = \tau + q\sigma_0 \qquad (9-1-18)$$

拉伸屈服的塑性势函数为(相关联流动法则):

$$g^t = \sigma_0 \qquad (9-1-19)$$

τ、σ_0 是广义剪应力和广义正应力,有:

$$\tau = \sqrt{\frac{1}{2}\sigma_{ij}^d \sigma_{ij}^d} \qquad (9-1-20)$$

$$\sigma_0 = \frac{1}{3}\sigma_{kk} \qquad (9-1-21)$$

式中　q_ϕ、k_ϕ、q、σ^t——材料常数。

(6)体积应变率。由弹性部分和塑性部分组成,不考虑蠕变效应,有:

$$\dot{\varepsilon}_{kk} = \frac{\dot{\sigma}_{kk}}{3K} + \lambda q \qquad (9-1-22)$$

(7)应力应变关系。
偏应力:

$$\Delta\sigma_{ij}^d = 2G\Delta t\left\{\dot{\varepsilon}_{ij}^d - \frac{\sigma_{ij}^d}{2\bar{\sigma}}(3\dot{\varepsilon} + \sqrt{3}\lambda)\right\} \qquad (9-1-23)$$

平均应力:

$$\Delta\sigma_0 = (\dot{\varepsilon}_{kk} - \lambda q)K\Delta t \qquad (9-1-24)$$

式中　G、K——剪切模量和体积模量;
　　其他符号含义同前。

第二节　地下厂房岩体二维弹塑性计算分析

选取地下厂房的一个横剖面进行了二维弹塑性计算,重点研究了以下两个方面内容:

①不同地应力场和岩体力学参数情况下地下厂房各洞室开挖完成后围岩关键点的位移以及塑性区分布范围;②锚杆、锚索支护结构的受力情况。

一、计算条件

(一)二维计算模型

作为平面应变问题,采用摩尔－库仑(Mohr－Coulomb)和德鲁克－普拉格(Drucker－Prager)两种屈服准则。计算模型包括了引水洞、主厂房、主变室、尾闸室、尾水洞和母线洞等。选取主厂房横剖面方向为 x 轴,铅垂方向为 y 轴,厂房纵向轴线方向为 z 轴。计算范围: x 方向坐标 $20 \sim 460m$, y 方向坐标 $37.36m$ 至地表, z 方向厚度为 $2m$ 。有限元网格由三角形和四边形单元构成。洞室群附近单元边长 $1 \sim 2m$,远处单元边长 $10 \sim 15m$ 。总共 $17\ 949$ 个单元和 $36\ 250$ 个节点,模型网格见图 9-2-1。

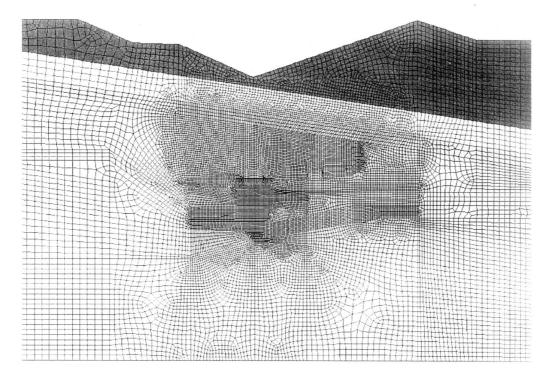

图 9-2-1　模型网格

边界条件是,上部边界(地表面)作为自由面,其他边界由于离洞室群足够远,作为固定边界。

(二)岩体力学参数

根据地质资料,计算断面围岩分为 6 个岩层。各岩层的力学参数见表 9-2-1,容重均取 $26.2kN/m^3$ 。

(三)地应力场

地应力作为地下工程的设计荷载,其大小很大程度上决定了洞室围岩的稳定特征。

根据地应力的实测与理论分析结果,计算时采用的初始地应力场为:铅直向按自重应力施加,水平向应力侧压系数取 0.5 和 0.8 两种情况。

表 9-2-1　　　　　　　　　　　　　地下厂房岩体力学参数

地层代号		T_1^{5-3}	T_1^{5-2}	T_1^{5-1}	T_1^4	T_1^{3-2}	T_1^{3-1}
E(GPa)		7.5	8.5	7	9	8	8.5
μ		0.22	0.21	0.24	0.2	0.22	0.21
C（MPa）	C_1	0.5	0.6	0.2	0.6	0.5	0.5
	C_2	1.0	1.25	0.83	1.5	1.0	1.17
	C_3	0.75	0.938	0.622	1.125	0.75	0.877
φ(°)		35	35	35	35	35	35

(四)施工开挖过程

根据实际施工过程,将地下厂房开挖分为 7 个开挖支护步骤。鉴于二维问题,对主厂房、主变室和尾闸室进行开挖,而对引水洞、母线洞和尾水洞进行等效开挖,即通过降低该部分岩体的力学参数来模拟开挖。等效开挖岩体力学指标折减系数取为引水洞、母线洞和尾水洞宽度与一个机组宽度的比值。开挖顺序见图 9-2-2,图中数字表示开挖步编号。

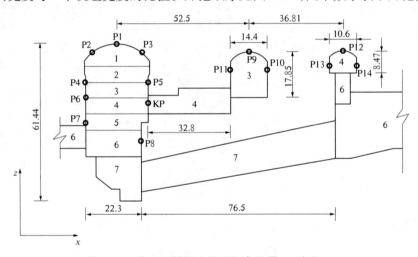

图 9-2-2　施工开挖顺序及特征点位置　（单位:m）

(五)锚索、锚杆、混凝土衬砌模拟方法

1. 锚索

主厂房顶拱布置 8 根 1 500kN 预应力锚索,长度为 25m,远端锚固段长 9m,见图 9-2-3。

锚索采用直接施加预应力锚索方法模拟,即用 FLAC3D 中的索单元(cable 单元)模拟。由于锚索沿主厂房轴向间距为 6m,而计算网格轴向厚度为 2m,故数值计算中锚索截面面积和预应力均取实际数值的 1/3。

2. 锚杆

主厂房顶拱布置 Φ32 的张拉锚杆,长度分别为 6m 和 8m,间距 3m。边墙布置有 Φ32 的张拉锚杆,长度为 8m,间距 1.5m,张拉锚杆的张拉力均为 6kN,见图 9-2-3。

锚杆采用直接施加预应力锚杆模拟(用 cable 单元模拟)和等效加锚模拟两种方法。

等效加锚是通过提高锚固范围内的岩体的强度和刚度来体现锚杆作用,锚固范围见图 9-2-4 中阴影部分。根据多年模型试验结果,变形模量提高 20%,凝聚力提高 20%。

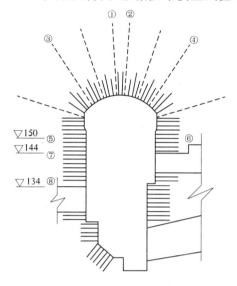 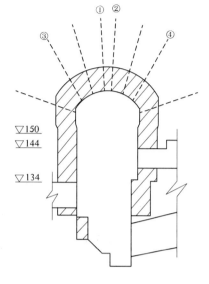

9-2-3　**实际锚杆(索)布置图**　（单位:m）　　　　9-2-4　**等效加锚示意图**　（单位:m）

3.混凝土衬砌

主厂房围岩表面设置有钢筋网和 20cm 厚的混凝土喷层,采用 FLAC3D 中的壳单元(shell 单元)模拟。

(六)计算方案

根据不同的地应力场侧压力系数,岩体力学参数,支护结构模拟方法,引水洞、母线洞、尾水洞开挖模拟方法以及采用不同的屈服准则,共计算了 24 个方案,其中采用 Drucker – Prager屈服准则和岩体凝聚力指标 C_1 计算了 8 个方案(见表 9-2-2),采用 Mohr – Coulomb 屈服准则的 3 组凝聚力指标计算了 16 个方案(见表 9-2-3)。

表 9-2-2　　　　　　　　　　　　　**计算方案(采用 Drucker – Prager 屈服准则)**

侧压力系数	锚固模拟方式	凝聚力	引水洞、母线洞、尾水洞是否等效开挖	方案编号
$K_x = K_z = 0.5$	等效加锚	C_1	等效	(1)
		C_1	不等效	(2)
	实际预应力锚杆	C_1	等效	(3)
		C_1	不等效	(4)
$K_x = K_z = 0.8$	等效加锚	C_1	等效	(5)
		C_1	不等效	(6)
	实际预应力锚杆	C_1	等效	(7)
		C_1	不等效	(8)

表 9-2-3   计算方案(采用 Mohr - Coulomb 屈服准则)

侧压力系数	锚固模拟方式	凝聚力	引水洞、母线洞、尾水洞是否等效开挖	方案编号
$K_x = K_z = 0.5$	等效加锚	C_1	等效	(9)
			不等效	(10)
		C_2	等效	(11)
		C_3	等效	(12)
	实际预应力锚杆	C_1	等效	(13)
			不等效	(14)
		C_2	等效	(15)
		C_3	等效	(16)
$K_x = K_z = 0.8$	等效加锚	C_1	等效	(17)
			不等效	(18)
		C_2	等效	(19)
		C_3	等效	(20)
	实际预应力锚杆	C_1	等效	(21)
			不等效	(22)
		C_2	等效	(23)
		C_3	等效	(24)

二、计算结果与分析

(一)围岩位移

在主厂房、主变室和尾闸室洞周取了 15 个特征点,其分布见图 9-2-2,计算结果中位移的正负号与坐标轴的正负方向相对应,单位为 cm。

开挖完成后,主厂房、主变室和尾闸室洞周特征点的位移值,各方案计算结果见表 9-2-4 ~ 表 9-2-9,图 9-2-5 ~ 图 9-2-10 给出了洞室围岩位移矢量图。计算结果表明,24 种计算方案,主厂房洞室表现出大致相同的位移趋势:上、下游边墙向内空间位移,方向近于水平,下游边墙位移大于上游边墙;厂房顶拱下沉,底板向上回弹;开挖面最大位移一般出现在主厂房下游边墙与尾水洞相交处。围岩最大位移值,方案(17)计算的结果最大,为 12.29cm;方案(2)计算的结果最小,为 1.098cm。

(二)塑性区分析

图 9-2-11 ~ 图 9-2-16 给出了开挖完成后洞室围岩塑性区分布。采用 Drucker - Prager 屈服准则各方案计算的塑性区面积见表 9-2-10,采用 Mohr - Coulomb 屈服准则各方案计算的塑性区面积见表 9-2-11。

表 9-2-4　　　　　　　　　　　方案(1) ~ (4)洞周特征点位移　　　　　　　　（单位：cm）

特征点编号	位移方向	位移			
		方案(1)	方案(2)	方案(3)	方案(4)
P1	X	− 0.088	0.001	− 0.091	0.001
	Y	− 0.643	− 0.432	− 0.688	− 0.476
P2	X	0.162	0.231	0.174	0.245
	Y	− 0.418	− 0.267	− 0.451	− 0.3
P3	X	− 0.352	− 0.234	− 0.369	− 0.248
	Y	− 0.588	− 0.291	− 0.619	− 0.321
P4	X	0.662	0.706	0.699	0.742
	Y	0.017	0.139	0.003	0.127
P5	X	− 0.915	− 0.746	− 0.959	− 0.784
	Y	− 0.275	0.116	− 0.291	0.109
P6	X	0.782	0.818	0.822	0.857
	Y	0.053	0.172	0.034	0.156
P7	X	1.082	0.922	1.158	0.93
	Y	0.178	0.242	0.152	0.219
P8	X	− 1.654	− 1.064	− 1.704	− 1.104
	Y	0.044	0.269	0.009	0.239
P9	X	− 0.221	− 0.18	− 0.229	− 0.185
	Y	− 0.808	− 0.513	− 0.817	− 0.517
P10	X	− 0.381	− 0.358	− 0.387	− 0.363
	Y	− 0.178	− 0.005	− 0.182	− 0.006
P11	X	− 0.376	− 0.233	− 0.391	− 0.244
	Y	− 0.663	− 0.215	− 0.671	− 0.218
P12	X	− 0.194	− 0.162	− 0.197	− 0.165
	Y	− 0.517	− 0.349	− 0.521	− 0.351
P13	X	− 0.084	− 0.064	− 0.088	− 0.068
	Y	− 0.237	− 0.089	− 0.242	− 0.092
P14	X	− 0.349	− 0.310	− 0.352	− 0.312
	Y	− 0.212	− 0.033	− 0.216	− 0.035
KP	X	− 1.354	− 0.892	− 1.4	− 0.933
	Y	− 0.240	0.166	− 0.259	− 0.151
最大合位移		3.421	1.098	3.444	1.130

表 9-2-5　　　　　　　　　　　方案(5)~(8)洞周特征点位移　　　　　　　　　（单位：cm）

特征点编号	位移方向	位移			
		方案(5)	方案(6)	方案(7)	方案(8)
P1	X	− 0.029	0.024	− 0.036	0.022
	Y	− 0.339	− 0.254	− 0.411	− 0.298
P2	X	0.434	0.491	0.474	0.517
	Y	− 0.173	− 0.115	− 0.218	− 0.144
P3	X	− 0.5	− 0.442	− 0.551	− 0.471
	Y	− 0.295	− 0.15	− 0.34	− 0.177
P4	X	1.206	1.26	1.296	1.316
	Y	0.229	0.272	0.208	0.259
P5	X	− 1.352	− 1.256	− 1.453	− 1.317
	Y	0.048	0.238	0.021	0.23
P6	X	1.402	1.449	1.498	1.509
	Y	0.245	0.281	0.214	0.261
P7	X	1.7	1.615	1.811	1.673
	Y	0.322	0.299	0.268	0.271
P8	X	− 2.174	− 1.78	− 2.283	− 1.847
	Y	0.21	0.24	0.139	0.196
P9	X	− 0.374	− 0.348	− 0.395	− 0.36
	Y	− 0.7	− 0.52	− 0.711	− 0.525
P10	X	− 0.703	− 0.681	− 0.721	− 0.691
	Y	− 0.091	0.014	− 0.094	0.013
P11	X	− 0.506	− 0.422	− 0.544	− 0.442
	Y	− 0.622	− 0.321	− 0.629	− 0.324
P12	X	− 0.384	− 0.345	− 0.396	− 0.352
	Y	− 0.435	− 0.339	− 0.441	− 0.342
P13	X	− 0.191	− 0.17	− 0.206	− 0.179
	Y	− 0.216	− 0.12	− 0.222	− 0.123
P14	X	− 0.703	− 0.628	− 0.711	− 0.633
	Y	− 0.114	− 0.028	− 0.119	− 0.031
KP	X	− 1.91	− 1.508	− 1.994	− 1.569
	Y	0.061	0.252	0.029	− 0.233
最大合位移		3.91	1.798	3.934	1.859

表 9-2-6		方案(9)~(12)洞周特征点位移			(单位:cm)
特征点编号	位移方向	位移			
		方案(9)	方案(10)	方案(11)	方案(12)
P1	X	− 0.216	− 0.061	− 0.074	− 0.151
	Y	− 2.047	− 0.755	− 0.631	− 0.951
P2	X	0.022	0.205	0.164	0.12
	Y	− 1.679	− 0.588	− 0.417	− 0.689
P3	X	− 0.487	− 0.342	− 0.323	− 0.369
	Y	− 2.201	− 0.69	− 0.579	− 0.961
P4	X	1.286	0.911	0.643	0.601
	Y	− 0.6	0.045	− 0.013	− 0.249
P5	X	− 3.304	− 1.144	− 0.858	− 0.994
	Y	− 1.021	− 0.106	− 0.284	− 0.659
P6	X	1.761	1.081	0.759	0.745
	Y	− 0.447	0.146	0.022	− 0.191
P7	X	2.883	1.47	1.021	1.248
	Y	− 0.247	0.285	0.144	0.003
P8	X	− 6.833	− 1.976	− 1.507	− 2.201
	Y	0.234	0.295	− 0.019	− 0.15
P9	X	− 0.051	− 0.173	− 0.204	− 0.153
	Y	− 2.391	− 0.899	− 0.792	− 1.18
P10	X	− 1.099	− 0.678	− 0.369	− 0.314
	Y	− 0.875	− 0.212	− 0.162	− 0.358
P11	X	− 0.473	0.145	− 0.347	− 0.424
	Y	− 2.213	− 0.501	− 0.651	− 1.285
P12	X	0.048	− 0.108	− 0.18	− 0.131
	Y	− 1.372	− 0.553	− 0.489	− 0.65
P13	X	0.464	0.156	− 0.077	0.015
	Y	− 1.037	− 0.275	− 0.222	− 0.361
P14	X	− 0.391	− 0.387	− 0.334	− 0.297
	Y	− 0.971	− 0.206	− 0.162	− 0.324
KP	X	− 5.512	− 1.561	− 1.174	− 1.521
	Y	− 0.818	0.001	− 0.28	− 0.599
最大合位移		11.5	2.134	2.673	3.987

表 9-2-7　　　　　　　**方案(13)～(16)洞周特征点位移**　　　　　（单位:cm）

特征点编号	位移方向	位移			
		方案(13)	方案(14)	方案(15)	方案(16)
P1	X	− 0.22	− 0.059	− 0.077	− 0.124
	Y	− 2.07	− 0.821	− 0.701	− 1.039
P2	X	0.044	0.226	0.186	0.142
	Y	− 1.705	− 0.645	− 0.467	− 0.758
P3	X	− 0.512	− 0.361	− 0.351	− 0.398
	Y	− 2.221	− 0.744	− 0.626	− 1.027
P4	X	1.445	1.038	0.702	0.654
	Y	− 0.528	0.077	− 0.04	− 0.291
P5	X	− 3.493	− 1.278	− 0.924	− 1.06
	Y	− 0.943	− 0.075	− 0.314	− 0.694
P6	X	1.894	1.189	0.821	0.802
	Y	− 0.359	0.192	− 0.016	− 0.233
P7	X	2.933	1.526	1.124	1.404
	Y	− 0.171	0.321	0.101	− 0.032
P8	X	− 6.777	− 2.079	− 1.585	− 2.337
	Y	0.308	0.328	− 0.066	− 0.171
P9	X	− 0.06	− 0.174	− 0.216	− 0.162
	Y	− 2.38	− 0.913	− 0.805	− 1.21
P10	X	− 1.1	− 0.683	− 0.378	− 0.319
	Y	− 0.868	− 0.218	− 0.168	− 0.375
P11	X	0.504	0.155	− 0.372	− 0.449
	Y	− 2.179	− 0.508	− 0.665	− 1.324
P12	X	0.043	− 0.107	− 0.186	− 0.133
	Y	− 1.365	− 0.558	− 0.496	− 0.664
P13	X	0.461	0.158	− 0.085	0.013
	Y	− 1.027	− 0.281	− 0.229	− 0.374
P14	X	− 0.395	− 0.387	− 0.339	− 0.299
	Y	− 0.964	− 0.209	− 0.168	− 0.336
KP	X	− 5.023	− 1.607	− 1.224	− 1.601
	Y	− 0.749	0.023	− 0.314	− 0.642
最大合位移		11.18	2.221	2.698	4.022

表 9-2-8		方案(17) ~ (20)洞周特征点位移			(单位:cm)
特征点编号	位移方向	位移			
		方案(17)	方案(18)	方案(19)	方案(20)
P1	X	− 0.057	0.013	− 0.03	− 0.061
	Y	− 1.751	− 0.573	− 0.363	− 0.572
P2	X	0.459	0.601	0.437	0.429
	Y	− 1.38	− 0.375	− 0.196	− 0.368
P3	X	− 0.514	− 0.569	− 0.504	− 0.541
	Y	− 1.862	− 0.449	− 0.323	− 0.575
P4	X	1.746	1.448	1.215	1.203
	Y	− 0.398	0.211	0.194	0.054
P5	X	− 3.462	− 1.591	− 1.364	− 1.435
	Y	− 0.673	0.127	0.001	− 0.245
P6	X	2.225	1.635	1.408	1.415
	Y	− 0.265	0.284	0.208	0.091
P7	X	3.4	2.109	1.723	1.919
	Y	− 0.11	0.357	0.294	0.242
P8	X	− 6.967	− 2.302	− 2.182	− 2.649
	Y	0.481	0.368	0.156	0.144
P9	X	− 0.071	− 0.341	− 0.377	− 0.355
	Y	− 1.971	− 0.807	− 0.727	− 0.965
P10	X	− 1.399	− 1.039	− 0.721	− 0.712
	Y	− 0.598	− 0.088	− 0.098	− 0.206
P11	X	0.435	− 0.146	− 0.521	− 0.555
	Y	− 1.895	− 0.522	− 0.672	− 1.043
P12	X	− 0.187	− 0.318	− 0.381	− 0.369
	Y	− 1.141	− 0.514	− 0.459	− 0.556
P13	X	0.288	− 0.022	− 0.202	− 0.167
	Y	− 0.806	− 0.264	− 0.234	− 0.332
P14	X	− 0.802	− 0.737	− 0.691	− 0.695
	Y	− 0.687	− 0.129	− 0.105	− 0.209
KP	X	− 5.307	− 1.971	− 1.847	− 2.057
	Y	− 0.502	0.191	− 0.002	− 0.2
最大合位移		12.29	2.473	3.331	4.359

表 9-2-9   **方案(21)~(24)洞周特征点位移**   （单位:cm）

特征点 编号	位移 方向	位移			
		方案(21)	方案(22)	方案(23)	方案(24)
P1	X	− 0.061	0.015	− 0.035	− 0.067
	Y	− 1.787	− 0.652	− 0.437	− 0.669
P2	X	− 0.495	0.634	0.479	0.472
	Y	− 1.394	− 0.433	− 0.246	− 0.441
P3	X	− 0.555	− 0.599	− 0.554	− 0.596
	Y	− 1.871	− 0.504	− 0.371	− 0.647
P4	X	1.881	1.572	1.305	1.293
	Y	− 0.317	0.231	0.165	0.012
P5	X	− 3.634	− 1.714	− 1.464	− 1.541
	Y	− 0.612	0.142	− 0.017	− 0.286
P6	X	2.333	1.745	1.505	1.501
	Y	− 0.17	0.316	0.170	0.049
P7	X	3.428	2.2	1.838	2.086
	Y	− 0.032	0.375	0.237	0.194
P8	X	− 6.95	− 2.431	− 2.292	− 2.821
	Y	0.542	0.386	0.103	0.105
P9	X	− 0.083	− 0.347	− 0.397	− 0.371
	Y	− 1.962	− 0.817	− 0.739	− 0.999
P10	X	− 1.398	− 1.048	− 0.737	− 0.724
	Y	− 0.595	− 0.093	− 0.102	− 0.221
P11	X	0.446	− 0.146	− 0.558	− 0.596
	Y	− 1.869	− 0.525	− 0.682	− 1.09
P12	X	− 0.195	− 0.321	− 0.392	− 0.376
	Y	− 1.135	− 0.519	− 0.453	− 0.571
P13	X	0.282	− 0.025	− 0.217	− 0.176
	Y	− 0.798	− 0.269	− 0.241	− 0.346
P14	X	− 0.807	− 0.74	− 0.7	− 0.7
	Y	− 0.684	− 0.133	− 0.111	− 0.222
KP	X	− 5.365	− 2.009	− 1.918	− 2.161
	Y	− 0.443	− 0.2	− 0.033	− 0.245
最大合位移		11.98	2.6	3.36	4.43

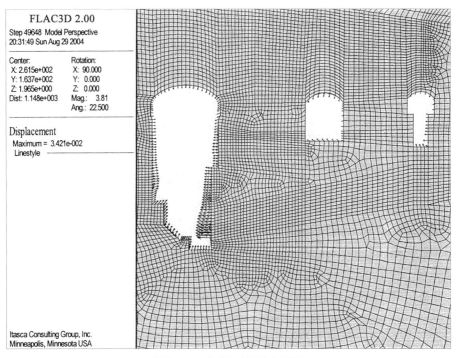

图 9-2-5　方案(1)位移矢量图

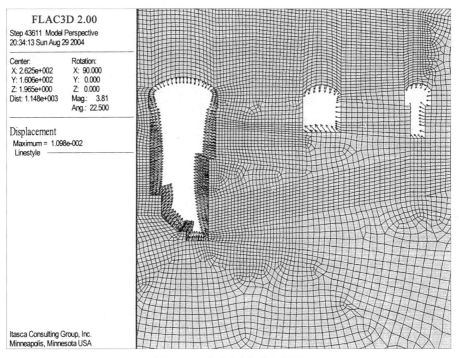

图 9-2-6　方案(2)位移矢量图

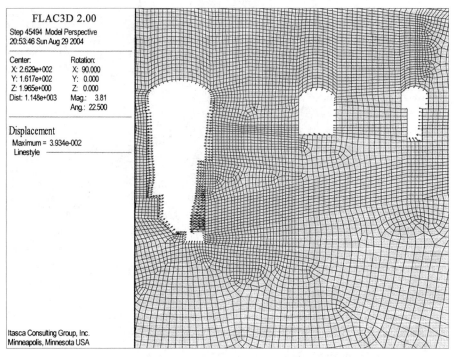

图 9-2-7　方案(7)位移矢量图

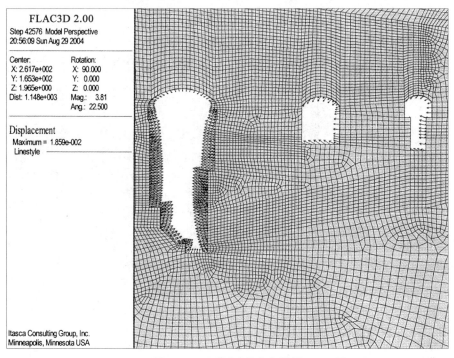

图 9-2-8　方案(8)位移矢量图

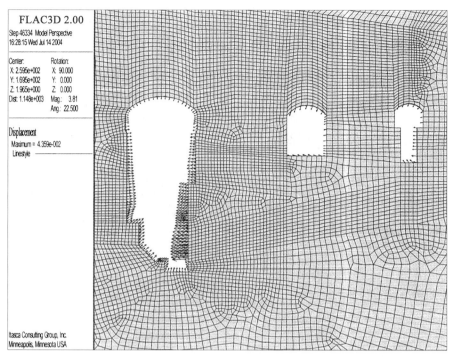

图 9-2-9 方案(20)位移矢量图

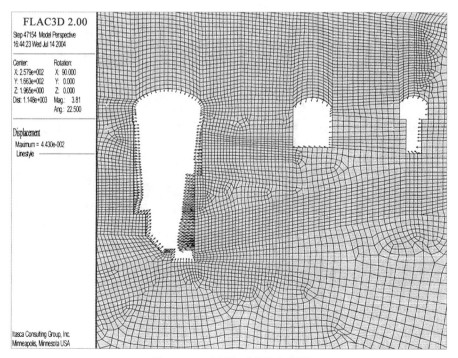

图 9-2-10 方案(24)位移矢量图

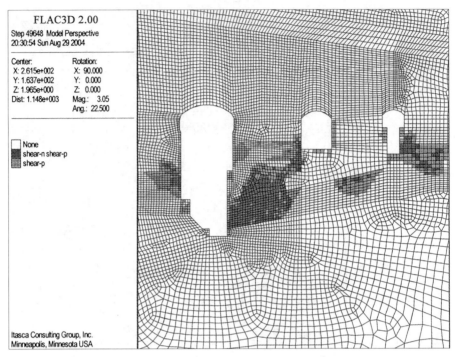

图 9-2-11　方案(1)塑性区

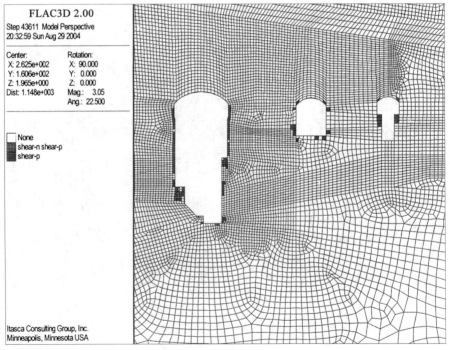

图 9-2-12　方案(2)塑性区

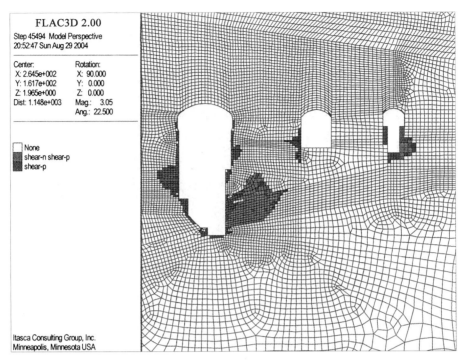

图 9-2-13　方案(7)塑性区

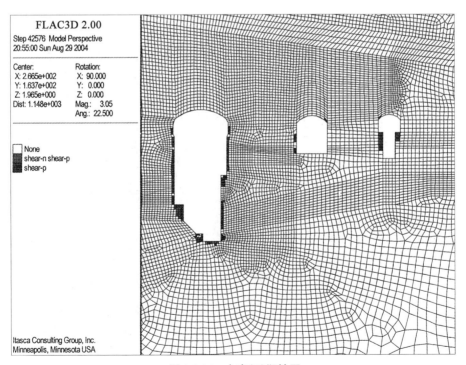

图 9-2-14　方案(8)塑性区

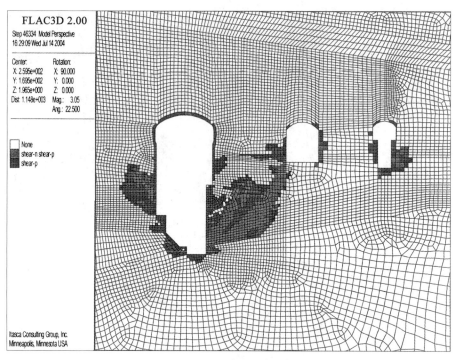

图 9-2-15　方案(20)塑性区

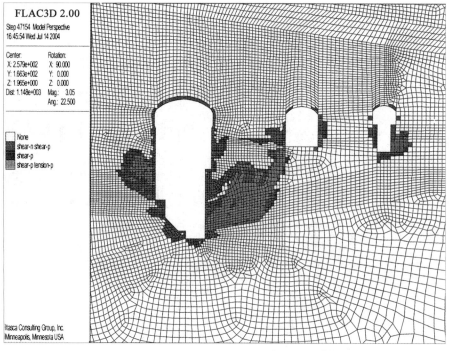

图 9-2-16　方案(24)塑性区

表 9-2-10 塑性区面积(采用 Drucker-Prager 屈服准则) (单位:m²)

方案	(1)		(2)		(3)		(4)	
塑性区面积	主厂房	总面积	主厂房	总面积	主厂房	总面积	主厂房	总面积
	912.45	1 741.6	119.58	177.18	946.3	1 828.9	174.3	243.21
方案	(5)		(6)		(7)		(8)	
塑性区面积	主厂房	总面积	主厂房	总面积	主厂房	总面积	主厂房	总面积
	615.75	779.36	106.25	145.52	643.1	807.88	139.46	178.73

表 9-2-11 塑性区面积(采用 Mohr-Coulomb 屈服准则) (单位:m²)

方案	(9)		(10)		(11)		(12)	
塑性区面积	主厂房	总面积	主厂房	总面积	主厂房	总面积	主厂房	总面积
	2 370.9	5 588.9	1 596.2	2 217.8	698.24	868.52	1 126.9	1 789.5
方案	(13)		(14)		(15)		(16)	
塑性区面积	主厂房	总面积	主厂房	总面积	主厂房	总面积	主厂房	总面积
	2 391.7	5 588	1 639.9	2 268.2	762.52	956.5	1 192.8	1 869
方案	(17)		(18)		(19)		(20)	
塑性区面积	主厂房	总面积	主厂房	总面积	主厂房	总面积	主厂房	总面积
	2 336.8	3 828.4	1 645.7	2 161.5	732.36	840.33	1 144.8	1 598.7
方案	(21)		(22)		(23)		(24)	
塑性区面积	主厂房	总面积	主厂房	总面积	主厂房	总面积	主厂房	总面积
	2 330.7	3 807.5	1 685.3	2 206.3	777.18	890.68	1 210.5	1 681.1

由塑性区分布图(图 9-2-11～图 9-2-16)可以看出,塑性区主要分布在主厂房洞室和其他洞室周围及各洞室相交处,主要是剪切破坏,也有拉伸破坏。不同计算方案,由于选取了不同的计算条件,围岩塑性区面积差异较大。岩体凝聚力指标取低值 C_1,引水洞、母线洞和尾水洞等效开挖时,塑性区范围较大,主厂房、主变室和尾闸室之间出现相连的塑性破坏区,特别是采用 Mohr-Coulomb 屈服准则计算的塑性区范围较大。

(三)锚杆、锚索受力分析

选取顶拱处 4 根锚索和高程 150m、高程 144m 以及高程 134m 处的 4 根锚杆,其分布见图 9-2-3、图 9-2-4。

开挖完成后锚杆、锚索轴力,采用 Drucker – Prager 屈服准则计算的结果见表 9-2-12 和表 9-2-13。方案(7)计算的锚杆轴力值最大,为 129.99kN。各方案计算的锚索轴力(自由段上)为 380 ~ 491kN,该数值是计算时对锚索预应力和截面面积乘以折减系数 1/3 情况下的结果,由此推算各锚索轴力值为 1 140 ~ 1 473kN。

锚杆、锚索轴力,采用 Mohr – Coulomb 屈服准则计算的结果见表 9-2-14 和表 9-2-15。方案(21)计算的锚杆轴力值最大,为 317kN。各方案计算的锚索轴力(自由段上)为 381 ~ 498kN,根据锚索计算折减系数 1/3 推算,锚索轴力值为 1 143 ~ 1 494kN。

各方案的计算结果表明,开挖完成后,部分锚杆的轴力有所增加,锚杆轴力最大值,以方案(21)计算的结果最大,为 317kN,但仍未超过锚杆屈服强度 320kN。锚索预应力有一定程度的损失,但仍在 1 000kN 以上。

表 9-2-12 　　　　　　　　　方案(3)、(4)、(7)、(8)锚杆轴力 　　　　　(单位:kN)

方案	锚杆编号	单元段轴力							
		1（近端）	2	3	4	5	6	7	8（远端）
(3)	⑤	2.913	79.02	72.35	67.95	25.31	19.71	19.32	17.17
	⑥	30.95	76.93	82.14	87.12	35.83	27.86	25.59	21.26
	⑦	37.98	92.14	92.14	92.14	39.04	29.45	26.79	23.83
	⑧	60.03	123.1	123.1	123.1	85.11	76.69	70.71	56.98
(4)	⑤	2.96	79.17	72.62	68.39	25.88	20.35	19.98	17.65
	⑥	32.48	79.51	84.36	88.28	35.72	26.81	24.58	20.49
	⑦	37.5	89.83	92.99	96.2	41.07	30.75	27.6	23.98
	⑧	35.77	36.92	35.21	34.04	33.65	33.21	32.22	27.54
(7)	⑤	4.219	94.67	88.14	82.57	41.17	35.39	34.72	30.31
	⑥	32.25	92.81	98.81	104.5	51.39	42.45	39.79	33.47
	⑦	38.04	103.7	103.7	103.7	54.2	44.35	40.43	35.62
	⑧	54	129.99	129.99	129.99	82.01	71.62	67.49	57
(8)	⑤	4.098	94.55	88.07	82.55	41.23	35.5	34.85	30.38
	⑥	33.39	94.94	100.8	105.7	51.6	41.72	38.58	32.27
	⑦	32.3	104.9	108.8	112.6	56.18	44.96	40.66	35.57
	⑧	35.09	54.64	56.51	56.97	56.25	54.99	53.07	45.26

表 9-2-13　　　　　　**方案(3)、(4)、(7)、(8)锚索轴力**　　　　（单位：kN）

方案	锚杆编号	单元段轴力						
		近端	自由段	锚固段				
		1	2 ~ 16	17	18	19	20	21 ~ 25
(3)	①	195	380	227	20.5	7.81	6.45	5.88 ~ 3.93
	②	196	382	227	20.6	7.66	6.39	5.78 ~ 3.68
	③	231	464	221	18.3	5.96	4.93	4.67 ~ 3.29
	④	231	466	221	18.1	5.56	4.35	3.98 ~ 2.66
(4)	①	195	380	227	20.3	7.64	6.24	5.66 ~ 3.69
	②	195	381	226	20.3	7.36	6.07	5.42 ~ 3.34
	③	230	464	221	18.1	5.79	4.71	4.43 ~ 3.03
	④	232	465	220	16.6	4.04	2.84	2.50 ~ 1.33
(7)	①	218	488	181	14.9	4.7	3.53	2.99 ~ 1.63
	②	221	488	180	14.9	4.41	3.34	2.83 ~ 1.39
	③	200	491	146	13.3	5.33	4.3	4.09 ~ 2.73
	④	180	491	146	12	3.7	2.67	2.41 ~ 1.33
(8)	①	218	488	181	14.9	4.71	3.51	2.98 ~ 1.58
	②	220	488	180	14.8	4.36	3.28	2.74 ~ 1.28
	③	199	491	146	13.4	5.39	4.35	4.1 ~ 2.72
	④	180	491	145	11.5	3.1	2.06	1.79 ~ 0.71

表 9-2-14　　　　　　**方案(13)、(14)、(21)、(22)锚杆轴力**　　　　（单位：kN）

方案	锚杆编号	单元段轴力							
		1（近端）	2	3	4	5	6	7	8（远端）
(13)	⑤	59.86	168	206.2	236.2	194	168.6	147.2	125.2
	⑥	91.12	147.4	177.7	232	190.9	187.8	174.5	94.1
	⑦	53.66	132.8	134.3	146.1	119.4	123.7	153.4	99.88
	⑧	89.25	216.2	261.2	310.7	292.9	264.6	262.2	99.78
(14)	⑤	37.14	121.2	138.5	160.4	122.6	102.7	84.46	60.77
	⑥	86.52	146.6	163.5	187.4	102.2	83.27	80.48	68.94
	⑦	51.08	126.8	128.9	135.8	96.78	83.21	84.07	81.12
	⑧	84.86	183.2	166.3	119.6	78.76	69.05	71.09	70.47

续表 9-2-14

方案	锚杆编号	单元段轴力							
		1（近端）	2	3	4	5	6	7	8（远端）
(21)	⑤	34.65	140.6	167	198.3	164.3	140.3	116.9	102.7
	⑥	83.98	153	176.1	226.3	179.9	181.7	170.6	94.33
	⑦	47.01	126.7	127.7	135.3	107.2	106.6	126.7	99.9
	⑧	85.53	229.9	267.3	317	285	255.4	251.1	99.81
(22)	⑤	25.29	114.6	121.7	137.5	105.5	88.25	69.32	55.08
	⑥	82.36	151.3	164.5	185.3	96.99	74.33	69.18	60.95
	⑦	44.67	121.3	123.2	127	87.08	71.58	67.87	65.24
	⑧	82.79	201.7	188.9	139.5	89.5	69	62.23	56.17

表 9-2-15　　　　　　　　　　方案(13)、(14)、(21)、(22)锚索轴力　　　　　　　　（单位:kN）

方案	锚杆编号	单元段轴力						
		近端	自由段	锚固段				
		1	2 ~ 16	17	18	19	20	21 ~ 25
(13)	①	197	381	229	22.8	10.3	8.98	8.49 ~ 6.42
	②	195	381	228	22.3	9.44	8.26	7.79 ~ 5.68
	③	268	467	226	24.1	11.9	10.8	10.6 ~ 8.47
	④	249	463	240	21.9	8.8	8.01	7.82 ~ 6.89
(14)	①	197	381	228	21.4	8.78	7.37	6.78 ~ 4.65
	②	197	382	227	21.3	8.37	7.08	6.42 ~ 4.16
	③	253	465	223	20.5	8.24	7.08	6.74 ~ 4.94
	④	253	466	222	18.7	5.99	4.74	3.9 ~ 2.76
(21)	①	270	494	185	18.7	8.5	7.37	6.88 ~ 5.13
	②	262	492	183	18.5	8.06	7.01	6.61 ~ 4.75
	③	279	498	152	19.3	11.3	10.3	10.1 ~ 7.92
	④	218	492	159	17.4	8.33	7.74	7.53 ~ 6.68
(22)	①	278	494	183	16.2	5.84	4.6	4.02 ~ 2.39
	②	277	494	181	15.9	5.43	4.28	3.71 ~ 1.98
	③	265	496	149	15.8	7.87	6.66	6.35 ~ 4.47
	④	235	496	148	13.5	4.89	3.73	3.29 ~ 1.75

第三节　岩体流变与长期稳定性三维数值分析

一、数值计算的方法及有关参数

(一)有限元/有限差分数值计算网格

主厂房顶拱以上岩体覆盖层厚度取平均值 85m,上游边界离主厂房上游边墙 150m,下游边界离尾闸室下游边墙 100m,与主厂房轴线垂直的边界离主厂房端部 100m,下部边界离机坑底面 100m,介质的计算范围是 357.1m×246.44m×451.5m。整体 FLAC 网格如图 9-3-1 所示,洞室群部分的网格如图 9-3-2 所示。建立网格时,洞室群的形状和尺寸作了一定的合理的简化。洞室群及其附近单元边长 3~5m,远离洞室部位最大单元边长 20m左右,共有 44 600 个单元,48 705 个结点。边界条件是,上部边界(地表面)作为自由面,其他边界由于离洞室群足够远,作为固定边界。

尾水管混凝土衬砌厚 1.5m,尾水洞混凝土衬砌厚 0.3m,均用壳单元模拟。

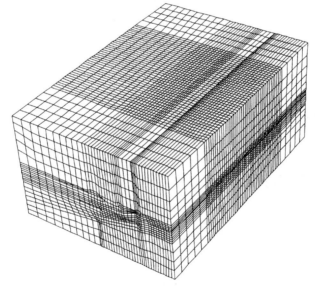

图 9-3-1　整体 FLAC 网格

(二)地下厂房支护结构考虑方法

小浪底地下洞室岩体支护采用喷锚支护,包括喷混凝土(设计强度 25MPa,厚 20cm)、钢筋网(ϕ8@25cm×25cm)、张拉锚杆(直径一般为 32mm,长度有 4m、6m、8m、10m 等多种,间距一般为 1.5m×1.5m)。主厂房顶拱上部还布设了预应力锚索(1 500kN,长度 25m,间距 4.5m×6m)。

数值计算中,将锚固范围内岩体的力学参数适当提高,以考虑支护结构的作用。根据多年模型试验结果,将锚固范围内岩体的变形模量提高 20%,凝聚力提高 20%。

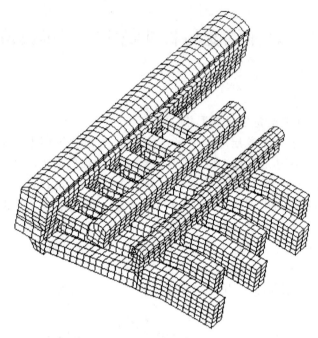

图 9-3-2　洞室群 FLAC 网格

(三)岩体力学参数

将洞室围岩简化为 3 层,T_1^4 上面各岩层合并为Ⅰ层,T_1^4 为Ⅱ层,T_1^4 下面各岩层合并为Ⅲ层。岩体力学指标、蠕变参数如表 9-3-1、表 9-3-2 所示。岩体蠕变参数在 WIPP 模型给出的典型值基础上作了调整,A、D 取典型值的 5 倍,B、$\dot{\varepsilon}_{ss}$ 取典型值的 1/5。

表 9-3-1　　　　　　　　　　　　　　　岩体力学指标

岩层	变形模量 E (GPa)	泊松比 μ	凝聚力 C (MPa)	内摩擦角 φ (°)	抗拉强度 R_t (MPa)	容重 γ (kN/m³)
Ⅰ	7.64	0.22	0.5	35	0.4	26.2
Ⅱ	9.45	0.20	0.6	35	0.4	26.2
Ⅲ	8.66	0.22	0.5	35	0.4	26.2

表 9-3-2　　　　　　　　　　　　　　　岩体蠕变参数

A	B	n	$D(1/\text{Pa}^n \cdot s)$	$Q(\text{cal/mol})$	$R(\text{cal}/(\text{mol} \cdot \text{K}))$	$\dot{\varepsilon}_{ss}$	$T(\text{K})$
22.8	25.4	4.9	28.95×10^{-36}	12 000	1.987	1.078×10^{-8}	300

(四)初始地应力场计算

根据有关单位的实测(应力解除法、水力劈裂法)和理论分析,小浪底厂区地应力场以岩体自重应力为主、地质构造作用为次,水平应力与竖向应力之比为 0.8 左右,接近于均匀地应力场。

初始地应力场计算中,侧压力系数取 0.5、0.8、1.0 三种情况。

（五）地下洞室群开挖支护时间、顺序及数值计算加荷方法

地下厂房开挖和支护于 1995 年 2 月 5 日开工，1998 年 1 月 25 日结束。各部分开挖支护时间及顺序如图 9-3-3 所示。数值计算时，将全部开挖过程划分为 7 个开挖步，如图 9-3-4 所示。各步开挖荷载的施加时间设定为该开挖步施工时段的中点。洞室群开挖支护完成后，主厂房 134m 高程以下浇混凝土回填。开挖荷载瞬时施加，并达到弹塑性平衡状态，不考虑岩体蠕变效应。开挖荷载施加时间和岩体蠕变时间如图 9-3-5 所示。

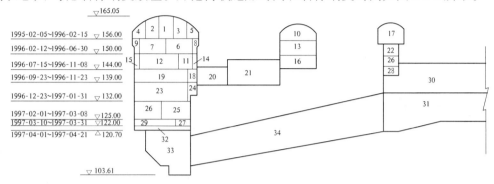

图 9-3-3　围岩各部分开挖支护时间与顺序

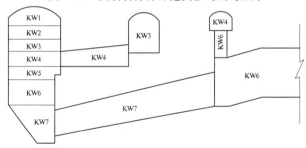

图 9-3-4　数值计算开挖步设置

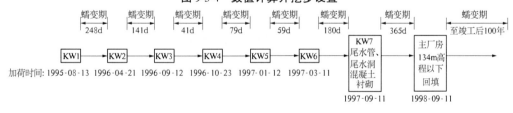

图 9-3-5　数值计算加载时间和岩体蠕变时间

二、数值计算结果与分析

（一）主厂房位移收敛值计算结果与实测对比

主厂房上、下游边墙在 150m 高程和 133m 高程各设有 3 个收敛测线，测线位置是：150m 高程 1# 机组中线附近、5# 机组中线附近、0 + 54.25m 断面，133m 高程 1# 机组中线附近、3# 机组中线附近、5# 机组中线附近。150m 高程 1# 机组中线附近和 5# 机组中线附近测线观测结果至 2002 年 4 月和 8 月，133m 高程三个测线观测结果至 1999 年 5 月和 6 月。

根据不同地应力场侧压力系数及考虑主厂房周围岩体松弛区，计算了下面 4 种情况，并给出了主厂房上、下游边墙位移收敛曲线计算结果与实测结果对比。

情况一:侧压力系数0.5。

主厂房上、下游边墙位移收敛曲线计算结果与实测结果对比见图 9-3-6 ~ 图 9-3-11。

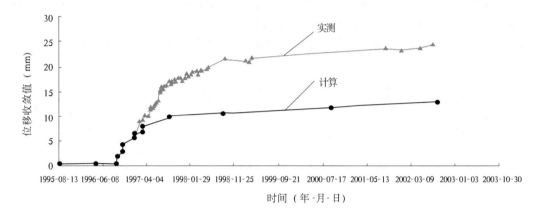

图 9-3-6　150m 高程 1# 机组中线附近

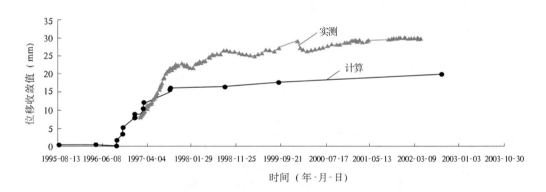

图 9-3-7　150m 高程 5# 机组中线附近

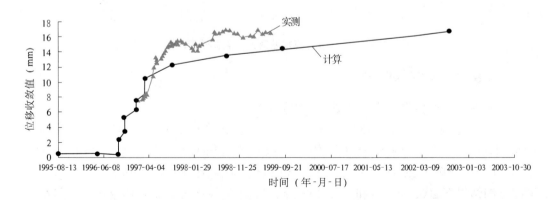

图 9-3-8　150m 高程 0 + 54.25m 断面

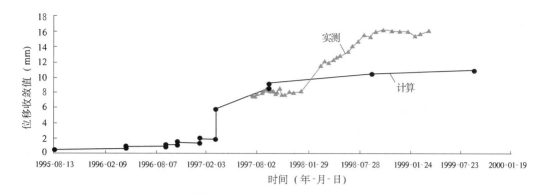

图 9-3-9　133m 高程 1# 机组中线附近

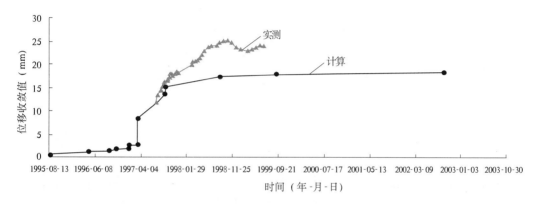

图 9-3-10　133m 高程 3# 机组中线附近

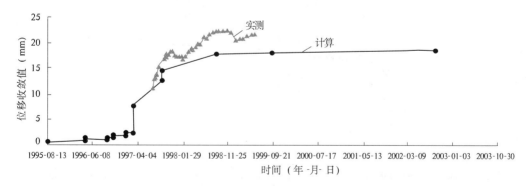

图 9-3-11　133m 高程 5# 机组中线附近

情况二：侧压力系数 0.8。

主厂房上、下游边墙位移收敛曲线计算结果与实测结果对比见图 9-3-12 ~ 图 9-3-17。

情况三：侧压力系数 1.0。

主厂房上、下游边墙位移收敛曲线计算结果与实测结果对比见图 9-3-18 ~ 图 9-3-23。

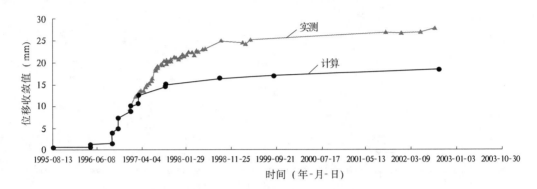

图 9-3-12　150m 高程 1# 机组中线附近

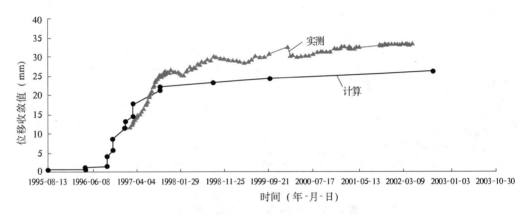

图 9-3-13　150m 高程 5# 机组中线附近

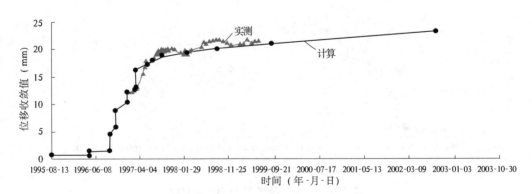

图 9-3-14　150m 高程 0 + 54.25m 断面

情况四:侧压力系数 0.8。

主厂房两侧 1 倍洞宽、顶部 0.5 倍洞宽范围(松弛区)变形模量折减,取非松弛区的 0.7 倍,如表 9-3-3 所示。

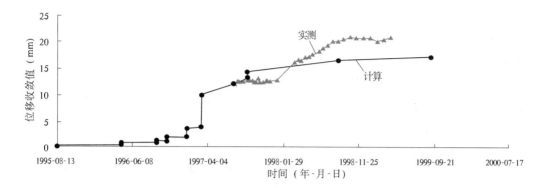

图 9-3-15 133m 高程 1# 机组中线附近

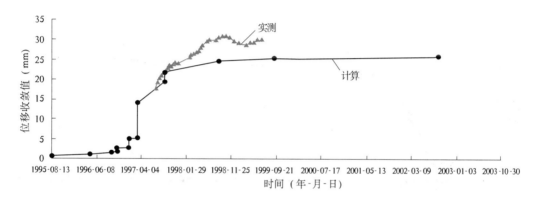

图 9-3-16 133m 高程 3# 机组中线附近

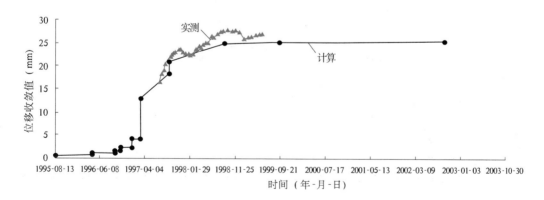

图 9-3-17 133m 高程 5# 机组中线附近

主厂房上、下游边墙位移收敛曲线计算结果与实测结果对比见图 9-3-24 ~ 图 9-3-29。

可以看出，情况三计算结果与实测结果符合较好，因此采用情况三的结果，下面的分析、有关的计算结果和结论是基于情况三的。

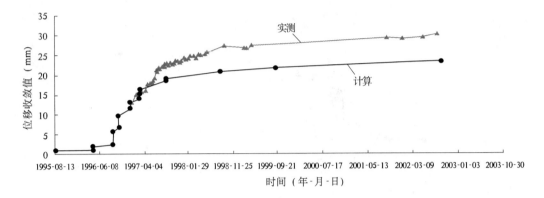

图 9-3-18 150m 高程 1# 机组中线附近

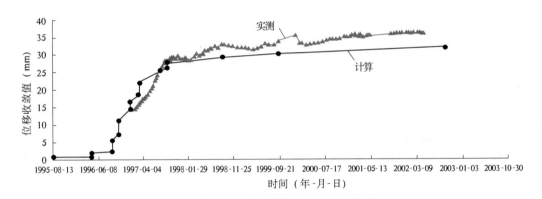

图 9-3-19 150m 高程 5# 机组中线附近

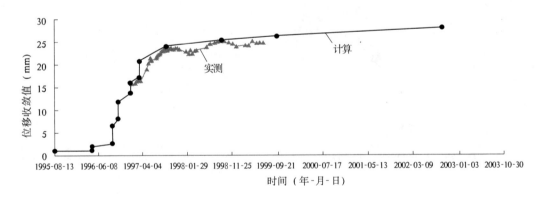

图 9-3-20 150m 高程 0 + 54.25m 断面

150m 高程 0 + 234.25m 断面测线,竣工后 4 年,1998 年 6 月 7 日 ~ 2002 年 8 月 13 日, 1 526d,位移收敛值增加 4.8mm,平均收敛速率为 0.003 1mm/d,如果按该速率发展,50 年后的收敛位移为 5.74cm,100 年后的收敛位移为 11.48cm。

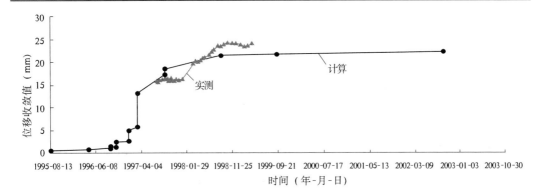

图 9-3-21　133m 高程 1# 机组中线附近

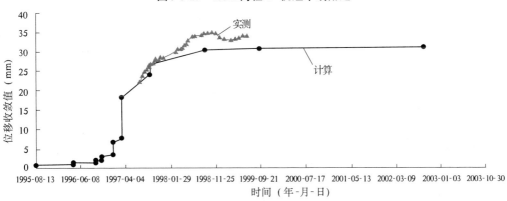

图 9-3-22　133m 高程 3# 机组中线附近

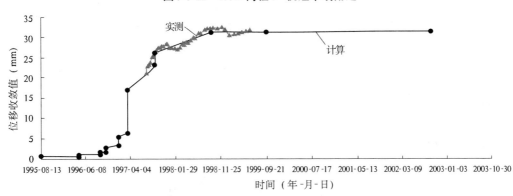

图 9-3-23　133m 高程 5# 机组中线附近

表 9-3-3　　　　　　　　　　　　　　岩体力学指标（松弛区）

岩层	变形模量 E（GPa）	泊松比 μ	凝聚力 C（MPa）	内摩擦角 φ（°）	抗拉强度 R_t（MPa）	容重 γ（kN/m³）
Ⅱ松弛区	6.75	0.20	0.6	35	0.4	26.2
Ⅲ松弛区	6.19	0.22	0.5	35	0.4	26.2

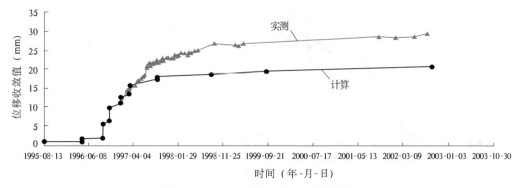

图 9-3-24　150m 高程 1# 机组中线附近

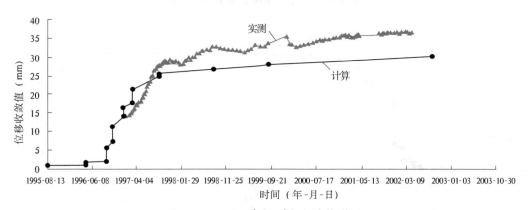

图 9-3-25　150m 高程 5# 机组中线附近

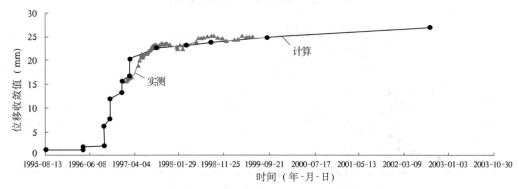

图 9-3-26　150m 高程 0 + 54.25m 断面

150m 高程 0 + 128.25m 断面测线，竣工后第 2 年到第 4 年，1999 年 6 月 19 日～2002 年 4 月 26 日，1 042d，位移收敛值增加 3mm，平均收敛速率为 0.002 9mm/d，如果按该速率发展，50 年后的收敛位移为 5.25cm，100 年后的收敛位移为 10.50cm。

竣工后位移收敛值计算结果见表 9-3-6。竣工后 4 年期间，0 + 234.25m 断面测线计算的平均收敛速率为 0.002 7mm/d，0 + 128.25m 断面测线计算的平均收敛速率为 0.003 0mm/d。计算结果和实测结果符合得比较好。各时期位移收敛值计算结果，比上述按实测速率等速率蠕变推算的位移收敛值小得多，这是计算模型考虑了蠕变速率逐渐减

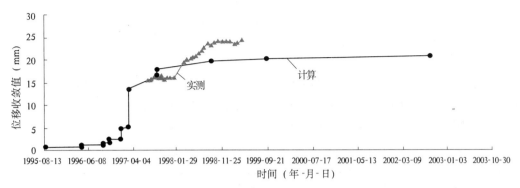

图 9-3-27 133m 高程 1# 机组中线附近

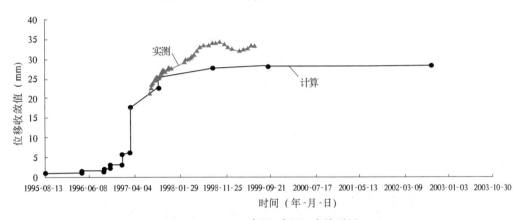

图 9-3-28 133m 高程 3# 机组中线附近

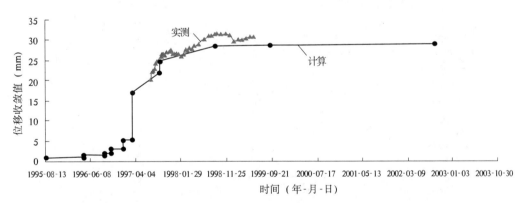

图 9-3-29 133m 高程 5# 机组中线附近

小的缘故。

(二)开挖过程中围岩位移与稳定性

随着地下洞室开挖,围岩向内部空间产生位移,并且逐渐增加。但围岩位移受附近岩体开挖影响大,受远处岩体开挖影响较小。至开挖完成时,主厂房上、下游边墙中部位移普遍较大,为 1~1.5cm,方向基本上水平指向下、上游。最大位移发生在主厂房下游边墙 3#、4# 机组母线洞之间(0 + 158.75m 剖面),数值为 1.69cm,方向基本上水平指向上游。

表 9-3-4 给出了施工期各开挖步完成后围岩最大位移。

图 9-3-30 给出了开挖完成时,主厂房中部横剖面围岩位移矢量图。图 9-3-31 给出了开挖完成时,通过主厂房顶拱顶点的纵剖面围岩位移矢量图。

第 5 开挖步完成后,主厂房与母线洞相交附近及母线洞与主变室相交附近岩体出现小范围塑性区。全部开挖完成时,洞室周围局部及主厂房机坑间岩体上部出现小范围的塑性区。图 9-3-32 给出了开挖完成时若干部位围岩塑性区分布。

表 9-3-4   施工期围岩最大位移   (单位:cm)

开挖步	KW1	KW2	KW3	KW4	KW5	KW6	KW7
位移值	0.54	0.65	0.76	0.88	1.03	1.33	1.69
结点号	271	743	898	1 825	915	915	895
部位	主厂房地面桩号:0+75.45m;高程:156m	主厂房地面桩号:0+153.87m;高程:150m	主厂房地面桩号:0+153.87m;高程:144m	主厂房地面桩号:0+153.87m;高程:139m	主厂房下游边墙桩号:0+132.25m;高程:144.9m	主厂房下游边墙桩号:0+132.25m;高程:144.9m	主厂房下游边墙桩号:0+158.75m;高程:144.9m
方向	向上	向上	向上	向上	向上游	向上游	向上游

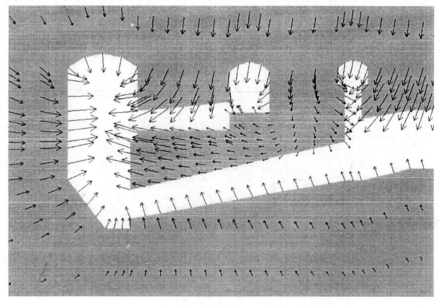

图 9-3-30 主厂房中部横剖面围岩位移矢量图

(三)围岩长期变形与稳定性

表 9-3-5 给出了洞室开挖竣工后,围岩各时期最大位移计算结果。表 9-3-6 给出了洞室开挖竣工后主厂房上、下游边墙收敛测线位置各时期收敛位移计算结果。竣工后前 5 年最大位移点在主厂房中部机坑上部(120.7m 高程),其数值为 2cm 左右,主要是施工过

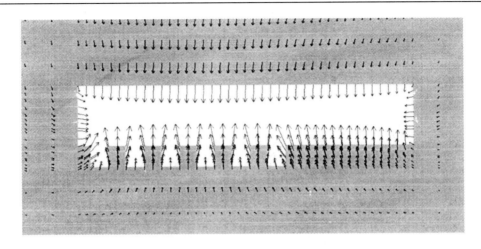

图 9-3-31 主厂房纵剖面围岩位移矢量图

程中产生的,竣工 1 年时主厂房 134m 高程以下回填混凝土,此后该部位蠕变位移很小。竣工 10 年以后,最大位移点在主厂房中部下游边墙 144.9m 高程,100 年的位移值是 4.22cm,主要是蠕变位移。

表 9-3-5   **运行期围岩最大位移**

时间	1 年	2 年	5 年	10 年	30 年	50 年	100 年
位移值(cm)	2.34 (0.018)	2.26 (−0.002 5)	2.27 (0.000 1)	2.31 (0.001 7)	2.85 (0.000 9)	3.33 (0.000 7)	4.22 (0.000 5)
结点号	3 170			940			
部位	主厂房中部机坑上部 120.7m 高程,桩号:0 + 149m			主厂房中部下游边墙 144.9m 高程,桩号:0 + 97.55m			
方向	向上			向上游			

注:括号中的数字是该时期位移增长速率,单位是 mm/d。

表 9-3-6   **运行期主厂房上、下游边墙收敛位移**   (单位:cm)

位置	1 年	2 年	5 年	10 年	30 年	50 年	100 年
150m 高程,1# 机组中线附近测线	2.08 (0.004 9)	2.17 (0.002 5)	2.35 (0.001 6)	2.60 (0.001 4)	3.33 (0.001 0)	3.88 (0.000 8)	4.95 (0.000 6)
150m 高程,5# 机组中线附近测线	2.89 (0.005 2)	3.00 (0.003 0)	3.20 (0.001 8)	3.48 (0.001 5)	4.31 (0.001 1)	4.93 (0.000 8)	6.14 (0.000 7)
150m 高程,0 + 54.25m 断面测线	2.55 (0.003 7)	2.64 (0.002 5)	2.84 (0.001 8)	3.11 (0.001 5)	3.94 (0.001 1)	4.59 (0.000 9)	5.87 (0.000 7)

注:括号中的数字是该时期收敛位移增长速率,单位是 mm/d。

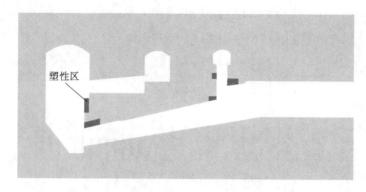

(a) 过 $3^{\#}$ 机组中线横剖面(桩号0+182.25m)

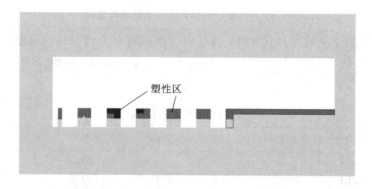

(b) 过主厂房顶拱顶点纵剖面

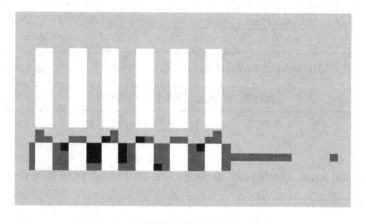

(c) 过主厂房机坑顶部水平剖面

图 9-3-32　围岩塑性区示意图

　　计算表明,围岩蠕变将持续存在,经过相当长的时间后,岩体变形有显著增加。但变形速率在竣工 1 年之后非常微小,后期进一步减小到可忽略的程度,表明岩体是稳定的。在计算的 100 年时期内,岩体蠕变过程中没有产生新的塑性区。

第四节 结 论

对小浪底地下厂房岩体进行了二维弹塑性分析和三维流变分析研究。其中二维弹塑性分析,初始地应力场水平侧压力系数取两种情况(0.5 和 0.8),岩体凝聚力指标取 3 组(C_1、C_2、C_3),锚杆采用两种模拟方法(用杆单元直接模拟预应力锚杆和等效模拟),引水洞、尾水管(洞)、母线洞开挖采用两种模拟方法(岩体力学指标根据洞室尺寸所占比例折减和不考虑支洞存在两种情况),屈服准则采用 Drucker – Prager 准则和 Mohr – Coulomb 准则,共计算了 24 种方案。三维流变分析,计算了地应力场水平侧压力系数 0.5、0.8、1.0 和侧压力系数 0.8 主厂房洞周岩体考虑松弛区 4 种情况,采用 Drucker – Prager 准则,岩体凝聚力指标取 C_1,锚杆锚索采用等效方法模拟,其中侧压力系数 1.0 情况计算的主厂房边墙收敛位移与实测符合较好。

一、二维分析方面

二维弹塑性分析,不同方案之间,在围岩应力与位移、塑性区分布、锚杆与锚索轴力方面均有不同程度的差异。根据计算结果,可给出下面几点结论:

(1)采用不同屈服准则计算结果差异颇大。采用 Drucker – Prager 准则时,围岩位移和塑性区面积均较小,各种方案最大位移为 1～4cm;塑性区范围相对于 Mohr – Coulomb 准则同种情况为小。采用 Mohr – Coulomb 准则时,围岩位移和塑性区面积均较大,特别是当支洞管道(引水洞、母线洞和尾水洞等)作等效折减处理时,各方案位移较大,最大达到 12cm以上(注:这大多出现在机窝的下游边墙处,而这一部分原本为三维问题,简化为二维问题,与实况差距较大,因机组间有隔墙)。部分情况塑性区总面积达 5 000m² 以上,其中主厂房周围塑性区面积达 2 000m² 以上,各洞室之间塑性区连成一片。

(2)采用 Mohr – Coulomb 屈服准则计算的 16 种方案,岩体凝聚力取值对计算结果影响较大。凝聚力取高值 C_2 时,各方案围岩位移和塑性区面积均较小,最大位移为 2～3cm;塑性区总面积 800～900m²,其中主厂房周围塑性区面积 600～700m²,塑性区分布于洞周局部。凝聚力取低值 C_1 时,围岩位移和塑性区面积均较大,特别是当支洞管道(引水洞、母线洞和尾水洞等)作等效折减处理时,各方案计算的围岩位移和塑性区面积最大,各洞室之间塑性区连成一片。凝聚力取中值 C_3 时,围岩位移值和塑性区面积介于上述两种情况之间。

(3)初始地应力场侧压力系数 0.8 与 0.5 比较,围岩水平位移略大,塑性区分布与塑性区面积相近,但要稍小些。两种锚杆模拟方法,围岩位移与塑性区面积差异不大。

(4)各方案的计算结果表明,开挖完成后,部分锚杆的轴力有所增加,锚杆轴力最大值以方案(21)计算的结果最大,为 317kN,但仍未超过锚杆屈服强度 320kN。锚索预应力有一定程度的损失,但仍在 1 000kN 以上。

(5)由于二维分析中采用支洞部分以等效折减方法处理,会造成夸大塑性区的范围和边墙位移值,因此建议以不折减的方案为主要参考。对于不折减方案,两种屈服准则计算的围岩位移和塑性区范围都是较小的。

二、三维分析方面

地下厂房岩体三维流变分析可给出下面几点结论：

(1)在岩体力学指标试验建议值的基础上，通过地下厂房开挖过程中及完工后 4 年主厂房上、下游边墙实测收敛位移反分析，得到了数值计算采用的岩体力学指标，包括蠕变参数。主厂房测线位置收敛位移计算结果与实测结果比较吻合。

(2)根据计算结果，开挖过程中，围岩向内部空间位移，洞室附近位移较大，远场位移逐渐减小。开挖完成时，主厂房上、下游边墙中部收敛位移普遍较大，为 1～1.5cm。开挖过程中岩体是稳定的，只在洞室周边发生范围较小的塑性区，不对围岩稳定构成危害。

(3)岩体的蠕变速率是十分微小的，后期进一步减小，蠕变趋于停止。蠕变期内，岩体没有发生新的塑性屈服。因此，可以认为围岩的长期稳定性良好。但岩体蠕变将持续发生，经过相当长的时间后，岩体变形可达到相对较大数值，对洞室内的有关结构(喷锚支护、混凝土衬砌、混凝土回填结构等)有可能产生不利影响。

(4)本研究结果是采用 FLAC3D 软件得到的，力学模型是一个经验的岩体蠕变模型。力学模型及物性参数选取是否合理，有待今后验证。应继续加强围岩变形监测，判明其变形速率是否按现有速率发展。

三、二维分析与三维分析比较

三维分析给出的开挖完成时的围岩位移和塑性区范围较小。三维分析围岩最大位移为 1.69cm，发生在下游边墙母线洞之间，该位移值包括了施工期间的蠕变位移，弹塑性位移还要小一些。二维分析采用 Drucker – Prager 准则、岩体凝聚力指标取 C_1、不考虑支洞力学指标折减时，围岩最大位移 1.0～2.0cm，最大位移发生在下游边墙下部，该种情况的围岩位移和塑性区范围与三维分析结果接近。其他情况，二维分析给出的围岩位移和塑性区范围较大，尤其是采用 Mohr – Coulomb 准则时，二维分析给出的围岩位移和塑性区范围较大。

造成二维分析与三维分析结果差异的原因主要是：

(1)几何模型的差异。二维模型地表面取实际地面线，三维模型地表面为水平面，洞室群埋深取平均厚度，因此两个模型的地应力场略有差异。二维模型洞室群上部地表凹陷，引起洞室群部位水平向地应力较侧压力系数确定的数值有所加大。

(2)二维问题与三维问题的差异。二维问题考虑支洞(引水洞、母线洞、尾水管等)开挖，采用力学指标折减的方法，会引起一定的误差。

综合二维和三维分析结果可以得出，在施工期和运行期，洞群整体是稳定的，锚固方案基本合理，围岩的变形和塑性区大小一般都在容许的范围之内。

第十章　电站引水发电系统设计

第一节　引水发电系统布置

一、布置原则

电站引水发电系统由进水塔、引水洞、厂房、主变室、尾闸室、明流尾水洞、出口防淤闸组成,洞线与厂房轴线呈 78.5°交角。

根据小浪底坝址地形地质条件和水沙特性,枢纽总布置的核心是泄洪排沙建筑物型式的选择及其总体安排,引水发电系统布置原则如下:一是引水发电系统的布置必须与枢纽总体布置特别是泄洪排沙洞群的布置相协调;二是进水塔发电洞进口高程的设置,要考虑防淤堵措施,同时减少粗颗粒泥沙进入发电洞以减轻泥沙对水轮机流道的磨损;三是尽量缩短高压引水管道长度,在不设置上游调压塔的情况下,满足调节保证计算和机组稳定运行要求;四是要求洞线尽量避开大的地质构造(如断层及其影响带、裂隙卸荷带、软弱构造、不整合带等),以免影响围岩稳定;五是平面上尽量布置为直线,如需转弯应满足最小转弯要求;六是对于电站发电尾水出流应考虑泄洪建筑物流态的影响。

二、发电进水塔布置

进水塔位置由总体布置确定。总体布置采用泄洪进水塔与发电进水塔间隔紧贴布置,并呈一字形排列,共设 10 座进水塔,均为钢筋混凝土结构。自南向北第 3#、5#、8# 塔为发电进水塔。6 条发电洞按顺序分 3 组,两条发电洞为一组,共用一个进水塔。由于排沙排污需要,排沙排污洞的进口与发电洞进口为上下对应布置。因此,两条发电洞与一条排沙洞上、下层各 6 个进水口组成一个双层进水塔,上层引水发电,下层排沙排污,每座发电塔的 2 台机组共 6 个进水口,采用通仓式布置,两台机进口可互补水量。发电洞进口高于排沙洞进口 15～20m。发电进水口前缘设有两道拦污栅和一道压污机导槽。进水口闸墩后为两条发电洞的事故闸门,既可在事故时保护机组,又可在机组较长时间停机时关闭闸门,以防止引水隧洞和压力钢管被泥沙淤堵。为满足初期发电要求,第 5#、6# 发电洞进口底板高程为 190m,第 1#～4# 发电洞进口底板高程为 195m。

三、引水道布置

考虑到单机流量较大(296m³/s),机组采用单元引水,每台机组各接一条引水隧洞。为避开泄水建筑物洞群,引水洞线出进水塔后即向北偏转约 43°,沿东北向与厂房纵轴线呈 78.5°交角进入厂房。发电洞在平面有一转弯,转弯半径 25.0m,转角 44.481°,洞线间距洞身段为 26.45m。各引水道长度见表 10-1-1。

表 10-1-1 引水道长度

长度	1#	2#	3#	4#	5#	6#	合计
总长(m)	414.42	400.92	381.19	367.62	341.24	327.78	2 233.17
压力钢管长(m)	189.424	185.986	189.705	193.09	192.121	182.433	1 132.759

引水隧洞和压力管道直径均为 7.8m。压力引水道中 1# 洞最长,水流加速时间常数稍大于 3s,经调节保证计算分析,可不设置上游调压室。大坝灌浆帷幕前引水隧洞采用钢筋混凝土衬砌,帷幕后为压力钢管,以避免压力水渗出,影响左岸山体和建筑物的稳定。

四、尾水洞布置

尾水洞为明流洞,为两机一洞。尾水管出口底板高程为 122.0m,过尾闸室后,尾水洞由单机单洞合并为两机一洞,过了尾闸室的 6.0m 平段后,尾水洞底板高程由 122.0m 上升至 126.0m,叉洞后尾水洞采用向下纵坡,底板高程由 126.0m 降低至尾水出口的 125.0m,经过出口处 30m 长水平段,接入尾水明渠。尾水洞在平面有两个转弯,转弯半径 100m,转角分别为 39°和 20°。其中叉洞长度为 57.63m,两条叉洞的交会角为 90°,尾水洞长度在 800 ~ 1 000m 之间,洞线间距洞身段为 53.0m,出口段中心间距为 38.0m。

五、尾水明渠和防淤闸布置

尾水洞出口连接一段长为 160m 的尾水明渠。为使水流在平面上逐步扩散,明渠渠宽由 12m 渐变至 31.5m,在立面上为反坡段,以便与下游泄水渠衔接,高程由 125m 升至 130m。明渠末端设置 6 孔宽 14m、高 11m 的弧形门防淤闸,每条明渠与两孔防淤闸连接。当同单元内两台机组停机时,可关闭相应的尾水防淤闸门,以防止尾水洞被泥沙淤堵。

引水发电系统纵剖面图见图 2-5-1(1# 机)。

第二节 电站水道系统水力设计

一、基本数据及参数选择

(1)水轮机设计参数:

最大水头	142m
最小水头	68m
额定水头	112m
设计水头	127m

额定转速	107.1r/min
飞逸转速	204r/min
额定流量	292m³/s
额定出力	306MW
最大出力	331MW
最大出力所对应的最小水头	117m
比转速	162.6m·kW
比速系数	$K_t = 1\ 721$
转轮直径 D_1	6.356m
转轮直径 D_2	5.60m
最大水推力	2 570t
吸出高度 H_s	− 4.64m
额定水头下的加权平均效率 η_{pj}	95.16%
最大相对流速 W	35m/s

（2）筒形阀设计参数：

阀体外径	8 390mm
阀体内径	8 100mm
阀体厚度	145mm
阀体高度	1 710mm
阀体重量	46t
动水关闭时间	74s
操作机构	直缸接力器

二、引水发电系统水头损失计算

水道水头损失主要由洞身沿程损失（h_f）和进水口、渐变段、转弯段、分岔段及闸（阀）等其他异型结构处的局部水头损失（h_j）两部分组成。

局部水头损失计算公式：

$$h_j = \xi \frac{v^2}{2g} \tag{10-2-1}$$

沿程水头损失计算公式：

$$h_f = \frac{Lv^2}{C^2 R} \tag{10-2-2}$$

由于各计算管段流速（v）难以统一，一般均将式（10-2-1）和式（10-2-2）转化成与管道流量 Q 的关系：

$$h_j = \xi \frac{Q^2}{2gA^2} = B_1 Q^2 \tag{10-2-3}$$

$$h_f = \frac{LQ^2}{C^2 RA^2} = B_2 LQ^2 \qquad (10\text{-}2\text{-}4)$$

全水道水头损失:

$$h = \sum h_j + \sum h_f$$

各水头损失系数 ξ 值可参照《水利计算手册》查阅,详见表 10-2-1 水道主要特征参数。根据上述计算,引水道水头损失系数计算成果见表 10-2-2。

表 10-2-1　　　　　　　　　　水道主要特征参数

项目		计算系数
引水隧洞糙率		$n = 0.014$
压力钢管糙率		$n = 0.012$
引水口水头损失系数	引水口	$\xi = 0.2$
	排沙洞门槽	$\xi = 0.1$
	清污机门槽	$\xi = 0.1$
进水口水头损失系数	进口	$\xi = 0.2$
	拦污栅	$\xi = 0.486$
	拦污栅门槽	$\xi = 0.1$
	检修门槽	$\xi = 0.1$
进口渐变段水头损失系数		$\xi = 0.015$
平面弯道水头损失系数		$\xi = 0.094\ 01$
压力钢管竖向弯道水头损失系数		$\xi = 0.099\ 71$
厂房前逐渐缩小水头损失系数		$\xi = 0.064$

表 10-2-2　　　　　　　　　　水头损失系数计算成果统计

项目	引水口 $\times Q^2$	拦污栅 $\times Q^2$	拦污栅槽 $\times Q^2$	进水口 $\times Q^2$	检修门槽 $\times Q^2$	渐变段 $\times Q^2$	弯道 $\times Q^2$	沿程 $\times Q^2 L$
引水道	0.088×10^{-6}	0.319×10^{-6}	0.033×10^{-6}	5.039×10^{-6}	2.516×10^{-6}	1.184×10^{-6}	2.101×10^{-6}	0.035×10^{-6}
压力钢管						2.204×10^{-6}	4.455×10^{-6}	0.025×10^{-6}

注:Q 为管道流量,m^3/s;L 为管道长度,m。

三、尾水洞方案选择

根据小浪底地形和地质条件的要求,枢纽布置中电站厂房选择首部式地下厂房方案,由于尾水隧洞较长,长度为 900~1 000m,对于尾水系统布置的优化选择就显得至关重要。尾水系统经过对压力尾水洞和明流尾水洞两个方案比选,初步选定了明流尾水洞方案,在明流尾水洞方案中又比较了 3 条尾水洞和 6 条尾水洞方案,最终选定了 3 条尾水洞方案。即在尾闸室后 59.89m 由两洞合为一洞,经过两个半径为 100.0m 的弯道转向东南,经尾水明渠和防淤闸进入桥沟河下游后汇入黄河。

(一)压力尾水洞方案

尾水系统采用两机一室一洞布置方案,由于压力尾水洞较长,需设置尾水调压室(简称尾调室),考虑将尾闸室扩大兼作调压室。尾调室的作用是减小尾水管中的水击压力,限制水击压力向尾水洞中传播,减小尾水道中的内水压力,改善机组的运行条件。

按照一般尾水洞内限制流速 4m/s 考虑选取尾水洞断面,从受力有利角度出发,尾水洞断面确定为圆形断面,直径为 12.5m。

1. 尾调室稳定断面计算

尾调室稳定断面计算的条件为上游可能出现的最低水位,下游为相应可能出现的最高水位。对 $1^{\#}$~$4^{\#}$ 引水道的尾调室稳定断面计算条件为:上游死水位 220m,下泄流量 6 769m³/s,对应的尾水洞出口水位为 138.25m,水轮机的过机流量为 229m³/s,两台机组运行,尾水洞流量为 2×229m³/s;对 $5^{\#}$、$6^{\#}$ 引水道的尾调室稳定断面计算条件为:上游按初期发电死水位 205m,下泄流量 4 927m³/s,下游洞口水位 137.37m,水轮机的过机流量 226m³/s,尾水洞流量 2×226m³/s。

尾水洞为圆形断面,直径为 12.5m。

根据托马公式计算尾调室稳定断面面积。

$$A = KA_{th} = K \frac{LA_F}{2g\alpha(H_0 - h_{w0} - 3h_{wm})} \tag{10-2-5}$$

式中　　A_{th}——托马临界稳定断面面积,m²;

　　　　L——尾水洞长度,m;

　　　　A_F——尾水洞断面面积,m²;

　　　　H_0——发电最小静水头,m;

　　　　α——自尾水渠至调压室水头损失系数,$\alpha = h_{w0}/v^2$,s²/m;

　　　　v——尾水洞流速,m/s;

　　　　h_{w0}——尾水洞水头损失,m;

　　　　h_{wm}——尾水管进口到调压室的水头损失,m;

　　　　K——系数,一般可采用 1.0~1.1。

h_{w0} 及 h_{wm} 为电站满负荷运行时的最大值。

尾水调压室尺寸见表 10-2-3。

表 10-2-3 尾水调压室尺寸

尾水洞	计算面积 (m²)	选用面积 (m²)	系数 K	平面尺寸(m)	
				L(长)	B(宽)
1	833.93	852.2	1.002	47	19
2	858.99	871.2	1.042	48	19
3	1 072.5	1 082.2	1.007	59	19

2. 尾水调压室涌浪计算

根据计算结果分析,若采用千年一遇洪水时,尾调室的最高涌浪水位 149.23m,将检修平台的高程(不考虑同时用 2 台机负荷的特殊情况)确定为 149.50m,则尾调室的顶拱高程为 172.33m,尾调室的最大高度达 63.72m,不利于围岩的稳定。为了降低尾调室的高度,经研究确定闸门检修的条件为:闸门检修在非汛期,且不发生 2 台机同时甩负荷的运行情况,即当 5 台机正常运行时,只有 1 台机负荷发生变化,以此涌浪水位 144.52m 作为检修平台和挡墙的高程。当出现其他计算情况和负荷变化时,不允许工作人员到检修平台上。从检修平台到启闭机平台设爬梯,工作人员可在启闭机平台交通道上进行巡视。当涌浪水位超过 145m 高程时,三个尾调室之间可以互相溢流。这样可以大大降低尾调室的高程。最后确定,挡墙和检修平台的高程为 145.0m,顶拱高程为 167.10m。

最后确定尾调室的最大高度为 58.49m,总长为 162m,上部宽 22.4m,下部宽 19m。中间用挡墙隔成 3 个相对独立的尾水调压室。

(二)明流尾水洞方案

明流尾水洞方案采用两机一洞布置。按厂房布置要求,机组段间距为 26.5m,尾水管出口宽度为 10.5m。在尾水闸门室后,两机合一洞,为有利于围岩稳定,采用 Y 形叉管连接。

按照一般尾水洞内限制流速 4m/s 考虑选取尾水洞断面,明流洞在必须保持各种水位变化情况下,均为明流状态,同时应有一定的预留空间,避免产生明满流过渡情况,尾水洞断面确定为城门洞形,宽度为 12m,高度为 19m。

尾水洞的水力计算,包括计算稳定流和不稳定流两种情况。目的在于求出稳定流时不同情况下的水面曲线和不稳定流时的最高涌浪,以确定尾水隧洞的断面尺寸和水轮机的安装高程。

1. 正常满负荷水力计算

电站在正常满负荷运转时,尾水隧洞为稳定均匀流,洞内水面与下游河流正常水位平稳衔接,洪水期下游河流水位抬高而形成回水水面曲线,洞内呈稳定非均匀流流态,此时洞内水面线可用棱柱体水道中的均匀流直接求和法推求。

下游防淤闸处水位如下:

最低尾水位($Q = 300\text{m}^3/\text{s}$)   132.72m

正常尾水位(5 台机 $Q = 1\,500\text{m}^3/\text{s}$)   134.65m

设计洪水位($P = 1\%$, $Q = 9\,860\text{m}^3/\text{s}$)   139.30m

校核洪水位($P = 0.1\%$，$Q = 13\ 490\text{m}^3/\text{s}$)　　140.60m

推求尾水明渠、明流尾水洞的水面曲线时，在各种大河总泄量和洞内流量的情况下，已知与之对应的防淤闸外各种水位和水深，将防淤闸视为无坎宽顶堰，首先推求出防淤闸内的水面曲线，然后利用分段求和法推求尾水明渠和明流尾水洞的发电尾水水面曲线。

无坎宽顶堰计算采用公式：

$$Q_{洞} = \sigma_s \varepsilon m B \sqrt{2g} H_0^{3/2} \tag{10-2-6}$$

式中　　$Q_{洞}$——尾水洞流量，m^3/s；

　　　　σ_s——淹没系数；

　　　　ε——防淤闸侧向收缩系数，$\varepsilon = 1 - 0.2[\xi_k + (n-1)\xi_0]H_0/(nB)$，其中 $\xi_k = 0.4$，$\xi_0 = 0.25$，为闸墩形式系数；

　　　　m——流量系数；

　　　　B——单孔宽度，$B = 14.0\text{m}$；

　　　　n——孔数，$n = 2$；

　　　　H_0——计算水头，m，$H_0 = H + \dfrac{v_0^2}{2g}$。

计算时取 $m = 0.385$，糙率 $n = 0.014$，试算可求出尾水管出口水位。

2. 明流尾水洞涌波计算

当水电站的出力和流量突然变化时，无压尾水洞内发生不稳定流态，表现形式是长波。当水电站的流量迅速增大时，在无压尾水洞内产生正波，在确定尾水洞顶拱高程时必须考虑这种情况。当水轮机关闭和流量减小时，产生负波。

采用 h_0、v_0 和 Q_0 分别表示起始状态(扰动前)的深度、平均流速和流量，采用下式联合求解可得波高：

$$\Delta Q_{波} = C \Delta h B' \tag{10-2-7}$$

$$C = \sqrt{gh\left(1 + \frac{3\Delta h}{2h}\right)} \pm v_0 \tag{10-2-8}$$

式中　　$\Delta Q_{波}$——波流量，m^3/s；

　　　　C——波浪传播速度，m/s；

　　　　Δh——波浪高度，m；

　　　　B'——尾水洞宽度，$B' = 10.5\text{m}$；

　　　　g——自由落体加速度；

　　　　h——换算深度，$h = -h_0$；

　　　　v_0——起始平均速度，m/s。

v_0 前的符号取决于波的形式：正号用于直波，负号用于反波。波高用相应的符号表示，正波为 $\Delta h > 0$，负波为 $\Delta h < 0$。

采用校核洪水位($P = 0.1\%$，$Q = 13\ 490\text{m}^3/\text{s}$)，防淤闸外水位 140.60m，推求到尾水管出口水位为 140.68m，流量从 $279\text{m}^3/\text{s}$ 变化到 $2 \times 279\text{m}^3/\text{s}$，计算最高涌浪水位为 142.28m。

采用最低尾水位($Q = 300\text{m}^3/\text{s}$)，防淤闸外水位 132.72m，推求到尾水管出口水位为

133.26m,流量从 300m³/s 变化到 0,计算得到最低涌浪水位为 130.62m。

3.计算结果评价

洞内余幅在恒定流条件下,洞内最高水面线以上的空间为隧洞断面面积的 15.67%,高度为 3.37m。在非恒定流条件下,当最高尾水位运行时,同时增开同一尾水洞中的两台机(满载)时,洞内最小余幅为 1.23m,不会出现明满流交替现象,但是洞内余幅较小,应在实际应用中避免该种运行工况发生。当最低尾水位运行时,突然关闭两台机时,最低尾水位为 130.22m,满足水轮机吸出高度的要求。

(三)方案确定

由于尾水洞线较长,采用压力尾水洞为常规布置,但需要设置尾水调压室,高度达 58.5m,比主厂房还高,将成为地下厂房中最大的洞室,且洞室轴线方向与岩层走向近乎平行,对围岩稳定不利。明流洞方案的最大优点是可以取消尾调室,不仅对围岩稳定有利,而且可以降低工程造价。另外,明流洞方案比压力洞方案水头损失小,可增加发电量。

综上所述,经分析比较,确定采用明流尾水洞方案。

四、水工模型试验研究

按照确定的引水系统水道方案,上游引水道直径为 7.8m,为单元供水,尾水闸门后为两台机合用一个尾水洞方案,尾水洞的断面形状为城门洞形,属无压明流洞。1991 年底委托相关高校做小浪底水电站引水系统 1:40 正态模型试验。

模型由进水塔开始,经压力管道、水轮机(针阀)、尾水管、叉管、明流洞(管道和直线段)和渐扩明渠段,下接防淤闸和海漫段。水库最高水位 275.0m,闸外护坦高程为 130.0m。模型由 1#、2# 机组单元上、下水道组成,模型管道部分用有机玻璃制成,防淤闸及下游护坦用水泥制作、钢筋混凝土板安装,闸下游水位由尾水门控制,流量用薄壁三角堰测定。

模型试验的目的如下:

(1)引水道水头损失测量及成果分析。

(2)水击试验及成果分析。

(3)尾水叉管段的流态测试及分析。

(4)防淤闸下游流态测试。

(5)尾水洞的水位、水面线测试,校核尾水洞断面是否出现明满流交替的水流现象,确定尾水洞断面尺寸。

试验的测试方法是水位采用测压管,流速用毕托管量测,非恒定流时(关开机)的动水压力用压力传感器量测。

(一)引水管道水力损失测量及成果分析

引水管道的进水口、各转弯段及沿程都进行了水头损失测量,其方法采用国内外常用的测压管法。

根据能量平衡原理,按实测各断面流速及压力计算标出各测点水头损失,见表 10-2-4。

单机流量 (m³/s)	流速 (m/s)	$\frac{v^2}{2g}$	管道长度(m)及编号								
			60	100	162	220	250	300	318	348	398
			16#	17#	18#	19#	20#	21#	22#	23#	24#
261	5.462	1.521	0.905	1.00	1.15	1.289	1.361	1.48	1.677	1.749	2.021
318	6.635	2.257	1.342	1.485	1.706	1.923	2.02	2.198	2.488	2.593	3.00
266	5.567	1.58	0.94	1.04	1.194	1.339	1.414	1.539	1.742	1.817	2.099
300	6.604	2.09	1.243	1.375	1.58	1.771	1.87	2.035	2.304	2.403	2.777

表 10-2-4　　　　　　　各测点水头损失　　　　　　　（单位:m）

(二)水击试验及成果分析

由于小浪底水轮机采用国际招标,选定为美国 VOITH HYDRO 水轮机,所有模型试验由厂家完成,设计验收即可。水击压力的测定是在用针阀模拟水轮机的前提下进行的。由于针阀属闸孔出流,这与水轮机的出流情况有较大的差别,电算也是按孔口出流计算,没有根据选定的机型特性曲线(当时机型尚未选定)进行,试验报告结论如下:

(1)在孔口出流条件下,无论用试验方法还是用计算方法,所得到的压力管道最大水击压力值,不能完全反映实际情况,其结果可作为参考。

(2)根据电站的实际情况考虑机组特性(HL253),采用一段关机方式所发生的最大水击压力值 ξ 和最大转速上升值 β 不甚理想,用分段关机方式比较合适。

(三)叉管段的流态分析

叉管段的水流流态比较复杂,沿 A、B、C、D 四条边墙布置 4 条水位测线,并选定 4 个测速断面,见图 10-2-1。

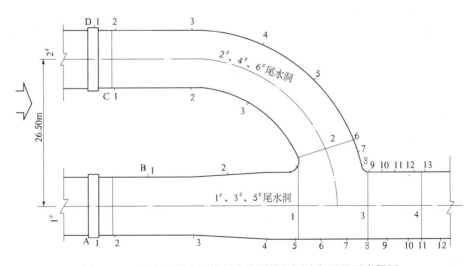

图 10-2-1　尾水叉洞水工模型水位测线及测速断面平面布置图

(1)只开 1# 机,由于不受 2# 机尾水水流交汇的影响,整个叉管段水面比较平稳,水面波动小。落差 ΔH 随下游水位的下降而增大,但最大值只有 0.24m,流速 $v = 1.36 \sim 3.16$m/s。

(2)只开 2# 机,1# 机不开。2# 机进入叉管后右转流入弯道,沿左边墙水流在边墙的 D

角(D7～D9)向左绕流,形成水面降落,并且随下游水位的下降(流速加大)而加大,最大值可达 1.45m,且当水流进入叉管受对面 A 边墙阻挡,形成水面略有上升的现象,A7～A5 最高值可达 0.5m。流速 $v_0 = 1.31 ～ 4.12m/s$。

(3) $1^\#$、$2^\#$ 机同时开启。两台机组同时开启,流量加大,流速势必增加,加之受叉管绕流的影响,产生局部的"弱水跃",在 D9 以下产生局部的表面绕流,负流速可达 1m/s 左右,同时水面降落加大,在 D9 处最大值可达 3.4m,在 A7 断面以后水面扭曲较严重,水面差可达 3m,这一情况发生在大流量、低水位的 A8 断面(下游水位 133.35m,洞内流量 $Q = 612.0m^3/s$),流速 $v = 1.40 ～ 5.35m/s$。流速的大小与流量和下游水位有关,而和上游库水位无关。

综合以上三种开启方式,就叉管段的流态而言,只开 $1^\#$ 机组时水流情况最好,水面降落及水面波动都不大。当关闭 $1^\#$ 机、只开 $2^\#$ 机时,流态开始变坏,水面降落及水面波动都加大。当两台机组同时开启时,流态进一步恶化,而且闸门槽内水位波动较大,势必对机组运行的稳定性造成一定影响。

(四)明流尾水洞试验水面曲线与计算值比较

1. 试验实测值与计算值比较

(1)实测与计算的水面线形式相同。

(2)闸下游水位较高时,实测与计算的水面线接近,最大差值约为 20cm,闸下游水位较低时,最大差值约为 34cm。

2. 最高涌浪水位试验

根据机组运行条件及关停机时间($T_S = 10.8s$),测试尾水洞的最高水位及最低水位,以此来验证尾水洞的断面高度及机组安装高程。

一台机满负荷,另一台机 Q 从 50%的流量突然升到 100%流量($T_S = 10.8s$),尾水洞不会发生明满流交替现象(最高涌浪水位 143.09m,尾水洞顶高程为 145.0m,余幅为 $\Delta S/S \geqslant 15\%$);两台机突然同时开启($T_S = 10.8s$),在尾水洞交会处则发生明满流交替现象,进入尾水洞后则变为明流。根据上述情况,建议在今后运行规程上应明确指出,不允许并列两台机在相隔很短的时间内同时开启。

突然关闭试验为流量 $200m^3/s$($T_S = 8.41s$),下游水位 132.72m,其下游最低水位 130.24m,高于机组安装高程 129.00m。

(五)防淤闸下游流态

防淤闸共有 6 孔,水电站 $1^\#$、$2^\#$ 机组尾水经右孔泄入下游,其他机组关闭,则防淤闸中孔和左孔后面有反时针回流区,改变流量和闸下游水位,都存在回流区。闸后流速随流量加大尾水位降低而增大,最大值为 6.31m/s。

根据试验结果,对设计方案作了如下调整:

(1)将压力管道上平段由平坡改成 0.01 正坡,避免了引水道水平段充水时气囊的存在。

(2)尾水叉洞体形共做了两组模型试验,夹角分别为 60°、90°,最终选用夹角 90°,并加大了反弧半径,使水流顺畅。

(3)将尾水叉洞洞顶和洞身段洞顶均抬高 1m,叉洞段洞顶高程为 145.0m,尾水洞净高 19.0m,以避免机组突然启闭时尾水洞出现明满流交替现象。

第三节 电站引水发电洞设计

一、引水发电洞的布置

小浪底水电站为引水式布置,安装 6 台混流式水轮发电机组,总装机容量为 1 800 MW,单机容量为 300MW。引水发电系统由进水塔、引水发电洞(包括钢筋混凝土衬砌和压力钢管)、水轮机蜗壳组成,引水发电洞纵剖面见图 10-3-1。

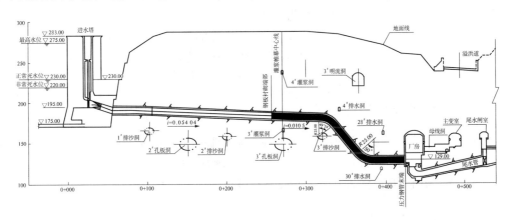

图 10-3-1 1# 发电洞纵剖面图

电站单机引水流量为 292m³/s,考虑到流量较大,机组采用一洞一机的引水方式。为避开泄水建筑物洞群,引水洞线出进水塔后即偏转约 43°,沿东北方向与厂房纵轴线呈 78.5°交角进入厂房。大坝灌浆帷幕前引水隧洞采用钢筋混凝土衬砌,帷幕之后为压力钢管,以避免高压水渗出,影响左岸山体和建筑物的稳定。

各引水洞长度见表 10-3-1。

表 10-3-1 引水道长度 (单位:m)

编 号	1#	2#	3#	4#	5#	6#	合计
总 长	414.42	400.92	381.19	367.62	341.24	327.78	2 233.17
压力钢管	189.424	185.986	189.705	193.09	192.121	182.433	1 132.759

二、水力设计

发电洞水力设计主要包括经济直径及转弯半径的选择。国内外已建电站中,引水压力管道流速一般在 8.5m/s 以下,大多在 5~7m/s。我国水工设计手册推荐的管道经济流速为 4~6m/s,美国垦务局推荐的经济流速为 6.1~9.15m/s。

我国水工设计手册推荐的压力钢管经济直径经验公式为:

$$D = (KQ^3/H)^{1/7} \qquad (10\text{-}3\text{-}1)$$

式中 K——系数,取 5~15,常取 5.2(钢材较贵、电价较廉时取较小值);

Q——管道最大设计流量,m^3/s;

H——设计水头,m。

美国垦务局推荐的经验公式为:

$$D = 0.7P^{0.43}/H^{0.65} \qquad (10\text{-}3\text{-}2)$$

式中 P——水轮机的额定出力,kW;

H——作用于水轮机的净水头,m。

按上述两式计算出小浪底电站引水压力钢管直径分别为 7.22m、7.45m。鉴于引水道中 $1^{\#}$ 洞最长,水流加速时间常数稍大于 3s,经调节保证计算分析,不需设置上游调压室,最终确定引水隧洞和压力钢管内径均为 7.8m。

压力钢管的弯段分上弯段和下弯段,国内外推荐的转弯半径上、下弯段是相同的,均不小于 2.5~3 倍的管道直径。根据小浪底引水压力钢管具体布置要求,上弯段和下弯段均采用半径 25m(约 3.2D)。

三、发电洞的支护设计

喷锚支护主要用于发电洞所有洞段开挖之后的临时支护及必要的永久支护。支护范围为顶拱 240°,均采用系统锚杆支护,顶拱 120°范围挂 $\Phi6@0.2m \times 0.2m$ 的钢筋网,锚杆为 $\Phi25@1.5m$,矩形布置,深入基岩 4.0m,喷混凝土最小厚度 0.10m。

四、发电洞结构设计

(一)钢筋混凝土衬砌结构设计

1. 概述

引水发电洞在灌浆帷幕中心线上游布置为钢筋混凝土衬砌结构型式,洞径 $D = 7.80m$,衬砌厚为 0.80m,其中 $1^{\#} \sim 6^{\#}$ 发电洞钢筋混凝土衬砌布置长度见表 10-3-2。

表 10-3-2 钢筋混凝土衬砌分布情况

洞号	$1^{\#}$	$2^{\#}$	$3^{\#}$	$4^{\#}$	$5^{\#}$	$6^{\#}$
起始桩号	0 + 056.07	0 + 056.07	0 + 056.07	0 + 056.07	0 + 056.28	0 + 056.28
终止桩号	0 + 257.27	0 + 244.74	0 + 218.39	0 + 199.06	0 + 171.86	0 + 165.58
长度(m)	201.2	188.67	162.32	142.99	115.58	109.30

2. 基本资料

1)建筑材料

混凝土:C30,四级配;90d 龄期的最小抗压强度为 30MPa。

钢筋:受力筋为 Ⅱ 级钢;构造筋及架立筋为 Ⅰ 级钢。

2)地质资料

6 条发电洞穿越的地层均为 T_1^6 岩层,岩石主要为砂岩,其岩体力学指标见表 10-3-3。

表 10-3-3 发电洞岩石力学指标

类　别	容重 （kN/m³）	抗压强度 （MPa）	单位弹性抗力 （MPa/cm）	坚固系数 f_{jk}	泊松比 μ
砂岩	26.2	>60	8	5	0.25

3）水力学资料

内水压力：针对不同的设计工况，根据引水发电系统的调保计算成果选用。

外水压力：针对不同的设计工况和上游库水位情况，选用不同的外水压力，并考虑外水压力的折减系数。

最大内外水压力见表 10-3-4。

表 10-3-4 不同工况内、外水压力

工　况	275m 库水位甩负荷	254m 库水位泄洪	275m 库水位关门蓄水
内水压力(m)	96.27	75.27	
外水压力(m)	96.27	51.27	96.27
折减系数	0.5	0.5	1.0

4）建筑物级别及安全系数

小浪底工程为一等工程，引水发电系统为一级建筑物，相应的钢筋混凝土衬砌结构的强度安全系数和抗裂安全系数见表 10-3-5。

表 10-3-5 强度安全系数和抗裂安全系数

项　目	受力特征	一 级 建 筑 物	
		基本荷载组合	特殊荷载组合
1	偏心受拉	1.65	1.45
2	偏心受压	1.70	1.55
3	抗裂	1.20	

5）钢筋保护层

引水洞内侧过水面保护层厚度为 15cm；岩石开挖面混凝土保护层厚度为 8cm。

3.结构设计

1）设计原理

将洞身简化为平面问题，沿水流方向取单位长（1m）洞身按限裂理论进行计算，衬砌内力按弹性厚壁圆筒原理进行设计，计算方法遵循《水工隧洞设计规范》（SD134—84）。另外，在设计过程中，不考虑由于灌浆等措施对围岩力学性质的改善，而作为安全储备。

配筋及裂缝开展宽度计算遵循《水工钢筋混凝土结构设计规范》（SDJ20—78）（试行）的设计方法，裂缝最大限裂宽度为 0.2mm。

2)荷载及荷载组合

分施工期、运行期、检修期等3种不同的设计工况进行荷载组合。

运行期:

(1)衬砌自重 + 山岩压力 + 内水压力 + 围岩弹性抗力 + 外水压力。

(2)库水位275m甩全负荷情况,库水容重取 $\gamma_w = 10\text{kN/m}^3$,外水位为275m,外水压力考虑 $\beta = 0.50$ 的水头折减系数。

(3)采用库水位254m泄洪发电,相应浑水容重取 $\gamma_w = 12.36\text{kN/m}^3$,外水位为230m,外水压力考虑 $\beta = 0.50$ 的水头折减系数。

检修期:

(1)衬砌自重 + 山岩压力 + 外水压力。

(2)采用库水位275m、事故闸门关门蓄水,外水位为275m,不考虑外水折减。

施工期:

衬砌自重 + 山岩压力 + 灌浆压力。

3)成果汇总

结构计算成果汇总见表10-3-6。

表 10-3-6 结构计算成果汇总

工 况	内压(m)	容重(kN/m³)	外水压(m)	折减系数	配筋量(cm²)
275m库水位甩全荷	91.08	10	31.9	0.5	$S_内 = 35.09$ $S_外 = 32.64$
254m库水位泄洪	88.2	12.36	16.4	0.5	$S_内 = 46.56$ $S_外 = 43.94$
275m库水位关门蓄水			86.4	1.0	$S_内 = 16$ $S_外 = 16$
施工期					构造配筋

4)成果评价

由表10-3-6可以看出,结构计算控制工况为库水位254m泄洪工况,其最大配筋面积为:内层在顶拱处,$S_内 = 46.56\text{cm}^2$;外层在拱顶45°,$S_外 = 43.94\text{cm}^2$。故选配钢筋内外层为 $5\,\Phi36(A_s = 50.89\text{cm}^2)$,其裂缝开展宽度在顶拱处,最大为0.12mm,满足规范要求。

5)构造钢筋

纵向分布筋采用Φ16@300,箍筋作用是保证衬砌有足够的承载能力,在实际施工过程中配置马凳筋。

(二)压力钢管结构设计

1. 压力钢管的结构布置

引水发电洞6条钢管在平面上的投影为互相平行的直线,管道轴线间距为26.5m。压力钢管内径为7.8～7.0m,单管引水流量为312m³/s,电站设计水头为127m,设计选用美国ASTM规范的A517、A537钢材,钢板厚度为20～34mm,钢衬和围岩之间回填C15素混凝土。

压力钢管的上游端与钢筋混凝土引水隧洞相衔接,下游端与机组蜗壳相连,起始端在山体灌浆帷幕中心线以上 14.5m 处,进口中心高程 1# ~ 4# 压力钢管为 182.0m,5# ~ 6# 压力钢管为 184.2m,出口中心高程均为 129.0m。上斜段和下水平段由上、下弯管段和倾角为 50° 的斜井段相连接,组成压力埋管段的引水部分。由于厂房和山体灌浆帷幕的布置要求,6 条钢管的长度各不相同,最短为 6# 压力钢管(182.433m),最长为 4# 压力钢管(193.09m),6 条钢管的平均长度约为 188.8m。

上弯段的位置是根据最低发电水位突然增负荷时,负水锤在上弯管管顶处不产生负压,且有一定安全裕度这一条件确定的,从而也决定了上斜段的长度。

上、下弯管段中心转弯半径为 25.0m,上弯管段圆心角为 49°24′,下弯管段圆心角 50°。在下平段近出口处,布置长度为 8.0m、锥角为 5.725° 的锥管段,该段把下平段管径由 7.8m 渐变为 7.0m。在压力钢管出口处,布置长度为 5.0m 的明管段,管径为 7.0m,用凑合节与蜗壳相连接。

压力钢管沿线穿越倾向下游、倾角约 10° 的砂岩岩体,上覆岩层厚度为 80 ~ 110m,满足岩层覆盖厚度的要求。钢管区域无较大的断层破碎带。

2. 压力钢管结构设计与稳定分析

1) 设计原则与基本假定

(1) 设计原则:①建筑物等级按一级;②压力钢管出口段(长度等于厂房开挖宽度)按明管设计,其余管段按钢衬与混凝土及围岩联合受力设计;③设计主要依据《水电站压力钢管设计规范》(SD144—85),同时参照国外有关规范以及国内外已建工程的经验,结合小浪底电站的具体条件,采用尽量符合实际的数据,做出一个既安全又经济的设计。

(2) 基本假定:①钢衬与混凝土、混凝土与围岩之间存在着缝隙;②围岩在及时支护的情况下能够自承,山岩压力对衬砌不产生影响;③假设所有材料,包括钢材、混凝土和岩石,都在弹性阶段内工作,围岩视为各向同性体。

2) 基本资料

a. 设计指标

(1) 库水位及相应混水容重指标见表 10-3-7。

表 10-3-7　　　　　　　　　　库水位与相应混水容重指标

序号	库水位(m)	混水容重(kN/m³)
1	正常高水位 275	10.55
2	汛期限制水位 251	16.11
3	死水位 230	10.00
4	最低发电水位 205	10.00

(2) 单机流量:最大流量(Q_{max})312m³/s;最小流量(Q_{min})247m³/s。

(3) 水轮机安装高程(蜗壳中心线高程):129.0m。

b. 地质概况及岩体物理力学指标

压力钢管所在区域围岩岩层总的倾向北东，倾角为 10°～12°。围岩的构造节理在该区域的砂岩岩层中比较发育，山体的软弱结构面主要表现为广泛存在的间断性泥化夹层，泥化夹层一般厚度为 5～40mm。

岩体的物理力学指标如下：

岩石容重	$26.2kN/m^3$
泊松比	0.25
变形模量	8 000MPa
弹性模量	12 000MPa
单位弹性抗力系数	250～450MPa/cm
湿抗压强度	＞60MPa
坚固系数	4～5
岩石表面风化层深度	0～3m
岩石类别	Ⅲ类围岩

c.温度资料

平均地温	16℃
月平均最低水温	2℃
月平均最高水温	26.5℃
极限最低水温	1℃
极限最高水温	27.5℃

d.钢材

设计选用美国钢材，其物理力学指标见表 10-3-8。

表 10-3-8 选用钢材的物理力学指标

钢 号		ASTM A537 GRADE C1.1	ASTM A517
化学成分	C	≤0.24	0.10～0.20
	Si	0.15～0.50	
	Mn	0.70～1.35	0.60～1.00
	P	≤0.035	
	S	≤0.04	
	Cr	≤0.25	0.40～0.65
	Ni	≤0.25	0.70～1.00
	Mo	≤0.08	0.40～0.60
机械性能	屈服极限	35.2（kg/mm²）	≥70（kg/mm²）
	抗拉强度	49.2～63.3（kg/mm²）	81～95（kg/mm²）

钢材的其他指标如下：

弹性模量	2 100 000MPa
泊松比	0.3
线胀系数	0.000 012/℃
容重	78.5kN/m³

e.混凝土

钢衬和围岩之间用素混凝土进行回填。设计选用一级配 C15 素混凝土,其物理力学指标见《水工钢筋混凝土结构设计规范》(SL/T191—96)。

3)结构计算与稳定分析

a.荷载计算

(1)内水压力。钢衬末端断面中心最大内压水头为 187.7m(包括水锤压力),计算时取用的混水容重为 10.55kN/m³。1$^\#$ 压力钢管的内水压力线见图 10-3-2。

(2)外水压力。以山体灌浆帷幕中心线为界,帷幕上游按库水位 275.0m 计算地下水压力,帷幕下游则以厂房区域三向渗流模型试验之地下水位等高线为依据,从而确定沿钢管管轴线分布的地下水位线,并据此取用计算断面的外水压力值。1$^\#$ 压力钢管的外水压力线见图 10-3-2。

(3)真空压力。设计取真空压力为 0.1MPa。

(4)灌浆压力。回填灌浆压力用 0.3MPa,固结灌浆压力用 0.5MPa,接触灌浆压力用 0.2MPa。

(5)现浇流态混凝土压力。

b.荷载组合

埋管段：

(1)基本荷载组合:①最大内水压力;②外水压力 + 真空压力。

(2)特殊荷载组合:施工灌浆荷载或现浇流态混凝土压力(这种荷载由承包商采取临时措施解决,设计时不再考虑)。

明管段：

(1)基本荷载组合:①最大内水压力;②真空压力。

(2)特殊荷载组合:同埋管段。

c.结构计算

小浪底水电站压力钢管管壁厚度选择是依据如下两个特定条件来确定的:一是地下水位较高,管径较大,洞群布置集中,使外压成为壁厚选择的控制条件;二是围岩岩体存在着间断性的泥化夹层,夹层厚度为 5 ~ 40mm,如果该层遇水软化,弹性抗力将大大降低。但是按构造需要选择的厚度仅能满足联合受力的要求,而不能满足抗外压稳定和在泥化夹层处内压强度的要求。因此,管壁最小厚度选择采用以材料屈服极限控制的锅炉公式来计算。

基于上述原因,对埋管段,设计按下式计算钢衬厚度：

$$\delta = Pr/(\sigma_s\phi) \tag{10-3-3}$$

式中　δ——所求断面钢衬厚度;

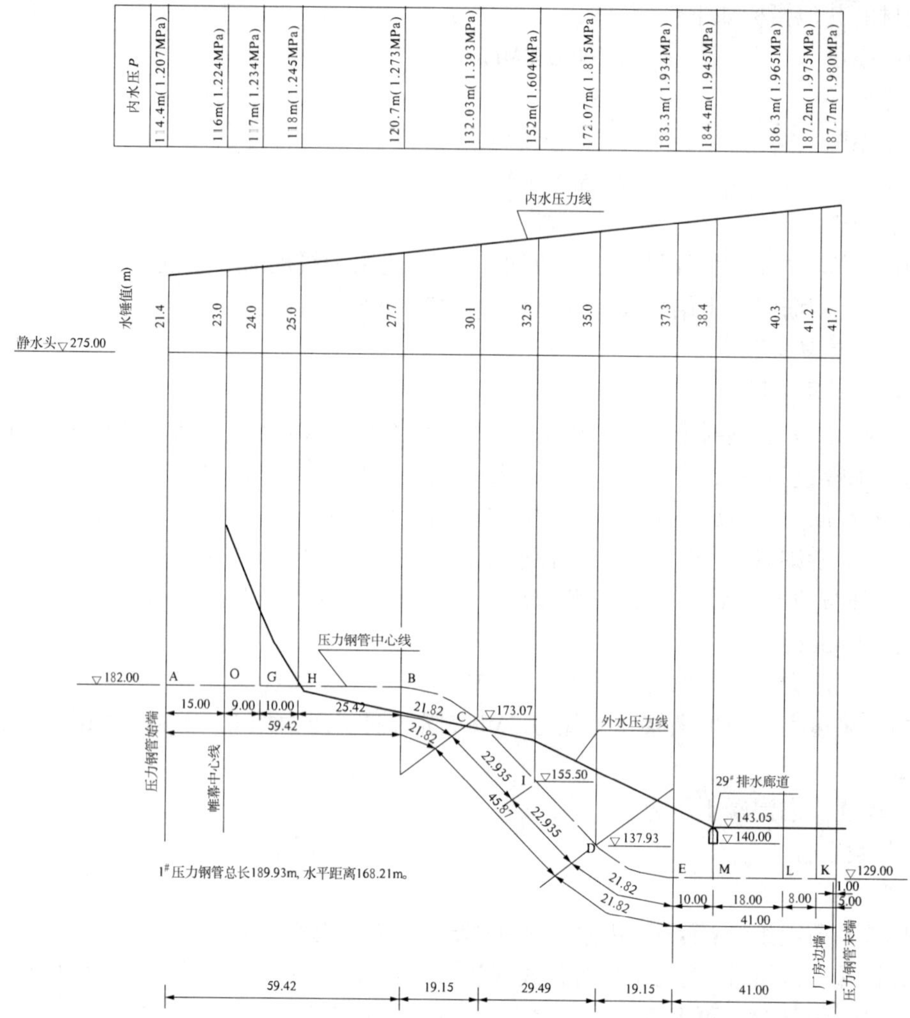

外水位（m）	0	12	20	77	122.21
距幕中心距离(m)	227.09	194.59	180.50	167.5	143.05

图 10-3-2　1# 压力钢管内、外水压力线　（单位：m）

P——计算断面内水压力值；

r——计算断面钢衬内半径；

ϕ——焊缝系数，可取 0.95；

σ_s——钢材的屈服极限。

对锥管段和明管段（计算断面为 K、F），设计按下式计算钢衬厚度：

$$\delta = Pr/([\sigma]\phi) \tag{10-3-4}$$

式中，$[\sigma]$为钢材的允许应力，其值按中国规范有关明管允许应力的规定取用，即$[\sigma] = 0.55\sigma_s$。另外，断面 K、F 所在管段为近厂房段，按规范其允许应力应再降低 20%。

各计算断面按式（10-3-3）或式（10-3-4）计算的结果见表 10-3-9。

d. 抗外压稳定分析（加劲环式钢管）

表 10-3-9 $1^{\#}$压力钢管管壁厚度、强度计算结果

计算断面	序号	内压 P(MPa)	δ(mm)	r(cm)
A	1	1.207	18	
O	2	1.224	18	
G	3	1.234	18	
H	4	1.245	18	
B	5	1.273	18	
C	6	1.397	20	390
I	7	1.604	22	
D	8	1.815	26	
E	9	1.934	26	
M	10	1.945	26	
J	11	1.951	26	
L	12	1.965	26	
K	13	1.975	32	350
F	14	1.980	34	

(1)加劲环间管壁的稳定。加劲环间管壁的临界外压不论是明管还是埋管均用明管的计算公式,即采用米赛斯公式计算临界外压 P_{cr}。

$$P_{cr} = \frac{E\delta}{(n^2 - 1)\left(1 + \frac{n^2 l^2}{\pi^2 r^2}\right)^2 r} + \frac{E}{12(1 - \mu^2)}\left(n^2 - 1 + \frac{2n^2 - 1 - \mu}{1 + \frac{n^2 l^2}{\pi^2 r^2}}\right)\frac{\delta^3}{r^3} \qquad (10\text{-}3\text{-}5)$$

式中 P_{cr}——临界外压;

      E——钢材弹性模量;

      l——加劲环间距;

      r——钢管内径;

      μ——钢材泊松比;

      n——钢衬的屈曲波数,$n = 2.74(r/l)^{1/2}(r/\delta)^{1/4}$。

(2)加劲环的稳定和应力。

埋管加劲环的临界外压:

$$P_{cr} = \frac{\sigma_s F}{rl} \qquad (10\text{-}3\text{-}6)$$

式中 σ_s——钢板屈服强度,计算采用值同$[\sigma_s]$;

      F——加劲环的有效截面面积。

明管加劲环的临界外压:

$$P_1 = \frac{3EJ_R}{R^3 l} \qquad P_3 = \frac{\sigma_s F}{rl} \qquad (10\text{-}3\text{-}7)$$

式中 J_R——加劲环有效截面对重心轴的惯性矩;

      R——加劲环有效断面重心轴半径。

取 P_1、P_3 之小值为 P_{cr} 值。

加劲环横截面压应力:

$$\sigma_\theta = \frac{N}{\phi_P F} \tag{10-3-8}$$

自《钢结构设计规范》(TJ17—74)附表 18-20 查 ϕ_P。查取时使用偏心率 ε 和长细比 λ。

$$\varepsilon = \frac{MF}{NW_1} \tag{10-3-9}$$

$$N = P_0 r l \tag{10-3-10}$$

$$M = \frac{N\Delta R}{1 - P_0/P} \tag{10-3-11}$$

$$\lambda = 1.82 r \sqrt{\frac{F}{J}} \tag{10-3-12}$$

式中　W_1——环截面对重心轴的断面距(最大压应力侧),分环内、外缘两种计算情况;

　　　ΔR——环轴半径可能的制作误差,半径相对误差为相对椭圆度 $\Delta D/D_0$ 的一半;

　　　J——环惯性矩;

　　　P_0——外压;

　　　P——内压。

各计算断面抗外压稳定分析的计算结果见表 10-3-10。

表 10-3-10　　　　　　　　　　　1$^\#$压力钢管抗外压稳定分析计算结果

计算断面	外压 P_0(MPa)	δ(mm)	P_{cr}(MPa)	安全系数
A	1.069	30	4.223	4.0
O	1.069	30	4.223	4.0
G	0.360	20	0.844	2.3
H	0.135	20	0.631	5.0
B	0.100	20	0.631	6.31
C	0.140	22	0.732	5.2
I	0.290	24	1.115	3.8
D	0.420	30	1.443	3.4
E	0.420	32	1.724	4.1
M	0.360	32	3.109	8.6
J	0.340	32	0.675	2.0
L	0.300	32	0.803	2.7
K	0.100	32	0.319	3.19
F	0.100	34	0.354	3.54

e.计算说明

(1)表 10-3-9 中所求得的钢衬厚度值为各断面强度计算的初步结果。

(2)表 10-3-10 中所列的钢衬厚度值,是在表 10-3-9 初步计算的基础上,进行稳定分析的计算结果,也是管壁厚度的最终采用数值。

(3)压力钢管各种计算结果见表 10-3-11。

表10-3-11

压力钢管结构计算结果

		A-O	O-G	G-H	H-B	B-C	C-I	I-D	D-E	E-M	M-L	L-K	K-F
管段													
计算断面编号	A	O	G	H	B	C	I	D	E	M	L	K	F
荷载　最大内水压 P(MPa)	1.207	1.224	1.234	1.245	1.273	1.393	1.604	1.815	1.934	1.945	1.965	1.975	1.98
荷载　最大外水压 P_0(MPa)	1.069	1.069	0.349	0.15	0.1	0.12	0.26	0.35	0.33	0.28	0.28	0.10	0.10
荷载　计算采用钢材[σ](MPa)	324.95	324.95	324.95	324.95	324.95	324.95	324.95	324.95	324.95	324.95	532.65	532.65	532.65
管壁　计算厚度(cm)	1.6	1.6	1.8	1.8	1.8	2.0	2.2	2.4	2.8	2.6	3.0	2.4	3.2
管壁　采用厚度(cm)	3.0	3.0	2.0	2.0	2.0	2.2	2.4	2.6	3.0	2.8	3.2	3.2	3.4
加劲环　断面尺寸 a×h(cm×cm)	3×30	3×30	2×20	2×20	2×20	2×20	2×20	2×20	2×20	2×20	2×20	2×20	2×20
加劲环　间距 L(cm)	100	100	150	150	150	218.2	150	150	218.2	150	300	200	250
管壁　计算临界外压 P_{cr}(MPa)	4.223	4.223	0.844	0.844	0.844	0.732	1.443	1.776	1.724	2.188	1.448	2.636	2.437
管壁　稳定安全系数 K	3.95	3.95	2.42	5.28	8.44	6.1	5.55	5.05	5.22	7.81	5.17	26.36	24.37
加劲环　计算临界外压 P_{cr}(MPa)	2.052	2.052	0.665	0.666	0.665	0.508	0.817	0.898	0.736	0.983	0.957	0.403	0.333
加劲环　稳定安全系数 K	1.92	1.92	1.91	4.16	6.65	4.23	3.14	2.57	2.23	3.51	3.42	4.03	3.33
加劲环　计算应力(MPa)	171.73	171.73	173	79.31	49.57	77.88	104.9	128.5	147.8	93.94	158.51	101.93	125.07
加劲环　允许应力(MPa)	220.86	220.86	220.86	220.86	220.86	220.86	220.86	220.86	220.86	220.86	297.93	297.93	297.93

注：1. 采用厚度是根据计算厚度加 2mm 的锈蚀厚度，采用厚度满足规范规定的钢管壁厚级差的要求。

2. P_0 为外水压与真空压力之和。

(4)加劲环本身稳定计算的结果未列出。

f. 围岩抗力计算

考虑围岩的减载影响系数,求岩石分担率 λ:

$$\lambda = 1 - \frac{\psi + \dfrac{E\Delta}{(1 - \mu^2)Pr}}{\psi + \dfrac{r}{\delta}} \tag{10-3-13}$$

$$\psi = \frac{0.01E}{(1 - \mu^2)K'_0} \tag{10-3-14}$$

$$K'_0 = \frac{1}{\dfrac{100}{E_\sigma}\ln\dfrac{r_3}{r} + \dfrac{1}{K_0}} \tag{10-3-15}$$

式中 E_σ——围岩的弹性模量;

r_3——围岩的开挖半径;

K_0——单位抗力系数;

E——钢材弹性模量;

μ——钢材泊松比;

r——钢衬内半径;

P——压力钢管内水压;

δ——钢管壁厚;

Δ——地下埋管管壳与周围介质之间的计算缝隙,$\Delta = \Delta_0 + \Delta_s + \Delta_R + \Delta_p$。

(1)施工缝隙:$\Delta_0 = 0.2$mm。

(2)钢管冷缩缝隙 Δ_s:

$$\Delta_s = (1 + \mu)\alpha_s\Delta t_s r \tag{10-3-16}$$

式中 α_s——钢材线膨胀系数;

Δt_s——钢管起始温度与最低运行温度之差。

由规范知,起始温度近似用平均地温,最低运行温度可以近似用最低水温。计算得 $\Delta_s = 0.095\ 5$cm。

(3)围岩冷缩缝隙 Δ_R:

$$\Delta_R = \alpha_d\Delta t_R r\Delta'_R \tag{10-3-17}$$

式中 α_d——围岩的线膨胀系数;

Δt_R——洞壁表面岩石起始温度与最低温度之差,近似采用平均地温与最低 3 个月
平均水温之差;

Δ'_R——与岩洞开挖后的破碎影响范围有关的系数。

计算得:$\Delta_R = 0.055\ 2$cm。

(4)围岩塑性压缩缝隙 Δ_p:

$$\Delta_p = \frac{qr_3}{100K_0}\left(1 - \frac{M_d}{E_d}\right) \tag{10-3-18}$$

$$q = (Pr - \sigma_{\theta1}\delta)r_3 \tag{10-3-19}$$

$$\sigma_{\theta1} = \frac{Pr + 100K_0\Delta_{s1}}{\delta + 100K_0\dfrac{r_1}{E}} \tag{10-3-20}$$

$$\Delta_{s1} = (1 + \mu)\alpha_s\Delta t_{s1}r_1 \tag{10-3-21}$$

式中　q——岩石分担的最大压力；

　　　Δt_{s1}——钢管起始温度与最高水温之差。

计算得 $\Delta_{s1} = -0.063\ 9\text{cm}$，$\Delta_p = qr_3/(1.35 \times 10^5)$。

通过校核可以看出，传递到岩石上的内压不超过隧洞上的岩石重量，即满足 $\lambda\gamma H \leqslant \gamma_d h$。传递到岩石上的内压值 $\lambda\gamma H$ 取最大值 0.708MPa。隧洞轴线到地表的距离取 80m，得单位岩石重量 $\gamma_d h$ 为 2.096MPa。

通过围岩的应力计算洞周围的环向应力（最大 0.553MPa）均小于所处岩层的地基允许应力 3MPa。忽略岩石的抗拉强度，其拉应力引起的开裂深度为 1.8cm，这完全可由灌浆来防止。

通过结构计算得出以下结论：

(1)压力钢管的壁厚由外压控制。

(2)抗外压和应力均能满足设计要求。

(3)围岩承受内压后最大环向应力小于地基允许应力。

各断面岩石的分担率计算结果见表 10-3-12。

表 10-3-12　　　　　　　　　　　　各断面岩石的分担率

计算断面	A	O	G	H	B	C	I	D	E	M	L
内水压（MPa）	1.207	1.224	1.234	1.245	1.273	1.393	1.604	1.815	1.934	1.945	1.965
管壁厚度（cm）	2.8	2.8	2.2	1.8	1.8	2.0	2.2	2.6	3.0	3.0	3.0
开挖半径（cm）	470	470	470	450	450	460	450	450	460	450	450
环向应力（MPa）	16.418	17.013	18.349	19.494	20.569	24.691	32.018	38.359	41.094	41.472	42.159
岩石分担最大压力（MPa）	0.904	0.914	0.938	1.001	1.021	1.074	1.234	1.351	1.372	1.409	1.422
围岩塑性压缩缝隙（mm）	0.031 5	0.031 8	0.032 7	0.033 4	0.034 0	0.036 6	0.041 1	0.045 0	0.046 7	0.047 0	0.047 4
总缝隙（mm）	0.202 2	0.202 5	0.203 4	0.204 1	0.204 7	0.207 3	0.211 8	0.215 7	0.217 4	0.217 7	0.218 1
系数	53.15	53.15	53.15	52.72	52.72	52.94	52.72	52.72	52.94	52.72	52.72
岩石分担率（%）	21	22	35	44	45	43	43	39	35	35	35
岩石承担内压(MPa)	0.253	0.269	0.432	0.548	0.573	0.599	0.690	0.708	0.677	0.681	0.688

五、细部构造设计

(一)钢筋混凝土衬砌细部设计

根据《水工隧洞设计规范》(SD134—84)沿洞线除每隔 9m 设置一道施工缝外,凡在结构型式变化处还设置伸缩缝,在分缝处设止水,采用二道止水的 E 形止水形式。

(二)压力钢管细部设计

压力钢管安装的主要工艺是用平板拖车将制作单元管节从制造厂运进洞内安装场,用安装在洞顶的电动单轨 320kN 吊车卸车,反转管节并移至安装场的拼装运输台车上,在台车上将 2~4 个制作单元管节拼焊成一个安装单元,利用钢管内部可轴向移动的活动脚手架可完成管节的调整、压缝、定位焊、加热、焊接等工序。利用步进式液压牵引装置通过钢丝绳将安装单元就位到安装位置。

1. 防锈抗磨设计

(1)外壁临时防护。管节在钢管生产厂制成以后,在安装之前的一段时间里,暴露于大气之中,可能遭受大气的侵蚀,需要进行临时防护。小浪底电站采用在钢管外壁涂刷水泥浆的办法,对钢材进行临时保护。

(2)内壁防锈抗磨。设计采用以下措施,提高了钢板的防锈和抗磨能力:①钢板在设计时,已经在计算的基础上另外增加了 2mm,作防锈抗磨之用;②作为压力钢管制造安装的一道工序,在钢管内壁表面上均匀喷涂厚度为 300μm 的环氧沥青漆,起防锈的作用。

2. 其他细部构造设计

(1)止水环设计。在距钢管起始端 0.4m 处设第一道止水环,尺寸为 32mm × 400mm,帷幕下游距帷幕中心线 0.25m 处、0.75m 处及 1.25m 处,分别设置 3 道止水环,止水环断面为矩形,尺寸为 30mm × 300mm。

(2)加劲环上串浆孔设计。为便于灌浆浆液串通,在钢衬的加劲环上设计了孔径为 100mm 的半圆串浆孔,每周 6 个。

(3)灌浆孔设计。①灌浆孔处钢板开孔 72mm,灌浆塞螺杆直径M64 × 4mm;②灌浆孔处,在管外设置厚度为 20mm 的补强钢板,其平面尺寸为 120mm × 120mm,中心开孔为M64 × 4mm;③设计灌浆孔为一孔多用,即首先进行回填灌浆,然后进行围岩固结灌浆,最后进行接触灌浆。只有当上述三种灌浆全部完成后,才能最终将灌浆孔封堵。

(4)焊接。压力钢管的安装全部采用手工电弧焊。A517 钢选用焊条 Conarc85(相当于AWS E12018 – G)焊接,此焊条为密封包装,可即开即用,不需烘干,在相对湿度较大的洞内,使用此种焊条显得十分方便;A537C1.1 钢选用 J507 焊条焊接。无论是制作还是安装A517 钢都预热到 120~150℃,层间温度控制在 150~200℃ 之间,焊后立即后热 2h,温度150~180℃,焊后 48h 作 NDT;A537C1.1 钢,本工程原定当厚度 $t > 30$mm 时,预热 65~80℃,厚度 $t \leqslant 30$mm 时,可不预热,但环境温度低于 0℃ 时应适当预热。在实际焊接过程中,24mm、28mm 板厚的钢管段在不预热的条件下多次发现裂纹,经查实,其原因不是因环境温度低,而是洞内潮湿,于是改为按日本压力钢管规范实施,即板厚 $t < 25$mm 时,用火焰去湿;25mm$\leqslant t < 38$mm 时,则预热 50℃ 以上,焊缝冷却后可立即进行 NDT。为了更好地控制线能量,制作和安装均采用多层多道焊。

在压力钢管安装中,洞内安装场焊接的环缝,除了弯管段外均采用不对称的 X 形坡口,由于试验证明 A517 钢带垫板的 V 形坡口焊接接头背弯不合格,所以除 A517 钢外,在发电洞焊接的环缝均采用带垫板的 V 形坡口,在安装中采用这种接头形式可以减少洞室内的开挖和混凝土的回填。

(三)灌浆孔的封堵

由于在压力钢管高强钢板上钻孔及补孔焊接困难,小浪底压力钢管为减少对高强钢衬的损伤,经过优化设计将灌浆孔由招标设计的 3 064 个减少到 1 512 个,减少了 49%,从而大大减少压力钢管加工制造的工程量,缩短了补孔焊接的工期,但仍不能从根本上解决灌浆孔封堵这一关键技术难题。

从国内外类似的工程情况看,焊接封孔由于施工要求高,工艺复杂,施工质量得不到充分保证,特别是现场开的临时接缝灌浆孔。对于焊接裂纹敏感性系数偏大的调质高强钢板,尤其像小浪底工程中压力钢管使用的 A517 和 A537 这类高强钢,焊接时预热、后热及退火等条件要求非常严格。即便如此,灌浆塞的焊缝还有裂纹出现。主要原因:一是预热和焊接高温使钢管外侧的水分汽化,附着在焊接部位的水分和水泥以及压力钢管外侧向焊接部位渗水导致熔敷金属的扩散氢含量增大。二是由于焊接封堵灌浆塞的长度短以及外侧混凝土和水分的存在,加大了焊缝冷却速度。焊缝凝固以后冷却时,由于焊缝一般含碳量比母材低,所以焊缝的奥氏体向铁素体转变较母材早,此时氢的溶解度急剧降低,大量的氢向仍处于奥氏体的母材热影响区中扩散,由于氢在奥氏体中扩散速度小,在熔合区附近形成了富氢带,含氢量越高,冷裂纹敏感性越大。三是由于灌浆塞的封堵是封闭焊接,所以其拘束应力很大。焊接应力越大,冷裂纹敏感性越大。冷裂纹一般在焊后冷却过程中发生,也可能在焊后数分钟或数天后发生,具有延迟的性质,这可以理解为是氢从焊缝金属扩散到热影响区淬硬区集聚达到某一临界值的时间。由于以上的原因在工地有可能同时出现,要达到一点裂纹都不出现几乎是不可能的。而焊缝裂纹非常微小,难以检查发现,且又会随时间推移不断地发展,所以将最终导致破坏,形成渗漏通道,造成工程隐患。

因此,参照国内外工程实例,结合小浪底工程的具体情况,对焊接封孔方案、环氧树脂黏结封孔方案和环氧树脂黏结加焊接封孔方案进行了综合比较,并在现场进行了试验研究。

小浪底工程压力钢管灌浆孔封堵经多方案比较,最终确定采用黏结封孔方案。

Sikadur 752 环氧树脂黏结剂在压力钢管上应用,在我国尚属首例。随着科技的发展,如今有许多环氧胶已具有优异的抗老化性、耐磨性和较高的强度、韧性,用这些胶以黏结代替焊接封堵灌浆,施工方法简单,省时省力,封水性能好,具有焊接封堵法无可比拟的优越性。小浪底工程压力钢管为在高强钢上采用非焊接法封堵灌浆孔这种新的技术作出了成功的尝试;小浪底工程压力钢管由于是外国承包商承担施工,因此在施工工艺、施工方法等方面都采用了国际上较为先进的技术和手段,这给压力钢管的设计及施工带来许多新的思路和观念,为今后的工作积累了宝贵的经验。

六、发电洞灌浆设计

(一)环形灌浆设计

环形灌浆段原设计浇筑 30cm 厚混凝土,后修改为喷 20cm 厚混凝土加两层 $\phi 6@$ 200mm 钢筋网。环形灌浆在每条发电洞布置 4 排孔,排距为 1.5m,环形帷幕轴线宽度为

6.0m,灌浆孔垂直发电洞洞轴线。发电洞上半部孔深为 5m,孔径为 76mm。下半部孔径为 85mm。钻孔角度误差大于 5°时作为废孔,应重新进行钻孔,废孔用水泥浆液进行封孔。灌浆结束后统一用不收缩浆液对灌浆孔进行封堵。

(二)固结灌浆设计

按照设计孔位在混凝土浇筑时预埋 PVC 管,用单臂钻机通过预埋的 PVC 管进行钻孔,孔深 5m,孔径 45mm。发电洞混凝土衬砌段排距为 2.5m 和 3.0m;钢管衬砌段排距为 3.0m 和 4.5m。每隔 60°均匀布孔。灌浆塞置于预埋在混凝土中的 PVC 内,以使混凝土、喷混凝土和岩石之间的收缩裂隙充填浆液;在压力钢管段保证浆液不进入混凝土与压力钢管之间的收缩裂隙内。

(三)回填灌浆设计

在混凝土衬砌强度超过混凝土设计 28d 抗压强度的 70% 后可进行回填灌浆,用浆液充填混凝土与岩石界面之间的空隙。浆液通过预埋的 PVC 管进行注浆,PVC 管的位置和方向是根据开挖断面顶部超挖情况而定的,以保证每个空隙顶端注满浆液。回填灌浆浆液水灰比为 0.6:1 或 0.5:1;水泥:砂 = 1:2 或用纯水泥浆液;灌浆压力为 0.2MPa。外加剂采用 Sika VZ 或 MBT R1000 塑化剂,掺量为 0.8%。用手风钻在预埋的 PVC 管内进行钻孔,孔深以进入岩石约 10cm 为准,孔径 45mm,在一个固结灌浆段同序孔一次钻出。待灌浆结束后,对回填灌浆孔用不收缩砂浆统一进行封堵。

(四)接触灌浆设计

小浪底工程发电洞压力钢管接触灌浆,原设计采用的是在钢管与混凝土的缝隙处临时开孔进行灌浆,但要保证封孔质量难度很大。针对传统的接触灌浆方法存在的缺点,小浪底工程引进了 FUKO 管这一接触灌浆的新技术和新工艺,它的优点是变点出浆为线出浆、无须钻孔和补孔、操作简单方便,有效地保障了压力钢管的整体质量和工程进度。这项技术在世界上是首次在水电站压力钢管接触灌浆中应用。

FUKO 接触灌浆系统是在压力钢管外围回填混凝土之前,沿压力钢管外壁铺设几道 FUKO 灌浆管,待回填混凝土收缩后通过 FUKO 管将水泥浆源源不断地压注到压力钢管与混凝土之间的缝隙内,接触灌浆压力为 0.2MPa,保持了钢管的完整性,同时也达到了填实脱空区,保证钢管将压力传到围岩上的目的。从施工观测到,每一段灌浆管一般重复灌浆 4~5 次,每次吃浆量均比前次灌浆有明显的递减,这也充分地证明了 FUKO 管可多次重复灌浆的优越性和压力钢管接触灌浆质量逐次提高的过程。这样不必在压力钢管上开孔,有利于压力钢管整体的安全性。从压力钢管段的接触灌浆效果检查来看,效果非常理想。

第四节　尾水管及尾闸室下部结构设计

一、尾水管结构设计

(一)基本资料

小浪底电站共设 6 条尾水管洞。尾水管洞上接尾水肘管、锥管段,下接尾水闸门室,全长 76.5m,相邻尾水管洞中心距为 26.5m,岩壁净厚为 12.8m,岩壁厚度与开挖跨度之比

为 0.95。尾水管洞在结构上是变截面的矩形洞,净尺寸由 10.5m × 6.188 3m 扩大为
10.5m × 10.5m。开挖断面为城门洞形,开挖跨度为 13.7m,底板和侧边衬砌厚 1.5m,顶拱
衬砌厚为 1.5 ~ 3.77m,混凝土为 C25,钢筋为 Ⅱ 级。

建筑物等级为一等工程一级,按百年设计、千年校核。设计水位 139.30m,校核水位
140.60m,平均浑水容重 10.35 ~ 10.55kN/m³,地震基本烈度为 Ⅶ 度,设防烈度为 Ⅷ 度。该
区地下水属于裂隙脉状水,自然情况下,地下水位在 120 ~ 135m,稍低于黄河水位。尾水
管洞基础底板高程在 108.60 ~ 122.00m 之间,因此施工期应考虑外水压力。

(二)水力设计

尾水管是水电站厂房水下部分的主要结构之一,它的内部形状和尺寸由水轮机制造厂
通过水力模型试验确定。为减少水力损失和厂房开挖量,小浪底电站采用弯肘形窄高尾水
管,其流道顺畅,流线平稳,水头损失小,减少了局部产生气蚀的几率,提高了水轮机效率。

(三)支护设计

尾水管洞围岩属 Ⅱ 类偏下围岩,为安全计,喷锚支护按维持 Ⅲ 类围岩稳定所需的支护
强度设计。设计以工程类比法为主。尾水管洞喷锚支护设计如下:顶拱和边墙采用喷混
凝土 $\delta = 0.10$m,挂钢筋网 ϕ6@0.25m × 0.25m,底板采用 5.0m 长砂浆锚杆 Φ25,间排距
1.5m × 1.5m。尾水管洞进出口洞脸加强两排 6.0m 长张拉锚杆 Φ32,间排距 1.5m × 1.5m,
呈圆弧形布置。

(四)混凝土结构设计

尾水管洞在结构上是一个变截面的方圆形洞室,截面净尺寸从 10.5m × 6.188 3m 渐
变到 10.5m × 10.5m,底板和边墙衬砌厚均为 1.5m,顶拱衬砌最厚 3.77m,采用 C25 混凝土
和 Ⅱ 级钢筋。

根据尾水管洞群的特点,剖面取两个尾水管洞中心到中心宽 26.5m,向下取 2 倍洞
径,向上取 1.5 倍洞径,厚度方向取单宽作平面有限元分析,属平面应变问题,剖面选取尾
水管洞段前、后和中间三个典型断面进行计算。

计算采用线弹性平面有限元法。有限元网格离散时尽可能考虑衬砌受力特点,使网
格在应力集中处尽可能密,并在混凝土与岩石交界处设置了一层缝单元。剖面一共划分
节点 952 个,单元 420 个;剖面二共划分节点 964 个,单元 426 个;剖面三共划分节点 990
个,单元 438 个。

计算边界底部为铰接,两侧为水平链杆约束,顶部为自由边界。

材料参数:T_1^{3-2} 岩层 $E_S = 11$MPa,$\mu = 0.21$,$\gamma = 26.1$kN/m³,$C = 0.40$MPa,$f = 0.65$,
$K_a = 7\,000$N/m,$R_C = 150$MPa,$\sigma_E = 4.0$MPa;C25 混凝土 $E = 28.5$MPa,$\mu = 1/6$,$\gamma = 25.0$kN/m³,
$\sigma_拉 = 1.55$MPa,$\sigma_压 = -1.55$MPa;缝单元受压时参数同 C25 号混凝土,受拉时软化到
$E = 28$MPa,$\mu = 1/6$,$\gamma = 25.0$kN/m³,主要计算工况见表 10-4-1。

表 10-4-1 　　　　　　　　　　尾水管洞混凝土衬砌分析主要工况

计算工况	荷 载 组 合
施工期	衬砌自重 + 顶拱灌浆压力 + 拱顶山岩压力 + 侧边山岩压力
正常运行	衬砌自重 + 内水压力 + 拱顶山岩压力 + 侧边山岩压力
检修工况	衬砌自重 + 内水压力 + 拱顶山岩压力 + 侧边山岩压力

混凝土衬砌重点部位的应力结果见表 10-4-2,由表可知,从剖面一到剖面三,洞高与跨度之比增大,应力集中逐渐减小,各断面应力值均远小于混凝土强度设计值,混凝土衬砌可按构造配置钢筋。

表 10-4-2　　　　　　　　　　尾水管洞衬砌应力计算结果　　　　　　　　（单位：MPa）

剖面	计算工况	应力	1 点	3 点	5 点	2 点	4 点	σ_1/σ_3
一	施工期	σ_x	-0.92	0.23	-0.34	1.36	0.23	3.10/-0.96
		σ_y	0.00	1.31	0.00	2.57	0.79	
	正常运行	σ_x	-0.67	0.20	-0.67	1.38	0.61	2.89/-0.71
		σ_y	0.00	0.94	0.00	2.28	1.18	
	检修工况	σ_x	0.10	0.29	-0.10	-0.10	-0.68	0.36/-1.17
		σ_y	0.34	0.00	0.28	-0.38	-0.61	
	联合有水洞	σ_x	0.12	0.34	0.12	-0.37	-0.67	/-1.13
		σ_y	0.17	0.00	0.35	-0.35	-0.58	
	联合无水洞	σ_x	-0.68	0.10	-0.13	0.50	0.12	1.28/
		σ_y	0.00	0.50	0.17	1.09	0.35	
二	施工期	σ_x	-1.04	0.10	-0.27	1.71	0.30	3.67/-1.09
		σ_y	0.00	1.01	0.00	2.47	1.01	
	正常运行	σ_x	-0.60	0.10	0.10	1.27	0.93	2.58/-0.63
		σ_y	0.00	0.69	0.00	1.67	1.20	
	检修工况	σ_x	0.05	0.20	0.05	-0.30	-0.75	0.30/-1.28
		σ_y	0.18	0.18	0.32	-0.10	-0.60	
	联合有水洞	σ_x	-0.07	0.17	0.07	-0.30	-0.81	/-1.33
		σ_y	0.20	0.16	0.20	0.08	-0.59	
	联合无水洞	σ_x	-0.30	0.07	-0.05	0.70	0.15	1.57/
		σ_y	-0.07	0.48	0.16	1.01	0.48	
三	施工期	σ_x	-1.00	0.10	-0.10	1.82	0.56	3.87/-1.06
		σ_y	0.00	0.78	0.00	2.58	1.04	
	正常运行	σ_x	-0.44	0.06	0.00	0.83	0.63	1.72/-0.46
		σ_y	0.00	0.46	0.00	1.13	0.93	
	检修工况	σ_x	-0.22	0.12	-0.03	0.17	-0.38	0.55/-0.58
		σ_y	0.09	0.32	0.05	0.45	-0.13	
	联合有水洞	σ_x	-0.27	1.13	-0.07	0.13	-0.39	/-0.72
		σ_y	0.13	0.37	0.13	0.37	-0.18	
	联合无水洞	σ_x	-0.50	0.06	-0.02	0.81	0.39	1.66/
		σ_y	0.00	0.37	0.14	1.08	0.63	

选用通用程序《水工隧洞钢筋混凝土衬砌计算机辅助设计系统(简称 SDCAD)》进行配筋计算。衬砌内力计算选用边值问题解法,该法将衬砌内力转化为求解非线性常微方程组,能较好地适应于各种型式的结构。按《水工钢筋混凝土结构设计规范》中的偏心(或轴心)受压(或受拉)构件配筋;并依据剪力值进行抗剪校核。配筋结果如下。

剖面一:顶板内侧 Φ32@165mm 双层,外侧 Φ32@165mm;

　　　　底板内侧⊈28@165mm 双层,外侧⊈32@165mm;

　　　　边墙内侧⊈28@165mm 双层,外侧⊈32@165mm 双层。

剖面二:同剖面一。

剖面三:顶板内侧⊈32@165mm 双层,外侧⊈28@165mm;

　　　　底板内侧⊈28@165mm 双层,外侧⊈28@165mm;

　　　　边墙内侧⊈28@165mm,外侧⊈32@165mm 双层。

二、尾闸室下部结构设计

　　小浪底电站尾水采用单机单洞布置形式,尾水洞采用明流洞,取消尾调室,在 6 条尾水管洞出口设置尾闸室。闸室上部采用喷锚支护作为永久支护,在运行平台 142.0m 高程以下门槽采用钢筋混凝土结构。每条尾水洞闸室开挖尺寸长 × 宽 × 高 = 14.5m × 6m × 21.5m。闸室总长度为 175.8m。鉴于黄河泥沙量大、易淤积等特点,闸室胸墙设置在下游侧。闸门启闭设施为一台 2 × 2 500kN 台式起重机,轨距 7.5m。轨道置于岩台式吊车梁上。

　　尾闸室在正常运用期及施工期,基本上没有产生对结构不安全的外力(主要指内外水压力)。当一台机组检修,尾水管洞放空,另一台机组运行,尾水洞内水位较高时,对尾闸室箱形结构形成外压作用。根据电站百年设计、千年校核的设计水位,并且小浪底百年水位与千年水位较为接近,确定尾闸室的检修外水位为 142.0m。

　　尾闸室进行下列验算:①整体稳定性验算(抗滑稳定、抗倾稳定、抗浮稳定);②边墩强度及限裂计算;③底板强度及限裂计算;④局部强度验算。

(一)闸门整体稳定性验算

1. 抗浮稳定验算

采用抗浮稳定公式:

$$K_f = \sum W / U \qquad (10\text{-}4\text{-}1)$$

式中　K_f——抗浮稳定安全系数,任何情况下不得小于 1.1;

　　　$\sum W$——闸室产生的全部重量;

　　　U——闸室的扬压力总和。

　　通过计算,$K_f = 1.055$。计算结果略小于规范要求,考虑到闸室在岩体内,同时又有锚杆作用,故抗浮是安全的。

2. 抗滑稳定验算

(1)抗剪断强度计算公式:

$$K' = (f' \sum W + C'A) / \sum P \qquad (10\text{-}4\text{-}2)$$

式中　K'——抗剪断强度计算的抗滑稳定安全系数;

　　　f'、C'——滑动面的抗剪断摩擦系数及抗剪断凝聚力;

　　　A——基础面受压部分的计算截面面积;

　　　$\sum W$——全部荷载对滑动面的法向分值(包括扬压力);

　　　$\sum P$——全部荷载对滑动面的切向分值(包括扬压力)。

(2)抗剪强度计算公式:

$$K = f\sum W / \sum P \tag{10-4-3}$$

式中　K——抗剪强度计算的抗滑稳定安全系数；

　　　f——滑动面的抗剪摩擦系数。

（3）厂房整体抗滑稳定安全系数。规范允许的安全系数见表10-4-3（不分建筑等级）。

表 10-4-3　　　　　　　　　　　　规范允许的安全系数

抗滑稳定安全系数	荷载组合		
	基本组合	特殊组合	
		无地震	有地震
K	1.1	1.05	1.0
K'	3.0	2.5	2.3

3. 稳定计算结构评价

机组检修，尾水管放空，尾水洞水位142.0m，尾水管洞脸C形止水以外部分上、下游相互抵消，对134.0m、133.50m、120.50m高程进行校核计算。

计算结果显示，如果将尾闸室简化为一个独立的箱形刚体结构，闸室的抗滑稳定安全系数不高，考虑到闸室比尾水管每侧宽出0.5m的岩石错台，并且将尾水管洞与尾闸室处的C形止水中的沥青取消，以便使尾水管对闸室产生抗力，故闸室安全是有保障的。

（二）门槽结构配筋计算

鉴于门槽体形比较复杂，计算中采用简化的板、梁、柱进行单宽断面计算。门槽结构配筋计算的强度安全系数 $k = 1.5$。

计算条件：①尾水管放空，尾水洞内水位取142.0m；②底板承受20.0m水柱的浮托力；③侧墙及上、下游胸墙承受外水（外水位取142.0m高程）。

（1）门槽底板Ⅰ、Ⅱ期插筋计算：浮托力 $P_{max} = 200kN/m^2$，$A_g = KP_{max}/R_g = 9.118cm^2$。选 $4\Phi20/m^2$，$A_g = 12.57cm^2$。

（2）底板配筋计算：按10.5m跨两侧固端板，取单宽进行计算，支座 $M_{支} = 1/12ql^2$，跨中 $M_{中} = 1/24ql^2$，单宽水压力 $q = 177.5kN/m$，强度安全系数 $k = 1.5$。

（3）门槽侧墙配筋：按2.83m跨两侧固端板，取单宽进行计算，支座 $M_{支} = 1/12ql^2$，跨中 $M_{中} = 1/24ql^2$，水压力 $P = 200kN/m^2$，强度安全系数 $k = 1.5$。

（4）门槽柱子配筋：闸门槽每侧有2个柱子，承受侧墙传来的水平水压力，柱子高度均为10.5m（高程122.0～132.5m），按上、下固端的构件计算变矩及内力进行配筋。

（5）上、下游胸墙配筋：高程132.5～142.0m，胸墙上、下游为自由约束，两端简化为固端约束，其跨度 $l = 10.5m$，水压力为三角形分布，0～95kN/m^2。

固端弯矩 $M = 1/12ql^2$；跨中弯矩：$M'_{max} = 1/24ql^2$

对下游胸墙从132.5m高程至142.0高程分段配筋。

（三）尾闸室边墩结构配筋计算

计算工况：下闸检修，尾水管放空，尾水洞142.00m水位。

边墩按应力配筋,C25 混凝土,墩底配筋 $A_g = 105.25 \text{cm}^2$。

第五节 尾水洞结构设计

一、基本资料

(一)尾水洞布置

电站尾水系统共设有 3 条尾水洞,每条尾水洞包括叉管段、洞身段及出口水平段三部分。尾水洞上接尾闸室,下接尾水明渠。3 条尾水洞中心线相互平行,尾水叉管段间距 26.5m,洞身直线段中心间距 53m,后接曲线段,曲线半径 100m,靠近尾水洞出口处中心线间距 38m。尾水洞上部有 3 条公路跨过,其中 8# 公路高程较高,最低高程 168.0m。12#、14# 公路横跨 3 条尾水洞,最低高程 163.0m,尾水洞上覆岩体单薄,属浅埋洞室。

尾水洞叉管段顶高程为 145.00m,底板高程为 122.00 ~ 126.00m,宽度为 10.5 ~ 12.0m。两条叉管的交会角为 90°,以期使叉管段的开挖跨度最小。

洞身段净高 19.0m,净宽 12.0m,底板高程为 126.00 ~ 125.00m,拱顶高程为 145.0 ~ 144.0m。出口处设 30m 长水平段。尾水洞尺寸见表 10-5-1。

表 10-5-1　　　　　　　　　　　　尾水洞规模与尺寸

尾水管号	洞长(m)	断面(宽×高)(m×m)	坡度(%)
1# 尾水洞	804.90	12.0 × 19.0	0.138 7
2# 尾水洞(叉洞)	57.63	10.5 × 19.0	
3# 尾水洞	855.82	12.0 × 19.0	0.129 5
4# 尾水洞(叉洞)	57.63	10.5 × 19.0	
5# 尾水洞	906.74	12.0 × 19.0	0.121 5
6# 尾水洞(叉洞)	57.63	10.5 × 19.0	

(二)设计基本参数

建筑物等级为一级,设计洪水位标准百年一遇,校核洪水位标准千年一遇,设计水位 139.30m,校核水位 140.60m。平均浑水容重 10.35 ~ 10.55kN/m³,地震基本烈度为 Ⅶ 度,设防烈度 Ⅶ 度。

(三)工程地质及水文地质条件

(1)尾水洞布置在 F_{28} 断层以东,F_{240}、F_{236}、F_{238} 断层以北。本区构造不发育,无大的断层通过,洞线穿过倾向下游的 T_1^4、T_1^{5-1}、T_1^{5-2}、T_1^{5-3}、T_1^{6-1} 岩层,上部覆盖有 T_1^{6-2}、T_1^{6-3}、Q_3^L、Q_4^{L+5P} 岩层,尾水洞出口处节理裂隙发育,有小断层穿过。

3 条尾水洞均布置在左岸山体内,上覆岩体厚度为 40 ~ 100m,沿线主要穿越 T_1^4、T_1^5 岩层及少部分 T_1^6 岩层。岩层倾向东北,倾角为 10°。岩体主要为钙硅质砂岩层并有薄的黏土夹层,薄黏土夹层厚一般为 2cm,在尾水洞出口段有较小断层 F_{240}。岩体为 Ⅲ 类,断层破碎带属于Ⅴ类(按Ⅴ类分类标准)。岩体结构节理裂隙主要有4组(见表10-5-2),不利组合影响洞室稳定,围岩的基本参数见表10-5-3。

表 10-5-2　　　　　　　　　　主要节理产状一览

组号	节理组	走向(°)	倾向(°)	倾角(°)	力学指标
J1	NNE	20	290	84	裂隙 摩擦系数 $f=0.5$ 凝聚力 $C=0.05$MPa
J2	NE	60	330	78	
J3	NNW	340	250	80	
J4	NWW	290	200	75	
J5	NE	8	98	10	泥化夹层 摩擦系数 $f=0.5$ 凝聚力 $C=0.05$MPa

表 10-5-3　　　　　　　　　　洞室围岩基本参数

地层代号	弹性模量 (GPa)	单位弹性抗力 (GPa/m)	坚固系数	Q 值	RMR 值	围岩分类(水电分类)
T_1^{3-2}	11	4.5	5	14.3	64.5	Ⅱ
T_1^4	12	4.5	7	12.7	68.5	Ⅱ
T_1^{5-1}	8	4.0	4	8.3	63	Ⅲ
T_1^{5-2}	11.5	4.5	6	13.5	70	Ⅲ
T_1^{5-3}	9	4.5	5	11.8	70	Ⅲ
T_1^{6-1}	3	1.2	3	15.1	70	Ⅲ

注:1.卸荷带岩体为Ⅱ~Ⅳ类围岩,弹性模量2~3GPa,单位弹性抗力0.6~1.2GPa/m。

　　2.断层破碎影响带岩体为Ⅱ~Ⅳ类围岩,弹性模量1~1.4GPa,单位弹性抗力0.4~0.6GPa/m。

(2)水利水电科学研究院和中国科学院武汉岩土所在现场的地应力测试资料表明,左岸地下洞室围岩处于低地应力状态,初始地应力场,应力空间分布较均匀,围岩具有一定的自稳能力,其应力场主要表现为自重应力场,地质构造作用次之,但其水平应力与竖向应力比值大于0.5,这说明构造应力影响因素不可忽视。从总体上讲,一般情况下洞室顶部稳定优于边墙。

(3)左岸地下水属于裂隙脉状水,分布无规律,自然情况下,地下水位高程在120~135m之间,稍低于黄河水位。3条尾水洞基础底板高程在126~125m之间,因此施工期应考虑外水压力,根据黄河水利科学研究院《地下厂房三维渗流计算报告》,水库运用期地下水位将随库水位上升而抬高,但是考虑排水系统的作用后地下水位大致在135~140m高程。设计中应考虑处于地下水位以下的岩体,其力学指标将会降低。

二、支护设计

根据围岩稳定分析评价成果、工程类比及水工隧洞运行特点,对尾水洞沿线不同地质条件采取不同的支护措施。

(一)尾水洞洞身段支护设计

尾水洞洞身段围岩属Ⅱ、Ⅲ类,采用喷锚支护加固稳定后,二次混凝土衬砌只起到减小糙率和增加一次支护安全度的作用。顶拱采用张拉锚杆Φ32@1.50m(L=4m),边墙采用Φ32@1.50m(L=4m),喷混凝土C20,δ=0.15m,钢筋网采用Φ6@0.25m×0.25m,同时在顶拱及边墙布设排水孔ϕ76mm@4.50m(L=4.0m)。对每条洞开挖出现的平顶拱及不良地质条件洞段,对顶拱内插Φ32@1.50m(L=6.0m)的锚杆。

(二)尾水洞出口段支护设计

尾水洞出口段上覆岩体单薄,裂隙发育,有断层通过,围岩为Ⅳ、Ⅴ类,自稳能力较差,设计时加强了支护,出口按浅埋洞室计算,计算取覆盖层厚度为14m,顶拱采用张拉锚杆Φ32@1.50m(L=5m、7m),边墙采用Φ32@1.50m(L=5m),喷混凝土C20,δ=0.20m,钢筋网采用Φ8@0.25m×0.25m,顶拱及边墙布设排水孔ϕ76mm@4.50m(L=4m)。在每条洞口布设15榀4Φ32的梯形钢支撑。

(三)浅埋洞身支护设计

对于洞身段,3条公路跨越尾水洞,有两处岩体覆盖厚度约为20m,上部汽车荷载采用769C(300kN),设计取两辆满载后轮压力 G=841.7kN。对于公路下的浅埋洞室考虑汽车和上部覆盖岩层的重量,采用喷锚支护,围岩用喷锚支护加固稳定后,二次混凝土衬砌不承担围岩压力及变形压力,只起到减小糙率和增加一次支护安全度作用。顶拱采用张拉锚杆Φ32@1.25m(L=4m、7m),边墙采用Φ32@1.25m(L=4m),喷混凝土C20,δ=0.20m,钢筋网采用Φ8@0.25m×0.25m,顶拱及边墙布设排水孔ϕ76mm@4.50m(L=4m)。

(四)尾水叉洞支护设计

尾水叉洞段上覆岩石厚度90~110m,该段围岩属于Ⅱ、Ⅲ类。由于该部分洞室间岩体单薄,叉洞的最大开挖跨度达28.5m,最大开挖高度为26.15m,施工期洞室稳定问题较为突出,因此设计时加强了支护:在叉洞段设8根1 500kN(L=15.0m)的锚索,顶拱采用张拉锚杆Φ32@1.50m(L=5m、7m),边墙采用Φ32@1.50m(L=5m),喷混凝土C20,δ=0.20m,钢筋网采用Φ8@0.25m×0.25m,顶拱及边墙布设排水孔ϕ76mm@4.50m(L=4m)。根据现场开挖的不同地质条件,对5#、6#叉洞实际采用4根锚索(地质条件较好)。对3#、4#叉洞由于有3条小断层支汇穿过,在加固8根锚索的同时,在交叉处又布置8榀钢支撑。

三、混凝土结构设计

鉴于尾水洞洞内流速 v≤6m/s,且为无压明流式尾水洞,设计为喷锚衬砌,即喷混凝土、锚杆与钢筋网组合式衬砌。对尾水洞的进、出口部位采用钢筋混凝土衬砌,长度分别为57.63m及30.0m,厚度分别为1.5m及2.0m。对尾水洞洞身段设置0.3m厚钢筋混凝土衬砌。

(一)尾水洞洞身段衬砌设计

对于尾水洞洞身段的钢筋混凝土衬砌,厚度为0.3m,仅为了平整围岩表面,减小糙率,配筋为构造配筋。根据《水工隧洞设计规范》(SD134—84)第6.1.5条,对于仅仅为平整围岩表面而设置的衬砌,可不提抗裂要求。但是设计也对该衬砌作了计算校核。施工过程中,为加快施工进度,减小施工难度,设计中强调,应在对不良地质条件及平顶拱洞段加强支护的前提下,同意取消顶拱衬砌。

对底板的设计处理,可从两方面考虑:一是认为围岩不透水,衬砌外水压力为零;二是按规范对底板不作为受力衬砌,仅作为抹面,出现裂缝和较大变形,对运行和结构安全均不构成较大危害,不必要对该部位进行锚杆或衬砌加固,仅按构造配筋处理。

(二)尾水洞出口段衬砌设计

出口衬砌采用复合式衬砌形式,前期采用喷锚网联合支护,出口15.0m范围加钢支撑加固,后期采用钢筋混凝土衬砌。

出口段大部分为浅埋段,当采用锚喷支护,围岩已经稳定时,内层混凝土或钢筋混凝土可不计或少计山岩压力,在计算外荷载时,分别按1/2覆盖层厚度和普氏理论两种方法计算围岩压力,同时对每种方法分别计算侧压力和不计侧压力两种情况。按计算结果综合配筋。衬砌计算采用水工隧洞钢筋混凝土衬砌计算机辅助设计系统(SDCAD2.01)完成,该程序由中南勘测设计研究院开发,符合《水工隧洞设计规范》(SD134—84)及《水工钢筋混凝土设计规范》(SDJ20—78)的规定。

1. 计算理论、公式、方法及计算简图

1)荷载工况

运行期:内水压力 + 外水压力 + 围岩压力 + 衬砌自重 + 弹性抗力;

检修期:外水压力 + 围岩压力 + 衬砌自重 + 弹性抗力;

施工期:灌浆压力 + 围岩压力 + 衬砌自重 + 弹性抗力。

其中外水压力在运行期、检修期、施工期分别乘以不同的折减系数。

2)内力计算

衬砌内力计算采用边值法,该法将衬砌内力计算归结为求解非线性常微分方程组的边值问题,避免了手算中人为假定弹性抗力分布图形带来的误差,可适用于各种断面的衬砌计算,有关计算公式参阅《水工隧洞设计规范》附录七。

按限裂设计,限裂宽度0.3mm。

3)对内力成果的修正

对圆拱直墙型的衬砌,在边墙和底板、顶拱相交部位,由边值法算出的内力值较大,所以在配筋前先用插值法对这些部位的内力进行修正。

取位于边墙内边线两侧底板上的内力作线性插值,求得底板与边墙内边线交点处的内力,底板在边墙内部位的内力均取该交点处的内力值,边墙上与底板和顶拱相交部位的内力值用同样的方法修正。

顶拱与边墙交点的内力取其相邻点的内力值作为修正值。

4)选筋方法

底板和边墙分为三部分,中间占1/2,两端各占1/4,若两端的最大配筋面积和中间的最大配筋面积相比不超过20%,则按三部分中最大配筋面积选择主筋直径,两端不加短筋;若两端的最大配筋面积和中间的最大配筋面积相比超过20%,则按中间部分中最大配筋面积选择主筋直径,两端钢筋面积超出部分用加短筋的办法补足,短筋长度取洞跨或边墙高的1/4,钢筋级别与主筋一样,间距为主筋的2倍。

2.计算

根据山岩压力的计算方法,分为4种方法,每种方法均计算运行、检修、施工三种工况。

方法(1):采用普氏理论计算围岩压力,考虑侧压力;

方法(2):采用普氏理论计算围岩压力,不考虑侧向压力;

方法(3):采用1/2覆盖层厚度计算围岩压力,水平压力取为垂直压力的1/3;

方法(4):采用1/2覆盖层厚度计算围岩压力,不计侧向压力。

3.成果汇总

计算成果中的最大配筋面积汇总见表10-5-4。

表10-5-4 　　　　　　　　　　　　计算成果汇总　　　　　　　　　　（单位:cm²）

计算方法	工况	底板		边墙		顶拱	
		内侧	外侧	内侧	外侧	内侧	外侧
(1)普氏理论有侧压	运行期	41.007	38.00	38.00	38.00	38.00	38.00
	检修期	38.00	56.248	43.24	58.045	38.00	28.50
	施工期	64.577	40.551	38.00	45.799	38.00	38.00
(2)普氏理论无侧压	运行期	89.116	38.00	38.00	38.00	39.694	38.00
	检修期	73.282	38.00	38.00	38.00	38.00	38.00
	施工期	104.314	38.00	38.00	38.00	38.00	38.00
(3)1/2覆盖层(↓),1/3垂直荷载(→)	运行期	91.565	38.00	38.00	38.00	38.00	38.00
	检修期	75.404	38.00	38.00	38.00	38.00	38.00
	施工期	108.358	38.00	38.00	38.00	38.00	38.00
(4)1/2覆盖层(↓),无侧压	运行期	109.695	38.00	38.00	38.00	50.268	38.00
	检修期	95.291	38.00	38.00	38.00	48.019	38.00
	施工期	128.627	38.00	38.00	38.00	44.595	38.00

(三)尾水叉洞段衬砌设计

在尾闸室后两洞合并成一洞,形成交叉,主洞内宽12m,支洞内宽10.5m,构成一处复杂的三维空间结构,局部跨度相对较大,为28.0m。该部分在设计上采用钢筋混凝土衬砌。采用SDCAD水工隧洞钢筋混凝土衬砌程序进行隧洞断面单宽(1.0m)进行计算,同时采用有限元法,以板单元来模拟空间混凝土衬砌,用SAP5程序进行结构配筋计算。

1. 计算条件和依据

依据小浪底工程水电站厂房技施设计大纲及有关标准要求,计算条件如下。

(1)施工期:衬砌自重 + 灌浆压力 + 山岩压力。

灌浆压力取 0.2MPa,只加拱顶;

山岩压力:在拱顶取 3m 厚的岩块重作用在拱上,侧边山岩压力取 0.3m 厚的岩块重。

(2)检修期:衬砌自重 + 山岩压力 + 外水。

山岩压力:同施工期荷载中山岩压力取值;

外水:外水位 135m 高程;

外水折减系数 0.6。

(3)正常运行期:衬砌自重 + 山岩压力 + 外水 + 内水。

山岩压力:拱顶取 3m 厚的岩块重作用在拱上,侧边山岩压力不计;

外水折减系数为 0;

内水:内水位 142.00m 高程;

依据设计大纲,单位弹性抗力系数 K_0 取值为:底板 $K_0 = 3\ 500 \times 10^3 \text{kN/m}^3$,边墙、顶拱 $K_0 = 1\ 500 \times 10^3 \text{kN/m}^3$。

其他未说明部分同出口段衬砌计算说明。

2. 计算结果

SDCAD 水工隧洞钢筋混凝土衬砌程序计算各断面配筋结果见表 10-5-5。

表 10-5-5　　　　　　　　　　　　成果汇总　　　　　　　　　　　（单位:cm²）

断面	工况	内侧			外侧		
		顶拱	边墙	底板	顶拱	边墙	底板
断面 1 (洞高 23.0m)	运行	36.95	36.95	36.95	30.79	30.79	30.79
	检修	30.79	30.79	30.79	30.79	30.79	30.79
	施工	30.79	30.79	30.79	30.79	30.79	30.79
断面 1 (洞高 19.0m)	运行	36.95	36.95	36.95	30.79	30.79	30.79
	检修	30.79	30.79	30.79	30.79	30.79	30.79
	施工	30.79	30.79	30.79	30.79	30.79	30.79
断面 2	运行	30.79	30.79	30.79	30.79	30.79	30.79
	检修	30.79	30.79	30.79	30.79	30.79	30.79
	施工	30.79	30.79	30.79	30.79	30.79	30.79
断面 3	运行	36.95	36.95	36.95	30.79	30.79	30.79
	检修	30.79	30.79	30.79	30.79	30.79	30.79
	施工	30.79	30.79	30.79	30.79	30.79	30.79

第六节　尾水明渠及防淤闸设计

一、尾水明渠及防淤闸布置

(一)设置防淤闸的必要性

由于地形和地质条件的限制,小浪底水利枢纽泄洪及发电建筑物集中布置在左岸,泄洪建筑物包括 3 条孔板泄洪洞、3 条明流泄洪洞、3 条排沙洞、1 条正常溢洪道出口均集中在下游消力塘内,6 台发电机组的尾水布置在消力塘左侧。消力塘末端下游侧,发电尾水与泄洪尾水汇合后流向大河。

黄河为多泥沙河流,实测最大含沙量为 $973kg/m^3$,小浪底水库建成后,按照水库运用方式,下泄洪水的最大含沙量为 $400kg/m^3$,下游水位约 139.45m。泄洪及排沙建筑物在宣泄高含沙量洪水时,泥水回流很容易造成不发电机组尾水系统泥沙淤积,使机组长时间停机,影响发电。因此,在发电尾水出口设置防淤闸十分必要,在机组不运行时下闸拦沙,使泥沙淤积在闸下游,机组运行时,开闸冲淤,减少由于泥沙淤积对机组发电的影响。

(二)防淤闸位置的选择

当停机时,为了减少防淤闸下游泥沙淤积以及开闸发电时便于冲淤,合理选取尾水明渠长度及防淤闸的位置非常关键。尾水明渠太短,防淤闸下游距发电尾水和泄洪尾水交汇处(岩台裹头末端)较远,消力塘尾水的主回流区距防淤闸有一定距离,这样在防淤闸与主回流区之间淤积加重,发电时开闸冲淤较困难;尾水明渠太长,防淤闸向下游移,一方面由于地形条件的限制;另一方面,仅有排沙洞排沙时(常遇工况)就会对发电机组的尾水位产生波动,影响发电质量;再者,如果防淤闸太靠下游,在机组停机而泄洪排沙建筑物泄洪时,回流会使闸门产生振动。通过分析和模型试验,最终布置是:尾水明渠长 160m,防淤闸室长 30m,防淤闸末端距裹头末端约 40m,这样消力塘主回流区紧靠防淤闸下游,在主回流区泥沙不会淤积,主要淤积发生在闸墩末端与闸门之间,发电时开闸冲淤比较容易。

(三)明渠布置

发电尾水系统总体布置为,发电尾水采用一机一室(尾闸室)一洞(尾水洞),6 台发电机组共设 6 条尾水洞,在尾水闸门室后两条尾水洞相交,合并为 1 条尾水洞,所以共有 3 条尾水洞流到尾水出口。每条尾水洞出口接一条尾水明渠,明渠末端各设两孔防淤闸,全闸 6 孔,闸后为护坦及尾水导墙。

三条明渠轴线间距为 38m,明渠间由岩墙隔开互不干扰。根据下游水位及尾水洞顶高程确定岩顶高程为 145.0m。施工过程中,根据开挖所揭露的新的地质条件及施工情况,对两道隔墙高程进行了修改。为了不增加尾水洞脸的边坡高度,两道隔墙靠近尾水洞一定距离(26.5m)仍保持 145.0m 高程,以后隔墙宽度减小,其高度降为 137.0m 高程以保证隔墙稳定。明渠渠首断面宽度与尾水洞相同,为 12m,渠底高程 125m。根据水力计算及明渠轴线间距(38m),同时考虑防淤闸平面布置、下游大河水位等,确定渠末断面宽为31m,底高程为 130m。

尾水明渠断面为矩形,岩墙为直立开挖,岩墙及左、右边墙表面浇钢筋混凝土护面以减小糙率和保护岩石不受风化。本区域岩石为T_1^{6-1}黏土质粉砂岩,具有抗风化能力低、遇水膨胀的特性,岩石 145m 高程平台及 137m 高程平台均用钢筋混凝土护面。

混凝土护面板在垂直水流方向每 15m 设一温度横缝,底板在渠中心线处顺水流方向设一纵缝。混凝土护面板上设间排距为 3m × 2.5m 的排水孔,其中有 50% 深入基岩4.5m,以排除岩体的压力水和护面板与岩体之间的压力水。底板上设间排距为 3m × 5m的排水孔,深入基岩 1.5m。由于设了系统排水孔,在护板分缝处就没必要设止水,仅在缝面上刷两道沥青,以保证缝的质量,底板下面也不设排水。

尾水明渠左右岩壁按高差 20.6m、0.3(H):1(V)的坡度,在 145m 高程处设一宽 6.2m的平台,保证两岸 145m 高程以上的岩体在用$\oplus 25@1.5m \times 1.5m$,$L = 3m$ 的锚杆系统加固后不影响 145m 高程以下 20.6m 高直壁的稳定。

尾水渠区域的岩体为T_1^6地层,属黏土质粉砂岩和钙质砂岩互层,黏土质粉砂岩具有抗风化能力低、遇水膨胀的特点,因此设计对此种岩体开挖表面采用挂钢筋网喷锚支护,这种喷锚网联合支护方式可保证边坡永久稳定。

(四)防淤闸布置

单条尾水明渠渠末宽 31m,用两孔闸室控制,每孔闸室净宽 14m,最高挡水位140.55m,闸室底板高程与消力塘尾水底板高程相同,为 130m,因此闸门最高挡水高度为10.55m,即闸门孔口尺寸 14m × 10.55m,弧门半径 17m,并布置检修门槽,闸室长 30m。

闸墩高度的确定:弧门最高挡水位 140.55m,门顶高程 141.55m,弧门支铰高程141.5m,牛腿顶部高程 145.0m,工作桥的梁高 1.1m,油压启闭机支铰高程约 149m,另外根据对外交通要求等,确定闸墩顶高程为 150.0m。

闸室结构型式确定:根据一般经验,条件允许时应优先采用分离式结构,原因主要是分离式结构可以减小底板跨中弯矩,减少钢筋混凝土的工程量。对于防淤闸,基础为岩石,其抗压强度及与闸室混凝土的抗剪强度指标均较高,有条件采用分离式结构。但防淤闸左、右两边孔闸室因边墩抵抗墩后的山岩压力或土压力,而与边孔闸室的中墩做成整体式结构,底板厚度通过结构计算为 2.5m。中间 4 孔闸室为分离式结构,中底板厚度 1.5m。

工作桥布置:闸墩顶设工作桥。其作用主要是闸顶交通,以及为检修弧形工作门及其油压启闭机吊杆时为汽车吊提供工作平台。每跨桥布置了 6 榀高 110cm、翼板宽 160cm、腹板跨中宽 18cm(支座处宽为 30cm)的预制 T 形梁,可通行汽 – 20t、挂 – 100t 车队及QY – 40 型汽车吊。

(五)护坦

由于尾水渠区域为T_1^6地层,具有抗风化能力低、遇水膨胀且强度较低以及抗冲能力较差的特性,防淤闸下游又是消力塘泄洪的回流区,因此在防淤闸下游设混凝土护坦。根据模型试验回流区范围,确定护坦长度,左边缘 87m,右边缘与消力塘尾水护坦齐平。护坦末端设齿槽,护坦混凝土板设纵横缝,间距 15 ~ 20m。由于护坦不存在受不平衡力的作用,仅是消力塘尾水的波动,不至于影响护坦的稳定,因此护坦不设锚筋与基岩拉结。

二、基本资料

(一)建筑物等级

电站尾水明渠、防淤闸、尾水导墙为二级建筑物。

(二)下泄流量及相应下游水位

下泄流量及相应下游(消力塘出口)水位见表10-6-1。

表 10-6-1　　　　　　　　下泄流量及相应下游(消力塘出口)水位

情况	下泄流量 (m³/s)	相应下游水位(m)		
		上限	平均	下限
设计洪水时最大下泄流量	13 360	140.54	140.20	139.80
校核洪水时最大下泄流量	13 570	140.60	140.26	139.90
枯水期调节流量($P = 90\%$)	400	133.72	133.37	133.02
非常死水位 220m 时	7 000	138.30	137.66	137.00
最高蓄水位 275m 时	17 000	141.65	141.50	141.40

(三)与发电相对应的防淤闸设计工况

防淤闸设计工况为:在各种下游水位发电过流;闸门检修及水库冲沙放淤时不发电机组下闸防淤等。几种典型情况见表10-6-2(参考水轮机运用情况)。

表 10-6-2　　　　　　　　　　　典型工况

下泄流量 (m³/s)	闸上游水位 (m)	闸下游水位 (m)	水容重 (kN/m³)	运用情况
2 300	134.43	134.43	10.5	开闸过流
2 994	130.0	135.65	10.5	下闸检修
13 490	134.43	140.55	10.5	下闸挡水
13 490	140.55	140.55	10.5	开闸过流
10 200	134.43	139.45	12.4(下游) 10.5(上游)	下闸挡水

这仅是水库及水轮机运用方式的几种,小浪底水库的运用方式多种多样,非常复杂,工程建成后仍需要继续研究,用这几种情况设计的水闸基本可满足水库运用要求,如果运用过程中出现对防淤闸更不利的情况,则需对防淤闸进行复核或采取其他措施保证防淤闸的安全。

(四)工程地质与水文地质

1. 坝址区地震基本烈度

坝址区地震基本烈度为Ⅶ度。尾水明渠防淤闸按挡水建筑物,设防烈度为Ⅶ度。

2. 尾水明渠防淤闸区域的地质岩性

根据尾水明渠区域的地质钻探资料,尾水渠区域属T_1^6地层,在160m高程到130m高程大部分属T_1^{6-1}地层,岩性为棕红色黏土质粉砂岩与灰紫色钙质细砂岩互层,局部含泥化夹层,黏土质粉砂岩具有吸水膨胀易于风化的特性。工程区域基岩为一缓倾角的单斜体,倾向下游偏左岸,岩层产状 NE10°~20°/SE∠9°~12°。节理裂隙有两组,一组走向近东西(70°~110°),多数倾向北,倾角 75°~80°,另一组走向近南北(345°~25°),多数倾向东,倾角 70°~85°,两组节理裂隙走向与明渠轴线的夹角在 40°以上。F_{240}断层斜跨尾水渠,与渠轴线夹角55°,断层宽 0.5~1.0m,F_{236}断层规模较大,但其在防淤闸下游尾水护坦穿过,对尾水渠结构没有影响。

T_1^{6-1}地层,坚硬、很坚硬的岩石仅占 30%左右,相当软的岩石占 70%左右,岩石平均饱和抗压强度仅 29MPa。地层中主要岩石成分泥质粉砂岩的饱和抗压强度平均值仅21MPa,常见值 14~26MPa。

岩石容重:25.7kN/m³;

变形模量:垂直层面 $0.8×10^4$MPa,平行层面 $1.2×10^4$MPa;

弹性模量:垂直层面 $1.2×10^4$MPa,平行层面 $2.0×10^4$MPa。

层面、节理面抗剪强度指标见表 10-6-3。

表 10-6-3   层面、节理面抗剪强度指标

结构面分类	f'	$C'(MPa)$	f	$C(MPa)$
泥化夹层			0.25	0.005
层面	0.6	0.1	0.55	0.05
节理面			0.65	0.05

3. 水文地质

渗透指标:

砂岩   0.03m/d

风化卸荷带   0.5m/d

断层破碎带   0.5m/d

地下水位:尾水明渠、防淤闸区域的地下水位为 135.0m。

(五)施工过程中新的地质情况

在施工过程中,尾水渠区域共发现大小断层 30 余条,其中 F_{240}断层最宽处达 6m。区域内断裂主要有两组:一组走向近东西(70°~110°),多数倾向北,部分倾向南,倾角 75°~85°,以 F_{240}为代表;另一组走向近南北(345°~25°),多数倾向东,部分倾向西,倾角 70°~85°,以 F_{236-4}为代表。两组断裂的主要特征是:①南北向与东西向呈网格状展布;②多数断层具有陡倾角正断层的性质;③一条断层有多个破裂面,断层面平直光滑,倾角与宽度变化较大,断层带充填泥质,力学强度较低,由其构成的直立边坡难以自稳;④断层以 F_{240}和 F_{236-4}为中心呈束状出露,集中分布在明渠上、下游两个端部,走向与渠线呈斜交,夹角在 40°以上。

F_{240}断层在 1# 尾水洞洞脸通过,断层及其影响带宽约 6m,倾角 85°,它的存在对 1# 尾

水洞脸的稳定有一定影响。在 2# 隔墙上与南北向的两条断层呈"X"形交叉,形成较大的破碎带,2#、3# 尾水明渠的开挖使之形成两面临空的直立边坡无法自稳,在开挖过程中就出现大的塌方。

近南北向的两条小断层相向倾斜,近于平行,倾角 55° ~ 60°,其交线在 1# 渠右边墙 132m 高程处出露,形成不稳定倒三角体,需要特殊加固。F_{236-4} 近南北走向,呈束状出露,冲填角砾加泥,右侧通过尾水明渠回车场下游角,向北依次通过 1#、2# 隔墙端部,左侧交在左边墙上,由于回车场下游侧及闸室侧均为直立临空面,F_{236-4} 断层在临空面出露而造成塌方;在 1#、2# 隔墙端部,由于隔墙岩体三面临空,加上断层(包括破碎带)较宽,在开挖过程中出现塌方;左边墙 F_{236-4} 的出露宽度(包括破碎带)约 20m,无法自稳,开挖过程中塌方。尾水渠区域的南北向与东西向两组小断层的存在,增加了开挖边坡特别是直立边坡的卸荷变形,在施工过程中,如果不采取及时有效的锚固措施,直立边坡容易出现因卸荷变形过大而失稳。

三、尾水明渠防淤闸开挖边坡支护设计

(一)计算假定

对于尾水渠区域这种高倾角节理裂隙,近水平层面的软岩,发生破坏的模式可能有下列几种:沿某一滑动面的平面破坏;楔体破坏;底部产生塑性变形,顶部产生较大卸荷变形发生倾倒破坏。对于平面破坏及楔体破坏,均可按规范进行支护设计。对于倾倒破坏,目前还没有完善的支护设计理论。根据工程经验,对开挖面及时采用系统张拉锚杆支护,防止边坡卸荷变形,是解决倾倒破坏非常有效的支护方式。张拉锚杆的预应力不但使岩体受到径向挤压,而且还受到侧向挤压,使岩体处于三向受压状态,这种加固方式在软弱松散的岩体中效果尤为明显。但加固必须及时,必须在岩体中的应力尚未充分诱发,未产生较大变形之前及时给予支护,才能有效地防止围岩变形的自由发展。因此,尾水明渠设计采用系统张拉锚杆支护,要求在开挖爆破结束 16h 内所有系统张拉锚杆安装张拉到掌子面。

鉴于尾水明渠区域的 T_1^{6-1} 地层抗风化能力较差(根据试验以及现场观察,T_1^{6-1} 泥质粉砂岩在露天情况下,多为 6h 内发生裂隙,3 ~ 5d 裂隙发展较多、较快,延伸较远,变宽,5d 后发展缓慢,12d 后基本无变化),设计采用喷混凝土保护岩面,防止岩石直接暴露。但是由于 T_1^{6-1} 岩层较软而且有湿胀性,单纯喷混凝土保护,随着时间推移会产生裂缝、脱落,使喷混凝土与岩面的结合强度大幅度降低,失去喷混凝土的作用。为防止喷混凝土层产生裂缝,最简单的方法是在喷层内布设钢筋网,钢筋网能使喷层混凝土的应力得到较为均匀的分布,特别是对不连续构造面切割成比较破碎的岩体,钢筋网能使关键块体连同喷混凝土层与其他岩块统一受力,不使关键块体移动而引起连续破坏。

设计针对尾水明渠地质情况,采用挂钢筋网喷 10cm 厚混凝土及张拉锚杆联合支护方式。加上渠的后期混凝土衬砌内钢筋网与锚杆拉结,使衬砌与岩石边坡统一受力,加强了岩体的整体性,限制了岩体边坡底部的塑性变形,解除了岩体边坡倾倒破坏与楔体破坏的

可能性。边坡的破坏形式只有平面滑动破坏,其稳定计算的假定条件为:岩体沿不稳定面滑动,滑动体视为刚体,岩体沿滑裂面剪切破坏,如图 10-6-1 所示。其稳定靠锚杆的抗剪或采用张拉锚杆在滑裂面上施加压力,提高摩阻力来保证。

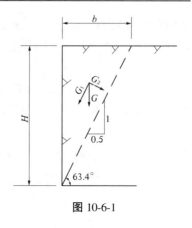

图 10-6-1

(二)计算公式

采用《锚杆喷射混凝土支护技术规范》(GBJ86—85)中式(3.3.9 – 1)或式(3.3.9 – 2),即:

砂浆锚杆:

$$KG_1 \leqslant fG_2 + nA_sf_{sv} + CA \qquad (10\text{-}6\text{-}1)$$

张拉锚杆:

$$KG_1 \leqslant fG_2 + P_t + fP_n + CA \qquad (10\text{-}6\text{-}2)$$

式中 G_1、G_2——不稳定岩体平行作用于滑动面和垂直作用于滑动面上的分力;

   A_s——单根水泥砂浆锚杆钢筋的抗剪截面面积;

   n——锚杆根数;

   A——岩石滑动面的面积;

   C——岩石滑动面的凝聚力,取 $C = 0.05$MPa;

   f_{sv}——水泥砂浆锚杆钢筋设计抗剪强度;

   f——岩石滑动面的摩擦系数,取 $f = 0.65$;

   P_t、P_n——张拉锚杆作用于不稳定岩块上的总压力在抗滑动方向及垂直滑动面方向的分力;

   K——安全系数,在地震情况下取 1.3,施工期取 1.4,运用期取 1.5。

计算步骤:首先按砂浆锚杆进行计算,不计张拉锚杆的张拉力,锚杆抗剪强度 $f_{sv} = 192$MPa,其次按张拉锚杆进行计算,不计锚杆的抗剪强度,采用Φ32 锚杆,张拉力为150kN/根,水平方向打锚杆,计算锚杆间距。按照上述方法得出施工期的计算结果,砂浆锚杆与张拉锚杆根数非常接近,实际采用张拉锚杆Φ32,间排距均为 1.5m。

(三)尾水明渠隔墙的支护设计

根据总体布置要求,两隔墙岩台在渠首断面宽 25m、高 20.6m,渠末断面宽 6m、高15.6m,由于岩台存在左、右两个临空面,其破坏模式在施工期与左、右边墙岩壁破坏模式一样,在运用期存在一侧有水一侧无水工况,使隔墙一侧受水推力时的整体稳定问题。根据尾水渠的运用工况,一侧有水一侧无水时,水位差很小,不会存在隔墙在水推力作用下的倾覆稳定问题。对于平面滑动破坏模式,由于其两面临空,且岩台宽度小于高度,甚至在渠末断面宽度仅 6m,其支护设计明显不能同左、右边墙岩壁,但是如何计算及锚杆长度确定还没有成熟的理论,只能根据经验设置张拉锚杆。对 15.6 ~ 20.6m 高分隔岩台,顶部无荷重,两侧岩壁顶部用两排Φ25、L = 6m 张拉锚杆,下部采用Φ25、L = 4m 张拉锚杆,渠末端较薄部位用对穿锚杆,支护锚杆间、排距均为 1.5m,岩石表面同左、右边墙岩壁一样,采用挂钢筋网喷 10cm 混凝土保护。

(四)尾水洞洞脸边坡支护设计

三条尾水洞洞脸岩石边坡高度自 145m 高程以上约 50m,岩层倾向下游,倾角 10°左右,145m 高程以下为尾水洞出口及两条中隔墙墙体,由于墙体和尾水洞口混凝土衬砌的支撑作用,认为 145m 高程以上的岩石边坡为永久边坡。根据岩体岩层产状、岩体节理裂隙密度及物理力学特性,确定洞脸稳定边坡为 0.6:1,开挖边坡按稳定边坡,每 15m 高差设置一 3m 宽的马道,为防止被节理裂隙切割的岩体发生局部失稳,岩石边坡采用 $\Phi 25$、$L = 3m$ 系统砂浆锚杆喷 10cm 厚混凝土支护。

四、尾水明渠边坡的加固处理

(一)加固处理的原因

由于断层的不利组合,在施工过程中边墙与隔墙共发生 7 次塌方(较大规模有 5 次),但这 7 处塌方均发生在 F_{240} 与 F_{236-4} 两条断层的密集带上。尾水明渠的其他部位的断层规模小,且为陡倾角,断层走向与边坡走向夹角在 40°以上,断层与节理没有组成对边坡稳定不利的组合,如果及时支护,边坡能够保持稳定。但由于各种原因,暴露的岩面没按要求进行挂网支护,喷锚支护一般滞后开挖面 1~2 个月,并有 30%~40% 的张拉锚杆没灌浆或灌浆不饱满,喷混凝土厚度不足 5cm。这对 T_1^{6-1} 岩体是非常不利的,特别是对被不连续结构面切割的岩体。由于这些原因,加上雨水的作用,两条隔墙及左右边墙在 145m 高程平台及侧面直壁上的喷混凝土层出现了不同程度的裂缝。特别是右边墙回车场平台上有一条没挖通的排水沟,施工废水及雨水常年积于沟中,导致右边墙顶部严重开裂,本来就很薄的喷混凝土层更失去了它的作用。雨水及施工水的作用,使岩石边坡变形进一步加剧,加上地质构造作用,导致右边墙发生两次较大规模的塌方。这两次塌方均发生在大雨之后,可见水的作用对边坡稳定非常不利。因此,对于岩石高边坡,一定要注意排水,包括坡面排水和边坡内部排水。

由于尾水渠左、右边墙及两隔墙在直立面和 145.0m 高程平台上的喷混凝土层出现了不同程度的裂缝,这些裂缝仍有发展的趋势,特别是在汛期。为保证运用期边坡长期稳定,不发生倾倒和滑动破坏,必须进行加固。

依据施工进度安排,在开挖后的第 4 个汛期(即 1998 年汛期)到来之前,尾水渠边墙混凝土衬砌业已完成,混凝土衬砌钢筋网与边坡岩石支护锚杆拉结,关键岩块被固定,墙底部岩体的塑性变形被控制,边坡不会发生倾倒破坏。运用期可能发生的破坏模式为在节理裂隙及边坡高度等因素综合影响下沿 $0.5(H):1(V)$ 平面滑动。

(二)加固设计

在施工过程中,尾水明渠左边墙在其左侧桥沟河影响下,渗漏水出露点在 142m 高程,右边墙在 13# 公路排水沟内积水及施工用水的作用下渗漏水出漏点在 140m 高程。水库运用期尾水渠设计最高水位为 141m,基本与施工期渗水出露点高程相同。因此,假定在加固之前,岩石边坡抗滑稳定安全系数为 1.0,长期稳定即加固稳定安全系数要达到 1.5。

加固设计原理认为不稳定岩体沿 $0.5(H):1(V)$ 的不稳定滑裂面平面滑动,仍按照《锚杆喷射混凝土支护技术规范》(GBJ86—85)进行加固设计。由于岩石边坡的卸荷变形,

假定滑动面的 C 值为 0,f 值取 0.6,安全系数由 1.0 增加到 1.5,所需的支护力由锚杆提供,需增加的锚杆为 $\Phi 32@1.5m \times 1.5m$。

由于岩体长期卸荷变形,岩石边墙顶部变形较大,特别是两条隔墙岩台宽度较窄部位,F_{236-4} 断层束穿过处经过两个汛期已发生塌方,已无法加固或加固费用太高,宽度较窄部位采用削去顶部变形较大的岩体,减少直墙高度的办法解决其稳定问题。左、右边墙上部用 500kN 预应力锚杆等支护强度代替 $\Phi 32$ 砂浆锚杆,对边墙上部施加一定的预应力,确保上部不发生倾倒变形。$\Phi 32$ 砂浆锚杆的抗剪强度约 150kN,500kN 预应力锚杆(实际采用是由双层保护的 $\Phi 32$ 高强精轧螺纹钢筋)可提供的抗滑力(在滑动面上)为 514.3kN,其间距为 $3.0m \times 2.5m$。

在左、右边墙进行加固的同时,采用顶部适当减载;墙顶平台用钢筋混凝土封闭,防止雨水作用及风化卸荷加大变形;打排水孔减小内水压力等办法,增加边坡的稳定度。

(三)塌方处理及其他

由于上述地质情况和施工情况,尾水渠及防淤闸室在浇混凝土衬砌前共发生了 5 处较大规模的塌方。第一处塌方是 F_{240} 断层与两条南北向小断层在 $2^\#$ 隔墙上呈现"X"形交叉,出现大范围的破碎角砾岩体,在开挖过程中就发生了大范围的塌方;第二处塌方是左边墙 F_{236-4} 断层束穿过区域约 20m 宽,断层带呈角砾状岩体,在开挖过程中发生塌方;第三处塌方是 $2^\#$ 隔墙端部 F_{236-4} 断层束穿过部位。以上三处塌方的开挖边坡为直立坡,且在施工过程中就已发生。第四处塌方是防淤闸下游右侧裹头 1∶1 边坡上,此处由近南北向向东倾斜的断层 F_{236-4} 与近东西向向北倾斜的断层相交,形成一个有向临空面滑动趋势的锥体,但是这两组断层的倾角都比较陡(均大于 70°),按理说 1∶1 的边坡不会发生滑坡,但是由于坡顶一条公路的排水沟一直没有挖通,沟内在滑坡处常集满水而出现蠕变,终于在边坡开挖完成经过两个汛期后 1995 年 10 月 18 日的一场大雨过后发生大规模塌方。第五处塌方发生在防淤闸回车场及其上游尾水明渠的右边墙约 15m 共约 45m 长范围,塌方原因是:①防淤闸部位二标开挖支护到 130m 高程,边坡高 20m,三标进场后开挖闸室底板 2.5m,没有进行喷锚支护,边坡高 22.5m;②在尾水明渠右边墙靠近闸室处有一小断层,宽 1~2m,倾角约 85°,由于施工时没有在喷混凝土内挂钢筋网,致使长时期在坡顶公路排水沟内积水的渗透作用下,该断层范围内喷混凝土层逐渐鼓出脱落,断层充填物逐渐塌落,形成一个新的临空面,使其下游岩体处于三面临空状态,加大了岩体变形,在边坡开挖完成经过 3 个汛期后于 1997 年 3 月 15 日连续两天大雨,坡顶公路排水沟内的水漫过回车场,灌入 150m 高程平台由蠕变而产生的拉裂缝中,导致了一次大规模的塌方。

塌方处理原则:由于本区域开挖主要由二标承包商完成后移交给三标承包商,按照国际惯例,处理措施要考虑工期、施工工序、施工机械及材料等因素,尽量减少工序,缩短工期,避免或减少承包商因工期索赔。根据小浪底的工程经验,承包商因工期索赔要比单纯工程量索赔大得多,并且如果增加的工程量在标书文件规定的允许增加量的范围内,业主只按工程量清单报价支付费用。因此,塌方处理原则是在施工不方便的部位全部用低标号(C15)混凝土回填到原设计面,这包括上述第一到第四处塌方部位,第五处塌方部位由于范围大,对外交通方便,如果采用混凝土回填,方量太大,经比较采用衡重式挡土墙作迎水面,墙后填石渣,碾压夯实。

在尾水明渠右边墙两条相向倾斜的小断层,交线在直立边坡132m高程处出露,形成一个沿上游断层面滑动的不稳定倒三角体。这个不稳定倒三角体在开挖出露后很短时间内就发生很大的卸荷变形,145m高程平台上拉裂缝宽达10cm并继续发展,当时紧邻其部位下游的第五处塌方处还没有不稳定迹象。如果将不稳定倒三角体挖掉,其下游的回车场平台将出现三面临空的现象,危及回车场平台的安全,因此决定采用锚的方案,设计采用12根1 500kN预应力锚索加固,将不稳定倒三角体锚固在上游的坚固岩体上,加固后原来的拉裂缝不再继续发展,并有缩小趋势,在其下游回车场平台塌方时,加固后的不稳定倒三角体仍保持稳定状态,说明加固措施可靠。

尾水明渠左边墙F_{236-4}断层穿过部位,破碎带宽约20m,在边坡开挖过程中就出现塌方,形成约$0.3(H):1(V)$的塌方自然坡,塌方后及时进行挂钢筋网喷锚支护,支护后0.3:1的边坡基本稳定,只是在大雨之后仍有变形发展。此处加固原则按照在运用期长期浸水情况下为散粒体,锚固力应使尾水渠边墙在散粒体压力作用下稳定。

小浪底电站尾水渠岩石边坡是典型的岩石边坡工程,尽管不是太高,但由于其所处位置地质条件恶劣、施工质量不合格等原因,其加固处理在小浪底工程中曾一度引起国内外专家的高度重视。国内外专家、世界银行特别咨询团专家都提出过宝贵意见,设计最终采用的加固方案,得到了各方认可。

五、尾水明渠结构设计

(一)明渠结构设计

为避免尾水明渠岩石边坡在运用期受水的侵蚀及风化,在岩石开挖表面浇钢筋混凝土护面,其作用主要是保护岩石边坡,使岩石边坡长期稳定,鉴于尾水明渠区域地质条件复杂,断层、节理裂隙发育,加之边坡支护施工质量差,因此对左、右边墙及1#隔墙顶保留在145m高程段的直立岩壁用1m厚钢筋混凝土保护,比标书设计0.5m加厚了0.5m(2#隔墙145m高程保留长度即第一处塌方上游边距洞脸的距离约20m,说明此处岩石整体稳定性较好,开挖过程中及开挖后经过两个汛期仍未发现有不稳定迹象,因此除了考虑原支护不合格而重新支护外,仍采用0.5m厚钢筋混凝土衬砌),目的是加大支护刚度,保证被节理裂隙及断层切割的岩块与边坡形成统一整体,145.0m高程平台及137.0m高程平台均做钢筋混凝土保护,一方面防止岩体风化,另一方面与边墙直壁混凝土护面形成整体框架,同样渠底板浇0.60m厚钢筋混凝土护面。直壁与渠底板护面混凝土内钢筋网与锚杆焊接。渠底板与边墙混凝土在垂直水流方向约每15m设一温度横缝,渠底板在顺水流方向设一纵缝。无止水要求,在分缝处刷两道沥青,底板下与基岩接触面不设排水设施。

为防止明渠内水位下降时,直立岩壁与护面混凝土之间形成压力水,在边墙混凝土护面设排水孔,间距3m×2.5m;底板设间排距为3m×5m的排水孔,深入基岩1.5m,排除底板下岩体内的压力水,减小作用在底板上的扬压力。

(二)底板抗浮稳定计算

尾水明渠底板在尾水洞放空检修时,渠内无水,在相邻明渠渗水及地下水位扬压力作用下存在抗浮稳定问题,尾水洞检修相邻明渠正常过流,水位为135.65m,本区域地下水位为135.0m,尾水渠渠首底板高程125m,渠末底板高程130m。

由于尾水渠底板边墙均设有深入基岩的排水孔,底板分缝处没设止水,在放空尾水渠的同时,底板下的压力水会一定程度地渗出,使扬压力减小,另外 T_1^{6-1} 岩层的透水性很差,将全部水头作用在底板上显然不正确,按照工程经验,将扬压力按全水头的 50% 折减。

0.6m 厚底板在扬压力作用下,不能保证抗浮稳定,需要借助锚筋固定在基础岩石上,计算方法参考《水工设计手册》第五卷第 5～72 页锚筋计算,按以下四种可能破坏情况来计算锚筋直径及长度:①锚筋拉断;②锚筋沿砂浆面拔出;③锚筋孔周围的砂浆与岩石间接触面破坏;④岩石破坏掀起。

根据小浪底尾水明渠区域岩体节理裂隙密度,确定锚筋间距 1.5m×1.5m,ϕ25,经计算,锚杆锚入基岩的长度为 3～3.75m。实际采用 $L = 3.45m$,即锚筋深入基岩 3.45m,伸出基岩 0.55m 与底板顶层钢筋网焊接,锚筋总长 4m。

六、尾水防淤闸结构设计

防淤闸两侧边墙原设计为直立开挖岩壁,左侧岩壁高程约 144m,右侧岩壁开挖成高程为 150m 平台作为尾水防淤闸交通的回车场。然而,在防淤闸混凝土未施工时回车场岩壁发生了大规模塌方即前面所说的第五处塌方,防淤闸右边墙做成衡重式挡土墙,一方面作防淤闸闸墩,另一方面作挡土墙之用,在闸墩右侧仍做成高程为 150m 的回车场。防淤闸室坐在基岩上,为分离式结构。闸室结构设计包括闸室稳定计算、闸室结构计算、闸室细部设计。

(一)荷载及其组合

作用在闸室上的荷载分基本荷载和特殊荷载两类,基本组合包括:①施工完建情况;②正常运用,水位 134.43m,水容重 10.5kN/m³;③下泄 2 994m³/s 流量,下游水位 135.65m,下闸检修,渠内水位 130.0m,水容重 10.5kN/m³。特殊组合包括:①下游水位 140.55m,下泄 13 490m³/s,渠内水位 134.43m,水容重 10.5kN/m³;②下泄 10 200m³/s 流量,下游水位 139.45m,水容重 12.4kN/m³,渠内水位 134.43m,水容重 10.5kN/m³;③正常运用,下游水位 134.43m,水容重 10.5kN/m³ 加地震;④施工完建期。荷载及其组合见表 10-6-4。

(二)闸室稳定计算

闸室可能存在的稳定问题有:①左、右边墩在墙后土压力及山岩压力作用下的抗倾稳定;②2# 中墩在下游水推力作用下的抗滑稳定;③2# 中墩及隔墩的抗震稳定;④闸室小底板在扬压力作用下的抗浮稳定。

1.左、右边墩的稳定计算

左边墩与闸室底板固结同边孔闸室形成整体结构,因此它不存在倾覆稳定问题,它的稳定应该是结构稳定,即边墩在墩后土压力及岩石压力作用下闸墩变形过大而无法运用。

右边墩墩后原设计为直立岩壁,边墩与底板整浇,其稳定问题同左边墩一样,但是在开挖过程中,闸室右边墙岩壁发生大规模的塌方,右边墩因此也改成了衡重式挡土墙。

表 10-6-4

荷载组合情况

荷载组合	计算情况	荷载							说明
		自重	水重	静水压力	扬压力	土(岩)压力	浪压力	地震荷载	
基本组合	施工完建	√				√			
	正常运用	√	√	√	√	√	√		
	正常检修	√	√	√	√	√	√		
特殊组合	特殊组合1	√	√	√	√	√	√		
	特殊组合2	√	√	√	√	√	√		
	正常加地震	√	√	√	√	√	√	√	

按材料力学方法,取左边墩单宽计算其在墩后土压力、山岩侧压力、渗水压力作用下150m 高程处的闸墩变形为 5.8mm,属正常范围。

右边墩为衡重式挡土墙,不考虑闸室底板作用的抗倾安全系数完建期为 2.61,闸室最高运用水位 141m 时为 2.05,尾水渠检修,闸内无水,墙后水位 136.5m 工况时为 1.79,均大于规范规定的挡土墙抗倾安全系数 1.5,稳定满足要求。

2. $2^{\#}$ 中墩在下游水推力作用下的抗滑稳定

假定滑移面为闸墩底面,弧形工作门挡水,中墩在弧门推力作用下沿滑移面滑动,闸墩抗滑稳定计算公式:

$$K = \frac{f \sum V}{\sum H} \quad \text{(抗剪公式)}$$

$$K' = \frac{f' \sum V + C'A}{\sum H} \quad \text{(抗剪断公式)}$$

如果闸墩基础内有泥化夹层,其 f 值非常小,必须认真对待。泥化夹层有两种情况:一是很浅,影响闸墩的抗滑稳定,在外力作用下,有可能沿泥化夹层面滑动,这时应对其进行处理;另一种情况是泥化夹层很深,不影响闸墩的抗滑稳定,仍假定闸墩沿接触面滑动。从防淤闸区域的地质条件来看,一是岩层倾向下游约 10°,闸墩在弧门推力等荷载作用下向上游滑动,岩层的 10° 倾角对抗滑是有利的;二是泥化夹层连通率很高,如果闸基下存在泥化夹层,会在明渠内出露(因明渠底坡倾向上游)。另外 F_{236-4} 通过尾水明渠,在明渠混凝土衬砌时将 F_{236-4} 断层带泥夹砾岩挖除,由于断层带较宽,断层挖除很深,从断层壁上看,浅层无泥化夹层,闸墩抗滑按接触面计算,计算参数采用岩石层面的参数 f'、C' 值。

计算结果,中墩的最小抗滑稳定安全系数为: $K = 1.66 > 1.05$,$K' = 2.86 > 2.50$,抗滑满足稳定要求。

3. $2^{\#}$ 中墩及隔墩的抗震稳定计算

防淤闸为二级建筑物,闸墩抗震按Ⅶ度设防。由于闸墩在顺水流方向刚度很大,不存在抗震稳定问题,在垂直水流方向底宽较小,$2^{\#}$ 中墩 7m,隔墩 11m,需要验算在这个方向上的抗震稳定,不计竖向地震力。

计算公式:

$$K = \frac{抗倾力矩(对\,0\,点)}{倾覆力矩(对\,0\,点)}$$

计算结果,两闸墩的最小抗震稳定安全系数:$2^{\#}$中墩,$K = 2.50 > [K] = 1.05$,稳定;隔墩,$K = 3.48 > [K] = 1.05$,稳定。

4. 闸室小底板抗浮稳定

(1)计算条件:防淤闸门检修与电站尾水洞的检修同时进行,下泄流量 $2\,994\text{m}^3/\text{s}$,下游水位 135.65m,防淤闸小底板抗浮稳定计算条件为防淤闸检修门关闭,闸内无水,下游水位 135.65m,水容重 10.5kN/m^3,地下水位为 135.0m,底板扬压力按全水头计,不进行折减。扬压力分布曲线如图 10-6-2 所示。

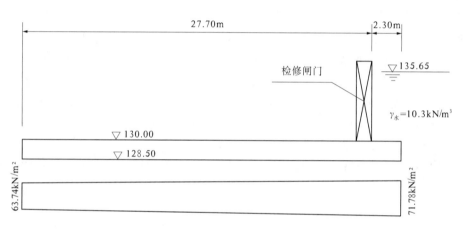

图 10-6-2　扬压力分布曲线

1.5m 厚小底板在扬压力作用下,无法保证抗浮稳定,需要借助锚筋固定在基岩上。锚筋计算按平均水头即 69.1kN/m^2。计算方法、计算参数参照尾水明渠底板抗浮稳定计算,忽略检修门重及其下游水重。

(2)计算结果:锚筋间、排距均为 1.5m,正方形排列,锚筋直径为 25mm,埋入岩石 3.0m,锚筋露出岩石伸入底板并与底板顶层钢筋网焊接,即锚杆总长度为 4.4m。

(三)闸室结构计算

防淤闸右侧为直立开挖岩壁,岩壁高程约 144m,右侧由于塌方而需靠右边墩作为挡土墙,墙后回填砂砾料到 150m 高程作为尾水防淤闸交通的回车场。防淤闸室坐在基岩上,分离式布置。闸室结构计算包括以下几部分:①边孔底板的结构计算;②闸室边墩及中墩的结构计算;③弧门支座及起闭机吊点支座结构计算。

1. 边孔底板的结构计算

平底板的平面尺寸远大于厚度尺寸,是地基上的一块板,底板顺水流方向因闸墩刚度较大,沿这个方向的弯曲变形远小于垂直水流方向,因此在垂直水流方向,将底板截取单宽板条进行强度计算。

计算方法:将地基视为半无限弹性体,将所截取板条视为放在半无限弹性体上的地基梁进行计算。

1)计算荷载

(1)底板自重,取混凝土容重为 24.5kN/m³;

(2)水重,分不同时期、不同上下游水位进行计算;

(3)地基反力;

(4)扬压力(浮托力 + 渗透压力);

(5)墩子传给底板的竖向集中力;

(6)墩子传给底板的集中力矩;

(7)底板分配的不平衡剪力。

2)计算步骤

(1)计算闸底纵向地基反力,首先用偏心受压公式计算闸底纵向(顺水流方向)地基反力。

(2)确定所取板条上的不平衡剪力,考虑到闸门前、后水位不同,即荷载不同,故以闸门为界,将底板分为上、下游两部分,分别取单宽板条进行分析。由于底板上的荷载顺水流方向是变动的,而地基反力则是连续变化的,因此单宽板条上所受的力将是不平衡的,板条及墩条的两侧必然作用有剪力,并由两剪力的差值来维持板条上力的平衡,这个差值就叫不平衡剪力。

(3)闸墩和底板的剪力分配,由上面计算求得的不平衡剪力应由闸墩和底板共同承担。各自承担的数值,可根据剪应力分布图面积按比例确定。

(4)地基梁(即计算板条)上的荷载计算:①分配给闸墩上的不平衡剪力和闸墩及其上部结构的重力作为地基梁的集中力;②分配给底板上的不平衡剪力化为均布荷载,并与底板自重、水重及扬压力等共同作为地基梁的均布荷载;③闸室内水压力在闸墩上产生的弯矩作为集中弯矩作用在地基梁上。

(5)地基梁的内力计算。当地基梁的荷载确定后,即可按弹性地基梁查戈尔布诺夫 - 波沙多夫表格计算地基梁各截面的弯矩。

因边墩处岩石直壁侧压力对边墩的影响很难确定(直立岩壁由锚杆锚固稳定,侧压力系数无法确定),并且其产生的弯矩与闸室内水压力产生的弯矩相互抵消,闸底板底面配筋是参照边墩外侧配筋,所以闸底板内力计算不考虑岩石的侧向压力。

左岸边孔,基岩高程约 144.0m,回填土至 150.0m 高程,这部分回填土压力在左边墩底部产生较大的弯矩,但这部分弯矩在闸底板上产生的效应是底板底面受拉,顶面受压,从而导致顶面所需配筋量减小,底面配筋量增大,底面配筋量还要参考边墩外侧配筋。因此,在计算底板弯矩时,不考虑回填土压力的影响。

右岸边孔,边坡塌方后开挖成 0.5(H):1(V)的稳定边坡,然后将右边墩设计成衡重式挡土墙结构,在墙后土压力及水压力、自重等荷载作用下产生向闸室的弯矩,使闸墩外侧受拉,情况与左边墩类似,在计算底板弯矩时,不考虑墙后荷载的影响。

3)配筋计算

根据闸室底板内力计算成果,按照《水工钢筋混凝土结构设计规范》(SDJ20—78)进行闸底板控制断面的配筋,根据配筋率的大小,并考虑闸墩厚度,确定经济合理的闸底板断面尺寸。

底板配筋结果：底板厚 2.5m，底板顶面配筋 $\Phi 30@200mm$，底面配筋 $\Phi 30@200mm$；分布筋配置，考虑温度应力影响，并参照工程实例，底板顶面为 $\Phi 25@200mm$，底面为 $\Phi 16@250mm$（受力筋配筋率 0.147%，接近最小配筋率 0.15%）。

2. 防淤闸边墩和中墩的结构计算

边墩视做固结于闸底板上的悬臂结构，承受山岩压力、闸室内水压力及墙后填土压力等外荷作用。取 1.0m 宽闸墩按固结于闸底板上的悬臂梁计算各高程截面内力。

边墩承受的荷载包括墙后填土压力及山岩侧压力（或渗水压力）、闸室内水压力等。由于左边墩后直立岩壁已用锚杆锚固稳定，其侧压力无法准确计算，为安全计，在确定荷载组合时，均考虑最不利情况。右边墩后岩石边坡已开挖成稳定边坡，其所受荷载有闸墩自重、墩后土压力、水压力，闸室内水压力等。

左右边墩荷载组合两种工况为墩后土（岩）侧压力、闸室内无水和闸室内水压力 + 墩后回填土压力，忽略山岩压力。根据岩石特性，岩石的侧压力系数取 0.1。

根据边墩所受外力，计算其不同高程的内力，按照《水工钢筋混凝土结构设计规范》（SDJ20—78），进行各断面配筋，忽略闸墩自重，计算配筋率小于最小配筋率时按最小配筋率取用。

中墩受力对称，仅对牛腿放射筋进行计算。中墩配筋根据工程经验，考虑温度应力，按照大体积少筋混凝土配筋，竖向筋选用 $\Phi 20@200mm$。

隔墩厚度 7.0m，属大体积混凝土结构，虽然有可能存在两侧水位不同的情况（设计尾水明渠隔墙顶高程 137.0m，但运用期有可能根据实际情况加高隔墙，使三条明渠独立运行），但即使按照最不利情况计算，隔墩的配筋率仍小于规范规定的最小配筋率。根据大体积混凝土结构配筋的工程经验，并简化配筋方式，隔墩配筋同中墩。

根据工程经验，闸墩在顺水流方向上受温度应力的作用，由于闸底板的约束，闸墩底部温度应力较大，在闸墩（包括边墩、中墩和隔墩）底部约 1/3 范围配置 $\Phi 25@200mm$ 水平分布筋，上部 2/3 范围配置 $\Phi 20@200mm$ 水平分布筋，内外侧相同。

3. 弧门支座的结构计算

由金属结构提供，弧门推力参数为：弧门最大总水推力 $P = 11\,880kN$，与水平方向夹角 $\alpha = 30.3°$，弧门支座的布置（中心轴）与支座推力方向一致，每个牛腿上的作用力 $Q = 5\,940kN$，Q 的作用点距闸墩表面为 $C = 0.6m$。支座侧压力 900kN，垂直闸墩表面。

弧门支座相当于固结在闸墩表面的短悬臂梁，在剪力 Q 及弯矩 $M = Q \cdot C$ 作用下按受弯受扭构件进行支座断面复核和配筋。计算结果为支座的受力钢筋小于最小配筋率，说明按结构布置要求设置的支座尺寸偏大，最终支座的受力钢筋按照规范规定的最小配筋率设置。

4. 闸墩局部受拉区钢筋——辐射筋配置

根据工程经验及以往研究成果，弧门支座附近的闸墩在闸门推力的作用下局部产生拉应力，且仅在牛腿前（靠闸门一边）的 2 倍牛腿宽、1.5～2.5 倍牛腿高的范围内，闸墩内的主拉应力大于混凝土的许可拉应力，需配置受力钢筋。在此范围之外，拉应力一般小于混凝土的许可拉应力，可按构造配筋。

根据《水工设计手册》，闸墩局部受拉钢筋面积计算公式为：

$$A_g = \frac{KN'}{R_g} \tag{10-6-3}$$

式中　K——强度安全系数,取 1.5;

　　　N'——$N' = (0.7 \sim 0.8)Q$,取 $N' = 0.8Q$,Q 为弧门支座推力;

　　　R_g——钢筋设计强度。

计算结果:$A_g = 222.75\text{cm}^2$。牛腿处闸墩局部受拉钢筋——扇面辐射筋布置的长度范围在牛腿前沿牛腿高度方向长 $2h$、宽 $2b$ 范围内。

(四)闸室细部设计

闸室细部设计包括:①底板止水与二期混凝土的关系;②弧门槽插筋;③闸顶交通;④墩顶栏杆等。

1. 闸室底板止水

在闸室分缝处为防止在上、下游水头差作用下成为漏水通道,特设一道铜片止水,止水在闸门底坎二期混凝土处上翻与二期混凝土内铁件连接形成封闭系统。由于铜止水与铁件连接效果不好,特采用橡胶止水作为连接材料。

2. 弧门槽插筋

为保证弧门槽二期混凝土与闸墩一期混凝土可靠连接,在一期混凝土内预埋插筋。插筋采用$\oplus 20$,每排 5 根,排距 0.5m,插入一期混凝土内 0.7m、二期混凝土内 0.3m。

3. 墩顶交通

为方便墩顶交通,保证设备维修通道畅通以及以后作为旅游区游客交通道,闸墩顶上的交通道宽均在 1m 以上。墩顶到弧门支铰采用爬梯、爬梯平台连接,墩顶到尾水明渠隔墙用爬梯连接。

4. 墩顶栏杆

为保证墩顶交通安全,在墩顶交通道四周设钢栏杆,在栏杆需要开口处设活动链条。栏杆的做法采用在混凝土内预埋铁件、后期焊接钢栏杆的方式。

5. 墩顶照明

墩顶照明采用在闸墩上设照明灯柱,灯柱分别设在左、右边墩与 $1^\#$、$2^\#$ 隔墩上。为保证灯柱不影响闸门维修时汽车吊的运行,将灯柱设在工作桥的上游侧。灯柱的做法同墩顶栏杆,也采用在混凝土内预埋铁件、后期焊接灯柱的方式。

第七节　尾水导墙设计

一、尾水导墙的布置

尾水导墙位于电站尾水防淤闸下游左侧,桥沟河右侧,其作用一是将电站尾水导向主河道,以保证发电质量;二是将桥沟河洪水和电站尾水及消力塘尾水分开;三是防止桥沟河出现洪水时,将卵石带到防淤闸下游,抬高河床,影响发电。这就要求导墙有一定长度,能使桥沟河洪水对电站尾水的影响减小到最低限度。导墙最终布置是从尾水防淤闸左侧边墩末端起始,内侧(迎电站尾水面)下部与防淤闸边墩迎水面齐平,呈圆弧状向大河方向延伸,起始端圆弧法线方向与防淤闸边墩垂直,末端伸到桥沟河,使桥沟河改道后在导墙末端处的宽度为 50m,导墙长 340.26m,墙内侧圆弧圆心角 $\alpha = 41°$,圆弧半径 $R = 475.5$m,导墙顶高程为 145m。

导墙的结构型式:导墙实际上是导水墙(导电站尾水)和挡水(土)墙(挡桥沟洪水),为重力式结构。

二、尾水导墙结构型式

电站尾水导墙为重力式结构,根据墙背水面(靠桥沟河一侧)可能出现的堆土高度及基岩面高程,将导墙断面形式分为 4 种。在迎水面(靠尾水渠一侧)及背水面各种荷载作用下,应对导墙的抗滑及抗倾稳定进行验算。由于导墙的作用主要是导水(导电站尾水)和挡水(挡桥沟河洪水),在抗倾抗滑稳定的情况下,允许墙底出现拉应力。

三、尾水导墙结构稳定分析

作用在导墙上的荷载有墙体自重、迎水面及背水面的静水压力、桥沟河水流的动水压力、迎水面涌浪压力、基底扬压力、背水面泥沙压力、地震惯性力等。

正常运用情况不考虑地震力,非常运用期考虑地震力,混凝土与基岩的摩擦系数取0.5,按抗剪公式计算导墙稳定。

荷载组合:当大河有较高水位出现时,位于河中的混凝土导墙迎水面及背水面的水位相等,两边水推力互相抵消,根据工程经验,此种情况下,重力式混凝土导墙在涌浪压力、扬压力、地震力等荷载作用下能够保持抗滑和抗倾稳定。最不利情况是断面 3—3,墙背面桥沟洪水位 141.00m,且在桥沟洪水冲淤作用下有一定高度的堆石,假定堆石顶高为138.00m,迎水面水位为尾水防淤闸设计水位 134.43m,此时导墙有向迎水面滑动及倾倒的趋势。

桥沟河水流流向与墙体夹角很小,可以忽略水流动水压力。迎水面水深较小,可以忽略涌浪压力。

计算结果:抗滑稳定安全系数 $K_滑 = 1.27 > [K] = 1.10$;抗倾稳定安全系数 $K_倾 = 1.73 > [K] = 1.30$;基底应力 $\sigma_压 = 0.39$MPa,$\sigma_拉 = -0.09$MPa。

抗滑、抗倾及应力均满足规范要求,导墙稳定。

第十一章　电站厂房混凝土结构设计

第一节　设计原则及要求

一、设计标准

电站总装机容量 1 800MW,根据《水利水电枢纽工程等级划分及设计标准》(山区、丘陵区部分)SDJ12—78(试行)规定,电站厂房为一级建筑物,应按百年一遇洪水设计,千年一遇洪水校核。

小浪底水利枢纽坝址区地震烈度为Ⅶ度,根据《水电站厂房设计规范》(SD335—89)第5.2.16 条,地震设计烈度不超过Ⅷ度时,地下式厂房的围岩稳定和支护设计可不计地震力。根据《水工建筑物抗震设计规范》(SL203—89)第 9.1.1 条规定,地震设计烈度不超过Ⅶ度的地下建筑物可不计地震的影响。因此,地下厂房及地下附属建筑物均不作地震验算,但结构体系及结构节点均应满足Ⅶ度地震设计烈度的构造要求。

二、基本资料

(一)特征水位

(1)厂房校核洪水尾水位($P = 0.1\%$)140.5m,相应下泄量 13 300m³/s。

(2)厂房设计洪水尾水位($P = 1\%$)139.30m,相应下泄量 9 500m³/s。

(3)5 台机发电尾水位 134.43m,相应下泄流量 2 300m³/s。

(4)1 台机发电尾水位 132.72m,相应下泄流量 300m³/s。

(二)厂房基岩特性

厂房建基面岩石以厚层、巨厚层硅质、钙硅质细砂岩为主,其物理力学指标为:厂房、安装间部位允许承载力为 3MPa,平面单位抗力系数为 40MPa/cm,静变形模量 $E_0 = 3$GPa;地下副厂房部位地基允许承载力为 2MPa,平面单位抗力系数为 21MPa/cm,静变形模量 $E_0 = 1.6$GPa。

厂区岩石坚硬,抗压强度较高。厂房基础地下水位为 135.0m 以下,基坑Ⅰ期混凝土在地下水位以下,其他绝大部分无地下水出露。

由于岩石裂隙比较发育,对主厂房基础均采用固结灌浆进行加固处理,灌浆孔深为5m,孔排距为 3m。对安装间及地下厂房基础采用片筏(部分条基)底板。

(三)气象

地面:

年平均气温	14℃
年内最高气温	43.7℃
年内最低气温	− 17.2℃

风级、风力　　　　　　　　　20m/s

(四)电站基本特性指标

电站基本特性指标见表11-1-1。

表 11-1-1　　　　　　　　　　　　电站基本特性指标

序号	指标名称	单位	数量	说明
1	装机容量	MW	1 800	
2	年发电量	kWh	51 亿	多年平均
3	水轮机型号			HL163 - LJ - 635.6
4	吸出高度	m	- 2.5	
5	额定水头	m	112.0	
6	额定流量	m³/s	296	
7	尾水管形式			立式弯肘形
8	发电机型号			SF300 - 56/13600
9	调速器型号			VGC712 型数字式微机调速器
10	主变压器			SSP - 360MVA,242/18kV
11	桥式吊车	kN(双小车桥式起重机)		5000/1250/100　　2 台

(五)机电设备

1. 发电机部分

发电机形式　　　　　　　　立轴、空冷、半伞式、三相同步水轮发电机

正常转速　　　　　　　　　107.1r/min

飞逸转速　　　　　　　　　244r/min

发电机总重量　　　　　　　18 700kN

电压　　　　　　　　　　　18kV

额定功率因数　　　　　　　0.9

转子转动惯量　　　　　　　990 000kN·m²

定子基础正常扭矩　　　　　21 720kN·m

定子基础短路扭矩　　　　　10 852.52kN·m

2. 水轮机部分

水轮机型号　　　　　　　　立轴混流式水轮机

水轮机总重　　　　　　　　10 490kN

水轮机轴向推力　　　　　　27 500kN

3. 尾水闸门启闭机

型号　　　　　　　　　　　2×2500kN 台式启闭机

轨距　　　　　　　　　　　7.5m

最大轮压　　　　　　　　　1 133.1kN(880kN)

4. 桥式起重机

型号　　　　　　　　　两台双小车桥式起重机 2×(5000kN/1250kN/100kN)

轨距　　　　　　　　　23.5m

最大轮压　　　　　　　710kN

三、设计原则

(1)根据《水工混凝土结构设计规范》(SL/T191—96)第4.1.3条规定,厂房结构安全级别为Ⅰ级,环境条件为二类。

(2)结构设计分水上、水下两部分,水上结构按工业与民用建筑现行有关规范进行设计。水下结构按简化杆件计算截面内力,并进行三维有限元分析,根据两者的计算结果,并按现行水工设计有关规范进行设计。

(3)水下大体积混凝土结构,因温度收缩时受基础约束和内外温差的影响,会产生较大的温度应力,应配置适当的温度钢筋。国内关于温度配筋意见不一,本工程是参考国内外类似工程配置温度筋。配筋的目的是限制裂缝的开展,而不是防止裂缝的出现。

第二节　厂房结构与混凝土分区

厂房主体结构采用现浇钢筋混凝土结构型式,围护结构采用砖墙和 GRC 板防潮隔墙。结构布置与厂房设备布置相结合,在满足厂房设备布置的基础上,最大限度地优化结构体系,以使厂房水下和水上结构布置以及伸缩缝、止水和排水的设置等满足机组安装及运行的需要。

一、水下结构

水下结构包括机墩、蜗壳、尾水管、基础板。

(1)机墩:采用圆筒形结构,整体性好,刚度大。机墩内径14.1m,厚度5.0m,高度4.5m。底部固定在蜗壳顶板上,属矮机墩,按下端固定、上端自由的单宽截条偏心受压构件计算。进行机墩静力、动力两种情况的计算。在进行内力计算时,所有静荷载及除轴向水推力外的所有动荷载均乘以动力系数1.5,计算结果均为构造配筋。动力计算结果,振幅满足要求,且不会产生共振。

(2)蜗壳:采用金属蜗壳,在蜗壳上半部与外围混凝土间放一层弹性垫层,使内水压力完全由蜗壳承担,外围钢筋混凝土结构不承受任何内水压力。由机墩和水轮机层传来的荷载则全部由外围混凝土结构承担(对蜗壳下半圆进行接缝灌浆,灌浆孔布置在蜗壳座环下部,灌浆压力0.1MPa)。蜗壳外围混凝土空间结构简化为平面杆系计算,并考虑刚性段和剪切变形的影响,计算结果内力值不大,同时参考已有工程配筋,按构造配筋。

(3)尾水管:由锥管段、弯管段和扩散段三部分组成。其中锥管段四周为大体积混凝土,类比相似工程,按构造配筋。弯管段与扩散段底板采用锚筋锚固于基岩中(Φ22@1.5m×1.5m,L=4m),同时在扩散段周边布置排水孔(φ48mm@3.0m×3.0m,L=4.5m)以减小外水压力。弯管段底板衬砌厚 2.5m,上部为大体积混凝土,尾水管段为扩散段,衬砌厚度 1.5m。采用三维有限元法对尾水管整体结构进行了应力应变分析,同时采用简化的单宽平面框架进行复核计算,结果表明结构本身按构造配筋即可满足要求。

(4)主厂房基础板为水下大体积混凝土结构,基础板内布置有渗漏排水廊道、检修排水廊道和尾水管等大孔洞,为空间结构。针对小浪底地下厂房的特点,为减小主厂房的开挖高度,确保厂房开挖期稳定,同时减少混凝土浇筑量,对机坑采用局部开挖浇筑混凝土和周边岩台联合受力的基础板。由于空间形状十分复杂,将机墩、蜗壳以及尾水管等结构作为一个整体用三维有限元法进行研究,考虑了四周围岩的作用。计算结果显示,在自重作用下,整个结构水平应力不大,Ⅰ、Ⅱ期混凝土应力状况均较好。在Ⅱ期混凝土结构内所产生的最大拉应力一般在 1.0～1.5MPa 之间,拉力区集中在蜗壳四周,且尾水管顶部的拉力区较大。设计工况以温度工况为控制工况。整体来讲,结构本身配置构造钢筋后基本能够承受所产生的拉力,但对局部结构突变处应进行加强。

二、水上结构

水上结构包括风罩、板梁柱、吊车梁等。

(1)风罩:为圆筒形薄壁结构,内径为 18.1m,壁厚 0.5m,高度为 5.5m。底部固定在机墩上,顶部与发电机层楼板整浇(假定为铰支)。近似按有限长薄壁圆筒计算,作用在风罩顶端的荷载按沿周长均匀分布。配筋由温度内力控制,取温升、温降为 20℃进行计算配筋。

(2)副厂房、安装间基础:地基为完整基岩,基础型式为片筏型基础,局部采用条形或独立柱基。筏板基础按倒置的双向多跨连续板受地基净反力作用计算,板厚由其抗冲切承载力确定。另外为了加强整幢建筑与岩石底板和侧壁的整体联结,柱基均配置 4Φ22 锚筋,上游侧墙壁沿柱高每间隔 2.5m 也按构造设置Φ20 锚筋,均锚入岩石 2.5m。

(3)吊车梁:采用钢筋混凝土岩壁吊车梁,配筋采用悬臂牛腿和弹性基础梁双向受力计算,按计算结果配筋,同时参考类似工程配筋。

三、厂房分缝与止水、排水设计

厂房基础为岩基,在锥管层(125.0m 高程)以下为Ⅰ期混凝土,采用两机一缝(间距 53.0m),缝宽 10mm。在蜗壳层(125.0m 高程)以上为Ⅱ期混凝土,采用一机一缝(间距 26.5m),缝宽 20mm。

根据地下厂房三维渗流计算成果,厂房区在水库蓄水后,其地下水位为 135.0m 左右,所以要求在 135.0m 高程以下所有机组段分缝采用紫铜片止水,在上、下游侧及 134.5m 高程水平缝形成封闭的止水系统。永久缝上部(125.0m 高程以上)宽为 20mm,缝间填沥青油毡。

对于主、副厂房侧墙的渗漏水,在上、下游侧墙脚处(地下副厂房 144.5m 高程,安装间 134.5m 高程,主厂房 124.5m 高程)设排水明沟,将地面积水汇至地漏,由排水管引至渗漏集水井,集水井内设两台深井泵定时将水抽出厂外。

四、建筑物的混凝土分区

在满足水轮发电机组安装以及使国际标与国内标分标尽可能合理的前提下,使厂房Ⅰ、Ⅱ期混凝土的划分和浇筑分层尽量做到结构受力合理、施工方便。

(一)厂房Ⅰ、Ⅱ期混凝土

Ⅰ期混凝土包括岩壁吊车梁、底板、尾水管、尾水管洞、上下游操作廊道等施工中先期浇筑的构件。

Ⅱ期混凝土包括蜗壳外围混凝土,尾水管锥段钢板衬砌的外包混凝土,机墩,发电机风罩以及母线层、发电机层板梁柱等为了机组安装和埋件预留的,在机组和有关设备到货后再进行浇筑的构件,主要为125.0m 高程以上的混凝土(见图11-2-1)。

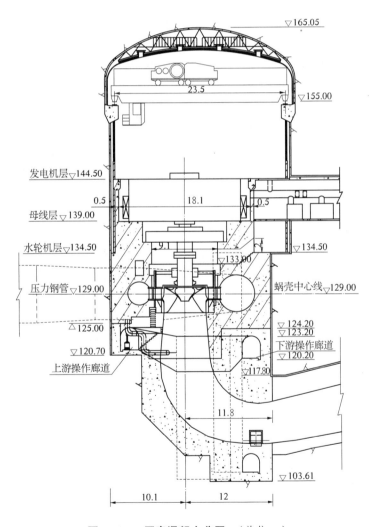

图 11-2-1　厂房混凝土分区　(单位:m)

(二) Ⅰ、Ⅱ期混凝土浇筑的分块分层

1. Ⅰ期混凝土浇筑的分块分层

Ⅰ期混凝土浇筑的分块分层见图 11-2-2。

(1)浇筑块 $Ⅰ_1$ 为检修排水泵房底板。分块高 2.0m,由高程 103.61m 到 105.15m。

(2)浇筑块 $Ⅰ_2$ 为尾水管底板。分块高 3.0m,由高程 105.15m 到 108.077m。

(3)浇筑块 $Ⅰ_3$ 为尾水管边墙。分块高 7.0m,由高程 108.077m 到 115.510m。

(4)浇筑块 $Ⅰ_4$ 为尾水管顶板水平段部分。分块高 5.0m,由高程 115.51m 到 120.50m。

(5)浇筑块 $Ⅰ_5$ 为尾水管顶板弯管段部分。分块高 12.0m,由高程 108.077m 到 120.20m。

(6)浇筑块 $Ⅰ_6$ 为尾水管上游操作廊道底板。分块高 1.0m,由高程 120.7m 到 121.70m。

(7)浇筑块 $Ⅰ_7$ 为上、下游操作廊道顶板。分块高 5.0m,由高程 102.20m 到 125.00m。

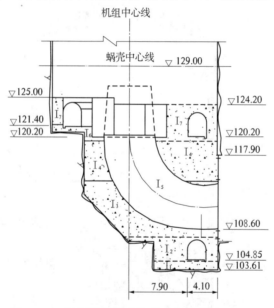

图 11-2-2　厂房Ⅰ期混凝土浇筑分层分块　(单位:m)

2. Ⅱ期混凝土浇筑的分块分层

Ⅱ期混凝土浇筑的分块分层见图 11-2-3、图 11-2-4。

(1)浇筑块 $Ⅱ_1$,由高程 120.20m 到 125.0m(上游侧 126.475m)。浇筑这层的目的是为了固定尾水锥管,同时在此层内埋设支撑座环和蜗壳的支墩。

(2)浇筑块 $Ⅱ_2$,由高程 125.0m 到 129.0m,即蜗壳底板浇至蜗壳中心线。

(3)浇筑块 $Ⅱ_3$,由高程 129.0m 到 134.5m。由蜗壳中心线分 3 次浇至水轮机层。

(4)浇筑块 $Ⅱ_4$,由高程 134.5m 到 139.0m。在浇筑机墩混凝土的同时在 139.0m 层处应预留母线层板梁钢筋。

(5)浇筑块 $Ⅱ_5$,由高程 139.0m 到 144.5m。浇筑发电机风罩,同时在 144.5m 层处预留发电机层板梁钢筋。

(6)浇筑块Ⅱ₆,即母线层楼板机组间板梁。

(7)浇筑块Ⅱ₇,即发电机层楼板梁柱。

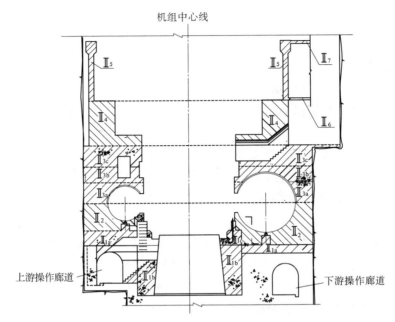

图 11-2-3　厂房Ⅱ期混凝土施工分块示意图(一)

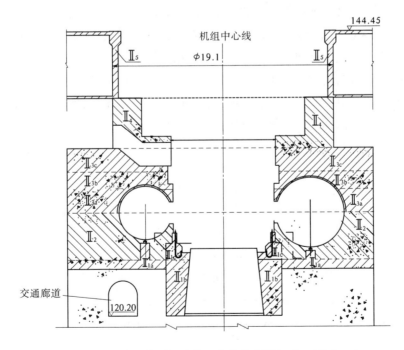

图 11-2-4　厂房Ⅱ期混凝土施工分块示意图(二)　（单位:m）

第三节 主厂房上部结构设计

一、设计基本资料

(一)计算说明

主厂房上部分为水轮机层(134.50m 高程)、母线层(139.00m 高程)和发电机层(144.50m 高程),水轮机层以下为大体积混凝土,其上部结构全部采用现浇钢筋混凝土框架结构。

母线层布置有调速器、油压装置及水机、电气专业的预留孔洞;发电机层楼板下游布置有机旁盘,在机旁盘下部开有大小不等的孔洞作为设备电缆的通道;为了厂内交通方便,每个机组段均设有楼梯,楼梯从发电机层通到水轮机层;为方便机组安装、检修,每个机组段均设有吊物孔。

由于圆形的风罩与发电机层及母线层的板、梁相交,从而使风罩周围的楼板布置很不规则,加上发电机层和母线层有很多预留孔,同时发电机层和母线层楼板又要承受振动荷载的影响,因此决定在发电机层与母线层采用现浇混凝土结构,并采用一机一缝,即在机组段间设 20mm 宽的伸缩缝,在分缝处采用双梁双柱的布置形式。

(二)计算条件和依据

活荷载:根据《水工建筑物荷载设计规范》(DL5077—1997)的要求,发电机层活荷载标准值为 50kN/m²(安装间段除外),母线层活荷载标准值为 10kN/m²。

恒荷载:根据建筑设计要求,发电机层采用花岗岩铺面,母线层采用 30mm 厚地砖铺面,发电机层、母线层楼面做法荷载标准值分别为 1.16kN/m²、0.68kN/m²。厂房上、下游边墙采用 10cm 厚预制混凝土挂板,其荷载标准值为 2.50kN/m²。母线层主要布置有油压装置和回油箱,其荷载标准值分别为 286kN/m²、170kN/m²。

二、计算理论和方法

(1)在进行结构计算时,采用中国建筑科学研究院 CAD 工程部开发研制的结构平面计算机辅助设计软件 PKPM 程序。该程序对于给出的楼面恒、活荷载,自动进行楼板到次梁、次梁到框架的分析计算,所有次梁传到框架的支座反力、各梁到梁、各梁到节点、各梁到柱传递的力均通过平面交叉梁系计算求得。

(2)荷载组合采用基本组合。荷载分项系数:恒载 $\gamma_G = 1.2$,活载 $\gamma_Q = 1.4$。

(3)材料。混凝土采用 C30,$f_c = 15\text{N/mm}^2$,$f_{cm} = 16.5\text{N/mm}^2$,$f_t = 1.5\text{N/mm}^2$,$E_0 = 3 \times 10^4\text{N/mm}^2$。钢筋:Ⅰ 级,$f_y = 210\text{N/mm}^2$;Ⅱ 级,$f_y = 310\text{N/mm}^2$;混凝土保护层厚度取 $a = 30\text{mm}$。

(4)根据水机及电气专业的布置需要及结构要求,机组段发电机层、母线层主、次梁平面及柱网布置分别见图 11-3-1、图 11-3-2。

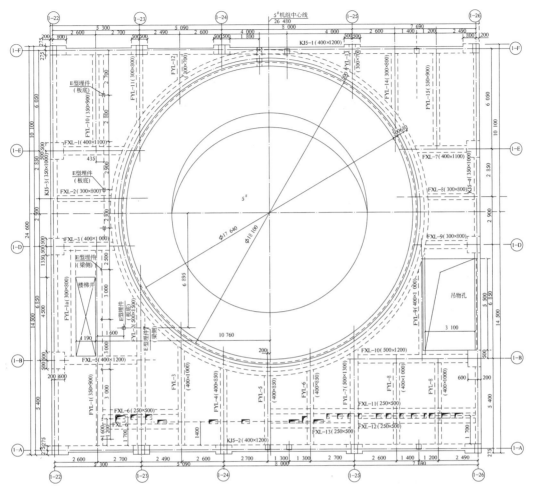

图 11-3-1　发电机层主、次梁平面及柱网布置　（单位：mm）

三、计算结果

由于机组布置的需要,除 2# ~ 5# 机组段布置完全相同外,1#、6# 机组布置各不相同,但各机组段间的布置相差不大。因此,这里仅以 5# 机组为例,说明主厂房的结构设计。

(一)发电机层、母线层楼板及框架配筋

经过反复计算比较,最后确定发电机层楼板厚度为 250mm,母线层楼板厚度为 200mm。机组段发电机层、母线层楼板配筋分别见图 11-3-3、图 11-3-4。

机组段上、下游边墙框架柱截面在发电机层以下为 550mm × 1 000mm,在发电机层以上为 400mm × 550mm;机组段平行水流方向的框架柱截面为 800mm × 1 000mm。

(二)厂房下游岩台框架柱基础及插筋设计

根据主厂房开挖布置,在厂房下游边墙水轮机层以下留有 2.70m 宽的岩台,水轮机层以上各层的荷载均通过板梁传到框架柱上,再通过框架柱传至水轮机层,经验算,厂房下游岩台的承载力不能满足框架柱底的应力要求,因此决定在厂房下游框架柱底部设条形基础。

在计算基础梁配筋时,作用于基础梁上的荷载,直接采用 PK 计算上部框架柱底部的轴力、剪力、弯矩的计算结果,同时假定下部的岩体为半无限弹性地基,采用原水电部等单位编制的《水利水电工程 PC - 1500 程序集(88)》中程序"G - 2"弹性地基梁计算程序,在保证地基梁上单位面积的反力不超过岩台承载力的情况下,先拟定地基梁的断面尺寸,再反算地基梁的配筋。

为保证地基梁与岩体能有机地结合为一体,在每根框架柱范围内打 6$\oplus$25 的插筋($L = 4.35$m),其中埋入岩体 2.5m,钻孔直径 80mm,用细石混凝土浇灌密实。

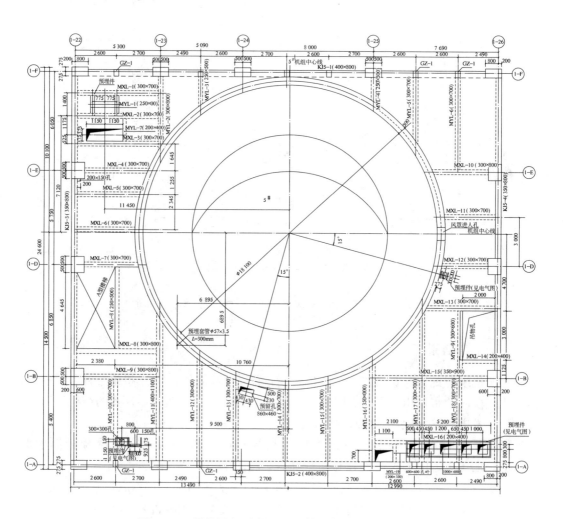

图 11-3-2　母线层主、次梁平面及柱网布置　(单位:mm)

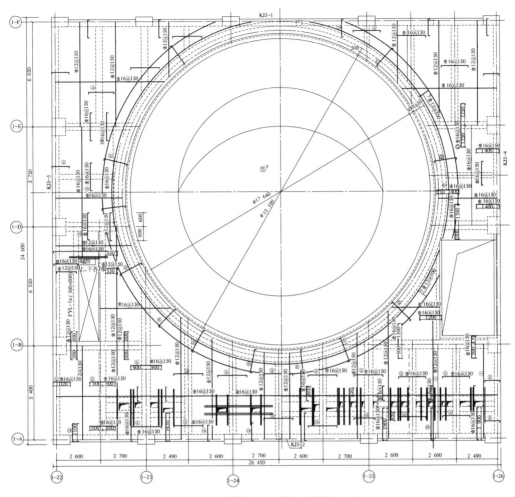

图 11-3-3 发电机层配筋 （单位:mm）

第四节 安装间上部结构设计

一、设计基本资料

(一)基本数据

1. 安装间各层布置情况

安装间共分 3 层:①144.5m 高程层用于安装检修设备,布置有检修转子、上机架(定子叠片)、筒阀、推力支架、转轮、顶盖、主轴及主变压器等的检修位置,除转子检修放置在 15.0m×16.5m 的岩台上外,其余设备检修时均放置在现浇梁板上;②139.0m 高程层布置有空压机室及照明变压器室等辅助用房;③134.5m 高程层布置有回水泵房及厂内机修间、清水回水池及供、回水管道。

各层布置见图 11-4-1、图 11-4-2、图 11-4-3。

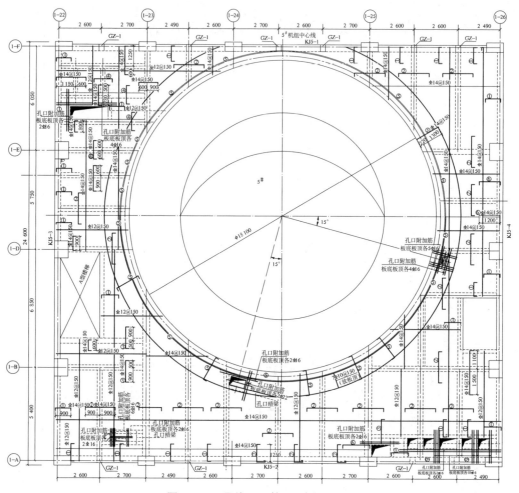

图 11-3-4　母线层配筋　(单位:mm)

2. 材料

混凝土采用 C30,采用Ⅱ级、Ⅲ级钢筋,混凝土保护层厚度取 $a = 35$mm。

3. 基础型式

由于安装间底层机电设备布置需要,在安装间水轮机层(底层)中部,设置 9.0m× 32.0m×14.0m 的清水回水池,将底板分割成条块状。基础型式采用片阀式基础,板厚 0.75m。对清水池中的两排 14 根柱子采用条形基础。

柱基采用锚固基础,即每根柱子采用 4 根主筋锚入基岩 2.0m,同时对上下游的柱子 采用$\underline{\Phi}$32@1.5m($L = 3.0$m)锚筋与岩壁相连。

(二)计算条件和说明

1. 地质条件

根据开挖揭露情况对安装间基础地基承重层的分析评价,地下厂房安装间地基为 T_1^{3-2}地层,围岩类别为Ⅲ类,岩体完整性好,无断层通过,根据基础承重层地层岩性、爆破 松动影响及节理间距较大、倾角高的特点,安装间部位允许承载力按 3MPa,平面单位抗力

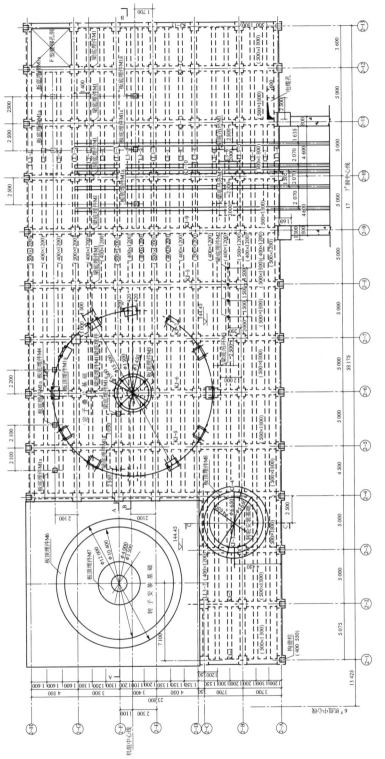

图 11-4-1 发电机层结构平面图（单位：mm）

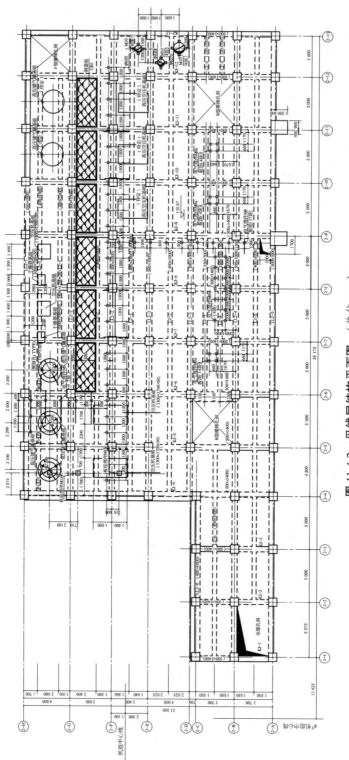

图 11-4-2　母线层结构平面图 （单位：mm）

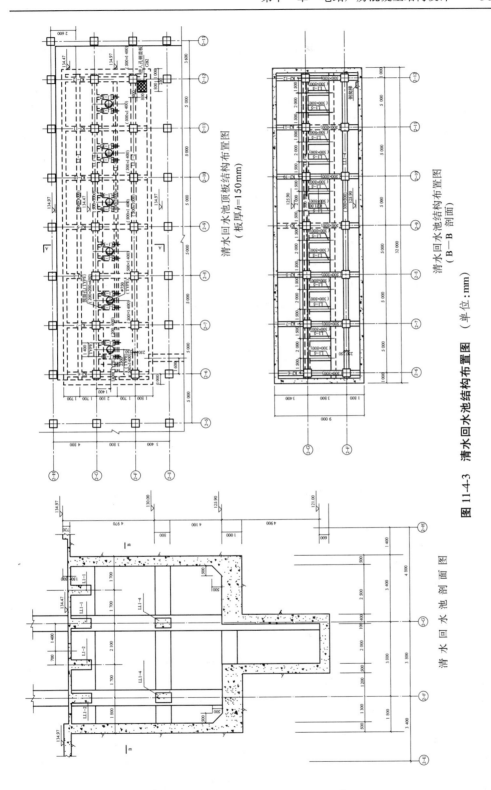

图 11-4-3 清水回水池结构布置图（单位：mm）

系数 $K_w = 40\text{MPa/cm}$，静变形模量 $E_0 = 3\text{GPa}$。

安装间基础施工开挖完成后，清水池及转子支墩的直立边坡由开挖引起的岩石松弛及张开的裂隙，采用喷锚网进行处理，对所有基岩面均采用 C15 素混凝土回填至开挖支付线。

2. 发电机层安装间段荷载确定

发电机层安装间用于机组安装、检修，堆放大件及主变压器的检修。由于设备底部一般设有支垫(枕木、垫块等)，在确定荷载时，需考虑荷载扩散因素，通过如下分析确定安装间活荷载。

(1)按转子重量计算活荷载为 $q = 127.8\text{kN/m}^2$。

(2)按转轮重量计算活荷载为 $q = 54.2\text{kN/m}^2$。

(3)按定子重量计算活荷载为 $q = 84.5\text{KN/m}^2$。

(4)吊车进行荷重试验时吊笼重量为 $q = 77.4\text{kN/m}^2$。

(5)按《水工建筑物荷载设计规范》(DL5077—1997)，活荷载取值 $160 \sim 140\text{kN/m}^2$。

基于以上分析，同时参照刘家峡、白山、龙羊峡及二滩电站的安装间活荷载设计取值，考虑到小浪底电站安装检修时，转子置于安装间岩体上，故安装间活荷载可不考虑转子荷重。

综合以上分析，安装间发电机层楼板活荷载取值为 150kN/m^2。

其他楼层荷载按照厂房规范确定，母线层活荷载选定为 50kN/m^2，水轮机层活荷载为 30kN/m^2。

3. 荷载组合

(1)荷载组合不考虑机组大修和变压器大修同时进行。

(2)荷载组合采用基本组合，荷载分项系数，恒载 $\gamma_G = 1.2$，活载 $\gamma_Q = 1.4$。

4. 荷载计算

上部板、梁、柱框架结构计算采用中国建筑科学研究院 CAD 工程部开发研制的 PK、PM 系列计算机结构建筑程序。

基础计算直接采用上部结构计算所得到的框架柱的底部轴力、剪力、弯矩结果。由于上部结构采用比较成熟的程序计算，本节仅对于底板设计作较为详细的说明。

二、计算理论、方法

安装间基础由 134.5m 高程层水轮机层基础及中间布置的清水回水池基础组成。基础型式有片筏式基础及条形基础两种型式。

所有框架柱均采用 $\Phi 32@1.5\text{m}(L = 3.0\text{m})$ 锚筋与岩壁相连，基础计算时仅取框架柱下部轴力设计，而对平面外剪力及弯矩忽略不计。

按照安装间水轮机层(134.5m 高程)布置体形要求，对基础底板分区设置分别计算。详见图 11-4-4。

(一)条形基础设计

计算内力采用反梁法。近似地按经验系数法的弯矩和剪力系数直接计算基础梁内力。

计算假定如下：①将地基反力按作用在基础梁上的荷载，把柱子看做是基础梁的支座，作为一倒置的连续梁进行计算；②梁下地基呈直线分布，根据柱子传到梁上的荷载，利

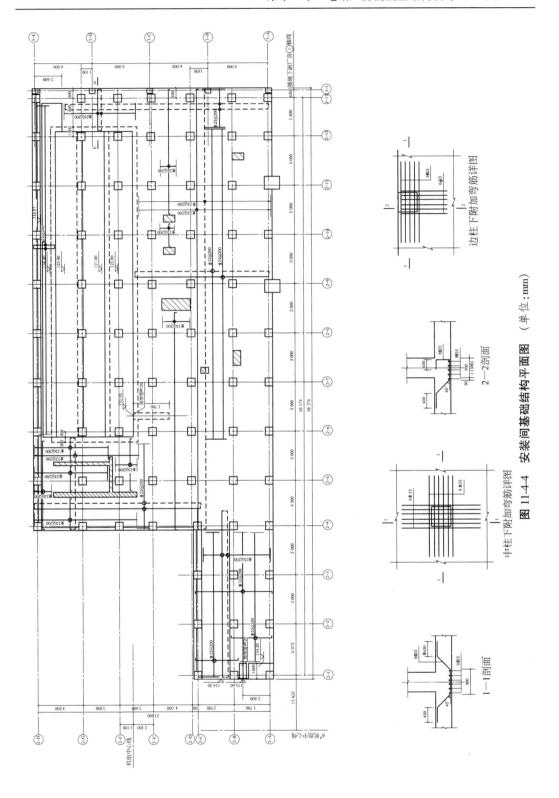

图 11-4-4　安装间基础结构平面图（单位:mm）

用平衡条件,即可求得地基反力的分布;③竖向荷载的合力中心必须与基础的形心重合,两者的偏心距以不大于基础长度的3%为宜;④基础底板按悬臂板计算,先求出基础板悬臂的地基平均净反力,再计算弯矩,然后按斜截面受压抗剪能力确定底板厚度,并计算配筋;⑤基础梁的内力分析,按经验系数法计算。

(二)片筏基础设计

基础为0.75m厚平板,柱网为5.0m左右,在柱网内不布置次肋。片筏基础近似按倒置的双向多跨连续板受地基净反力作用计算。①按双向交叉板条在板中心处挠度相等条件,受均布地基净反力的作用,算出底板各部分的弯矩;②采用《混凝土结构设计规范》(GBJ10—89)第4.4.1条公式计算冲切承载力及配筋。

三、计算结果

底板计算由清水回水池底板及水轮机层(134.5m高程)底板组成,这里仅摘录水轮机层(134.5m高程)底板计算成果。

水轮机层底板设计,假定其与清水池侧壁固端连接,底板结构厚度0.72m,混凝土采用C30。钢筋为Ⅱ级钢。

底板配筋:上层Φ25@200mm双向;下层Φ25@200mm纵向、Φ32@200mm横向;架立钢筋Φ16@400mm双向。

第五节 机墩风罩结构设计

一、基本情况

厂房机墩风罩均为现浇整体钢筋混凝土结构,其中风罩顶部与发电机层楼板整体现浇,底部固定在机墩上,是一薄壁圆筒式结构,其外径为19.1m,内径为18.1m,风罩壁厚为0.5m,高度为5.5m,并于顶部设置了用以承受发电机上机架作用力的加强圈梁。风罩壁设有主引出线孔、中性点引出线孔、进人门和12个加热器坑、2个暖风孔等孔洞。

机墩顶端与风罩和母线层梁板整体浇筑,底端固定在蜗壳顶板上,呈圆筒形,外径为19.1m,高4.5m。机墩上设有2个进人门和4个进风孔、4个灯具坑。

机墩风罩、蜗壳顶板和发电机层及母线层梁板构成了复杂的三维空间钢筋混凝土结构,是厂房的主体结构,必须满足机组安装、正常运行、短路飞逸和检修时刚度和强度的要求。结构分析和配筋计算分别取风罩、机墩、定子基础和下机架基础为脱离体,采用简化力学模型,用结构力学方法进行分析计算,并根据已建电站的设计和运行经验进行工程类比,使结构配筋经济合理。

二、风罩结构设计

(一)基本假定与荷载组合

风罩为薄壁钢筋混凝土结构,半径与壁厚之比为19.1,大于10,且高度为5.5m,故按有限长薄壁圆筒公式计算,其顶部与发电机层板梁整浇,简化为铰支,底部与机墩和母线层梁板整浇,视为固结。

风罩承受的荷载主要有:①自重;②发电机层楼板传来的荷载;③发电机上机架千斤

顶水平推力;④发电机短路时,发电机层楼板作用于风罩的约束扭矩;⑤温度应力,取温升、温降为20℃和内外壁温差25℃的影响力。

风罩荷载组合如下:正常运行((1)+(2)+(3)+(5));正常运行+温度内力((1)+(2)+(4)+(5))。

(二)内力计算

1.静力计算

发电机层楼板传给风罩的荷载简化为沿圆周单位长度的垂直轴向力P和弯矩M_0(沿圆周单位长度),风罩内力计算公式如下:

$$M_x = K_{M_x} M_0 \tag{11-5-1}$$

$$M_\theta = \mu M_x \tag{11-5-2}$$

$$N_\theta = K_{N_\theta} M_0 / h \tag{11-5-3}$$

$$Q_x = K_{Q_x} M_0 / H \tag{11-5-4}$$

式中　μ——混凝土泊松比;

K_{M_x}、K_{N_θ}、K_{Q_x}——系数,查《水电站厂房设计规范》(SD335—89)附录二表2.1-2;

M_x——竖向弯矩,kN·m;

M_θ——环向弯矩,kN·m;

N_θ——环向力,kN;

Q_x——剪力,kN;

M_0——外力矩,(kN·m)/m;

h——圆筒壁厚,m;

H——圆筒高,m。

2.发电机上机架作用力

发电机上机架作用在风罩上的力为水平法向(环向)切力Q_z,$Q_z = 2\,400$kN(总值)。

3.发电机层楼板对风罩的约束扭矩M_α

发电机层楼板对风罩的约束扭矩M_α为:

$$M_\alpha = fGr_0 \tag{11-5-5}$$

式中　G——发电机层楼板作用于风罩顶的垂直力总和;

f——楼板支承面的摩擦系数,一般取混凝土与混凝土之间的摩擦系数;

r_0——风罩中心半径。

由M_α引起的水平面切向剪应力为:

$$\tau = \frac{3M_\alpha}{2Shr_0} \cdot \frac{r}{r_0} \tag{11-5-6}$$

式中　r——风罩外半径;

S——风罩中心线周长,扣除孔洞宽度。

4.温度内力计算

在均匀温升(内壁受拉)或温降(外壁受拉)作用下,任一截面的纵向(径向)弯矩和水平法向力计算公式如下:

$$M_x = K_{M_x} P_t H^2 \tag{11-5-7}$$

$$M_\theta = \mu M_x \tag{11-5-8}$$

$$N_\theta = (K_{N_\theta} - 1) P_t R \tag{11-5-9}$$

$$Q_x = K_{Q_x} P_t H \tag{11-5-10}$$

$$P_t = Eh\alpha_t t_R / R \tag{11-5-11}$$

式中　t_R——均匀温升或均匀温降；

　　　α_t——混凝土线膨胀系数；

　　　K_{M_x}、K_{N_θ}、K_{Q_x}——系数，查《水电站厂房设计规范》(SD335—89)附录二表 2.1 – 5；

　　　R——圆筒半径，m。

在内外温差 Δt 作用下，任一断面的内力计算如下：

$$M_x = K_{M_x} M_t \tag{11-5-12}$$

$$M_\theta = \mu (K_{M_x} - 5) M_t \tag{11-5-13}$$

$$N_\theta = K_{N_\theta} M_t / h \tag{11-5-14}$$

$$Q_x = K_{Q_x} M_t / H \tag{11-5-15}$$

$$M_t = 0.1 Eh^2 \alpha_t \Delta t \tag{11-5-16}$$

式中　K_{M_x}、K_{N_θ}、K_{Q_x}——系数，查《水电站厂房设计规范》(SD335—89)附录二表 2.1 – 7。

5. 内力计算结果

风罩各种工况下的内力计算结果见表 11-5-1、表 11-5-2。

表 11-5-1　　　　　　　　　　　正常运行情况下风罩的内力

X/H	0.0	0.1	0.2	0.3	0.4	0.5	0.6	0.7	0.8	0.9	1.0
竖向轴力 N_r(kN)	293.75	302	310.25	318.5	326.75	335	343.25	351.5	359.75	368	376.3
竖向弯矩 M_x(kN·m)	– 294	– 199	– 199	– 59	– 19	5	17	21	21	20	17
环向轴力 N_θ(kN)	0	– 468	– 633	– 616	– 507	– 369	– 237	– 136	– 56	– 13	0
环向弯矩 M_θ(kN·m)	– 49	– 33	– 20	– 10	– 3	1	3	4	4	3	3
径向剪力 N_r(kN)	52	48	38	27	17	9	4	1	– 1	– 1	– 1
环向剪力 Q_θ(kN)	82.19	82.19	82.19	82.19	82.19	82.19	82.19	82.19	82.19	82.2	82.19

表 11-5-2　　　　　　　　　正常运行 + 温度应力情况下的风罩内力

X/H	0.0	0.1	0.2	0.3	0.4	0.5	0.6	0.7	0.8	0.9	1.0
竖向轴力 N_r(kN)	293.75	302	310.25	318.5	326.75	335	343.25	351.5	359.75	368	376.25
竖向弯矩 M_x(kN·m)	– 293.75	72.72	– 313.78	456.74	528.62	544.71	513.18	423.12	256.26	– 18.13	– 423.75
环向轴力 N_θ(kN)	– 4 500	– 3 909	– 3 015	– 2 185	– 1 638	– 1 483	– 1 747	– 2 307	– 3 249	– 4 094	4 500
环向弯矩 M_θ(kN·m)	169.79	230.88	271.05	294.89	306.68	309.54	304.28	289.26	261.45	215.73	148.13
径向剪力 N_r(kN)	671.8	431.43	250.0	123.6	36.23	– 35.5	– 115.1	– 229.1	– 446.4	– 608	– 865.1
环向剪力 Q_θ(kN)	81.27	81.27	81.27	81.27	81.27	81.27	81.27	81.27	81.27	81.27	81.27

(三)配筋计算

求出以上各项纵向弯矩、纵向轴力、水平法向切力和环向弯矩、环向轴力后,按荷载组合进行叠加,最不利组合为正常运行＋温度应力。

以纵向弯矩、纵向轴力按偏心受压构件(截条)配置风罩纵向钢筋;以环向弯矩按受弯构件(环向轴力忽略不计)配置环向钢筋。用水平法向切力校核风罩水平截面的抗剪强度。配筋计算结果及工程类比见表11-5-3。

表 11-5-3　　　　　　小浪底水电站风罩配筋计算结果及工程类比　　　　(单位:mm²)

电站名称	竖　向		环　向	
	内侧	外侧	内侧	外侧
小浪底	3 079	3 079	2 454	2 454
十三陵	6 153	3 079	2 534	1 267
安康	1 418	1 418	1 005	1 005

三、机墩结构设计

(一)荷载组合

电站采用立轴半伞式发电机组,上机架的部分自重与定子重量由定子基础支墩负担,下机架则承受机组轴系传来的垂直负荷及水轮机垂直水压力,具体可分为以下几种。

(1)垂直静荷:结构自重、发电机定子重、机架及附属设备等。

(2)垂直动荷:水轮发电机转子连轴重、励磁机转子重、水轮机转轮连轴重及轴向水推力。

(3)水平动荷(a):正常运行时机组转动部分质量中心与机组中心之偏心距所引起的水平离心力。

(4)水平动荷(b):飞逸时机组转动部分质量中心与机组中心之偏心距所引起的水平离心力。

(5)正常扭矩 M_n:

$$M_n = 9.75 \frac{N\cos\varphi}{n} \qquad (11\text{-}5\text{-}17)$$

式中　　N——额定容量,kV·A;

　　　$\cos\varphi$——发电机功率因数;

　　　n——额定转速。

(6)短路扭矩 M'_n:

$$M'_n = 9.75 \frac{N}{nX_z} \qquad (11\text{-}5\text{-}18)$$

式中　　X_z——发电机瞬态电抗。

计算时共分正常运行、短路及飞逸3种工况,并对上述6种荷载进行分别组合,具体见表11-5-4。

表 11-5-4 机墩计算工况及荷载组合

荷载组合	计算工况	(1)	(2)	(3)	(4)	(5)	(6)
基本组合	正常运行	√	√	√		√	
特殊组合	短路	√	√	√			√
	飞逸	√	√		√		

(二)动力计算

机墩动力计算的目的是：

(1)校核机墩强迫振动和自振之间是否会产生共振现象。

(2)验算振幅是否在规范规定的容许范围内。

(3)核算动力系数(为静力计算所用)。

引起机组振动(即强迫振动)的原因错综复杂,其中主要有:发电机转子质量的不平衡;水轮机转子质量的不平衡;导叶叶片与转轮叶片在运动中的相互交会等。

1. 计算假定

机墩自振频率的计算,通常简化为单自由度体系的振动,其假定如下:①将机墩圆筒本身的质量,用一个作用于筒顶的集中质量(相当质量、当量荷载)来代替,使在此集中质量作用下的单自由度体系的振动频率与原来多自由度体系的最小频率接近,其中最小频率是实际工程中需要的频率;②机墩的振动作为单自由度体系振动计算,在计算动力系数和自振频率中,假定无阻尼作用;③机墩的振动为在弹性范围内的微幅振动,力和变位之间服从直线关系,即虎克定律;④结构在振动时的弹性曲线与在质量荷载作用下的弹性曲线形式相似,且用"动静法"处理动力计算问题。

2. 机墩自由振动频率

机墩自振频率分垂直、水平和扭转三种。

(1)垂直振动频率 n_{01}：

$$n_{01} = \frac{30}{\sqrt{\left(\sum P_i + P_0\right)\dfrac{L}{E_h F} + P_a \delta_P}} \tag{11-5-19}$$

式中　$\sum P_i$——作用在机墩顶部的全部垂直荷载;

　　　F——机墩截面面积;

　　　P_a——蜗壳顶板重;

　　　P_0——机墩自重;

　　　δ_P——蜗壳顶板在单位力作用下的挠度;

　　　E_h——混凝土的弹性模量;

　　　L——机墩高度。

(2)水平振动频率 n_{02}：

$$n_{02} = \frac{30}{\sqrt{\left(\sum P_i + 0.35 P_0\right)\dfrac{L^3}{3 E_h I_F}}} \tag{11-5-20}$$

式中　I_F——机墩截面惯性矩。

(3)水平扭转振动频率 n_{03}：

$$n_{03} = \frac{30}{\sqrt{I_\varphi \phi_1}} \tag{11-5-21}$$

$$I_\varphi = \sum P_i r_i^2 + 0.35 P_0 r_0^2 \tag{11-5-22}$$

$$\phi_1 = \frac{L}{G I_p} \tag{11-5-23}$$

$$I_p = \frac{\pi}{32}(D^4 - d^4) \tag{11-5-24}$$

式中　I_φ——相当于集中在机墩顶部的荷载回转惯性矩；

　　　ϕ_1——单位扭矩作用下机墩的扭角；

　　　r_i——垂直荷载至回转中心距离；

　　　r_0——机墩平均半径；

　　　G——剪切模量；

　　　I_p——机墩截面的极惯性矩；

　　　D——机墩外径；

　　　d——机墩内径。

3. 机墩的强迫振动

在机组正常运行时,有两种强迫振动：

(1)由机组转子质量不平衡产生的强迫振动,其频率等于机组每分钟转速,即 $n_1 = n$。

(2)由水力冲击产生的强迫振动,其频率等于导叶叶片与转轮叶片在运动中的相互交会次数,即

$$n_2 = \frac{n x_1 x_2}{a} \tag{11-5-25}$$

式中　x_1、x_2——导叶叶片与转轮叶片数；

　　　a——x_1 与 x_2 的最大公约数。

4. 机墩的共振校核

求出机墩的自振频率 $n_0(n_{01}、n_{02}、n_{03})$ 与强迫振动频率 $n(n_1、n_2)$ 后,即可进行共振校核。当 n 接近 n_0 时,将产生共振,结构的应力和变形均将急剧增加,因此共振校核要求 n 与 n_0 相差在20%～30%以上,即 $\frac{n_0 - n}{n} > 20\% \sim 30\%$ 或 $\frac{n - n_0}{n} > 20\% \sim 30\%$。如不能满足则应修改机墩尺寸。

5. 机墩的动力系数 μ

$$\mu = \frac{Y_D}{Y_S} = \frac{1}{1 - \left(\frac{n}{n_0}\right)^2} \tag{11-5-26}$$

式中　Y_D——强迫振动振幅；

　　　Y_S——自由振动的振幅。

在机墩设计中,动力系数 μ 一般取1.5,如计算结果小于1.5,为安全计仍取1.5。

6. 振幅验算

振幅验算公式为：

$$Y_D = A_i = \frac{-H}{M\sqrt{(\lambda_i{}^2 - \omega_i{}^2)^2 + 0.2\lambda_i{}^2\omega_i{}^2}} \tag{11-5-27}$$

$$\lambda_i = \frac{2\pi}{60} n_{oi} \tag{11-5-28}$$

$$\omega_i = \frac{2\pi}{60} n_{ii} \tag{11-5-29}$$

式中　M——动载质量,在垂直、水平振动中 $M = W/g$,在扭转振动中 $M = M_n = I_\varphi/g$,
　　　　M_n 为正常扭矩或短路扭矩;

　　　W——机墩每米周长上的垂直总荷载,包括自重、定子基础承重、发电机与母线层
　　　　传来荷重和下机架基础负重;

　　　H——扰力,即动荷载,在垂直振动中 $H = P_1$,P_1 为作用在机墩上的动荷载(包括
　　　　发电机转子连轴重、水轮机转子连轴重、励磁机转子重、轴向水推力),在水
　　　　平振动中 $H = P_2$,P_2 为水平离心力,在扭转振动中 $H = M_nR$,M_n 为正常扭
　　　　矩或短路扭矩;

　　　λ_i——自由振动圆频率;

　　　ω_i——强迫振动圆频率。

以上所求得的振幅不得超过下列规定值:垂直振幅长期组合不大于 0.1mm,短期组合
不大于 0.15mm;水平横向与扭转振幅之和长期组合不大于 0.15mm,短期组合不大于
0.2mm。

(三)静力计算

圆筒式机墩静力计算包括整体强度及局部拉应力、孔口应力验算等内容。

1. 整体强度验算

小浪底电站厂房机墩高 4.5m,机墩平均半径 $r_0 = 8.3$m,圆筒壁厚 5.0m,C30 混凝土,

泊松比 $\mu = 1/6$,系数 $\beta = \sqrt[4]{\dfrac{3(1-\mu^2)}{r_0{}^2 h^2}}$(式中 r_0 为机墩平均半径,h 为圆筒壁厚),机墩筒身

高度 $L = 4.5\text{m} < \dfrac{\pi}{\beta} = 10.9$m,属矮机墩,按下端固定、上端自由的单宽截条偏心受压构件计
算,即将所有的垂直荷载和弯矩化做对截条底部截面中心的弯矩和轴向力。

2. 拉应力验算

1)正应力计算

正应力计算公式如下:

$$\sigma = \frac{P}{A} \pm \frac{M_Z C}{I} \tag{11-5-30}$$

式中　A——机墩截条的截面面积,$A = h(b = 1)$;

　　　C——计算点至截面中心的距离;

　　　I——机墩截条截面的惯性矩,$I = \dfrac{1}{12} h^3$;

M_Z——距机墩顶 Z 处截面的弯矩；

P——垂直荷载。

2) 剪应力计算

(1) 圆筒式机墩受扭矩作用产生的剪应力，按两端自由的圆筒受扭公式计算。当圆筒无孔洞时，剪应力为：

当正常扭矩作用时

$$\tau_1 = \frac{M_n r_i}{I_P} \tag{11-5-31}$$

式中 M_n——正常扭矩，应乘以动力系数和材料疲劳系数；

r_i——计算点距圆筒中心的距离；

I_P——机墩截面极惯性矩，$I_P = \frac{\pi}{32}(D^4 - d^4)$。

当短路扭矩作用时

$$\tau_2 = \eta' \frac{M'_n r_i}{I_P} \tag{11-5-32}$$

$$\eta' = \frac{2\left[1 + \frac{T_a}{t_1}\left(1 - e^{\frac{-t_1}{T_a}}\right)\right]}{1 + e^{\frac{-0.01}{T_a}}} \tag{11-5-33}$$

$$t_1 = 30/n_p \tag{11-5-34}$$

式中 M'_n——短路扭矩；

η'——短路扭矩的冲击系数；

T_a——发电机时间因数；

n_p——发电机飞逸转速。

(2) 水平离心力引起的剪应力。正常转速下离心力引起的剪应力为：

$$\tau_3 = \frac{\eta_y C_p A_2}{\frac{\pi}{4}(D^2 - d^2)} \tag{11-5-35}$$

$$C_p = \frac{1}{\delta_2} \tag{11-5-36}$$

$$\delta_2 = \frac{L_3}{3EJ} \tag{11-5-37}$$

式中 η_y——疲劳系数，一般取 2.0；

A_2——离心力引起的水平横向振幅；

δ_2——机墩顶部由单位水平力作用时产生的水平变位。

飞逸转速下离心力产生的剪应力为：

$$\tau_4 = \frac{\eta_y P'_2 \mu}{\frac{\pi}{4}(D^2 - d^2)} \tag{11-5-38}$$

$$P'_2 = e n_p \omega^2$$

式中 e——机组转动部分质量中心与机组中心偏心距,m;

n_p——机组飞逸转速,r/min。

(3)扭矩振幅引起的剪应力:

$$\tau_\theta = \frac{\eta_y C_\theta A_3}{\frac{\pi}{32}(D^4 - d^4)} \tag{11-5-39}$$

$$C_\theta = \frac{1}{\phi_1}$$

式中 ϕ_1——单位扭矩作用下机墩的扭角;

A_3——扭矩振幅。

(4)有进人孔部位的剪应力计算。当短路扭矩作用时,按下列开口圆筒受扭公式计算剪应力:

$$\tau'_2 = \frac{\eta' M'_n(3l + 1.8h)}{l^2 h^2} \tag{11-5-40}$$

式中 l——机墩的中心周长。

当水平离心力作用时,剪应力按下式计算:

$$\tau'_3 = \frac{\eta_y C_p A_2}{\frac{\pi}{4}(D^2 - d^2) - f} \tag{11-5-41}$$

式中 f——进人孔面积。

扭矩振幅引起的剪应力按下式计算:

$$\tau'_\theta = \frac{\eta_y C_\theta A_3}{\alpha_F \times \frac{\pi}{32}(D^4 - d^4)} \tag{11-5-42}$$

式中 α_F——系数,α_F = (圆环总面积 – 进人孔面积)/圆环总面积。

(5)剪应力组合。一般控制情况为发生短路时:无进人孔时 $\tau = \tau_2 + \tau_3 + \tau_\theta$;有进人孔时 $\tau = \tau'_2 + \tau'_3 + \tau'_\theta$。

3)主拉应力验算

在垂直正应力 σ 和剪应力 τ 求出后,主拉应力按下式验算:

$$\sigma = \frac{\sigma}{2} - \frac{1}{2}\sqrt{\sigma^2 + 4\tau^2} \leqslant f_t/k \tag{11-5-43}$$

式中 f_t——混凝土抗拉设计强度;

k——混凝土抗拉安全系数,取 $k = 2.8$。

(四)机墩孔口应力验算

由于布置的要求,在机墩筒壁上开有 4 个通风孔(尺寸 0.86m × 0.86m), – X 向进人门(1.5m × 2.0m), – Y 向进人门(1.0m × 2.0m),其孔口配筋近似地将筒壁展开,按无限大平面上开圆孔的情况计算。

在垂直正应力 $\sigma = \dfrac{P}{A}$ 作用下,孔边应力最集中,最大压应力为 $\sigma_Z = 3\sigma = 1.8\text{MPa} < \dfrac{f_c}{r_d}$

$= 15/1.3 = 11.5\text{MPa}$，最大拉应力为 $\sigma_{X拉} = -\sigma = 0.6\text{MPa} < \dfrac{f_t}{r_d} = 1.5/2.0\text{MPa} = 0.75\text{MPa}$。

按构造要求在孔洞四周配置附加钢筋和在孔洞四角配置 45° 方向的构造钢筋。

(五)机墩的弹性稳定验算

小浪底电站水轮发电机机墩圆筒比较粗矮，刚度较大，对于弹性稳定无需计算。

四、定子基础结构设计

(一)荷载计算

1. 垂直荷载

垂直荷载包括：①发电机层风罩传来的荷载，包括发电机层荷载 P_A；②定子基础混凝土自重 P_B；静定部分设备总重 P_C，包括发电机顶盖总重、励磁机的定子重、上机架重、发电机定子总重、空气冷却器重，以及定子基础板、楔子板和钢轨等重。按定子基础数平均分担。定子基础沿环向对称布置，共 12 个。

2. 水平荷载

(1)正常扭矩(M_n)产生的水平力(切向)：

$$Q_1 = \eta \frac{2M_n}{mD} \tag{11-5-44}$$

式中　η——动力系数，取 $\eta = 1.5$；

　　　m——定子基础数目；

　　　D——定子线圈内径。

(2)三向短路扭矩(M'_n)产生的水平力(切向)：

$$Q_2 = \eta \frac{2M'_n}{mD} \tag{11-5-45}$$

(3)正常运转时，由于质量偏心产生水平离心力(径向)，质量偏心是铸件材料和加工技术误差产生的。该项质量包括发电机和水轮机的转动部分质量 m_1 和 m_2，分别计算如下：

$$m_1 = G_1/g \tag{11-5-46}$$

$$m_2 = G_2/g \tag{11-5-47}$$

式中　G_1——包括发电机转子连轴重、励磁机转子重；

　　　G_2——水轮机转子连轴重。

由 m_1、m_2 转化为水平离心力 P_1、P_2 如下：

$$P_1 = \eta e m_1 \omega^2 \tag{11-5-48}$$

$$P_2 = \eta e m_2 \omega^2 \tag{11-5-49}$$

由 P_1、P_2 进而可求出作用在定子基础的水平反力 R_A 如下：

$$R_A = \frac{P_1 h_2 - P_2 h_3}{h_1 + h_2} \tag{11-5-50}$$

式中　h_1——P_1 离上导轴承的距离；

　　　h_2——P_1 离下导轴承的距离；

h_3——P_2 离下导轴承的距离。

每个定子基础承受的径向力为：

$$R_3 = \frac{R_A}{m} K \tag{11-5-51}$$

式中　K——受力不均匀系数，取 $K = 2.0$。

(4)由正常转速到飞逸转速的瞬间，因质量偏心引起的水平力，包括切向力和径向力。当转速在 t 时间内由正常转速 n(或 ω)上升到飞逸转速 n_p(或 ω_p)时，质量中心平均切向加速度为：

$$a_t = \frac{(\omega_p - \omega) e}{t} \tag{11-5-52}$$

式中　t——由正常转速到飞逸转速的时间，取 $t = 0.2\text{s}$。

质量中心平均径向加速度为：

$$a_n = \omega_p^2 e \tag{11-5-53}$$

水平切向力为：

由发电机转子产生 $p_{1(切)} = \eta m_1 a_t$；

由水轮机转子产生 $p_{2(切)} = \eta m_2 a_t$。

水平径向力为：

由发电机转子产生 $p_{1(径)} = \eta m_1 a_n$；

由水轮机转子产生 $p_{2(径)} = \eta m_2 a_n$。

同样可求得 R_A 和每个定子基础所承受的切向力和径向力：

$$Q_4 = \frac{R_{A(切)}}{m} K \tag{11-5-54}$$

$$R_4 = \frac{R_{A(径)}}{m} K \tag{11-5-55}$$

(5)由发电机转子半数磁极短路时引起的水平力(径向)。半数磁极短路时的磁拉力 P 由厂家提供，由 P 可求出径向力 R_A，故每个定子基础受到的径向荷载为：

$$R_5 = \frac{1}{m} R_A \eta K \tag{11-5-56}$$

(二)应力计算

(1)定子基础应力 σ 的计算。

定子基础应力 σ 按下式计算：

$$\sigma = \frac{\sum P}{F} \pm \frac{\sum M_X}{W_X} \pm \frac{\sum M_Y}{W_Y} \tag{11-5-57}$$

式中　$\sum P$——作用于每个定子基础的垂直荷载总和；

F——每个定子基础的水平截面面积；

$\sum M_X$——绕 X 轴的弯矩代数和；

$\sum M_Y$——绕 Y 轴的弯矩代数和；

W_X、W_Y——对 X、Y 轴的截面抵抗矩。

(2)定子基础墩子的劈裂力的计算。

由组合的最大垂直应力 σ_{max} 得切向劈裂力为：

$$Z_\tau = \sigma_{max}\mu b_\tau h \tag{11-5-58}$$

径向劈裂力为：

$$Z_r = \sigma_{max}\mu h L_r \tag{11-5-59}$$

式中　μ——混凝土泊松比；

　　　h——墩子高；

　　　b_τ——墩子切向尺寸；

　　　L_r——墩子径向尺寸。

(三)配筋计算

(1)由切向劈裂力求径向水平钢筋面积 A_g：

$$A_g = \frac{KZ_\tau}{R_g} \tag{11-5-60}$$

式中　K——受拉钢筋强度安全系数；

　　　R_g——受拉钢筋设计强度。

(2)由切向水平力求径向水平钢筋,然后与(1)叠加。

(3)由径向劈裂力求切向水平钢筋面积：

$$A_g = \frac{KZ_r}{R_g} \tag{11-5-61}$$

(4)计算承受径向水平力的切向水平钢筋,然后与(3)叠加。

以上径向水平钢筋和切向水平钢筋分层布置。

垂直钢筋面积可取墩子面积的 0.3%~0.5%,沿墩子周边布置。

第六节　蜗壳外围混凝土结构设计

一、结构力学方法设计

(一)计算简图

蜗壳是水轮机的过流部件,它的尺寸与断面形状由制造厂家根据水力模型试验确定。小浪底水电站机组采用钢蜗壳,其安装中心高程为 129.0m,钢蜗壳上半圆铺设弹性垫层,内水压力全部由金属蜗壳承担,金属蜗壳本身的设计则由制造厂家承担,外围混凝土结构只承受结构自重和上部机墩传来的机组荷载和楼面荷载,荷载组合见表 11-6-1。

表 11-6-1　　　　　　　　钢蜗壳外围混凝土结构的荷载组合

荷载组合	计算情况	荷载名称		
		结构自重	机墩传来荷载	水轮机层活荷
基本组合	正常运行	√	√	√

根据《水电站厂房设计规范》(SD335—89),钢蜗壳外围混凝土结构的内力,一般选取几个控制断面,切取平面框架计算。所截取的断面一般为 0°、90°、180°包角线等处,而 0°截

面(蜗壳进口处)往往是控制截面。平面框架横梁(顶板)假定铰支于水轮机座环上,立柱(侧墙)的底端假定固定于大体积混凝土顶面,计算考虑框架剪切变形和节点刚性的影响。

小浪底水电站钢蜗壳外围混凝土结构体形和控制性剖面平面框架计算简图中,h_0 为该剖面处蜗壳直径,h_c 为该剖面处蜗壳顶板厚,l_0 为该剖面处蜗壳的径向深度,l_c 为蜗壳侧壁的厚度。表 11-6-2 给出了控制性剖面的横梁及立柱尺寸,由表中可以判断,控制配筋剖面为 1—1 剖面(0°剖面)和 3—3 剖面(90°剖面)。

表 11-6-2　　　　　　　　　　　　控制性剖面尺寸

剖面	h_c(m)	h_0(m)	l_c(m)	l_0(m)
1—1(0°剖面)	2.478	5.946	2.540	6.145
2—2	2.569	5.782	2.857	5.978
3—3(90°剖面)	2.661	5.598	1.703	5.792
4—4	3.031	4.846	2.335	5.03
5—5(180°剖面)	3.183	4.554	4.452	4.733

(二)计算条件

(1)机墩传下荷载:$\sigma_1 = 660$kPa,$\sigma_2 = 604$kPa。

(2)水轮机层活荷:$q = 40$kPa。

(3)材料参数。混凝土:C30;钢筋:Ⅱ级。

(三)内力计算公式与计算结果

蜗壳外围混凝土结构按等截面 Γ 形框架考虑节点刚性和剪切变形影响的内力计算,主要是计算一套考虑节点刚性和剪切变形影响的杆件形常数和载常数,然后按一般弯矩分配法计算杆件内力并进行截面设计。

1. 蜗壳顶板的固端弯矩 M^F 的计算公式

蜗壳顶板按照一端固定另一端铰接杆件计算。

(1)剪切变形影响系数 ρ':

$$\rho' = \frac{1}{1 + 0.705\left(\frac{h}{l_0}\right)^2} \tag{11-6-1}$$

式中　h——截面高度;

　　　l_0——柔性段长度。

(2)蜗壳顶板受局部或全部均布荷载 q。

B 端弯矩:

$$M_{BA}^F = \frac{2l_0^2 - d^2}{8l_0^2}\rho'qd^2(1+m) + \frac{1}{2}mqd^2 \tag{11-6-2}$$

(3)蜗壳顶板受三角形荷载 q。

B 端弯矩:

$$M_{BA}^F = \frac{5l_0^2 - 3d^2}{30l_0^2}\rho'qd^2(1+m) + \frac{1}{3}mqd^2 \tag{11-6-3}$$

(4)蜗壳顶板受集中弯矩 M。

B 端弯矩：

$$M_{BA}^F = \frac{3\rho'd^2}{2l_0^2}(m-1)M + \frac{3\rho'}{2}(m+1)M - M \tag{11-6-4}$$

2. 考虑节点刚性和剪切变形的常数计算

J 为杆件截面惯性矩，h 为截面高度，l 为柔性段长度，l_1、l_2 为左、右两端刚性段长度，E_h 为混凝土弹性模量，则常数 $J = \frac{1}{12}bh^3$（取 $b=1$），$i = E_h J/l$，$\alpha = l/h$，$m = l_1/l$，$n = l_2/l$。

(1)两端固定杆件的剪切变形模量影响系数 ρ：

$$\rho = \frac{1}{1 + 2.824\left(\frac{h}{l}\right)^2} = \frac{\alpha^2}{\alpha^2 + 2.824} \tag{11-6-5}$$

(2)一端固定另一端铰接杆件的剪切变形模量影响系数 ρ'：

$$\rho' = \frac{1}{1 + 0.706\left(\frac{h}{l}\right)^2} = \frac{\alpha^2}{\alpha^2 + 0.706} \tag{11-6-6}$$

(3)两端固定杆件的抗挠刚度：

$$\delta_{BC} = i(3\rho + 1 + 12m\rho + 12m^2\rho) \tag{11-6-7}$$

传递系数：

$$\gamma_{BC} = \frac{3\rho - 1 + 6(m+n)\rho + 12mn\rho}{3\rho + 1 + 12m\rho + 12m^2\rho} \tag{11-6-8}$$

(4)B端固定C端铰接杆件的抗挠刚度：

$$\delta_{BC} = i(3\rho' + 1 + 12m\rho' + 12m^2\rho') \tag{11-6-9}$$

传递系数：

$$\gamma_{BC} = 0 \tag{11-6-10}$$

(四)配筋计算

深受弯构件的正截面受弯承载力按下列公式计算：

$$M \leqslant \frac{1}{\gamma_d}f_y A_s Z \tag{11-6-11}$$

内力臂 Z 可按下列公式计算：

$$Z = (1 - 0.5\zeta_d)h_{db} \tag{11-6-12}$$

对于跨中截面，深受弯构件的相对受压区计算高度 ζ_d 按下列公式计算：

$$\zeta_d = (5 - l_0/h)(0.12 - 0.06\zeta) + \zeta \tag{11-6-13}$$

对于支座截面，深受弯构件的相对受压区计算高度 ζ_d 按下列公式计算：

$$\zeta_d = (5 - l_0/h)(0.14 - 0.08\zeta) + \zeta \tag{11-6-14}$$

深受弯构件的截面受弯计算高度 h_{db} 按下列公式计算：

$$h_{db} = h - \frac{1}{4}(h - h_0)(l_0/h - 1) \tag{11-6-15}$$

式中　M——弯矩设计值；

　　　γ_d——钢筋混凝土结构的结构系数，取 1.2；

f_y——钢筋的抗拉强度设计值；

A_s——纵向受拉钢筋的截面面积；

ζ——配筋特征值,对矩形截面,$\zeta = \dfrac{f_y A_s}{f_c b h_{db}}$;

h_0——按一般受弯构件集中配置纵向受力钢筋时的截面有效高度。

上述公式中,当 $l_0/h < 1$ 时,取 $l_0/h = 1$。

对于 1—1 剖面,平面框架横梁(顶板)的弯矩设计值为 2 910kN·m,最大弯矩截面的高 $h = 3.514$m,该横梁的计算跨度 $l_0 = 7.1$m,则 $l_0/h = 2.0$,计算出配筋面积为 $S = 4 000$mm²。

对于 3—3 剖面,平面框架(顶板)的弯矩设计值为 2 071kN·m,最大弯矩截面的高度 $h = 3.715$m,该横梁的计算跨度 $l_0 = 6.66$m,则 $l_0/h = 1.79$,计算出配筋面积为 $S = 2 708$mm²。

平面框架立柱(边墙)的控制截面为中点截面。对于 1—1 剖面,其 $M_{中} = 690$kN·m,$N_{中} = 1 916$kN,该截面宽 $h = 2.54$m,则最小应力为 $\sigma_{min} = 113$kPa,仍为压应力,故全断面为压应力,按构造配筋。对于 3—3 剖面,其 $M_{中} = 159$kN·m,$N_{中} = 1 778$kN,该截面宽 $h = 1.703$m,则最小应力为 $\sigma_{min} = 715$kPa,仍为压应力,故全断面为压应力,按构造配筋。

施工图蜗壳外围配筋为 Φ28@200mm/2Φ28@200mm,$A_g = 3 079$mm²/6 158mm²,边墙外侧配筋为 Φ25@200mm,顶板配筋为 Φ25@200mm。

二、三维有限元分析

(一)有限元模型简化和离散

根据小浪底水电站的结构情况及运行情况,三维有限元计算取 2# 机组段的蜗壳及尾水管结构和围岩为计算对象,向上游取 40m,向下游取 50m,机组底部岩石厚度取 40m,计算模型宽 26.5m。由于二期混凝土为一机一缝,一期混凝土为二机一缝,所以取分缝面为自由表面,其余各面均为垂直于该面的链杆约束。

机组的顶部取至机墩和母线层,高程为 139.0m。机墩顶部的风罩和发电机层板梁均简化为静荷载;母线洞洞内各母线电缆以及均布活荷也都简化为静荷载,母线洞两侧的岩石表面以及上游的 139.0m 高程岩石表面均假定受垂直的山岩压力作用。由于钢蜗壳上半圆铺设弹性垫层,因此计算时不考虑钢蜗壳与其周围混凝土的联合作用,内水压力的作用只是将自重通过钢蜗壳作用在底面混凝土上,且只考虑最大水击压力。不考虑水轮机上下座环环向约束作用,分别计算考虑和不计固定导叶对外围混凝土结构的支撑作用。在温度应力计算时,将混凝土结构简化为一个均匀温度场,整体升降。

在进行网格剖分时,对 2# 机组中的上下游操作廊道、尾水管底部廊道、交通廊道、楼梯井等空间结构按实际体形进行了剖分,并尽可能考虑到结构的受力特性,在应力集中处网格尽可能密些,并使每个洞口基本上有 3～4 个节点过渡,以免发生应力失真。在实际剖分时根据尾水管结构和机组结构的不同特点,在整体坐标系的基础上,对尾水管采用动态圆柱坐标系,对于蜗壳采用固定圆柱坐标系,各种坐标系的各计算剖面在形成超单元后其结点坐标都转化为整体坐标系下的坐标。固定导叶的模拟采用杆单元模拟,杆单元两端在上下座环混凝土块体的对应结点上与块体单元铰接,数目由上下座环对应的块体结点数目确定,杆单元的横截面面积可由固定导叶的总面积以及杆单元个数按结点的疏密分布折算。

在计算中不考虑固定导叶的支撑作用时,其剖分结点为 13 327 个,单元为 11 172 个。考虑固定导叶的作用时增加 132 个杆单元,使单元总数增加到 11 304 个。

在进行计算时,Ⅰ期混凝土标号 C25,Ⅱ期混凝土标号 C30。

(二)计算工况及其组合工况

1. 计算荷载

三维有限元分析研究所涉及到的基本荷载有以下几种:

(1)岩石自重。

(2)混凝土自重。

(3)发电机定子基础板垂直负荷,每块板上荷载为 $P_1 = 409kN$,共 12 块。

(4)突然断路时每块定子基础板的切向负荷 $T_1 = 1\ 057kN$,共 12 块。

(5)每块下机架基础板的垂直负荷 $P_2 = 3\ 060kN$,共 12 块。

(6)上机架作用到风罩上的总切向力 $T_s = 2\ 400kN$。

(7)顶起转子时每个制动器支墩的垂直负荷 $P_3 = 638kN$,共 12 块。

(8)制动时每个制动器的切向负荷 $T_2 = 12kN$。

(9)下机架每个千斤顶底座的最大径向负荷 $P_4 = 490kN$。

(10)风罩传下的荷载。

(11)蜗壳最大水击压力为 191m 水柱。

(12)尾水管最小水压力 – 1.5m 水柱。

(13)水轮机总净重 10 490kN。

(14)下游尾水管洞内水位 142.0m。

(15)下游尾水管洞外水位 135.0m。

(16)温度荷载:温降 12℃或温升 20℃。

(17)水轮机接力器荷载:每个 2 000kN。

2. 荷载组合

三维有限元分析共进行了 11 种工况的计算,研究了各种情况下钢蜗壳外围混凝土的应力情况。其控制工况为正常运用工况,荷载组合为:(2) + (3) + (5) + (6) + (10) + (11) + (12) + (13) + (14) + (15)。

其中内水压力作用分段考虑:①进水口高压钢管段不考虑内水对岩石的作用;②蜗壳段取最大水击压力 191m 水柱,只作用于蜗壳下半部;③尾水肘管及尾水管洞段内水位取 142.0m。

为充分研究蜗壳外围混凝土结构的承载特性,计算分析了不计固定导叶支撑作用和考虑导叶支撑作用两种情况下的应力特征分析。

(三)计算结果分析

(1)运行期不计固定导叶的支撑作用。从机组剖面应力计算结果可知,机组纵剖面内第一主应力基本为压应力,最大压应力值为 3.184MPa。在廊道的周边出现了较小的拉应力(0.45MPa),在水轮机安装高程(129.0m)平面上,上下游边墙出现了全断面受拉,最大拉应力为 1.515MPa,出现在蜗壳内壁,最小拉应力为 0.24MPa,出现在边墙外侧,顶板拉应力很小,约为 0.32MPa。机组横剖面内第一主应力均为压应力,最大压应力值 4.3MPa,在水轮机安装高程(129.0m)平面上左右边墙出现全断面受拉,最大拉应力为1.2MPa,出现在蜗壳内壁,最小拉应力为0.16MPa。水轮机安装高程平面上(129.0m高程平面),第一主应力均为压应力,最大压应力为1.5MPa。该平面第三主应力基本为拉应力,最大值4.5MPa发生在蜗壳末端与进口交会处的尖角处。综合以上可知,不计导叶的支撑作用,蜗壳上部结构通过边壁将上部荷载传到下部,所以在边壁的外侧出现拉应力。由于水击压力只加在蜗壳下半圆,所以在129.0m高程水压力突变处蜗壳内壁出现了较大的拉应力。

(2)运行期考虑固定导叶的支撑作用。从计算结果可以看出,考虑固定导叶作用后,结构内的应力有所改善,特别是在蜗壳外侧,该剖面蜗壳外侧的最大拉应力分别降低了0.035MPa、0.049MPa、0.055MPa,进口尖角处的应力也得到改善,最大拉应力降为3.92MPa,其他范围内的拉应力值都有所降低,但应力分布规律没变。

综合以上分析可知,钢蜗壳外围混凝土只在蜗壳内侧129.0m高程平面上出现了大于C30混凝土抗拉强度 $f_t = 1.5$MPa的拉应力,顶板和侧壁外侧的拉应力均远小于混凝土的抗拉强度,整个结构可按构造配置钢筋,在局部拉应力较大处适当加配受力钢筋。

三、构造设计

(一)灌浆

1. 座环部位灌浆

蜗壳与座环、蜗壳与水轮机顶盖支撑环之间的混凝土浇筑区都是很狭小的区域,对混凝土浇筑而言,是一个封闭区,浇筑难以达到理想的填充密实。为此,设有预留灌浆孔,待混凝土浇筑后灌浆填密,使蜗壳、座环和混凝土联合承载,以避免蜗壳、座环应力集中。灌浆压力的选择视蜗壳刚度和灌浆孔的布置等因素综合考虑,既保证每个孔控制的灌浆范围达到密实要求,又要避免蜗壳、座环产生的不利变形。小浪底蜗壳座环下环预留8个灌浆孔,对称布置,灌浆压力为0.1MPa。

2. 蜗壳下半圆灌浆

由于浇筑蜗壳外围混凝土时蜗壳内不充水,为确保蜗壳下半圆周边混凝土的密实,使两者能更好地结合,避免因蜗壳出现振动而导致机组出现不可挽回的后果,在蜗壳下半圆埋设灌浆系统。为防止灌浆上窜进入垫层,沿蜗壳周边设置了闭合的止浆片。

(二)混凝土浇筑

小浪底电站蜗壳外围混凝土结构,这部分混凝土单机的平面尺寸为26.5m×21.9m,垂直方向高9.5m,约为3 500m³混凝土,其中有通风井、楼梯井、吊物井、接力器坑和进人门等孔洞,结构的几何形状十分复杂,由下而上依次安装座环、蜗壳、水轮机顶盖支撑环、接力器坑、机坑里衬和进人门等水机设备。为确保混凝土浇筑时设备的稳定,并控制由混凝土水化热温升产生的温度应力,对蜗壳外围混凝土浇筑确定了以下原则:

(1)每一机组段蜗壳外围混凝土分层不分块,通仓台阶浇筑,台阶厚度为30cm。为防止液态混凝土浮力过大对蜗壳变位的影响,从混凝土接近蜗壳底部开始,尽量放慢浇筑速度,以不发生初凝为原则。混凝土浇筑顺序从蜗壳鼻端(包角)开始,逆时针方向(俯视)对称下料。为防止座环上12个溜筒受料能力不足而制约整个入仓强度,导致阴角部位混凝土初凝,座环内侧设受料平台,先将混凝土下到平台然后用锹入仓。

(2)蜗壳外围混凝土体积较大,必须进行温度控制,以防止混凝土产生温度裂缝,确保结构的整体性和耐久性。根据计算研究,混凝土入仓温度应控制在15℃以下,混凝土分层不能高于2.0m。

(3)混凝土分层浇筑,首先浇筑锥管外围混凝土和座环基础,然后浇筑125.0～134.5m高程的浇筑区,该区共分6层,分层高度为1.5m、2.0m、2.0m、1.5m、1.5m,每层间歇5～6d。水平施工缝按要求凿毛,增埋 Φ 16、纵横间距1.0m插筋。

(4)整个蜗壳外围混凝土浇筑完成达到28d强度后,进行蜗壳下半圆的灌浆。

第七节　地下副厂房、主变室结构设计

一、地下副厂房结构设计

(一)设计基本资料

1.计算说明

地下副厂房是小浪底地下厂房的组成部分,位于地下厂房左侧末端,右接安装间,长度30m,跨度25m,高度20.8m,主要应用于变配电、继电保护,并辅以试验运行、值班和贮藏之用。

地下副厂房总建筑面积3 001.20m²,为四层现浇钢筋混凝土框架结构。各层使用情况如下:141.50m高程布置6.1m宽的管道沟;144.75m高程布置变压器室、配电室、10kV高压配电室、高压实验室、起重工具室;149.00m高程布置蓄电池室、电缆夹层室、电气实验室、贮藏室;152.50m高程布置继电保护室、直流室、仪表、继保贮藏室;156.00m高程布置大空间,作为参观大厅使用。

2.计算条件和依据

(1)恒荷载:根据建筑设计要求,地下副厂房各层楼板面层均按防滑地砖考虑,其做法荷载标准值为0.68kN/m²,各层隔墙均按240mm双面粉刷砖墙考虑,荷载标准值为5.24kN/m²。

(2)活荷载:根据机电专业提供的设备荷载情况,以及《水电站厂房设计规范》(SD335—89)中附表1.2的规定,各层活荷载取值除卫生间为3kN/m²,二层蓄电池室为10kN/m²外,其余各房间及走廊、楼梯均采用4kN/m²。由于本建筑位于地下岩洞内,不考虑风雪荷载及地震力。

(3)荷载组合:采用基本组合。

荷载分项系数:恒荷载1.2,活荷载1.4。

3.设计基本数据

1)构件尺寸

根据建筑布置的要求,确定各层梁板柱布置尺寸(柱网尺寸5m×6m)如下。

梁:横向框架梁均为300mm×700mm,纵向框架梁3—A、3—E轴300mm×600mm,其他纵向连梁为250mm×500mm,局部250mm×650mm。

柱:3—1轴线柱为350mm×600mm,其他均为600mm×600mm。

板:各层楼板均为 100mm 厚。

2)材料选用

混凝土:基础 C30,其余梁、板、柱、楼梯均为 C25。

钢筋:梁柱主筋及基础配筋均为Ⅱ级,箍筋、板内钢筋均为Ⅰ级。

(二)计算方法和结果

1.基础设计

根据地形和荷载情况,确定中间落在管道沟内的一排柱采用独立基础,其余为两块无梁筏板基础。

独立基础根据地基强度确定基底尺寸,根据抗冲切、抗剪能力确定基础高度,根据抗弯能力确定基础配筋。对于不满足抗冲切要求的柱下板,经计算双向均需配置 6Φ22 附加弯起钢筋。

基础底板按弹性理论阶段计算法,近似地按双向交叉板条在板中心处挠度相等条件,受均布地基净反力作用,算出底板各部分的弯矩,由此算出配筋。

2.上部结构设计

上部结构计算采用中国建筑科学研究院研制的 PKPM 建筑结构程序进行计算。

另外为了加强整幢建筑与岩石底板和侧壁的整体联结,筏板基础上的柱均按构造配置了 4Φ22 锚筋,锚入基岩内 2 500mm,与岩壁相贴的框架柱,沿柱高每间隔 2 500mm 也按构造设置Φ20 锚筋,锚入岩壁内 3 000mm,角柱双向配置。

二、主变室结构设计

(一)设计说明

主变室与主厂房平行布置,其尺寸为 174.70m × 14.90m × 17.85m(长 × 宽 × 高)。其下游边墙有 19#、20# 高压电缆洞与之正交,根据电气布置情况,需要在主变室内、高压电缆洞底板高程位置布置电缆夹层,该电缆夹层采用预制预应力混凝土大梁结合现浇混凝土板结构,而混凝大梁支撑在上下游边墙上的岩壁牛腿上。

主变室为主体二层、局部三层的砖混结构,分别为 144.50m 高程层、150.5m 高程层(只在 3#、6# 机端变、35kV 厂用变处有该层)、156.05m 高程层。

(二)结构设计

上部结构计算采用中国建筑科学研究院研制的 PKPM 建筑结构程序进行计算。

1.144.50m 高程层

144.50m 高程层是在开挖高程 144.25m 的岩面上铺设 0.25m 厚的素混凝土。该层主要布置主变压器、机端变压器、35kV 厂用变压器等机电设备及事故排油沟、油泵房和主变压器运输轨道、地锚等。油泵房布置两台油泵和两个储油罐。荷载由机电专业提供。其中变压器每台重 2 000kN,地锚牵引力 150kN,储油罐充满油后每个重 130kN,油池底板(即油泵房底板)为现浇钢筋混凝土板梁柱结构。

2.150.50m 高程层

150.50m 高程层主要布置电气上的辅助设备。荷载主要为电气设备的重力。活荷载采用 10kN/m²。该层为现浇钢筋混凝土板梁结构,现浇板厚 0.12m,梁为矩形断面,尺寸为

$300mm \times 700mm$。

3. 156.05m 高程层

156.05m 高程层主要布置 220kV 干式电缆及管道出线,荷载由电气专业提供,活荷载为 $4.5kN/m^2$。其余为电缆及电缆敷设施工时的荷重。

该层为预制预应力钢筋混凝土大梁结合现浇板结构,预制预应力钢筋混凝土大梁两端简支在上下游悬臂牛腿梁上(悬臂牛腿梁顶高程为 155.00m)。在预制预应力梁上现浇厚 0.12m 的板,形成 156.05m 层,即 220kV 干式电缆层,预制预应力梁为 T 形断面,梁高 900mm,上翼缘宽 500mm,腹板宽 250mm。设计采用后张法施工。预应力筋采用预应力高强低松弛钢绞线 $7\phi5$, $d = 15.7$, $f_{ptk} = 1\,860MPa$,张拉控制应力 $\sigma_{con} = 0.70f_{ptk}$。混凝土采用 C40。计算结果为配筋 6 根 $7\phi5$ 钢绞线, $A_P = 900mm^2$,配置非预应力钢筋 $6\,\underline{\Phi}25(A_s = 2\,945mm^2$,为 YL - 1)或 $4\,\underline{\Phi}25(A_s = 1\,963mm^2$,为 YL - 2)在张拉过程中,预应力总损失 $\sigma = 300N/mm^2$。

4. 防火隔墙设计

主变室防火隔墙为砖墙。纵向防火隔墙为 370mm 厚的砖墙,横向隔墙为 240mm 厚加筋砖墙,墙体材料选用 MU10 砖、M7.5 水泥砂浆,墙体高度 11m,在纵、横向墙体交会处均设置构造柱,为了加强各个墙体的稳定性,在每道横墙中间增设两根构造柱,防火卷帘门两侧门柱亦伸至墙顶,并且在墙体设置三道圈梁,构造柱伸出拉结筋与墙体相连。

(三)主变室岩壁牛腿设计

1. 设计基本资料

1)地质条件

岩壁牛腿区域的岩石力学参数为:岩石的凝聚力 $C = 0.1MPa$;内摩擦角 $\varphi = 33°$。

2)荷载条件

主变室牛腿上部采用板梁结构,板上的荷载通过主梁以集中力的形式传给牛腿。根据电气布置情况及结构需要确定牛腿上部板梁的布置形式,通过计算后确定 $P = 200kN$ 为集中荷载设计值,另外应计入牛腿自重。

2. 牛腿形式的选择

由于电气布置及结构上的要求,预应力大梁间距不等,若采用单个牛腿方案,牛腿的布置就比较复杂,施工很不方便,并且在主变室下游边墙牛腿顶高程以上 1.0m 处有 19[#]、20[#] 高压电缆洞通过,牛腿布置在电缆洞下部,对牛腿的稳定性不利。采用岩壁牛腿作为主要支撑结构,不仅改善了牛腿的受力情况,增加了牛腿的整体稳定性,没有侧向稳定问题,而且施工也更为简便,因此选定连续式岩壁牛腿。

3. 岩壁牛腿设计

1)牛腿尺寸拟定及其配筋

(1)牛腿尺寸根据钢筋混凝土牛腿抗裂验算公式拟定。

(2)牛腿横向钢筋按钢筋混凝土结构中的短牛腿设计,其纵向钢筋近似按矩形截面梁设计。

2)牛腿的设计原则

(1)不计混凝土与岩面之间的黏结力,只考虑由正压力引起的摩擦力。

(2)牛腿上部锚杆按轴心受拉考虑,不承受剪切力;牛腿下部锚杆只起附加固定作用,不考虑承受外荷载作用。

3)锚杆的设计方法

这里先拟定固定牛腿的锚杆的布置方式见图 11-7-1,同时假定牛腿上部两排锚杆所受拉力与其到 O 点的力臂成正比。

设计采用以下两种方法计算锚杆的受力:

(1)力矢多边形法(受力分析见图 11-7-2)。

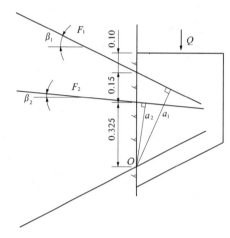

图 11-7-1　锚杆布置图　(单位:m)

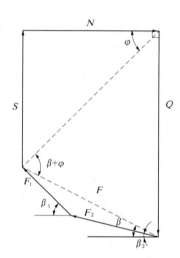

图 11-7-2　力矢多边形

由图 11-7-1 得:

$$F_1/F_2 = a_1/a_2 = n \tag{11-7-1}$$

由图 11-7-2 得:

$$F \cdot \sin(\beta + \varphi) = Q \cdot \sin(90° - \varphi) \tag{11-7-2}$$

$$N = F \cdot \cos\beta \tag{11-7-3}$$

$$F_1 \cdot \sin(\beta_1 - \beta) = F_2 \cdot \sin(\beta - \beta_2) \tag{11-7-4}$$

故得:

$$\beta = \arctan[(n \cdot \sin\beta_1 + \sin\beta_2)/(n \cdot \cos\beta_1 + \cos\beta_2)] \tag{11-7-5}$$

$$F = Q \cdot \cos\varphi/\sin(\beta + \varphi) \tag{11-7-6}$$

上部锚杆受力:

$$F_1 = F \cdot \sin(\beta - \beta_2)/\sin(\beta_1 - \beta_2) \tag{11-7-7}$$

下部锚杆受力:

$$F_2 = F \cdot \sin(\beta_1 - \beta)/\sin(\beta_1 - \beta_2) \tag{11-7-8}$$

岩壁承受正压力:

$$N = Q \cdot \cos\varphi \cdot \cos\beta/\sin(\beta + \varphi) \tag{11-7-9}$$

其中,$Q = P + W$,P 为牛腿荷载设计值,W 为牛腿自重。

(2)力矩平衡法。假定牛腿为一绕 O 点转动的刚体,根据图 11-7-1,由内外力矩平衡原则得 $\sum M_O = 0$,即

$$a_1 \cdot F_1 + a_2 \cdot F_2 - \sum M_{外} = 0 \tag{11-7-10}$$

得：
$$F_1 = n \cdot \sum M_{外} / (n \cdot a_1 + a_2) \tag{11-7-11}$$

$$F_2 = \sum M_{外} / (n \cdot a_1 + a_2) \tag{11-7-12}$$

4）锚杆倾角 β_1、β_2 的选择及计算结果

水电站地下厂房岩壁梁锚杆的倾角一般取 $\beta_1 = 25°$、$\beta_2 = 20°$，对主变室，由于其岩壁牛腿的横截面较小，若取 $\beta_2 = 20°$，则上部两排锚杆在岩壁内的距离太近，反而有可能由于施工偏差使其距离更小，从而影响锚杆正常发挥作用，因此在设计时取 $\beta_2 = 5°$。另外，由于主变室下游边墙岩壁牛腿顶高程以上 1m 处有 19#、20# 高压电缆洞通过，因而牛腿上排锚杆的倾角受到限制不能太大，否则锚杆将贯穿电缆洞的底板，因此拟定该部位 $\beta_1 = 5°$、$\beta_2 = 0°$，其他部位 $\beta_1 = 25°$、$\beta_2 = 5°$。同时，根据施工中普遍存在的严重超挖问题，确定把超挖 40cm 作为校核工况分别进行计算，计算结果见表 11-7-1。

表 11-7-1　　　　　　　　　　　　锚杆计算结果

设计情况	内力(kN)	计算方法				锚杆形式
		力矩平衡法		力矢多边形法		
		设计工况	超挖40cm	设计工况	超挖40cm	
$\beta_1 = 25°$	F_1	100	133	142	149	$\Phi32@0.75m$
$\beta_2 = 5°$	F_2	74	96	107	108	$\Phi32@0.75m$
$\beta_1 = 5°$	F_1	95	143	188	190	$\Phi32@0.60m$
$\beta_2 = 0°$	F_2	65	106	127	140	$\Phi32@1.20m$

5）锚杆锚入岩壁深度的确定

锚杆应锚入稳定的岩石中，这是岩壁牛腿安全使用的重要保证。目前，国内几个地下工程中的锚杆深度 L 大都采用挪威专家推荐的计算公式：
$$L = 岩石松动深度 + 25d \quad （d 为锚杆直径） \tag{11-7-13}$$
$$L = 0.15H + 2 \quad （H 为边墙高度） \tag{11-7-14}$$

公式(11-7-14)中只考虑了地下洞室边墙高度一个指标，这对于高大的地下洞室来讲，所算得的 L 值偏大。

根据挪威岩土所在几个电站中所做过的吊车梁现场试验，当围岩条件较好时，在离岩面不远的地方，锚筋的拉应力即减小到很小的数值，此时，锚杆不需太长；当围岩条件较差时，则可采用将离岩面较近的锚筋表面涂上沥青等方法，使锚杆的拉力传到较深层的岩体中去。

根据以上所述，牛腿上部锚杆锚入岩壁的深度采用等于或略大于该部位系统锚杆的锚固深比较合适。

小浪底主变室上下游边墙系统锚杆采用 $\Phi32@1.50m$，$L = 4.0m$、$6.0m$（长度 4.0m 与 6.0m 的锚杆成梅花形布置）。因此，主变室岩壁牛腿上部锚杆锚入岩壁的深度取 $L = 6.0m$；下部锚杆在设计时不考虑其承受外荷载作用，只起附加固定牛腿之用，其锚入围岩的深度、直径及间距，根据已建的白山、鲁布革等工程的经验及小浪底主变室围岩条件，决定采用 $\Phi25@0.75m$、$L = 3.0m$ 的锚杆。

第十二章　电站建筑设计

第一节　地下建筑物建筑设计

一、主厂房建筑设计

(一)主厂房建筑设计的定位及构思

1.建筑设计定位

小浪底水利枢纽是跨世纪的国家重点工程,亦是由世界银行贷款兴建的国际招投标工程。在设计与施工中,不仅运用了先进的科学技术和管理模式,而且使用了国际最先进的施工设备和观测仪器,使工程质量得到了可靠的保证。电站厂房是枢纽核心建筑之一,因而其建筑设计定位在国际化工业厂房的基点上,运用现代设计理念及表现手法,力求营造一个简洁、明快、安静、高效的现代化办公环境。

2.建筑设计构思

水利工程建筑,受其固有特性及传统观念制约,发展滞后。怎样才能使水工建筑与时代同步,在建筑造形上有所创新,在建筑上体现科学的发展与进步,是每个设计工作人员都要认真对待的问题。

水电站地下厂房封闭、沉闷、噪声大,因此建筑设计就要针对这些问题,有的放矢。小浪底地下厂房设计在建筑造形上力求简洁、明快,针对不同的功能及特性合理划分空间;在材料与色彩上强调统一、协调,采用高调冷调的和谐统一,选用白、深蓝、灰为母体色调,黄色点缀;墙面吸音铝板的有序排列及富有节奏感的窗灯、射灯及吊顶点状光源,使发电机层大厅的空间延伸感更加强烈,打破了地下洞室封闭沉闷的空间感觉。结合现代设计手法,通过设计语言使室内元件充满象征寓意。特别对厂房拱肩处的外露锚索墩头进行了中国风格浮雕处理,以画龙点睛之笔,突出了小浪底工程的国际技术及民族精神,将小浪底特有的工业成就以及中华民族所特有的建筑语言融汇其中。

厂房的噪声问题亦是设计的关键,水电站厂房中,水轮发电机、风机、调速器及桥机等在运行中都会产生噪声,而地下厂房深埋于岩体内,形成相对封闭的空间,内表面又是吸声系数较低的混凝土和水泥砂浆抹面,声波在洞室内多次反射,声能衰减缓慢,混响声级很强,因此同样容量、水头和加工安装精度的机组,在地下厂房的噪声就比地面厂房高。本设计中吊顶及墙面均选用吸音材料,有效地改善了噪声对厂房环境的影响。

(二)厂房装饰设计

1.设计原则

根据水电工程的特点和使用功能的要求,厂房装修分重点装饰部位和一般装饰部位。主厂房发电机层为重点装饰部位,设计中提高了装饰标准,其余部位按一般标准设计。

2.发电机层装饰设计

(1)楼面设计。主机段及安装间均采用规格为 600mm×600mm 的微晶玻璃人造石饰面,楼面所有吊物孔及楼梯孔的边缘均采用 300mm 宽蓝钻花岗岩收边。每台机组机坑边缘采用 600mm 宽蓝钻花岗岩收边。

(2)墙面装饰设计。厂房上下游墙面岩臂吊车梁以下,采用规格为 600mm×1 200mm 的米白色乐思龙微孔板,岩臂吊车梁部分采用米色三菱复合铝板。右山墙同岩臂吊车梁高程部分采用米色三菱复合铝板,其余部分采用规格为 600mm×1 200mm 的米白色乐思龙微孔板。

(3)墙裙装饰设计。主机段及安装间均采用高 1 800mm、规格为 600mm×900mm 的抛光蓝钻花岗岩饰面,且在 1 800mm 高以上加 450mm 高的银灰色三菱复合板腰线。

3.母线层装饰设计

(1)楼面装饰设计。主机段及安装间走廊、楼梯等采用象牙白色防滑地砖,规格为 400mm×400mm,其余房间采用水泥砂浆地面。

(2)墙面及顶棚装饰设计。均采用水泥砂浆抹面,外刷白色新型乳胶漆。

(3)踢脚及墙裙装饰设计。主机段墙面、柱面及安装间走廊、楼梯等采用 200mm 高象牙白色防滑地砖踢脚,其余房间采用 1 500mm 高墨绿色新型乳胶漆墙裙。

4.水轮机层装饰设计

(1)楼面装饰设计。主机段楼面、楼梯及安装间走廊、楼梯、备品备件室、回水泵控制室等采用象牙白色防滑地砖,规格为 400mm×400mm,其余房间采用水泥砂浆地面。

(2)墙面及顶棚装饰设计。均采用水泥砂浆抹面,外刷白色新型乳胶漆。

(3)踢脚及墙裙装饰设计。主机段墙面、柱面及安装间走廊、楼梯等采用 200mm 高象牙白色防滑地砖踢脚,其余房间采用 1 500mm 高墨绿色新型乳胶漆墙裙。

(三)主厂房顶拱吊顶设计

1.吊顶性能的基本要求

鉴于地下厂房特殊的环境条件,吊顶的设计必须满足以下基本要求:

(1)材料的力学性能优良、刚度大、变形小。

(2)抗渗及排水性能强。

(3)吸音、降噪。

(4)抗腐蚀能力强、经久耐用。

(5)燃点高,防火性能好。

(6)施工便捷、进度快、工期短。

(7)经济、美观。

2.吊顶形式的选择

根据厂房的开挖、喷锚支护现状及吊顶的性能要求,并借鉴了大量国内外已建和在建地下厂房吊顶资料,设计选用了轻型悬吊式结构吊顶,且着重选取 3 种方案进行了综合比较。

1)方案比较

a.压型钢龙骨加彩色压型钢板吊顶方案

优点:质量小、刚度大、结构安全可靠;抗渗排水能力强;防火防腐蚀性能好;使用寿命长;施工方便;吸音、造型美观、色彩丰富。

缺点:造价高,一次性投资大。

b. 塑料龙骨加玻璃钢吊顶方案

优点:质量小、刚度大;防水抗渗能力较强;材料加工、运输与安装均较方便;经济、美观。

缺点:抗腐蚀能力差,易老化;虽然一次性投资较小,但使用年限低,维护工作量大,且更换时影响机组正常运行。

c. 铝合金龙骨加铝合金波纹板吊顶方案

优点:质量小、刚度大;抗渗防腐蚀能力强;制作、运输和安装均较方便,施工进度快;结构安全可靠,使用寿命长。

缺点:造价较高,一次性投资大,色彩单一,视觉效果差。

经过综合分析比较,考虑到厂房顶部的长度(251.1m)及跨度(25.8m)均较大,且厂房顶拱支护锚杆、锚索及系统排水管的布置,制约了厂房顶拱吊顶锚杆的布置,使其间距不能太小,这就要求吊顶主龙骨有一定的强度和刚度。最终选择了钢龙骨加彩色压型钢板吊顶方案,充分体现了现代工业建筑新材料、新技术运用的特征。

2)吊顶剖面形式设计

为了便于洞室围岩稳定,小浪底地下厂房顶拱形状为3段圆弧的组合拱。吊顶剖面形式进行过弧线形、折线形及直线形三种方案的比较,分析认为弧线形吊顶最能与洞顶的开挖支护体形相协调,同时线条流畅,极具美感,且能够为桥机运行及检修提供最大的空间;中间向上拱起的弧线造型既利于排水又利于吸音,是最为理想的剖面体形。

吊顶弧线由三段圆弧组成,各段圆弧的半径及圆心角的确定均受控于吊顶的高度;吊顶高度的确定考虑到吊顶上部检修走道行人的空间要求,不能过高;又不能影响桥机的正常运行,不能过低。吊顶的中间弧段板采用双层复合镀铝锌压型钢板;两侧拱肩处吊顶板采用单层彩色镀铝锌压型钢板。

厂房上下游边墙岩壁吊车梁以上立板亦采用单层彩色镀铝锌压型钢板。吊顶典型剖面见图 12-1-1。

3. 吊顶布置

吊顶在平面上分为两段,一段为主厂房、安装间段,长度为247.55m,宽度为25.80m;另一段为副厂房段,长度为30.55m,宽度为24.60m;在横剖面上分为3部分:上游侧墙立板、下游侧墙立板及顶拱复合板,各部分受力自成体系。顶拱复合板通过拉杆、锚杆传力于顶拱岩体内;上、下游侧墙立板为单板,通过型钢连接件及喜利得螺栓将檩条固定在侧墙岩体上。

1)吊点布置

吊顶的吊点由锚入顶拱岩体内的锚杆外露端头焊接 φ22mm 的圆环而成。锚杆布置因受厂房顶拱支护锚杆、锚索及厂房系统排水管的影响,其横向间距为 2.7m,共布置 9 行,纵向间距为 6.0m,共布置了 42 列;锚杆为直径 25mm 的螺纹钢筋,锚杆长度为 2.0m。每个吊点连接 2~4 根拉杆。

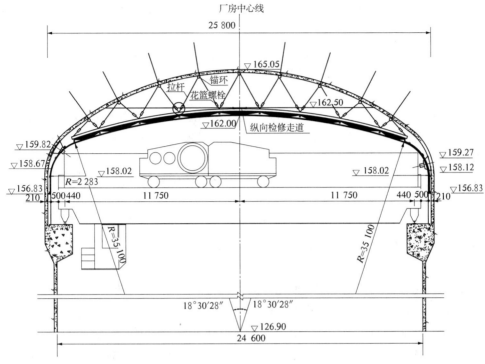

图 12-1-1 **吊顶典型剖面** （尺寸单位:mm）

2) 主次龙骨布置

考虑到吊顶的排水问题,将主龙骨沿厂房上下游方向布置,主龙骨间距 6.0m,次龙骨沿厂房轴线方向附设,间距 2.7m。

3) 拉杆布置

吊顶吊挂点沿主龙骨长度方向的布置间距为 2.7m,每个吊挂点设一个拉板,拉板又由 4 根拉杆分别拉向相邻的不同吊环。此种拉杆布置即使有 1 根锚杆失效,拉板吊点处仍有 3 根拉杆可正常工作。

4) 设备孔口布置

吊顶上的设备孔洞主要包括灯孔、通风孔及桥机检修孔。

灯孔布置在厂房主机段及安装间部分,横向行距 5.4m,纵向列距 6.0m,共 4 行、36 列,144 个孔洞。通风口按每台机 6 个布置,安装间部分布置 12 个,共 2 行、24 列,48 个孔洞。桥机检修空洞布置在安装间段,共设 3 个,其洞口尺寸分别为 1.0m×1.2m、1.0m×1.2m、5.5m×4.5m。桥机检修孔上设与吊顶板同种材料的活动盖板。

5) 走道板布置

在吊顶上部顶拱处仅设一道纵向贯通走道板作为主要交通道路,其宽为 0.9m。因复合吊顶板上可以上人,因此检修人员可到达任何检修部位。

4. 材料选择

1) 钢板

本工程设计推荐采用的是澳大利亚(BHP)高强镀铝锌材料,其型号为 G550,AZ150

(TD111)，即屈服强度为 560MPa，是 A3 钢强度(240MPa)的近 2.5 倍。

2)檩条(次龙骨)

采用 BHP 热浸锌檩条，防腐效果远远超过一般刷漆檩条，檩条基板采用高强钢，材料屈服强度为 460MPa，结构可靠，型号为 G450。

3)主龙骨

因地下厂房的跨度及长度均较大，故主龙骨选用刚度及强度均较高的普通碳素型钢，经计算分析比较，设计选用[20 槽形钢，且按设计尺寸冷弯成型。

4)拉杆、锚杆及其他

拉杆是由异形花篮螺栓充当的，并通过卸扣将花篮螺栓的底端与主龙骨吊挂点的拉板相连，顶端与锚杆的锚环相连。

锚杆采用环氧树脂或聚酯树脂卷锚杆。

5. 吊顶防腐、防水排水及吸音等主要性能设计

1)防腐

钢板的抗腐蚀能力是压型钢板使用寿命的关键，本工程设计推荐采用的澳大利亚高强镀铝锌材料，双面镀锌，镀铝锌合金防腐层为 55%铝、43.5%锌、1.5%硅，其寿命和防腐能力是国标标准 Z275 镀锌钢板的 4 倍。一般工业环境下，合金镀层寿命可达 40 多年，乡村环境 50 多年。1994 年由北美铝锌板厂家协会(NamZAC)和独立咨询机构 W.DavidBarker，P.E. 共同对 82 项使用铝锌钢板(无彩色涂层)的屋面工程进行了检查，其中有 50 项工程已使用 16 年，21 项工程已使用 20 多年，所有被检查的屋面均处于良好状态。

主龙骨及螺栓连接的钢构件均采用热镀锌；锚环及外露锚杆的防腐采用环氧富锌底漆及环氧沥青磁漆，焊接破坏部位应补刷防腐涂料。

2)防水及排水

复合板的顶层板选用 TD111 板，压型板的沟槽沿厂房的横向布置，使厂房顶拱渗漏滴水沿压型钢板沟槽流至岩壁吊车梁的排水沟内。压型钢板具有自防水能力，且自攻螺钉自带防水垫圈，板间拼接缝及自攻螺钉处采用密封胶密封。复合板的底层板选用彩色镀铝锌钢板，该板是在镀铝锌钢板镀层的基础上做 3 层烤漆而成，烤漆选用特殊聚酯漆，具有防火、耐磨和耐碱性能。色彩选用米白色。

吊顶在功能上不仅有上人要求，而且要满足照明、通风及桥机检修的要求。吊顶板上的灯孔、通风孔及桥机检修孔的四周均设有德太泛水，且在灯孔及通风孔的上方设有雨篷板。

3)吸音

厂房的侧墙及吊顶板均应考虑吸音，吊顶板的底层板设计成多孔吸音板，即在彩色压型钢板上穿孔。本电站厂房的噪声按 85db－A 进行控制。考虑到水电站地下厂房噪声是以低、中频为主，噪声评价数不应大于 N80，总声级不应大于 90db。复合板的顶、底层板之间设有单铝箔玻璃棉，玻璃棉由超细玻璃纤维制成，属于无机物，不发生腐烂，具有极佳的保温和吸音效果，同时又具有防火性能。单层铝箔在玻璃棉的顶面，以防其上的 TD 板结露。

二、主变室建筑设计

主变室为地下式,其开挖尺寸(长×宽×高)为174.7m×14.4m×17.6m。

(一)布置

1. 一层(144.50m高程)

在平面上自左至右主要布置了1#~6#变压器室、油设备室、泵房、楼梯间等。

2. 二层(156.05m高程)

布置了电缆夹层。

(二)交通组织

1. 水平交通

主变室的交通通道布置在下游侧,与33#交通洞相连,由33#交通洞进入17#进厂交通洞;电缆夹层与19#、20#电缆洞相通。

2. 竖向交通

主变室共布置有5部楼梯,其中两部为防火疏散楼梯,分别位于1#与6#变压器室旁,与电缆夹层相连。

(三)装饰设计

主变室的装饰设计以功能为主,本着履行节约的原则,按照一般标准进行装修。

1. 一层(144.50m高程)

所有房间、走廊、楼梯等均采用水泥砂浆地面,踢脚采用150mm高水泥砂浆踢脚,墙面为水泥砂浆打底外刷白色乳胶漆,顶棚做法同墙面。为了排除洞室围岩的渗漏水,隔绝潮湿气体的影响,以确保电气设备安全运行,改善运行管理人员的工作环境,隔墙采用GRC轻型挂板结构,挂板与端墙及隔墙处设置的构造柱相连,板面外为水泥砂浆打底,外刷白色乳胶漆。

2. 二层(156.05m高程)

为了防止渗漏水的影响及满足通风、照明的要求,电缆夹层吊顶设计采用玻璃钢轻型吊顶,其断面为拱形,龙骨采用型钢排架结构,施工简便快捷,四周隔墙采用GRC轻型挂板结构,板面外为水泥砂浆打底,外刷白色乳胶漆,地面为水泥砂浆地面。

(四)主变室吊顶设计

1. 吊顶功能要求

主变室顶拱设置吊顶,吊顶水平投影面积2 476.48m²。吊顶有以下功能:

(1)通风和排烟。主变室各防火分区里的通风和排烟,通过156.05m高程电缆夹层板上的开孔,用风道连接到吊顶上,与35#交通洞、3#通风竖井、19#及20#高压电缆洞一起,形成通风排烟系统。

(2)防潮。设置吊顶后,顶拱的渗漏水可通过设置在吊顶上的排水设施汇集到系统排水中排走,从而确保主变室的机电设备长期在干燥的环境中工作。

2. 吊顶材料选择

吊顶面板选用5mm厚自息(有机)玻璃钢板,要求厚度误差不超过±0.3mm,每块板宽度不小于1 200mm。钢材选用A3钢,焊条选用E43,螺栓选用普通螺栓。

3.结构设计

主变室顶拱吊顶采用门形钢架,考虑现场施工条件,按钢结构设计。门形钢架沿主变室长度方向间隔 3.0m 布置,支座固接在 156.05m 高程电缆夹层楼板上。荷载有玻璃钢板自重 0.12kN/m²,考虑检修,参照白山电站主变室吊顶,取 0.70kN/m²。计算采用平面杆系结构兼空间协调通用计算程序 GGG。经过计算,门形钢架选用 I22a,次龙骨选用 I14a。

第二节　地面建筑物建筑设计

一、地面副厂房建筑

(一)外部设计

该设计拟打破以往工业建筑的常规形象,整个建筑以"方形"为主体,局部采用"圆形"形体来衬托和点缀,使方形与圆形呈对比,主体建筑采用退台式的处理手法,与中央控制室、展厅等一层建筑高低错落,同周围起伏的山势相协调,强调了与自然环境的统一。

该建筑的体量较小,设计中追求简练的现代构成手法,注重了细部处理,在楼梯入口、楼梯顶部等采用了构架等处理形式,在线条处理上,以坚实的直线为主,并辅以局部和婉的曲线,刚柔并济。主体立面采用变异的开窗形式,这种开窗方法和建筑退台部位的雨篷造形一样,是将电机转子形式进行提炼和概括,作为建筑语言,融于建筑。

建筑物主楼外贴白色面砖,90 系列铝合金绿色镀膜玻璃推拉窗。主入口的弧形雨篷同圆形展厅外墙均采用乳白色塑铝板,各级退台处玻璃窗为隐框绿色镀膜玻璃幕墙。

(二)内部设计

内部设计分为粗装修和精装修两部分。精装修部分包括门厅及候梯厅、中央控制室、展厅,其余均为粗装修。

1.粗装修

(1)计算机用房(电源室、工程师室、培训室)、载波机室、通讯电源室、交换机室:地面采用 600mm×600mm 白色防静电地板,架空高度 250~300mm,踢脚板为 150mm 高木踢脚,外罩清漆;墙面与顶棚均采用混合砂浆外刷白色 ICI 乳胶漆。

(2)蓄电池室、药品库、天平室:地面采用 20mm 厚 150mm×150mm 防酸地板砖,颜色为白色;墙裙采用 1 200mm 高防酸面砖贴面;墙面采用水泥石膏砂浆打底,刷过氯乙烯油漆 9 道,漆成乳白色;顶棚为白色乳胶漆。

(3)会议室及走廊:地面采用规格为 500mm×500mm 浅粉色防滑耐磨地板砖,踢脚高 150mm,采用与地面同色同规格地砖;墙面做法为混合砂浆打底,外刷白色 ICI 乳胶漆;顶棚为 60 系列轻钢龙骨防火纸面石膏板吊顶,板厚 9mm,外罩白色 ICI 乳胶漆。

(4)电缆夹层:地面为水泥砂浆地面;墙面及顶棚采用混合砂浆打底外刷 106 涂料。

(5)其他房间及楼梯间:地面采用规格 500mm×500mm 浅粉色防滑耐磨地板砖;踢脚高 150mm,采用与地面同色同规格地砖;墙面及顶棚均采用混合砂浆打底,外刷白色 ICI 乳胶漆。

2.精装修

(1)门厅及候梯厅：地面采用规格 600mm×600mm 国产白麻，点缀以 200mm 宽翠绿花岗岩装饰条，波打线为 200mm 宽中国黑；踢脚板采用 200mm 高中国黑；墙面为 750mm 宽干挂西班牙米黄饰面，100mm 宽乳白色铝塑板收头；顶棚采用轻钢龙骨骨架，九厘板基层面饰乳白色铝塑板；电梯厅门为沙光不锈钢门，门套采用 180mm 宽大花绿花岗岩装饰；大门均采用红榉包面，80mm 宽红榉包门套的做法。

(2)展厅：地面采用规格 600mm×600mm 国产白麻，以紫砂红和翠绿花岗岩点缀其间组成图案，四周采用 200mm 宽中国黑做波打线；踢脚板采用 200mm 高中国黑；墙面以 750mm 宽干挂西班牙米黄花岗岩饰面，以 100mm 宽乳白色铝塑板收头；柱面做法同墙面；天棚通过双层有机玻璃采光罩采光，井字梁处刷白色 ICI 乳胶漆，四周用 1 200mm 宽乳白色铝塑板收边；电梯门为沙光不锈钢门，门套采用 180mm 宽大花绿花岗岩。

(3)中央控制室：中央控制室正对地面副厂房主入口处，在该侧墙壁上设计了大面积的 15mm 厚白色平板钢化玻璃通窗，既便于人们参观，又不妨碍工作人员值班，是对现代化水电站建筑设计的一种尝试；地面采用规格为 600mm×600mm 钢制防静电架空地板，架空高度为 300mm；踢脚板采用 150mm 宽木质踢脚，墙面贴白色铝塑板，顶棚为轻钢龙骨防火纸面石膏板吊顶，板外刷白色乳胶漆。

(三)地面副厂房室外广场景观设计

1.场地布置概况

地面副厂房位于三面开挖的山坳内，周围山岭高低起伏，蜿蜒透迤，山坳开敞一侧相邻的是比地面副厂房低 5m 的 220kV 开关站平台。

地面副厂房主要布置有中控室、继保室、变配电室、通信、技术分析等电站功能用房，还布置了供参观者、工作人员与地下厂房联系的电梯及候梯大厅，在候梯的同时，可以通过大厅内的展览图片等有关资料，了解小浪底电站的基本情况，游人还可在此稍事休息。

2.设计原则与指导思想

地面副厂房是水利枢纽的游客在参观了地下厂房及其他水工建筑物后而进入的能使身心得到休息的良好场所和驻足空间，因而在场区设计中应加以重视，以确保生产、旅游正常运行。

在设计中，将场地丰富的景观与道路相连，建立起良好视景关系，为游人赏景活动提供有节奏、有变化的赏景序列，通过硬质景观的布设、点缀与烘托，渲染场区环境，提高了环境与视觉质量。整个场地的美化工程采取"点"、"线"、"面"相结合，"线"即道路，为游人和车辆流通提供条件，"点"、"面"为游人赏景、休息和各种活动提供各具特色的性格空间和景观类型。

硬质景观是相对于植物的软质景观而言的，凡以硬质材料建造的各种设施均属硬质景观的内容。硬质景观的内容丰富，功能简单，对各种空间性格的形成不起主导作用，经过设计后能起到点缀、美化、烘托园林全体的作用，有利于空间性格的形成。因此，在场区硬质景观的规划设计中，应紧扣"点"、"线"、"面"三种空间类型展开。

游人在游览时，经过一系列的"线"形空间，而在每条线上又贯穿着一系列的"点"形空间，就像一根线上穿着一串珠子。基于这种总体思路，硬质景观及园路的规划设计在于充分体现每条"线"和每个"点"的潜在特性,根据不同空间不同功能的差异,创造各具特色的景观——空间效果。

3. 设计构思

1)交通组织与道路设计

地面副厂房整个场地平整开阔,为总体布置提供了良好的基本条件,在设计中考虑到工作人员及游览人员的停车要求,场区设置了大车及小车的停车场,建筑物四周留有不小于3.5m的消防通道,进入场地的三叉路口北侧路为进入通道,东侧路为出场通道,车流方向明确、顺畅方便,避免了交叉干扰,除了车行的混凝土道路外,在草坪中还设有卵石铺筑的小径,幽雅舒适。

2)环境绿化与美化

由于施工的原因,地面副厂房的场地周围山坡原有的植被被破坏了,展现在我们面前的是裸露的黄土、岩石及喷锚支护后的山体,在视觉感受上极不美观,因而在设计中采用的手法是遮盖不悦目景观,在周围山体壁面上,分层种植具有攀缘功能的植物,如长春藤、凌霄等,形成彩色的背景,使之犹如美丽的挂毯。

在平面场地绿化美化中,因地面副厂房功能简单,且场地范围不大,在设计中采用了简洁明快的手法,力求大手笔、高标准,遵循"少"就是"多"的原则,避免烦琐,种植低矮的观赏树木点缀于大面积草坪中,花池中种植花卉,品种不多但不单调。同时尽量扩大绿化面积,路边、建筑四周、围墙两侧种植上花草或绿篱,做到三季有花、四季皆绿。

3)硬质景观及小品设计

在整个设计中,以较为规整的格调,表现轴线的对称性与均衡感,防止视线外泄,利用地形、植物、建筑的建造功能,形成不同的性格空间,利用空间的跨度与转折,表现不同的层面特性,创造出立体与层次感。

场区入口位于进入地面副厂房的三叉路口,该处地形具有空间的转折特性。为避免刚进入场区的局促感,将路面扩大推后。随着视线的推进,在道路三叉口之后是大片草坪,首先进入视线的是与主题相呼应的"小浪底地面副厂房"标识牌,随视线的进一步推进,在园区的核心部位,设置一喷泉跌级水景,在水池设计上层次丰富、造型舒展,并与硬化广场和绿化草坪有机地衔接,随后,在经过了硬化广场的过渡空间后,进入了地面副厂房的主入口。

4)色彩设计

整个场区力求在色彩上简洁和谐,建筑主体本身及水池外表面均以白色、银灰为主,配以绿色植物衬托及少量各色花卉提神,使整个场区既典雅大方又显生动活泼。

二、电站油库建筑设计

油库位于13#公路与14#公路交叉口处273.00m高程的开挖平台上,整个场地呈椭圆形,考虑到经济合理性,其总挖填方基本平衡。

在场地平面布置上,主要考虑以功能为主,油库库房放在场地中央,配电中心、地下事故油池并列于场地尽端。油库库房周围全部为硬化路面,在道路布置上充分考虑了油罐车及消防车的环行要求。

由于油库位于消力塘北侧,在建筑设计上,充分考虑消力塘运用时的泥雾影响,其门窗、屋面、雨篷等均作了一定处理,墙面面层也采用了不易沾泥的面砖。建筑外观设计上,在充分满足功能要求的前提下,力求美观大方,为小浪底工程锦上添花。

油库库房总建筑面积为 640m²,中间为油处理室,中间布置有暗埋电缆沟,为方便地面清洗,两侧设有排水沟,烘干机室、配电室、工具间及值班室并列于其端头,室外两侧为透平油库、绝缘油库,周围为 500mm 厚的防火墙相维护,墙高 2.00m,其内各设 3 个油罐。

油库的配电中心建筑面积 80m²,由配电中心、备品备件库及值班室组成,其外立面造形与油库相协调,风格相仿。

室外还设有一容量为 100m³ 钢筋混凝土事故油池,埋置于地下。

三、电站其他附属建筑物

附属建筑物基本情况见表 12-2-1。

表 12-2-1　　　　　　　　　　　　　附属建筑物基本情况

建筑物名称	位　　置	建筑面积
电站油库	位于 13# 公路与 12# 公路交叉口处约 173.00m 高程开挖平台上,整个场地呈椭圆形	油库库房建筑面积 640m²,油库配电中心建筑面积 80m²
1# 通风竖井机房	位于 1# 通风竖井顶部	建筑面积 130m²
2# 通风竖井机房	位于 2# 通风竖井顶部	建筑面积 55m²
3# 通风竖井机房	位于 3# 通风竖井顶部	建筑面积 70m²
1# ~ 3# 电站尾水渠防淤闸启闭机房	位于防淤闸闸墩上半部	建筑面积 1#、4# 为 36m²,2#、3# 为 63m²
1# ~ 3# 排沙洞出口闸室启闭机房	分别位于 1# ~ 3# 排沙洞出口闸室上部	建筑面积均为 238.75m²

第三节　电站消防设计

一、设计原则

小浪底工程是黄河上大型水利枢纽,电站在系统中承担调频、调峰任务,故必须对其消防设计予以高度重视。在整个设计中贯彻"预防为主,防消结合"的工作方针,坚持"全面防范、加强重点、确保安全"的原则,对火灾危险性严重的场所必须加以重点防范,配备消火栓、水喷雾灭火设备,安装防雷、防爆、防静电、火灾自动报警装置等,布置必要的防火排烟系统及疏散通道。总之,以自防自救为主、外援为辅进行设计。采取积极可靠的措施预防火灾的发生,一旦发生火灾则尽量限制火灾的范围,尽快扑灭,减少人员伤亡和财产损失。

二、电站厂房及其附属建筑物布置

(一)地下主、副厂房

主厂房全长 220m,净宽 23.5m,通过 6 条母线洞与主变压器洞相连,发电机层高程为 144.5m,下游侧布置有励磁盘、机组保护屏等;母线层高程为 139.0m,机组段下游侧布置调速器及油压装置、发电机中性点设备,下游侧布置机旁动力盘、励磁变等,安装间段布置有高低空压机室;水轮机层高程为 134.5m,机组段布置有技术供水设备,安装场段布置有厂内公用油压装置、厂内中间油罐、回水泵房等;蜗壳层高程为 129.0m,布置厂内中间油罐、回水泵房等;蜗壳层高程为 129.0m,布置有机组检修排水泵房等。

根据规范规定,在主厂房发电机层各机组段及安装间上游侧墙布置有 SN65 型室内消火栓(消火栓栓口出水压力为 35m 水柱,水枪口径 19mm,麻质水龙带长 25m),以保证主厂房桥机以下部位起火时均有两股充实水柱同时到达。在母线层、水轮机层布置机电设备较多,有可能发生电气或油类火灾,为此在发电机层、母线层和水轮机层均配置一定数量推车式、手提式干粉和泡沫灭火器。

主厂房设有 2 台 2 500kN + 2 500kN 双小车桥式起重机,是机电设备安装、检修的主要起吊工具,根据桥式起重机行走的特点,在每台桥机上配置 2 台干粉灭火器,可由起重机司机直接操作灭火,以保证桥机设备和厂房拱顶的安全。

根据规范规定,主厂房火灾延续时间按 120min 考虑,其消防用水量为 180m³。

地下副厂房全长 30.55m,净宽 24.6m,布置在主厂房安装间的左端,分 4 层:一层(144.75m 高程)布置有 10kV 高低压配电室、地下厂房配电中心、高压实验室;二层(149.0m 高程)布置有蓄电池室、电气实验室、电缆夹层、蓄电池室;三层(152.50m 高程)布置有继电屏室及直流屏室、仪表室、值班室、休息室等;四层(156.0m 高程)为参观巡视大厅。根据规范有关规定,在副厂房各层设置一只 SN50 型消火栓(消火栓栓口出水压力为 35m 水柱左右,水枪口径 16mm,麻质水龙带长 20m),其充实水柱不小于 13m。每层除设消火栓外,还分别设置一定数量的手提式灭火器。

(二)主变室

主变室与主厂房平行在主厂房下游 32.8m 处,全长 171.5m,洞高 17.6m、宽 13.6m,分两层。底层与发电机层同高,对应每台机组设有一台 36MVA 的三相变压器,靠上游侧布置。另外在主变压器之间还布置有 2 台机端变压器及 2 台厂用变压器,主变压器洞下游侧为主变压器检修通道。各变压器之间均设有防火隔墙,其墙按一级耐火等级设计,并考虑防爆要求设计为 240mm 厚砖墙配筋砖砌体,完成厚度为 370mm,在每台变压器与检修通道之间设有防火卷帘门,并在其两侧设置闭式自动喷水灭火系统。

主变压器室上层为高压电缆层,高 6m,6 台主变压器的出线均采用 220kV 高压干式电缆,由两条高压电缆斜井(19#、20#)引至地面开关站。主变洞右端通过 44# 洞与主厂房连接,左端经 17# 交通洞与主厂房相连,并可由此直达洞外。

(三)母线洞

6 条母线洞上接主厂房,宽 7m,高 8.9m,母线洞地坪高程为 139.0m,布置有发电机母线、0.4kV 低压配电装置、6kV 高压配电装置、机组自用变及公用变,各母线洞之间设有联络通道,其中 1#、4# 母线洞可作为主厂房、主变洞的紧急疏散通道。母线洞与主变洞连接处均设有甲级防火门。

各母线洞灭火可启用主厂房上游侧墙或主变洞中消火栓,火灾初期可用配置的手提式和推车式灭火器。

(四)尾闸室

尾闸室与主变压器洞平行,在主变压器洞下游 24.3m 处,其宽度为 10.6m,布置了 3 扇尾水闸门及 1 台 2 500kN 台车式启闭机,尾水闸门洞可通过 34#、17# 交通洞与主变压器洞及主厂房相通,亦可由 17# 交通洞直达洞外。

三、电站厂房各生产场所火灾危险性分类

按《水利水电工程防火设计规范》(SDJ278—90)中第 2.0.2 条进行分类,本电站各生产场所的火灾危险性无甲类和乙类,以丙类、丁类为主,个别为戊类。

四、地下厂房防火分区及安全疏散

(一)防火分区划分

根据规范中有关"主厂房、泵房和高度在 24m 以下的副厂房,其防火分区最大允许占地面积不限"的原则进行划分。

防火分区有以下 4 个:①主厂房区(包括母线洞);②副厂房区;③主变室区;④尾闸室区。

(二)各防火分区的安全出口

规范规定,地下厂房发电机层应设 2 个通至屋外地面的安全出口,并至少有 1 个直通屋外地面。"进厂交通洞可作为直通屋外地面的安全出口,厂房出线或通风用的隧道可作为通至屋外地面的安全出口"。

基于以上规定,在主厂房发电机层设有 3 个出口,主要出口为厂房安装间通往 17# 交通洞的出口,直通屋外地面,另外,21# 交通洞位于厂房右端,也作为其安全出口;在厂房左端也可通过地下副厂房、8# 施工支洞通向地面。

地下副厂房区直通屋外的安全出口为 8# 施工支洞,另一安全出口为通往主厂房发电机层的出口,满足规范要求。

主变室区:主变室设有 33# 交通洞出口,经 17# 交通洞直通屋外地面,可作为第一安全出口,44# 交通洞通往主厂房作为另一安全出口,1# 和 4# 母线洞直通到主厂房作为另两个辅助安全出口。

(三)防火分区的分隔措施

主厂房与副厂房之间及主厂房与 21#、4# 交通洞之间的接口处各设有一道防火门,副厂房与 8# 施工支洞接口处也设有一道防火门,以保证安全疏散。

主变室与 17# 交通洞接口处均设有防火卷帘门,以保证各防火分区和重要疏散通道的安全。

主变室与母线洞各接口处均设防火门分隔。

(四)各个分区内部的交通系统

(1)主厂房内设 6 部楼梯从蜗壳层经过以上各层直通发电机层,楼梯净宽不小于 1m,坡度小于 35°。

(2)副厂房两端各设一部楼梯自上而下贯穿顶层至底层。

(3)主变室设有两部楼梯贯穿上下层。

(五)厂房对外安全疏散通道

本电站地下厂房设有 3 个直通地面的交通出口,分别是 17# 交通洞、8# 施工支洞和 21# 交通洞。

(1)17# 交通洞:布置在主厂房的安装间段,出口与 14# 公路相接,断面尺寸为 9.2m × 8.0m,是厂内主要对外通道,全长 520m,距主厂房不远是 18# 交通洞,有电梯及楼梯与室外地面通道。

(2)8# 施工支洞:位于地下副厂房端部 156.0m 高程,出口与 14# 公路相连。

(3)21# 交通洞:由主厂房发电机层通至孔板洞中间闸室电梯井,乘电梯或楼梯可直达坝顶。

五、地面副厂房

(一)概述

地面副厂房位于 235.0m 高程,为 4 层钢筋混凝土框架结构,200mm 加气混凝土砌块填充墙结构,总建筑面积 3 550m²。属二类建筑物,耐火等级为二级及二级以上,周围设有环形消防车道。

(二)防火分区及安全疏散

底层面积 1 600m²,各层走道净宽大于 1.8m,底层层高 4.2m,其余层高为 3.6m。各房间距疏散楼梯均小于 20m,本建筑设有 2 个楼梯及 2 部电梯。其中一个楼梯和一部电梯自顶层屋面经各层直通底层,另一个楼梯通三层经走道可上屋顶平台,而另一部电梯仅为下至地下厂房的 17# 交通洞。

(三)建筑布置

一层设置中央控制室、公用变压器室、公用配电室、蓄电池室、继电保护室等丙类危险类别的房间及其他丁、戊类危险类别的房间和附属房间;二至四层为丁、戊类危险类别房间的实验室及办公室。

(四)消防措施

(1)中央控制室、继电保护室、烟烙尽气体自动灭火系统及火灾自动报警系统,其灭火介质为惰性气体,对大气无污染,其他各层采用手提式干粉灭火器及消火栓,每层均布置 2 个 SN65 型消火栓,以保证每层均有两股充实水柱达到,消防水来自室外 290.0m 高程处的清水池。

(2)电缆夹层设置固定式水喷雾灭火系统。

(3)电缆进出各房间的孔洞均采用防火材料封堵。电缆竖井每层用混凝土板封闭和防火材料封堵。

(4)在地面副厂房外围设大于 4m 宽环形车道,设置 2 个 SS - 100 型室外消火栓、水泵接合器等。

参 考 文 献

[1] 罗义生,林秀山,等.泄水建筑物进水口设计.北京:中国水利水电出版社,2004
[2] 陈效国.黄河枢纽工程技术.郑州:黄河水利出版社,1997
[3] 电力工业部东北勘测设计院锚喷组.地下工程喷锚支护设计.北京:水利出版社,1981
[4] 谷兆祺.挪威水电工程经验介绍.泰比亚公司(挪威),1985
[5] 华东水利学院.水工设计手册:第七卷水电站建筑物.北京:水利电力出版社,1989
[6] 杨述仁,周文铎,等.地下水电站厂房设计.北京:水利电力出版社,1993
[7] 林秀山,沈凤生.小浪底工程后张法无黏结预应力混凝土衬砌技术研究与实践.郑州:黄河水利出版社,1999
[8] 陆佑楣,潘家铮.抽水蓄能电站.北京:水利电力出版社,1992
[9] 水利水电地下建筑物情报网.水利水电工程地下建筑物设计手册.成都:四川科学技术出版社,1993
[10] 顾鹏飞,喻远光.水电站厂房设计.北京:水利电力出版社,1987
[11] 水电站机电设计手册编写组.水电站机电设计手册·水利机械.北京:水利电力出版社,1983
[12] 沈杰.地基基础设计手册.上海:上海科学技术出版社,1988
[13] 华东水利学院.水工设计手册:第一卷基础理论.北京:水利电力出版社,1984
[14] 华东水利学院.水工设计手册:第二卷地质·水文·建筑材料.北京:水利电力出版社,1984
[15] 华东水利学院.水工设计手册:第三卷结构设计.北京:水利电力出版社,1989
[16] 华东水利学院.水工设计手册:第六卷泄水与过坝建筑物.北京:水利电力出版社,1987
[17]《建筑结构设计综合手册》编制委员会.建筑结构设计综合手册.郑州:河南科学技术出版社,1990